Heiner Müller
Werke 4

Herausgegeben von Frank Hörnigk
in Zusammenarbeit mit der
Stiftung Archiv der Akademie der Künste, Berlin
Redaktionelle Mitarbeit:
Klaus Gehre, Barbara Schönig und Marit Gienke

Heiner Müller
Die Stücke 2

Suhrkamp Verlag

© Suhrkamp Verlag Frankfurt am Main 2001
Alle Rechte vorbehalten, insbesondere das des öffentlichen
Vortrags sowie der Übertragung durch Rundfunk und Fernsehen,
auch einzelner Teile.
Kein Teil des Werkes darf in irgendeiner Form
(durch Fotografie, Mikrofilm oder andere Verfahren)
ohne schriftliche Genehmigung des Verlages reproduziert
oder unter Verwendung elektronischer Systeme
verarbeitet, vervielfältigt oder verbreitet werden.
Satz: jürgen ullrich typosatz, Nördlingen
Druck: Druckhaus Nomos, Sinzheim
Printed in Germany
ISBN 978-3-518-40896-4

3 4 5 6 7 8 - 14 13 12 11 10 09

Die Stücke 2

PROMETHEUS

Nach Aischylos

PERSONEN

Prometheus
Kratos und Bia
Hephaistos
Okeanos
Io
Hermes
Chor

KRATOS UND BIA Ans Ende sind wir gekommen der Welt
Von Menschen leer. Deine Arbeit, Hephaistos
Mußt du jetzt ausführen, die der Vater befohlen hat
Zeus, an den Fels schlagen den da
Mit unlöslichem Eisen das Fleisch
Das sich empört hat
Und beraubt dein Feuer
Das allgeschickte
Menschen zum Gebrauch
Damit er lerne des Zeus Herrschaft
Und aushalten den Stolz
Und die Liebe zu Sterblichem
Fleisch an Stein.
HEPHAISTOS Für dich dein Auftrag
Hat ein Ende also, und nichts mehr zwischen
Mir und meinem Auftrag. Aus dem Griff
Deiner Fäuste entlassen in meine Hand
Ist der Verwandte.
Wie kann ichs aber
An den Berg binden roh in harten Winter
Weil er das glänzende nahm, mein Feuer
Und seinen Gebrauch weiß, diesen?
Das muß ich jetzt tun.
Nicht achten nämlich des Zeus Wort
Ist schwer und nicht
Trägt das mein Rücken, mit Arbeit krumm.
Sohn der Themis, viel planender, unwillig
In haltbarer Fessel dich Unwilligen jetzt
Werde ich aufhängen an dieser Gegend
Damit nicht Stimme noch Gestalt
Von Sterblichen du weißt mehr, sondern verbrannt
Von der Sonne mit gleißendem Licht
Deiner Haut vergeht die Blüte. Dir nicht
Zur Freude die bunt gewandete Nacht wird

Über das Licht gehn, noch die Sonne
Essen den Tau, und bei dir immer
Dein Schmerz und im Herzen die Kränkung. Denn
Der dich befreit
Ist nicht geboren.
Solchen Gewinn
Aus deiner Liebe zu Sterblichen hast du
Der vom Himmel gepflückt hat
Nicht achtend Götterzorn
Verbotenen Vorteil ihnen.
Für das den unerfreulichen den Berg jetzt
Wirst du bewachen
Aufrecht, schlaflos, nicht beugen könnend das Knie
Viel schreiend aber
In kein Ohr. Denn unausweichlich
Herrscht Zeus, in harter Herrschaft. Denn lang noch nicht
Übt er die.

KRATOS UND BIA Was flennst du zwecklos
Willst du nicht hassen den Götterfeind?
Ausgeliefert was dein ist Sterblichen hat er.

HEPHAISTOS Mein Bruder ist er. Das
Macht mich langsam.

KRATOS UND BIA Mehr als lieben den magst du fürchten
Des Vaters Zorn.

HEPHAISTOS Frech warst du immer
Im Herzen roh.

KRATOS UND BIA Wen heilt dein Klaglied? Nicht zu nichts
Brauch deine Stimme.

HEPHAISTOS O Handwerk, vielmal mir verhaßt
Für solche Übung.

KRATOS UND BIA Verachte das nicht. Ist aus deiner
Kunst sein Unfall?

HEPHAISTOS Wär sie eines andern.

KRATOS UND BIA Last ist alles, außer den Göttern
Herr sein. Frei nämlich ist Zeus allein.

HEPHAISTOS Das weiß ich nun, und nichts mehr
Entgegen sagen kann ich.
KRATOS UND BIA Wirst du die Fessel dem antun also
Schnell, daß dich nicht langsam sieht der Vater.
HEPHAISTOS In meinen Händen das Erz mag er ansehn.
KRATOS UND BIA An den Berg nagle, kleid mit dem Hammer
In sein Kleid ihn.
HEPHAISTOS Das wird jetzt, und nichts hilft heraus mehr.
KRATOS UND BIA Stärker schlag, enger bind ihn, geschickt
Wo kein Ausweg ist, den Ausweg
Findet der.
HEPHAISTOS Eher den Berg bewegt
Als diesen, den Arm, er.
KRATOS UND BIA Den andern jetzt. Damit er lernt, der
Schlaukopf, Zeus denkt schneller.
HEPHAISTOS Mit meinen Händen. Und keinen Tadel mehr
Verdient von ihm das Werkzeug.
KRATOS UND BIA Den Keil durch die Brust jetzt treib ihm
Mit Gewalt.
HEPHAISTOS
Ah Prometheus! Hör mich beschrein deine Qual.
KRATOS UND BIA Zauderst du wieder, bejammerst neu
Des Zeus Feind? Daß du nicht um dich weinst, sorge.
HEPHAISTOS Ein Bild, mit Augen nicht anzusehn, seh ich.
KRATOS UND BIA Ich seh erlangen den das Verdiente.
Jetzt um die Seiten wirf das Erz ihm.
HEPHAISTOS Zu tun das ist Zwang
Von Zeus. Treib du mich nicht an.
KRATOS UND BIA Mehr dich antreiben werd ich
Da dus brauchst. Schmied um die Beine ihm den Ring
jetzt.
HEPHAISTOS Getan ists, und nicht mit großer Mühe.
KRATOS UND BIA Die Füße durchbohr ihm kräftig
Mit dem Stachel. Genau blickt
Das auf unsre Arbeit sieht, das Auge.

HEPHAISTOS Deiner Gestalt sehr gleich bellt die Stimme.

KRATOS UND BIA Zeig du dich mild. Mein Hartes
Wird nicht getadelt noch meines Zornes Dichte.

HEPHAISTOS Laß uns fortgehn. Ganz in meiner Arbeit
Hängt er befestigt.

Ab.

KRATOS UND BIA Hier jetzt übe du
Deinen Trotz, und Raub an Göttern.
Von deinen Qualen wieviel werden Sterbliche dir
Abschöpfen?
Brauch die gepriesene, deine Vorsicht.
Wälz dich heraus aus dieser Kunst.

Ab.

PROMETHEUS Himmel der Götter, und mit schnellem Flügel
Ihr, Winde. Quell, Fluß und des Meeres
Wellen, die ohne Zahl gehn.
Erde, kreisende Mutter, und oben
Dein, Sonne, allsehendes Rund.
Seht, was von Göttern ich leid, ein Gott, zertrümmert
Mit solchen Mißhandlungen und gehalten
In die tausendjährige Zeit
In der schmählichen Fessel.
Das hat für mich erfunden der neue
Herr der Unsterblichen.
Das gegenwärtige Leid
Und das kommende schrei ich. Wo wird auftauchen
Meinem Elend die Grenze?
Was klag ich. Weiß ich doch was kommt
Genau, und nicht mir ungewohnt
Wird die kommende Qual sein. Das recht Erworbene aber
                                  muß man tragen
Als Leichtes. Aber zu schwer
Ist Stummsein. Des Feuers Quelle nämlich gestohlen
                                    habend

Mit meinen Händen den Sterblichen brachte ich
Grund aller Künste. Das bezahl ich jetzt
Unter dem Himmel befestigt mit Nägeln.
Was kommt unsehbar? Gott, Mensch, oder von beiden
Zu meinem, der Erde letztem Berg, zu sehn
Meine Leiden oder zu mehren die?
Seht gefesselt mich unglücklichen Gott
Zeus Feind und in den Haß gekommen
Aller die gehn in seinem Himmel
Wegen zu großer Liebe für Menschen.
Was für Geräusch wieder
Beinah wie von Vögeln, der Himmel von leichten
Schlägen der Flügel saust, schrecklich
Jedes mir, das herankommt.

CHOR Nichts fürchte. Dir freundlich
Komm ich auf schnellem Wind
Im Schwarm der Flügel. Der Schall nämlich
Von Stahl ging durch das Eingeweid
Meiner Höhlen, heraus
Schlug er meine ernst blickende Scham
Ungeschuht auf geflügeltem Fahrzeug her kam ich.

PROMETHEUS Töchter der viel gebärenden
Thetis, und des Okeanos, der um die ganze
Erde mit nicht ermüdendem Fluß geht, seht, ihr
In welcher Fessel am steilen Felsen den Abgrund ich
Bewache, unbeneidet.

CHOR Ich seh, Prometheus
Und meinen Augen furchtbar im Rauch aus Tränen dicht
Schrumpft am Felsen deine Gestalt, befestigt
Mit dieser stählernen Beschimpfung
Weil im Olymp neu das Steuer hält
Und herrschend mit frischen Gesetzen
Das vor ihm Gewaltige jetzt vernichtet Zeus.

PROMETHEUS Hätt er doch

Einem Gott nicht noch andern zur sichtbaren Freude
Unter den Boden mich der die Toten hält, eingetaucht
Grenzlos, in ganz überdauernder Fessel.
Jetzt aber ein luftiger Spielball ich Unglücklicher
Meinen Feinden Erfreuliches leide ich.

CHOR Wer ist im Herzen von Göttern schlimm genug, dem
Das gefiele. Wen über das Leid, das deine, färbt nicht
Zorn mit, Zeus ausgenommen. Mit Vorsatz
Zwingt das himmlische Geschlecht und nicht aufhören
                                   wird der
Eh das Herz ihm satt ist oder andre Hand
Die schwer zu fangende, die Macht, nimmt.

PROMETHEUS
Freilich sehr brauchen wird der Leiter der Seligen
Mich Mißhandelten mit mächtiger Fußfessel
Ich weiß es nämlich, von wem
Er aufhört, aus der Macht geworfen und beraubt
Der Ehren, die er schmeckt
Und mich nicht mit Gesängen honigzungig
Wird er bezaubern und niederducken vor seinen
Schrecklichen Drohungen werde ich nicht so weit
Und es aussagen, eh mich er losläßt
Aus der Fessel und Strafe zahlen
Für diese Schmach will.

CHOR Frech bist aber und nicht herauskommen
Aus dem Bitteren wirst du, allzu sehr
Führend ein freies Mundwerk. Furcht
Stachelt mein Herz, dein Geschick
Denkend. Wenn du das so treibst, wo von diesen Leiden
Wirst du haben ein Ziel, unerreichbar ein Herz auf
                              solchem Weg hat
Zeus, Kronos Sohn.

PROMETHEUS Ich weiß es, hart ist und aus ihm selber
Alles Recht nimmt der. Aber gänzlich

Sanft wird er sein, wenn er scheitert, und den so
Unerbittlichen wird er, den Zorn, bedecken
Mit Freundschaft eilig und Liebe mir.

CHOR Willst du nicht aufdecken ganz und mir es sagen
Wenn sagen die Qual nicht mehrt, mit welcher
                              Beschuldigung Zeus dich
Quält am Felsen.

PROMETHEUS
Schmerz ist beides, Reden und Schweigen, Freude nichts.
Als bei Göttern aufkam gegeneinander
Zorn, wollten vom Stuhl werfen Kronos welche
Daß Zeus herrsche oben, die andern stiegen in Blut
Daß nie der hochkomm zu herrschen, dafür. Ich
Riet das beste. Doch überreden
Des Himmels und der Erde Kinder, die Titanen
Konnte ich nicht, mißachtend meine schlaue
Kunst mit Gedanken gewaltsam, glaubten die
Mühlos zu steigen durch Roheit.
Ich wußte von der Mutter aber, Themis und Gaia, der
                              einen
Vielnamigen, vorher was kommt: Daß die Listigen siegen.
Aber mein Wort nicht hörten die, sahn
Nicht das Ganze. Bei solcher Lage schien
Das beste mir, der Mutter folgend, zu gehn
In die Partei des Zeus. Auf meinen
Rat im schwarzen und tiefen
Loch des Tartaros den alten
Kronos mit seinen Mitkämpfern versenkten wir.
Mit solchen Übeln lohnt mir das nun
Der Götter Tyrann. Diese Krankheit nämlich
Wohnt in Tyrannenherrschaft
Den Freunden nicht zu folgen.
Was ihr nun fragt, welcher Schuld wegen
Der mich quält, das will ich auch lautmachen.

Auf den Thron gesetzt, des Vaters, gleich
Teilte er Göttern zu ihren Anteil, verschiednen
                Verschiednes, und Herrschaft.
Für die Sterblichen, die mühsalduldenden, aber
Hat er kein Wort, sondern vernichten ihr Geschlecht ganz
               und wachsen lassen ein neues
Wollte er. Entgegen trat dem
Außer ich niemand. Ich wagt es, half den Flüchtigen
Aus der Zerschmettrung in den Hades.
Daher mit solchen Leiden
Steh ich gekrümmt. Der die Menschen vorangestellt
Im Mitleiden hat, selber nun ohne Mitleid von einem
Dem Zeus ein Schaubild nicht zum Ruhm.

CHOR Eisernen Sinnes und aus Stein gemacht ist
Wer, Prometheus, an deinen Qualen nicht
Teil hat, mit aufschäumend. Nie das zu sehn
Hab ich gewünscht, und sehend schmerzt mein Auge.

PROMETHEUS Den Freunden allerdings bin ich ein Dorn.

CHOR Gingst du hinaus nicht über das, tatst andres?

PROMETHEUS
Den Menschen gab ich, nicht mehr zu sehn was kommt.

CHOR Was für ein Mittel fandst du dieser Krankheit?

PROMETHEUS Hoffnungen pflanzt ich unter ihnen, blinde.

CHOR Großen Nutzen gebracht den Menschen hast du.

PROMETHEUS
Das Feuer allerdings auch verschaffte ich ihnen.

CHOR Das funkelnde also jetzt besitzen die Kurzlebigen?

PROMETHEUS Von dem sie viele Künste lernen werden.

CHOR Solcher Vergehen wegen also Zeus dich –

PROMETHEUS Quält am Stein, ja, und nicht losmachen will.

CHOR Kein Ziel gesetzt ist deiner Arbeit, dieser?

PROMETHEUS
Keines. Außer wenn ihm es gefällt, das zu enden.

CHOR Wie soll das gefallen dem? Wo hast du

Hoffnung? Daß du gefehlt hast, siehst dus nicht?
Deinen Fehler zu sagen, nicht Vergnügen
Ist mir das, Schmerz dir. Aber dieses
Wollen wir stehen lassen. Den Ausweg
Suche du.

PROMETHEUS Leichter Zunge, wer außerhalb den Fuß hat
Kann ratgeben dem Einwohner der Leiden.
Auch hab ich gewußt dies alles vorher. Nach meinem
Willen hab ich gefehlt, nicht leugn ich das, freiwillig
Den Sterblichen Helfer fand ich Leiden selbst
Nicht glaubend freilich, daß in solcher Fessel
Am schwebenden Felsen hoch ich schrumpfen werd
Ein Land ohne Nachbarn mein einsamer Anteil.
Doch nicht das Gegenwärtige sei beklagt mehr.
Was herankommt, höre du jetzt, den Fuß am Boden
Von mir so Erhöhtem, damit du weißt
Das ganze und lernst, leidend mit mir
Jetzt Leidendem: schnell beweglich die Mühsal
Setzt vom einen zum andern in der Zeit sich.

CHOR Taub nicht, Prometheus
Findet dein Wort mich, mit leichtem
Fuß den schnellen Sitz und die Straße der Vögel verlaß ich
Auf spitzem Boden das zu hören ganz.
Okeanos.

OKEANOS Ich komme, der langen Reise Ziel
Du bists, Prometheus. Den flügelschnellen
Hab ich gelenkt, diesen Vogel
Mit Gedanken ohne Mund
Gedrängt von Verwandtschaft, dein Geschick
Fühlend. Wär die nicht, in meinem
Herzen wohnte doch über dir keiner
Das wisse als wahr. Und nicht für nichts bei mir
Ist das Freundlichreden. Anzeig mir also
Was man dir helfen muß, denn niemals

Wirst du sagen, daß von Freunden einer
Sicherer war als dieser, Okeanos.

PROMETHEUS

Was für ein Zeug. Auch kommst gewiß du, du auch
Als Beschauer meiner Leiden. Wie hast du gewagt,
                              warum, verlassend
Deinen gleichnamigen Strom, und die sich selbst gebaut
                              hat
Mit Felsen getürmt, deine Höhle, zu des Eisens Mutter,
                              hierher
Zu kommen auf mein Land? Zu bereden etwa
Mit Worten mein Geschick, den Zorn zu schmecken?
                              Sieh an
Mich Schauspiel, den Freund des Zeus, der
                              mitaufgerichtet
Hat des Tyrannen Herrschaft, mit welchen Qualen der
Mich biegt.

OKEANOS Ich seh, Prometheus, und raten dir
Will ich das beste, wenn du auch schillernd bist
Erkenne dich selbst und ändre das Wesen um, deines
Zum Neuen, weil neu auch über den Göttern ist ein Herr.
Wenn so rauh nämlich und scharf die Worte du
Wirfst, leicht mag hören die auch oben
Thronend Zeus so, daß aus dem jetzigen Zorn die Leiden
                              dir scheinen
Kinderspiel. Laß, Drangsaldulder, deinen also
Den du hast, den Zorn, such die Befreiung.
Staubiges schein ich vielleicht dir zu sprechen
So sprechend. Aber das Handgeld merkst du ja der allzu
                              steilen
Zunge. Prometheus, niemals Demütiger
Der dem Leiden nicht ausweicht, zum jetzigen mehr,
                              andres
Dazu haben will er. Nicht, wenn als Lehrer du mich
                              nimmst

Stülpst du dein Fleisch auf den Haken, kennst aber
Den rauhen Herrscher, der aus eigenem Recht herrscht
                                    schuldig keinem.
Aber gehn will ich jetzt und versuch es
Wenn ich kann, dich zu lösen. Schwatz nur nicht allzu
                                    vorlaut
Du klüger als klug, weißt du es nicht genau
Daß die Strafe gehängt wird
Schwerwiegend immer an die eitle Zunge.
PROMETHEUS Ich beneide dich: außer der Schuld
An allem Anteil habend aber.
Doch jetzt laß es sein und nicht soll dich das bekümmern.
Denn gänzlich überredest du ihn nicht.
Denn er ist nicht gut zu überreden.
Sorg daß du nicht selbst was leidest auf dem Weg.
OKEANOS Viel besser für die nächsten denkend bist du
Als für dich selbst, am Werk, am Wort nicht, erkenn ichs.
Mich Aufbrechenden aber wirst du nicht auf die andere
                                    Seite ziehn.
Ich behaupte nämlich, ich behaupte, daß dieses Geschenk
                                    mir
Geben wird Zeus so daß ich dich aus diesen Leiden löse.
PROMETHEUS Dafür lob ich dich und werde nicht aufhören.
Denn des guten Willens nichts ließest du aus. Aber
Nicht mach dir Mühe. Vergeblich nämlich, nichts nützend
Mir, wirst du dich mühn, wenn du das etwa tun willst.
Bleib ruhig also und halt dich aus dem Weg.
Ich nämlich nicht, wenn ich im Unglück bin
Wünsch da Gesellschaft. Gewiß nicht, weil des Bruders
                                    Geschick mich auch
Des Atlas, quält, der in der abendlichen Gegend
Steht, die Säule des Himmels und der Erde
Auf den Schultern, stützend, eine Last nicht gut für den
                                    Arm.

Und den erdgebornen Bewohner von Kilikiens
Höhlen seh ich, ohne Mitleid nicht, quälend ein
                                    Schreckenbild
Den hundertköpfigen, mit Gewalt unterjochten
Den Wilden, Typhon, der allen Göttern widerstand
Mit gräßlichen Kinnbacken, Schrecken zischend
Aus den Augen strahlte, zu vernichten des Zeus
Tyrannis mit Gewalt, lähmendes Feuer. Aber es kam ihm
Das nicht ermüdende, des Zeus Geschoß
Der herabfahrende Blitz, ausatmend Glut
Der ihn herausschlug aus der stolz prahlenden
Rede. Denn geschlagen in die Mitte der Kraft
Wurde er eingeäschert und aus brannte die völlig.
Und jetzt ein nicht brauchbarer Körper, der nicht beachtet
                                                    wird
Nahe der Meerenge liegt er
Gedrückt, unter des Ätna Wurzeln.
Auf steilen Höhen aber sitzend schlägt glühendes Eisen
Hephaistos. Von innen aber werden losbrechen einst
Ströme Feuers, fressend mit wilden Mäulern
Des fruchtreichen Sizilien breite Äcker.
Solche Wut aufbrausen lassen wird er, Typhon
Heiß mit Geschossen des nicht bezwingbarn, Feuer
Schnaubenden Wogenschwalls, wenn auch gebrannt ist
Durch den Blitz des Zeus zu Kohle ganz er.
Doch ausweglos bist du nicht und als Lehrer
Mich nicht brauchst du. Dich selber rette wie du kannst
Ich werde dieses Leid ausschöpfen
Bis dem Zeus mürb wird sein Zorn.

OKEANOS Also, Prometheus, erkennst du das nicht:
Des kranken Zornes Ärzte sind die Worte.

PROMETHEUS
Wenn einer zur rechten Zeit weich macht das Herz
Und nicht das überströmende austrocknen
Mit Gewalt will.

OKEANOS Darin, daß einer guten Willen zeigt, dir
Und etwas wagt, siehst du eine Strafe? Belehr mich.
PROMETHEUS Harmlose Einfalt, überflüssige Mühe.
OKEANOS
Laß mich an dieser Krankheit nur leiden. Das meiste
Wenn der Kluge es nicht scheint, gewinnt er.
PROMETHEUS
Es wird so scheinen, das auch sei mein Vergehn
Und fester an den Stein schraubt mich dein Helfen.
OKEANOS Genau zurück nach Hause schickt dein Wort mich.
PROMETHEUS
Daß nämlich nicht mein Leid dich wirft in Feindschaft.
OKEANOS Mit dem Frischsitzenden etwa auf dem
                                    allherrschenden Sitz?
PROMETHEUS Davor hüte du dich, daß nicht dem das Herz in
                                    Wut kommt.
OKEANOS Dein Schicksal, Prometheus, ist da Lehrer.
PROMETHEUS
Pack dich weg, geh, halt deine jetzige Weisheit.
OKEANOS In meinen Aufbruch rufst du dieses Wort mir
Die breite Straße der Luft mit allen Flügeln
Geht der vierschenklige Vogel, im heimischen
Stall will er krümmen das Knie.
Ab.
CHOR Ich beklag dein, Prometheus, heilloses Geschick.
Tränen, aus meinen beweglichen Augen ein Strom.
Dieses Schreckliche aber herrscht
Nach eignen Gesetzen Zeus, und den früheren Göttern
Hochmütig seine Herrschaft zeigt er
Und die ganze Erde läßt ertönen
Jammergeschrei, die ehrwürdige, beklagt
Deine Schande und deiner Verwandten, und die das
                                    benachbarte
Bewohnen, das heilige Asien, mit deinen sehr klagenden

Leiden leiden die Menschen mit
Die Mädchen auch, bewohnend
Kolchis, die im Kampf
Nicht zittern, und Skythiens Schwarm
Die der Erde letzte Gegend
Haben, um den mäotischen Sumpf
Und Arabiens Ares-Blüte, nahe dem Kaukasus
Stadt am steilen Abhang, ein schreckliches
Heer, tosend mit scharfen Speerspitzen.
Einen einzigen andern fern in Mühen
In stahlbefestigten gezwungen
Den Titanen im Schimpf seh ich so
Den Gott, Atlas, der immer
Die gewaltige Last, die mächtige
Achse des Himmels auf dem Rücken, stöhnt. Es stöhnt die
Steigend fallende Meeresflut, es stöhnt
Die Tiefe, und der dunkle Hades
Grollt, unten, das Innre der Erde
Und die Quellen schrein.

PROMETHEUS Glaubt nicht, aus Übermut oder Eigensinn
Schweig ich. Vom Denken wird das Herz
Zerfressen, da ich seh mich so mißhandelt.
Den Göttern, den neuen, die Anteile neu
Wer hat sie ausgeteilt
Vom Stein unterscheidbar jetzt noch
Ich, aber lang vielleicht nicht mehr, mit Augen.
Aber zu euch
Wissenden red ich. Bei den Sterblichen
Die Leiden hört. Wie ich gescheit machte
Die dummen Kinder, Verstand ihnen gab
Einen Teil. Und nicht mit Tadel sag ichs
Den Menschen, sondern erklärend von dem was ich gab
Die gute Absicht. Sehend nämlich
Sahen die nicht, im Anfang, hörten nicht

Hörend, sondern den Träumen ähnlich
An Gestaltung mischten das lange Leben sie
Planlos ganz, und nicht von Ziegeln gemachte
Häuser kannten sie, und nicht Holzwerk.
Und vergraben, wie der Ameisen windfüßiges
Volk, in Winkeln der Höhlen, sonnenlosen
Wohnten sie, hatten vom Winter kein Zeichen
Vom blumigen Frühling keins, und nicht
Vom fruchtbringenden Sommer ein genaues.
Sondern ohne Verstand das ganze
Machten sie, bis ich der Sterne
Aufgänge zeigte und die Niedergänge, unterschiedlich
Ihnen. Die Zahl auch, den Grund der Kenntnisse
Für sie erfand ich, und der Buchstaben
Zusammenfügung, das Gedächtnis der Dinge
Die Musenmutter, die Erzeugerin.
Und ich zuerst band in Joche das Stiervolk, damit
Den Sterblichen es sei der größten Arbeit
Übernehmer, unter dem Joch
Dienend mit den Leibern
An den Wagen führte ich
Pferde, des Reichtums Schmuck
Auf dem Meer umtreibend die Leinenflügel
Kein andrer erfand sie, der Seeleute Fahrzeug.
Solchen Handwerks Erfinder mit Geduld
Für die Sterblichen, habe ich selbst kein Wissen
Mich zu befrein aus der jetzigen Qual.
CHOR Leid erfährst du. Vom richtigen Weg
Falsch gehn deine Sinne. Wie ein schlechter
Arzt, gefallen in Krankheit, weißt du nicht
Mit was für Mitteln heilbar du bist.
PROMETHEUS Mehr wirst du dich wundern, hörst du
Von mir das übrige: wieviel Künste ich
Aussann. Das zuerst: wenn einer in Krankheit fiel

War kein Heilmittel, Speise nicht
Noch Trank, noch Salbe, sondern der Gifte Gebrauch
Unbekannt wurden sie ausgezehrt
Bis die Mischungen zeigte, steuernd
Alle Krankheiten, ich.
Die Arten auch, die verschiednen
Der Seherkunst, ich stellte sie in eine Reihe
Und ich zuerst unterschied von den Träumen, was
Wirklich wird, und Worte, unerkannte
Für sie erkannte ich, und auf den Wegen die Zeichen
Und der krummkralligen Vögel Flug mit Sorgfalt
Welcher günstig und welcher nicht. Und die Weise
Des Lebens. Und Feindschaft. Und Liebe. Und Wohnung.
Und die Glätte des Eingeweids, und welcher Farb
Den Göttern es Freude sei, Glück bringend
Und des Leberlappens bunte
Wohlgestalt, und beim Opfer vom Fett verhüllt die
Gliedmaßen verbrannte ich und einen großen
Steiß, die schwer zu kennende Kunst der Götter-
Täuschung lehrend Sterbliche.
Und der blitzenden Flamme
Zeichen machte ich deutlich, vorher ungekannt.
Solcher Art war das. Und unter der Erde
Verborgene den Menschen, Schätze
Erz, Eisen, Silber, Gold, wer
Nannte die, bevor ichs aufgespürt?
Keiner, das weiß ich genau, wenn er nicht flunkern will.
In kurzem Spruch lern das ganze:
Alle Künste den Menschen von Prometheus.

CHOR Denen nicht nütze du mehr, über die Zeit, jetzt
Nicht vernachlässige dich Unglücklichen.
Stark hoffend noch, daß aus diesen Fesseln du
Gelöst wirst und in nichts geringer
Mächtig sein wirst als Zeus, bin ich.

PROMETHEUS Nicht ist gesetzt ein Ende dieser
  Meiner Arbeit, von vieltausend Leiden gekrümmt
  Und Schmerzen werde ich aus diesem Band gehn.
  Schwächer als der Zwang ist Kunst.
CHOR Wer aber ist des Zwanges Steuermann?
PROMETHEUS
  Die Moiren, dreigestalt, und die Erinnyen, allerinnernd.
CHOR Also schwächer ist Zeus als die.
PROMETHEUS
  Nicht dürft er entgehn dem Bestimmten, er auch nicht.
CHOR Was denn ist bestimmt Zeus außer ewig herrschen?
PROMETHEUS Das wirst du nicht erfahren. Und bitte nicht.
CHOR Ist es was Heiliges etwa, was du einhüllst?
PROMETHEUS Auf ein andres Wort geh. Für das ist noch nicht
  Die Zeit geworden, sondern es muß verhüllt werden
  Möglichst gut. Denn das behaltend
  Werd ich entkommen der schändlichen Fessel.
CHOR Niemals der Allbeherrschende, Zeus
  Setze entgegen seine Kraft mir, und niemals aufhören
                                        will ich

  Den Göttern mit eiligen
  Opfern zu nahn, Rinder tötend
  Auf des Vaters, Okeanos, nicht zerstörbarem
  Pfad, nicht verletzen mit Worten jene
  Sondern das bleibe mir und schwinde niemals.
  Süß, mit wagender Hoffnung lang
  Das Leben zu spannen, wachsend in strahlendem
  Mut das Herz. Ich schaudre, dich anblickend
  Mit tausend Qualen zerschabt. Denn vor Zeus nicht
                                        zitternd

  Mit eigner Meinung, ehrst du
  Die Sterblichen zu sehr, Prometheus.
  Sieh, wie Undank Dank ist.
  Freund, sag, wo hilft einer?

Welcher Beistand von Vergänglichen? Siehst du nicht
In Ohnmacht, hilflose, dem Traum gleich
Gebunden der Sterblichen blindes Geschlecht?
Des Zeus Ordnung niemals
Werden ihre Pläne überschreiten.
Das hab ich gelernt, betrachtend, Prometheus
Deine kläglichen Geschicke. Andres Lied
Flog um Bad und hochzeitliches Bett dir
Das mit Freude hochzeitlich anstimmte ich
Als vom gleichen Vater du, gewonnen mit Hochzeitsgaben
Wegführtest Hesione, die Gattin
Und Gefährtin deines Betts.
Io.

10 Welch Land? Welch Volk? Wen, sag ich, seh ich in felsigen
                                                    Zügeln
Überwinternd? Welchen Vergehens
Strafe vertilgt er? Zeig mir, wohin
Der Erde verschlagen bin ich Kummervolle.
Aja eje es sticht
Wieder Unselige mich wieder der Stachel
Des Argos Schattenbild, des erdgebornen
Flieh ich, aja
Den tausendäugigen ich seh, den Rinderhirten
Der aber gehet mit listigem Aug, der Hera
Riesiger Wächter, den auch nicht gestorben
Die Erde hält, auch nicht. Aber mich, die Unselige
Aus der Unterwelt dringend, jagt er und treibt
Die Hungrige entlang am Meeres-Sand.
Dazu das Rohr aus Wachs gebildet tönt
Singend schlafgebende Weise, ia io popoi, wohin
Führen sie mich, die fern
Irrenden Wanderungen? Worin jemals mich
Kronions Sohn, worin jemals fandest du
Mich frevelnd, da du solchen Qualen mich

Einbindest, eje, mit bremsenstechendem
Schreckbild, wozu mich unselig Wahnsinnige
Schreckst du? Mit Feuer mich
Verbrenn, oder unter der Erde verbirg, oder des Meers
                                                    Zähnen
Gib mich zum Fraß. Doch neide mir nicht die Gebete,
                                                    Herr, diese. Genug
Haben viel irrend die Wanderungen
Mich geübt, und nicht mehr wie ich den Leiden entflieh
Weiß ich zu lernen. Hörst du
Den Ruf der kuhgehörnten Jungfrau?
PROMETHEUS Wie, hör ich nicht vom Stachel
    Umgetrieben das Mädchen, die Tochter Inachos? Die des
                                                    Zeus Herz warm macht
    Von Liebe, und die allzu langen Wege jetzt
    Lernt im Haß der Hera?
10 Woher weißt du meines Vaters
    Namen, sag mir Unglücklichen, wer
    Du bist, wer, du Leidvoller, mich Leidvolle, so genau mich
    Anruft, die vom Gott gegebene Krankheit
    Nennend, die aufreibt mich mit Stacheln, her und hin
    Treibenden, eje, herfahrend mit Sprüngen wild
    In des Hungers Mißhandlungen, im Zwang der Hera
    Kam ich.
    Von den Unglücklichen welche sinds, die
    Eje, leiden was ich? Aber mir deutlich zeig
    Was auf mich kommt zu leiden, welche Hilfe, welch
                                                    Mittel der Krankheit
    Wenn du da etwa weißt. Sprich, rede
    Zu der unselig irrenden Jungfrau.
PROMETHEUS Ich werde sagen, verständlich dir
    Was du lernen willst, alles, nicht einflechtend
    Rätsel, sondern mit geradem Wort
    Weil den Mund aufmachen gegen Freunde gerecht ist.
    Des Feuers Geber den Sterblichen siehst du, Prometheus.

10 O gemeinsamer Nutzen, gekommen den Sterblichen.
Viel wagender Prometheus, wofür die Strafe
Leidest du?
PROMETHEUS Soeben aufgehört
Hab ich, das zu bejammern.
10 Gönnst du mir also diese Gabe nicht?
PROMETHEUS Sag, welche du verlangst. Denn alles erfahren
kannst von mir du.
10 Sag, wer festgemacht hat dich am Abgrund.
PROMETHEUS Des Zeus Wille, und des Hephaistos Hand.
10 Welcher Vergehen Strafe büßest du?
PROMETHEUS Was ich mitgeteilt habe, so viel
Soll dir genug sein.
10 Dazu das Ende meiner Wanderung auch zeig.
Welche Zeit wird sein der Mühbeladnen?
PROMETHEUS Das nicht erfahren ist dir besser.
10 Verbirg nicht mir das, was ich noch leiden werd.
PROMETHEUS Nicht ein Geschenk dir mißgönn ich.
10 Was zögerst also du, behältst das ganze?
PROMETHEUS Neid ist keiner. Dich zu schrecken fürcht ich.
10 Um mich nicht sorg du. So ists mir angenehm.
PROMETHEUS Da dus verlangst, muß ich reden. Hör also.
CHOR
Noch nicht. An der Freude mir auch schaff einen Anteil.
Von der zuerst das Unglück wollen wir wissen
Indem sie selbst erzählt die vielverderbenden
Ihre Geschicke. Von den Mühen den Rest
Mag sie von dir erfahren.
PROMETHEUS Deine Aufgabe, Io
Zu bereiten diesen die Freude, Schwestern
Vom Vater her, weil des eignen Geschicks
Beweinen und Beklagen, wo der Hörende
Tränen hat, glückliche Arbeit.
10 Muß ich euch nicht gehorchen? Ich weiß nicht

Und mit klarer Rede alles was ihr wünscht
Erfahrt jetzt. Und doch auch sprechend schäm ich mich
Des gotterregten Wirbels, und der verderblichen
Meiner Gestalt, dieser, die mich, Unglückliche, anflog.
Denn immer nächtlich Gesichte, schwebende
In mein Jungfrauenzimmer, rieten mir
Mit leichten Worten: O sehr glückseliges Mädchen
Was bleibst du Jungfrau lange, obwohl dir möglich ist,
                                    Hochzeit
Zu haben, höchste? Denn Zeus mit der Sehnsucht Geschoß
Nach dir ist erhitzt und will mit dir teilen
Die Lust. Und, Mädchen, du stoß nicht weg des Zeus
Bett, sondern heraus geh zu der Lerna flacher
Wiese, zu Weiden und Rinderställen des Vaters, damit
Des Zeus Aug sich erleichtre vom Verlangen.
Mit solchen Träumen jede Nacht
War ich zusammen, unselig, bis ich dem Vater
Wagte mitzuteilen die nachts
Erscheinenden, die Träume
Und der nach Pytho und Dodona schickt
Orakelbefrager, reichlich, damit er erfährt, was
Den Göttern Liebes man tun oder sprechen muß.
Und sie kamen meldend wie Mund der Luft
Orakel, unzeigend, gesprochen unerkennbar.
Zuletzt ein deutlicher Ausspruch kam
Klar verkündend dem Inachos und befehlend
Aus dem Haus und Besitz, väterlichen, zu stoßen mich.
Wenn ers nicht wolle, beweg her von Zeus den Feuer-
Blitz er, der vertilg sein Geschlecht ganz.
Gehorchend solchen des Loxias Sprüchen
Trieb der und schloß mich aus dem Haus
Die Unfreiwillige unfreiwillig, aber es zwang ihn
Des Zeus Zügel mit Gewalt, zu tun das.
Die Gestalt sogleich und der Sinn verkehrt

Wurden mir. Gehörnt, wie ihr seht, von spitzmäuliger
Bremse bestrichen im rasenden Springen kam
Zum schön fließenden Kerchna-Strom ich
Und zu Lernas Quell. Und der Hirte war
Der im Zorn Unbezwingbare, Argos. Der folgte, mit
                dichten
Augen blickend auf meine Spuren. Ihn
Unerwartet ein plötzliches Todeslos
Des Lebens beraubte. Rasend von der Bremse ich
Mit göttlicher Geißel Land und Land durchgeh.
Du hörst das Geschehne. Wenn du weißt zu sagen
Von den Leiden den Rest, nicht mich bedauernd wärm
Mit Worten, täuschend. Von den Übeln das Schändlichste,
                sag ich, sind die.
CHOR Eja, eja, hör auf.
Wehe, niemals, niemals wollt ich, daß schlimme
Worte kommen in mein Gehör, solche, und so unselig
                anzusehende auch nicht
Unerträgliche, Leiden, Beschimpfung. Entsetzen
                mit zwei-
Schneidiger Spitze kühlt mein Herz. Jo, jo, Schicksal, ich
Schaudre, anblickend, Io, deines.
PROMETHEUS Frühe klagst du, und der Furcht voll bist du
Früh. Halte dich, bis du das übrige auch weißt.
CHOR Sprich, lehr das ganz aus. Unglücklichen angenehm
Ist, den übrigen Schmerz dazuwissen deutlich.
PROMETHEUS
Bis hierher die Auskunft habt ihr erlangt von mir
Leicht, erfahrend von der ihr Geschick selbst.
Das übrige hört nun, welche Leiden
Erdulden muß von Hera dieses Mädchen.
Du, des Inachos Samen, meine Worte
Im Herzen beweg sie, damit du die Grenzen erkennst
                deines Wegs.

Zuerst von hier nach Sonnenaufgang
Dich wendend, in ungepflügte Fluren eilst du.
Zu den Skythen, Nomaden, kommst du, die geflochtene
Zelte
Hoch bewohnen auf Wagen mit schönen runden Rädern,
die mit weithin treffenden
Bogen gerüstet sind.
Diesen nähere dich nicht, sondern des Meers stöhnenden
Brandungen dich nähernd durchzieh das Land.
Linker Hand die eisenschmiedenden
Wohnen, die Chalyber, vor denen du dich hüten mußt
Denn sie sind roh und nicht zugänglich Fremden.
Du wirst zum Hybristesfluß kommen, der seinen Namen
nicht falsch hat.
Den durchschreite nicht, er ist nämlich nicht gut zu
durchschreiten
Eh du zum Kaukasus kommst, der Berge
Höchstem, wo der Fluß herauswächst mächtig
Von seinen Schläfen. Die sternbenachbarten mußt du
Überschreiten, die Gipfel, und den mittäglichen
Pfad gehn, wo du zu der Amazonen Heer
Kommst, dem männerhassenden, die Themiskyra einst
Besiedeln um Thermodon, wo
Rauh der salmydessische Schlund des Meers
Fremdenhassend den Seefahrern Stiefmutter den
Schiffen ist.
Sie werden dich geleiten auf dem Weg, und sehr
freundlich.
Zur Enge, zur kimmerischen, kommst du, bei den Toren
des Sundes
Mit dem engen Durchgang, die du wagemutig mußt
Durchqueren, verlassend die mäotische Bucht.
Immer den Sterblichen wird ein großes Wort sein
Dein Durchgang, Rinderfurt genannt

Mit rechtem Namen. Verlassend Europas Grund
Kommst ins unermeßliche du, Asien. Scheint euch nicht
Der Götter Tyrann in allem doch gewalttätig
Zu sein? Denn dieser Sterblichen der Gott
Sich mischen wollend solche Irrwanderungen verhängt er.
Einen bitteren, Mädchen, für deine Hochzeit
Freier wähltest du. Denn die Worte, die du jetzt gehört
hast
Sind dir noch nicht das Vorspiel.

10 Jo, mir, mir, eje.

PROMETHEUS
Du schreist wieder und seufzest wieder. Was denn
Wirst du tun, wenn du die andern Leiden weißt?

CHOR Von Leiden welchen Rest denn wirst du der sagen?

PROMETHEUS
Schmerz, unheiltragend, wild wirbelndes Meer.

10 Was für Gewinn also mir das Leben? Warum nicht in
Schnelle
Stürz ich von diesem harten Felsen mich
Damit, an den Boden geworfen, von allen
Leiden ich die Befreiung hab? Denn besser ist einmal
sterben
Als alle Tage leiden Schlimmes.

PROMETHEUS Schwer allerdings dürftest tragen du
Meine Mühen, dem zu sterben nicht erlaubt ist.
Denn das wär von den Leiden Befreiung.
Jetzt aber keine Grenze mir der Leiden
Bis aus der Herrschaft vertrieben wird Zeus.

10 Aus der Herrschaft Zeus treiben, ists möglich? Wann?

PROMETHEUS
Dir wär es Freude, glaub ich, das geschehn sehn.

10 Wie denn nicht mir, die von Zeus ich schlimm leide.

PROMETHEUS Daß es sein wird zu erfahren ist dir möglich.

10 Von wem geraubt wird der Tyrannenstab?

PROMETHEUS

Von den eignen Entschlüssen, vernunftleeren, ihm.

IO Auf welche Weise? Sag, wenn es kein Schaden ist.

PROMETHEUS

Eine Hochzeit macht er, die wird ihn einmal ärgern.

IO Göttlich oder menschlich? Ist es sagbar? Sags.

PROMETHEUS

Was? Wen? Nicht sagbar ist das, nicht zu nennen.

IO Wird er gestoßen vom Thron von einer Gattin?

PROMETHEUS Die wird gebären einen, stärker als der Vater.

IO Und sein ists nicht, solches Geschick abwenden?

PROMETHEUS Nicht. Außer ich bin gelöst aus den Fesseln.

IO Wer ists nun, wer befreit gegen Zeus Willen dich?

PROMETHEUS

Von deinen, den Nachkommen, einer muß es sein.

IO Wie, sagst du, mein Sohn wird befrein dich von Übeln?

PROMETHEUS Die dritte Generation zehn Eltern nach dir.

IO Das ist nicht mehr gut zu raten, das Orakel.

PROMETHEUS Und nicht mehr versuche, zu erfahren deine,
                                        die eignen Leiden.

IO Nicht mir hinstreckend Wohltat nimm die weg dann.

PROMETHEUS

Von zwei Worten dich mit dem einen beschenk ich.

IO Von welchen? Zeig und gib mir die Wahl.

PROMETHEUS

Ich geb. Wähle denn, ob von den Leiden das Übrige dir
Ich sagen soll, deutlich, oder den mich Befreienden.

CHOR Von diesem das eine dieser, das andere mir
Gib, und nicht mißgönn die Worte
Und der sag deutlich die übrige Wanderung
Mir aber den Befreienden. Denn das wünsch ich.

PROMETHEUS

Weil ihrs wünscht, nicht entgegen sein werd ich
Sondern sagen alles, was ihr wollt.

Dir zuerst, Io, die weit umtreibende Wanderung.
Die schreib dir auf in den Merktafeln des Gedächtnisses.
Wenn du überschritten hast den Grenzfluß der Länder
Nach dem flammenden Aufgang der Sonne geh
Das tosende Meer durchschreitend, bis du kommst
Zur gorgonischen Ebene von Kisthene, wo
Die Phorkyaden wohnen, langlebende Mädchen
Drei, schwangestaltige, ein gemeinsames Auge habend
Einzahnig, die weder die Sonne anblickt
Mit Strahlen, noch der nächtliche Mond jemals.
Nahe sind Schwestern dieser, drei geflügelte
Gorgonen, schlangenhaarige, menschenfeindlich
Die ansehend kein Sterblicher noch Atem haben wird.
Dies aber sag ich dir als Mahnung.
Und einen andern schwierigen Anblick höre.
Vor den scharfmäuligen stummen Hunden des Zeus
Den Greifen, hüte dich, und auch vor dem einäugigen
                                                  Heer
Dem arimaspischen, rosseschnellen, die um den
                                      goldfließenden
Wohnen, Plutons Fluß.
Diesen nähere dich nicht. Und in die entlegene Gegend
Kommst du, schwarzer Art, die bei der Sonne
Quellen wohnen, dort ist auch der Fluß Aithiops.
An seinem Ufer folge, bis du kommst
Zum Abstieg, wo von den byblinischen Bergen
Hervorschickt Neilos den heiligen gutfließenden Strom.
Der wird dich begleiten in das dreieckige Land
Neilotis, wo die große Siedlung
Io, dir und den Kindern, deinen, zu gründen beschieden
                                                      ist.
Von dem wenn dir was unverständlich und nicht
                                        auszumachen
Erneu die Frage und erfahr es genau.
Zeit mehr als ich will hab ich.

CHOR Wenn du für die was übriges oder beiseite gelassen
      Hast von der vielverderblichen Wanderung
      Sprich. Wenn du alles gesagt hast, gib uns wieder
      Gunst, die wir erbitten, erinnre dich daran.
PROMETHEUS
      Der Reise den ganzen Umfang hat sie gehört.
      Damit sie sieht, daß sie nicht gehört hat vergeblich
      Was gehend sie zuvor gelitten sag ich
      Zu Beweis dies gebend meiner Worte.
      Von den Worten die große Menge will ich auslassen
      Zum Ende gleich gehn deiner Wanderungen bis hierher.
      Denn als du kamst zur molossischen Ebenerde
      Die auf hohem Bergrücken um Dodone, wo
      Der Orakelsitz des thesprotischen Zeus steht
      Und ein nicht glaubliches Wunder, die sprechenden
                                                Eichen
      Von denen du deutlich und in nichts rätselhaft
      Angeredet wurdest als des Zeus berühmte Geliebte
      In der Zukunft, schmeichelt dir was von dem?
      Von dort weg, tobend, am Strand entlang
      Den Weg kamst du zur Bucht der großen Rhea
      Auf dem zurück dich trieb in deinem Lauf ein Sturm.
      Für die zukünftige Zeit der Meereswinkel
      Hörs genau, der ionische wird genannt werden
      Deiner Reise Denkmal für alle Sterblichen.
      Ein Zeichen dir sei dieses meiner Sehkraft
      Daß ich mehr erblick als das Erschienene.
      Den Rest sag euch und ihr ich gemeinsam
      Auf der gleichen Spur, der alten Worte.
      Es gibt eine Stadt Kanobos, der Erde äußerste
      An der Mündung auf der Anschwemmung des Nil.
      Dort wird dich Zeus vernünftig machen
      Berührend mit leichter Hand und nur anfassend.
      Genannt nach des Zeus Zeugung

Wirst du gebären den dunkeln Epaphos
Durch Berührung gezeugten, der die Frucht genießen
                                            wird
Soweit der breitströmende Nil die Erde tränkt.
Die fünfte Generation nach ihm von fünfzig Kindern
Wird wieder nach Argos, nicht freiwillig, gehn
Eine weibliche, und fliehend die verwandte Hochzeit
Der Vettern. Die aber hingerissen
Habichte, von Tauben weit nicht ablassend
Kommen jagend nicht jagbare
Ehe. Es neidet die Körper der Gott
Und Pelasgia wird aufnehmen die Bezwungnen
Durch mordenden Ares, weiblichen, in nachtwachender
                                            Kühnheit
Die Frau nämlich wird jeden Mann des Lebens berauben
Ein zweifach gehärtetes Schwert in die Kehle tauchend.
Solche Liebe komme zu meinen Feinden.
Eine der Töchter wird das Verlangen erwärmen, nicht
Zu töten den Bettgenossen, sondern sie wird schwach
                                            werden
In der Absicht. Von zweien wird sie das andere wollen
Genannt werden schwächlich lieber als mordgefleckt.
Diese wird gebären für Argos das Königsgeschlecht.
Langer Rede bedürft es, das deutlich durchzugehn.
Aus dieser Saat wird ein Kühner heraufwachsen
Durch Bogen berühmt, der aus diesen Leiden mich
Lösen wird. Dieses Orakel die vor langer Zeit geborne
Meine Mutter erzählte mir, die Titanin, Themis.
Wie und wann, das zu sagen bedarf einer langen Rede
Und keinen Gewinn haben würdest es erfahrend du.
10 Elelelelelelelu
Unten wieder berührt mich
Zucken und Rasen, sinnschlagend, der Bremse Stachel
Reizt, feuerlos, das Herz in Furcht springt

Gegen Verstand, rings umgewirbelt
Werden die Augen, winden sich. Aus dem Weg
Werd ich gerissen von der Wut, rasendem Anhauch, der
        Stimme nicht mächtig, trüb schlagen
An der Blindheit schreckliche Woge die Worte planlos.
Ab.

CHOR Gescheit, gescheit war der
Der als erster im Sinn das aufhob und mit der Zunge es
Aussprach, Vermählung gemäß sich selbst sei bei weitem
        die beste
Und daß weder nach Ehe mit eitel werdenden durch
        Reichtum
Noch mit solchen die großtun mit Herkunft
Der Niedrige streben soll.
Niemals niemals mich, o
Moiren, als des Zeus Bettgenossin
Mögt ihr mich sehn
Und nicht mag nahgehn ich einem
Gemahl von denen aus dem Himmel. Denn sehr erschreck
        ich, die jungfräulich den Mann
Nicht liebende Hochzeit
Anblickend der Io, zerfleischt
Mit glücklos irrenden Irrfahrten durch Hera.
Gleichgeboren eine Ehe
Nicht fürcht ich. Nicht aber der mächtigern
Götter Liebe, das unfliehbare Auge, komm auf mich.
Nicht kämpfbar dieser Kampf, weglos der Weg, und nicht
        weiß ich
Wer ich würde, nicht wissend
Wie dem Zeus entgehn.

PROMETHEUS Und gewiß noch Zeus, wenn auch anmaßend
Wird erniedrigt sein. Solchen Ehbund zu schließen er
Sich rüsten wird, der nämlich ihn aus der Herrschaft
Thronen ungesehn herausstößt. Denn vom Vater

Kronos wird sich dann alles ganz vollenden
Was er, stürzend von den langdauernden Thronen, sagte.
Solcher Übel Abwendung von Göttern keiner
Kann ihm außer mir genau zeigen.
Ich weiß das und auf welche Weise. Da nun
Soll er sitzen sicher und herrschen mit hoch-
Mütigem Donner und angstlos
In Händen schwingen sein Feuer schnaubendes Geschoß
Denn nicht wird ihm das helfen, nicht
Zu fallen ehrlos nicht aufhaltbaren Fall.
Einen solchen Gegner bereitet er sich
Gegen sich selber selbst, ein schwer zu bekämpfendes
                                        Wunder.
Und der wird einen bessern Strahl als den Blitz finden
Und ein stärkeres Donnern, das den Donner übertönt
Und zersplittern die Erd und Meer erschütternde
Dreispitzige Waffe, die Lanze des Poseidon, wird er.
Und schlagend gegen solches Unglück wird Zeus lernen
Wie sehr das Herrschen und das Sklavesein zwei Dinge.

CHOR Du gewiß, was du orakelst, als Schmähung sagst du für
                                        Zeus.

PROMETHEUS
Was sein wird, und was ich wünsche auch, sag ich.

CHOR
Und erwarten muß man, daß einer bezwingen wird Zeus?

PROMETHEUS Und von dem wird er noch Leiden haben, die
                                schwerer zu tragen sind.

CHOR
Wie, solche Worte herausschleudernd, zitterst du nicht?

PROMETHEUS
Was sollte ich fürchten, dem das Sterben nicht zuteil wird?

CHOR
Eine Qual dir bereiten könnte er, schlimmer als die jetzt.

PROMETHEUS
Das soll er nur gleich tun. Alles ist mir erwartet.

CHOR Die sich niederwerfen vor dem nicht Entrinnbaren
                                    sind gescheit.
PROMETHEUS Verehre, bet an, red nach dem Mund dem
                              jeweils Herrschenden.
Mir ist nichts geringer als Zeus.
Soll ers tun, soll er herrschen diese kurze Zeit
Wie er will. Denn lange wird er nicht über die Götter
                                    herrschen.
Aber ich erblicke den Boten des Zeus
Den Diener des neuen Tyrannen.
Was Neues zu melden kommt er?
Hermes.
HERMES Dich, den Übergescheiten, den bitter Überbittren
Den Frevelnden gegen die Götter, Ehren den Eintätigen
Schaffend, den Feuerdieb red ich an.
Der Vater befiehlt dir, die Ehen, mit denen du großtust
Hören zu lassen, von denen jener aus der Macht stürzt.
Und dieses allerdings nicht rätselhaft
Sondern sag jedes, und mir nicht zweifachen
Weg, Prometheus, lege vor. Du siehst, daß
Zeus solcher Art nicht wohlgesinnt ist.
PROMETHEUS
Mit vielem Sinn voll und aus großem Mundwerk
Geht deine Rede, wie des Götterboten.
Jung ihr Jungen herrscht, und glaubt
Zu wohnen in leidloser Burg. Und habe ich nicht aus dieser
Zwei Herrscher herausstürzen gesehn?
Den dritten, den jetzt herrschenden, seh ich
Den schändlichsten und schnellsten. Wozu meinst du
Soll ich zittern und kriechen vor den jungen Göttern?
Ganz und gar von dem laß ich. Du aber
Den Weg, den du kamst, geh wieder zurück.
Du wirst nämlich nichts erfahren, worum du mich fragst.
HERMES Mit solchen frechen Worten hast du vorher dich
In solches Leid gebracht, selbst.

PROMETHEUS Gegen deinen Dienst mein Unglück
Das wisse, wollte ich nicht tauschen.

HERMES Das ist auch besser, glaub ich, diesem Felsen dienen
Als dem Vater, Zeus, ein treuer Bote sein.

PROMETHEUS Nicht immer bleiben die Vermessenen steil.

HERMES Bist du stolz auf deine gegenwärtige Lage?

PROMETHEUS Ich bin stolz? So stolz möchte ich einmal auch
Meine Feinde sehn. Und dich zähl ich zu ihnen.

HERMES
Auch mich beschuldigst du, mich auch der Mitschuld?

PROMETHEUS Kurz gesagt, ich hasse alle Götter
Die von mir Gutes erfuhren und lohnten es ungerecht.

HERMES Ich hör dich rasen, eine nicht geringe Krankheit.

PROMETHEUS
Krank bin ich. Wenn es Krankheit ist, die Feinde hassen.

HERMES Du wärst unerträglich, wenn es dir gut ginge.

PROMETHEUS Oimoi.

HERMES Das Wort kennt Zeus nicht.

PROMETHEUS Doch alles wird die alternde Zeit lehren.

HERMES Du freilich wirst niemals lernen gescheit zu sein.

PROMETHEUS Mit dir dürfte ich gar nicht reden, weil du nur
ein Diener bist.

HERMES Du spottest also wie mit einem Knaben.

PROMETHEUS
Bist du denn nicht ein Knabe, und mehr unverständig
Wenn du erwartest, von mir was zu erfahren?
Es gibt keine Mißhandlung und kein Mittel, womit
Bewegen wird Zeus mich, das zu sagen
Bevor er weghebt die beschimpfenden Fesseln.
Auch mag geworfen werden das blitzende Feuer
Und mit weißflügligen Schneeflocken und Gedonner
Irdischem, soll er verwirren alles und erschrecken
Er wird nämlich nicht mich bewegen, daß ich ihm es sage
Von wem er aus der Herrschaft stürzen muß.

HERMES Sieh nun zu, wenn dir das Hilfe erscheint.
PROMETHEUS
Es ist gesehn schon längst, und auch beschlossen, das.
HERMES Wags, Dummkopf, wags einmal
Zum Gegenwärtigen passend zu denken.
PROMETHEUS Du lärmst mich vergebens an. Als wenn du die
Woge agitierst.
Das komme dir nicht in den Sinn, niemals, daß ich, des
Zeus
Meinung fürchtend, weibischen Sinnes würde
Und schmeicheln werde dem sehr Gehaßten
Mit Frauen nachahmenden Beugungen der Hände
Mich zu lösen aus diesen Fesseln. Das vermisse ich ganz.
HERMES Sprechend schein ich vergeblich vieles zu sagen.
Denn du läßt nicht dich bewegen und wirst auch nicht
erweicht
Durch meine Bitten. Und beißend die Gebißstange wie
ein frischgejochtes
Fohlen bist du trotzig und kämpfst gegen die Zügel
Aber du pochst doch auf einen schwachen Trick.
Denn der Übermut, dem nicht gut Denkenden
Ist an Kraft er weniger als nichts.
Sieh also, wenn du nicht meinen Worten gehorchst
Wie dich der Wintersturm und der Leiden Andrang
Überzeugt unentrinnbar, denn zuerst die spitzen
Abhänge mit Donner und blitzendem Strahl
Wird der Vater zerreißen, und er wird verbergen die
Schreckgestalt
Die deine, und die Felsenkrümmung wird dich
emportragen
Und hinab.
Eine große Menge verbraucht habend der Zeit
Wirst du kommen in das wieder fließende Licht, zurück,
und des Zeus

Geflügelter Hund, sein sehr blutiger Adler, heftig
Wird er zerreißen des Körpers großen Fetzen
Ungerufen kommend als Gast den ganzen Tag, deine
Die schwarz freßbare Leber ausfressen wird er.
Eines solchen Leidens Grenze nicht erwarte irgend
Eh von den Göttern einer als Nachfolger erscheint
Deiner Leiden und gehn will in den glanzlosen
Hades und zu den finstern Schluchten des Tartaros.
Auf dieses warte! Und das ist nicht gebildete
Prahlerei, sondern deutlich Gesagtes.
Denn zu lügen versteht nicht der Mund
Des Zeus, sondern jedes Wort vollendet er. Du aber
Sieh dich vor und überlege, daß nicht du den Übermut
                                                    jemals
Hältst für besser als gut beraten sein.

CHOR Uns scheint Hermes nicht zur unrechten Zeit das
Zu sagen. Denn er heißt dich den Übermut
Ablegen und suchen nach besserem Rat. Du
Gehorche! Denn für einen Klugen schändlich ist es, zu
                                                    fehlen.

PROMETHEUS Mir Wissendem diese Botschaft
Dieser da bellte. Aber daß es schlecht geht
Dem Feind durch die Feinde ist natürlich.
Außerdem soll nur auf mich geworfen werden
Des Feuers zweischneidige Haarlocke, und der Himmel
Soll gereizt werden mit Donner und Zucken
Wilder Winde, die Erde aus ihrem Grund
An den Wurzeln selber soll der Sturm wirbeln
Und die Woge des Meeres in raschem Fließen
Mag sich vermischen mit der himmlischen
Sterne Gängen, und in den finstern
Tartaros stürze er losgerissen meine
Gestalt in des Zwanges starren Wirbeln:
Gänzlich wird er mich nicht zu Tode bringen.

HERMES Solcherlei Ansichten und Worte kann man
Von den im Verstand Geschlagenen hören.
Was denn bleibt übrig, wenn nicht das Danebenreden
Solchen? Oder zu eignen Gunsten wie läßt er nach mit
Rasen? Nicht.
Ihr aber jetzt, die mit den Leiden
Mitleidenden, mit seinen, vom Ort
Von diesem, geht schnell weg
Daß nicht eure Sinne er einebne
Der unversöhnlich brüllende, der Donner.
CHOR Anders töne und andres sprich zu mir
Daß du mich überzeugst. Denn durchaus nicht
Hast ein mir erträgliches Wort eingemengt du.
Wie, heißest du mich
Schlechtigkeit üben?
Mit diesem was nötig ist dulden will ich
Denn die Verräter zu hassen lernte ich
Und es ist kein Übel
Das ich mehr als dies bespucke.
HERMES Doch erinnert euch, ihr, was ich vorhersage:
Nicht, der Verblendung nachjagend, tadelt das Schicksal
Noch saget jemals, daß Zeus in Leid, nicht vorher gesehn,
euch
Gestürzt hab. Keineswegs, sondern ihr selbst euch selber.
Denn wissend und nicht unerwartet noch geheim
In der Verblendung, seiner, nicht durchdringliches
Dickicht
Werdet ihr geflochten jetzt durch Unverstand.
PROMETHEUS Allerdings durch die Tat und nicht mehr
Durch das Wort ist die Erde erschüttert.
Tosender Schall brüllt auf des Donners und gekrümmt
Strahlen hervor des Blitzes sehr brennende Windungen,
und die Wirbel
Jagen den Staub auf. Es springen alle Winde

Gegeneinander alle blasend, zeigend Aufruhr
Und es wird gemeinsam
Erschüttert Himmel und Meer.
Solch ein Sturz kommt zu mir von Zeus
Offenbar er will mir Schrecken schaffen.
O meine heilige Mutter, o aller Himmel gemeinsames
Licht umschwingende Luft
Du siehst mich, wie ich Ungerechtes dulde.

PROMETHEUS ist eine Gelegenheitsarbeit. Mich interessierten die Unstimmigkeiten in dem alten Text, wegpoliert in den gängigen (meist wilhelminischen) Übersetzungen, am wenigsten, im Vorschein bürgerlicher Revolution, bei Voß. Der Widerspruch zwischen Leistung und Eitelkeit, Bewußtsein und Leiden, Unsterblichkeit und Todesangst des Protagonisten. Die Widersprüche in Geografie und Periodisierung bei der Prophezeiung für Io u. a. Die Tradierung geht in den Text ein, die Fehler weisen das »Werk« als Arbeit aus. Es geht nicht um Aneignung (Besitz), sondern um Gebrauch (Arbeit). Das bedingt den Verzicht auf Erklärung (Aufhellung dunkler Stellen, Übersetzung = Interpretation von Eigennamen), die den Kreis der möglichen Bedeutungen einengt. Der PROMETHEUS-Text ist nicht Wort für Wort lesbar, außer man liest ihn laut. Er besteht, wie jeder Sprechtext, aus Sätzen, nicht aus Wörtern. Lesen ist ein Privileg, das Buch als Transport für Literatur ein Übergang. Die Frage nach der sinnlichen (Information überschreitenden) Qualität von Sprache ist politisch. Das KOMMUNISTISCHE MANIFEST gehört in eine andre Waffengattung als das KAPITAL; die Bedeutung der Pop-Musik für die antiautoritäre Bewegung lag nicht im Informationsgehalt. Wenn der Kapitalismus die Klassiker zu Makulatur stampft, weil er nichts zurücklassen will, ist das nicht unsre Arbeit.

HORIZONTE I

PERSONEN

Pfeil, *Werkdirektor*
Netz, *Parteisekretär*
Götz Kanten, *Kybernetiker*
Matthias Kanten, *Chemiker*
Sukko, *Ökonomin*
Tilli und Siegbert Rundlauf
Miru und Franz Mullebär
Hora Pfeil

Der Schauspieler und Autor Gerhard Winterlich hatte während eines mehrjährigen Arbeitsaufenthalts in einem DDR-Großbetrieb ein Stück mit dem Titel HORIZONTE dem Betrieb und seinen leitenden Mitarbeitern sozusagen »auf den Leib geschrieben« und mit Laien (Arbeitern Lehrlingen Leitern) inszeniert. An den letzten Proben zur Premiere im Betrieb arbeitete Benno Besson mit, der vor allem wegen des enormen Grundeinfalls an dem Projekt interessiert war: ausgehend von Shakespeares SOMMERNACHTSTRAUM und dem Modellbegriff der Kybernetik läßt W. die leitenden Mitarbeiter eines Betriebes und ihre Frauen während des gemeinsamen Urlaubs in einem Rollenspiel, das von der wenig beschäftigten Frau des Werkdirektors inszeniert wird, ihre vom Arbeitsalltag verdrängten oder vertagten Probleme verhandeln; einer spielt (»optimiert«) den andern; Identitätsfindung durch Identitätsverlust in Verwechslung und Verkleidung. Das war 1968. Auf der Grundlage des Spiels entstand eine Fassung für Schauspieler, die 1969 in der Regie von Besson an der Berliner Volksbühne aufgeführt wurde. Der im folgenden abgedruckte Text ist die erste (nicht verwendete) Fassung des ersten Bilds. Die Namen sind aus der Vorlage übernommen. Wir mochten sie nicht ändern, weil sie die Ausgangssituation (Haltung und Verhältnisse des Autors wie seines mitproduzierenden Publikums) charakterisieren. Die Unmöglichkeit, diese Ausgangssituation per Kunst (»künstlich«) wieder herzustellen, war die Schwierigkeit unserer Arbeit.

PFEIL Ich bin der Werkdirektor Richard Pfeil. Das ist unser Naherholungszentrum. Wasser, Wald, Himmel. Keine Planziffern. Kein Optimierungszwang. Kein Weltstand. Mücken.
Schlägt um sich. Ein Mann im Trainingsanzug läuft vorbei. Das ist − war − mein Parteisekretär, Ludwig Netz.

Waldläufer aus Passion, und nicht erst seit dem Volks-
kammerbeschluß über Körperkultur. Ich bin sehr dafür,
daß er sich Bewegung macht: sein zweites Hobby ist die
Diskussion. Mit mir.

*Setzt sich. Sukko im Bikini befestigt einen Brief an einem
Baum und geht wieder ab, von Pfeil unbemerkt.*

Ein herrlicher Abend.

Netz kommt zurück und setzt sich neben ihn.

NETZ   Ein herrlicher Abend.

PFEIL *finster:*   Ja.
    Pause.

PFEIL   Der Himmel zum Greifen nah.

NETZ   Er steht uns offen.

PFEIL   Als kämen die Sterne herunter.

NETZ   Wir stürmen hinauf.

PFEIL   Machst du schon wieder Ideologie?
    Ich bin im Urlaub.

NETZ   Ohne Ideologie?
    Pause.

NETZ

    Eine Sternschnuppe. Genosse Werkleiter, wünsch dir was.

PFEIL   Ich bin Marxist.

NETZ   Und wunschlos glücklich? Wie reimt
                                              sich das.

PFEIL   Mich beißen meine eignen Zweifel schon
    Wie achtzig Mücken. Und jetzt du.
    Erschlägt eine Mücke.

NETZ   So leicht
    Wirst du mit mir nicht fertig.

PFEIL   Dieser Druck
    Im Magen.

NETZ *lacht:*   Ich weiß, was dir den Magen drückt.
    Wie lang ists her, daß der Minister uns
    Besucht hat? Und er hatte seine Gründe.

»Die neue Technik preisen, das kann jeder.
Und was habt ihr getan, damit der Mensch
Ihr Meister wird?« Da stand sie wieder vor uns
Heiß wie am ersten Tag, die alte Suppe
Die Automation –

PFEIL Die wird jeden Tag heißer, wenn du mich fragst.

NETZ Ja, und wir haben immer noch keinen Löffel.

PFEIL Wie meinst du das.

NETZ   Unser Qualifizierungsplan
Kriegt jede Woche einen weißen Fleck mehr.

PFEIL Der Druck wird stärker.

NETZ   Allerdings.

PFEIL   Ich red
Von meinem Magen.

NETZ   Ich nicht.

PFEIL   Wem sagst du das.
Beide lachen.

PFEIL Hör zu: die Optimierungsgruppe hat –
Ich will nicht sagen, unter meiner Leitung –

NETZ Das würd ich auch nicht sagen. Lang genug
Hast du dich quer gestellt.

PFEIL   Man wird auch klüger.
Also: die Optimierungsgruppe hat –
Nicht ohne meine Hilfe, das kann ich sagen –

NETZ Spät kam sie, doch sie kam. Das kannst du sagen.

PFEIL Willst du nicht doch noch einen Waldlauf machen.
Weiter in Prosa: Die Optimierungsgruppe, ich rede nicht
von mir, hat eine neue Realität geschaffen. Das neue
Optimierungsmodell von unsern Anlagen wirft die alten
Auslastungsgrößen über den Haufen. Das ist Fakt.

NETZ Fortsetzung folgt: der Leiter der Optimierungsgruppe
ist der Vorsitzende des Wissenschaftlichen Beirats, verant-
wortlich für die Qualifizierung, und das Qualifizierungsprogramm ist von gestern, also deine neue Realität steht
auf einem Bein, und das ist auch Fakt.

PFEIL Eins nach dem andern.

NETZ   Hast du so viel Zeit.
Ich kann mit einem Bein nicht gehn.

PFEIL   Zuerst
Die neue Technik –

NETZ   Und der liebe Gott
Der Kybernetik präsentiert im Selbstlauf
Zur neuen Technik uns die neuen Menschen.

PFEIL Was willst du. Das neue Optimierungsmodell
Spart Arbeitskräfte ein.

NETZ   Und Arbeitsplätze.
Und wo sparst du die Eingesparten hin.
Das ist die Katze, die sich in den Schwanz beißt.
Ein Sparschwein mit zwei Löchern, was du oben hinein-
steckst, fällt unten heraus, ist das neue Optimierungsmodell mit dem alten Qualifizierungsprogramm. Der
beste Computer ist ein Haufen Schrott, wenn kein Mensch
ihn bedienen kann. Und der Erfinder, dein kybernetischer
Elitekopf Götz Kanten, er hat mehr Tassen im Schrank als
wir alle vielleicht, aber er sieht keine Menschen mehr, er
sieht nur noch Computer. Er würde am liebsten uns alle
einsparen, wie er seinen Bruder eingespart hat jetzt.

PFEIL Weil sein Modell veraltet war. Darum.

NETZ Und darum ist er selber auch veraltet?
Auf Wiedersehn, Genosse, auf dem Schrottplatz.
Dort landen wir nämlich, du auch, ich, wir alle
Wenn die Partei das zum Beschluß erhebt.
Und was die Brüder Kanten angeht: das
Veraltete Modell Matthias hat
Drei Formeln weniger im Kopf vielleicht
Aber im kleinen Finger mehr Bewußtsein –

PFEIL Du siehst den Wald vor Bäumen nicht, Waldläufer.

NETZ Du siehst die Bäume nicht vor Wald. Und das
Gibt Beulen. Da kommen die feindlichen Brüder.
Schlagen wir uns in die Büsche und schaun zu.

Tarnen sich mit Büschen.
Vielleicht kannst du was lernen.

PFEIL   Oder du.

NETZ Wie wärs mit wir? Wer geht mit einem Schuh. –
Der Weg zur Wahrheit, liebes Publikum
Auf dem Theater ist er manchmal krumm.

Götz und Matthias Kanten treten von verschiednen Seiten auf, sehen einer den andern, erstarren, machen kehrt, verstecken sich jeder hinter einem Baum, beobachten einander aus ihren Verstecken, treten vor, machen kehrt, treten wieder vor und bleiben voreinander stehn.

BEIDE Was schleichst du hier herum. Um diese Zeit.
Hast du es immer noch nicht aufgegeben.
Das frag ich dich. So kanns nicht weitergehn.
Ich bin der Kybernetiker Götz Kanten
Ich bin der Chemiker Matthias Kanten
Leiter der Optimierungsgruppe nach ihm
Leiter der Optimierungsgruppe vor ihm.
Störst du schon wieder meine Koordinaten.
Störst du schon wieder meine Analysen.

PFEIL Hör dir das an. Wie zwei wildgewordene Computer.
Wir sollten vielleicht einen Arzt –

NETZ Bleib ruhig.

GÖTZ UND MATTHIAS Wenn wir als Chor auftreten wollen, müssen wir uns auf einen Text einigen. Du meinst: auf deinen Text.

NETZ Vielleicht sollten wir doch einen Arzt –

PFEIL Bleib ruhig.

GÖTZ UND MATTHIAS Ich bin der

GÖTZ   Kybernetiker Götz

MATTHIAS   Chemiker Matthias

BEIDE   Kanten.

GÖTZ Ich bin

MATTHIAS Ich war

BEIDE   Leiter der Optimierungsgruppe.

MATTHIAS Warum so bescheiden. Vorsitzender des Wissenschaftlichen Beirats bist du doch auch. Noch.

GÖTZ Du bist es jedenfalls nicht mehr. – Das ist mein Bruder. Wissenschaftlich betrachtet könnte er mein Großvater sein. Ich meine, wenn man die wissenschaftlich-technische Zuwachsrate seit 1920 in Rechnung stellt. Er ist fünf Jahre älter als ich. Das macht im Zeitalter der Wissenschaft mindestens fünfzig.

MATTHIAS Das ist mein Bruder. Politisch betrachtet ein Säugling, oder ein Methusalem, wie man es nimmt. Ein politischer Säugling kann leicht an seinem eignen Bart ersticken im Zeitalter des Sozialismus.

BEIDE *betrachten einander kopfschüttelnd:* Ich glaube, du bist wirklich nicht zu retten.

NETZ Ich glaube, die wollen uns einen Generationskonflikt unter die Weste jubeln hier mit fünf Jahren Altersunterschied.

GÖTZ UND MATTHIAS Wo bleibt sie. Was geht das dich an. Schließlich ist sie verabredet. Mit mir. Mit dir? Kein Wunder, daß sie zu spät kommt. Dich würde ich auch warten lassen. Bis du schwarz wirst.

Pause.

Zehn Minuten über die Zeit. Es muß etwas passiert sein. Sie hat sich verlaufen. Sie ist ertrunken. Sie bringt sich um. Weil du. Weil wir.

Laufen gleichzeitig los, sehen gleichzeitig den Brief am Baum.

»Lieber Götz. Lieber Matthias –«

GÖTZ Mich hat sie zuerst genannt.

MATTHIAS Die Ersten werden die Letzten sein.

BEIDE »Ich habe mich mit euch beiden verabredet hier, damit ihr einmal nicht voreinander weglaufen könnt. Ich werde nicht kommen. Wartet nicht auf mich. Sukko.«

Pause. Die Brüder betrachten einander finster.

GÖTZ Weißt du noch, wie wir als Kinder um die Wette
getaucht sind. Damals hast du gewonnen, weil du älter
warst. Versuchen wir es jetzt. Wer zuerst auftaucht, hat
verloren.

MATTHIAS Gehn wir tauchen, Computer.

Siegbert Rundlauf mit Gewehr.

MATTHIAS Was suchst du, Siegbert.

SIEGBERT   Meine Perspektive.

MATTHIAS Du kannst mir meine suchen helfen. Ich auch.

GÖTZ Mit Kleinkaliber?

SIEGBERT   Das Gewehr ist Tarnung.
Ich brauchs für meine Frau. Sie kann kein Blut sehn.
Solang ich auf der Jagd bin, hält sie Abstand.

Schießt in die Luft.

STIMME TILLI RUNDLAUF Siegbert. Hast du getroffen?

SIEGBERT   Nein, die Schnepfe
War eine Ente.

STIMME TILLI   Nicht aufgeben, Siegbert.

SIEGBERT So ist sie. Kann kein Blut sehn, aber daß ich
Vorbeischieß, kann sie auch nicht sehn, die gute.

Laut:

Ich geb nicht auf.

GÖTZ   Wir haben zu tun. Viel Glück
Bei den Schnepfen.

SIEGBERT   Halt! So kommst du mir nicht weg.
Du hast den Schädel voll mit Perspektive
Und die Prognose in den Fingerspitzen
Du hast mich auf das Abstellgleis rangiert
Mit deiner Optimierung, Optimierer
Und wenn ich dich nach meiner Zukunft frag
»Such bei den Pilzen.«

GÖTZ   Bei den Schnepfen, Siegbert.

SIEGBERT Pilz oder Schnepfe. Ich wills wissen. Jetzt.

Legt auf Götz Kanten an. Der nimmt die Hände hoch.

NETZ Das ist der Automatenkoller.

GÖTZ   Hilfe.

Siegbert Rundlauf läßt das Gewehr fallen.

SIEGBERT Kann ich dafür, daß ich kein Computer bin?
Wär ichs. Du würdest anders mit mir reden.
Und ich mit dir.

GÖTZ   Studieren mußt du, Alter.
Ich hab es dir gesagt. Was willst du noch.

SIEGBERT Wer sagt mir, ob ichs kann.

GÖTZ   Das mußt du wissen.

SIEGBERT Und wenn ich mit dem Studium fertig bin
Was dann?

GÖTZ   Das kann dir niemand sagen. Jetzt.

SIEGBERT Ich muß es aber wissen. Jetzt. Wie kann ich
Mich in die Bücher knien, wenn ich kein Ziel hab.

GÖTZ Ja, wer nicht mitkommt, kommt nicht mit. Ich bin
Kein Kindermädchen.

SIEGBERT   Soll ich mich gleich erschießen?
Da weiß ich wenigstens, was rauskommt: nichts.

GÖTZ Das ist noch nicht bewiesen. Die Wissenschaft –

MATTHIAS Was war zuerst, der Kopf oder die Zahl.

GÖTZ Die Zahl. Du fängst dich in der eignen Schlinge.

MATTHIAS
Wer keinen Kopf mehr hat, weiß keine Zahl mehr.

GÖTZ Und woher weißt du das. Warst du schon tot?

MATTHIAS Ich schreib dir, wenn ich tot bin.

GÖTZ   Oder ich dir.

SIEGBERT
Ich weiß schon jetzt nicht mehr, wo mir die Zahl steht.
Wo mir der Kopf steht, wollt ich sagen.

GÖTZ   Gut.
Nicht wissen, was man weiß, das ist der Anfang
Der Wissenschaft.

MATTHIAS   Oder das Ende.

GÖTZ   Ja

Das Ende ist der Anfang.

SIEGBERT   Ich werd verrückt.

Läuft ab.

MATTHIAS So kannst du nicht mit Menschen umgehn.

GÖTZ Was willst du. Soll ich ihm Märchen erzählen.

MATTHIAS Hast du dich schon mal dafür interessiert,
Computer, wie es in einem Menschen aussieht.

GÖTZ »Des Menschen Seele ist ein tiefer dunkler Wald
Ich habe diesen Wald durchschritten und ich kam
Ans Licht zurück mit einer kleinen roten Blume ...«
Torquato Tasso, Das befreite Jerusalem. Aber hundert
Jahre vor ihm hat Leonardo schon die Toten aufgeschnit-
ten. Theologie ist dein Fach, ich bin Kybernetiker.

MATTHIAS Was weißt du vom Leben, Grünschnabel. Aus
dem gewärmten Nest zur Universität. Die ABF war eine
andre Schule. Wir —

GÖTZ Der majestätische Plural. Du weißt, was Leben ist.
Das darfst du nicht für dich behalten, Junge. Das ist der
Nobelpreis. 1980 werden wir Charakter und Intelligenz
mit Medikamenten steuern, und du gehst immer noch
hausieren mit deinem alten Hut voll Schnee von gestern.
ABF.

MATTHIAS Man müßte dir —

GÖTZ Die schwielige Arbeiterfaust. Auch ein Argument aus
dem Märkischen Museum.

MATTHIAS Vielleicht hörst du es dir erst mal an.

Franz Mullebär.

FRANZ Nimm meins dazu, Matthias. *Zu Götz Kanten:* Willst
du wissen, warum, Galilei? Geruhe dich umzusehn. Dort
geht meine Frau. Der Arzt hat ihr Bewegung verschrie-
ben. Jetzt lernt sie im Gehn Mathematik, für ihre Qualifizierung als Meister. Aber die Planstelle ist schon gestrichen. Eingespart. Dein — unser neues Optimierungsmo-

dell. Ich kann mich genausogut selber ohrfeigen. *Tut es.* Ich kann es ihr nicht sagen. Drei Monate haben wir sie agitiert im Kollektiv, Pfeil zuerst, damit sie das Fernstudium aufnimmt. Wenn der mir über den Weg läuft, Pfeil, krieg ich lebenslänglich. Sie kommt. Sag dus ihr, Matthias. Du weißt, wie das ist. Geh, sag ihr, daß alles umsonst ist.

Miru Mullebär mit Mathematikbuch.

MIRU $y^3x \cdot {}^2x^4y^2 \ldots$

PFEIL Mein Kreuz.

NETZ Du bist ein Gebüsch. Du hast keine Bandscheiben.

Pfeil stöhnt.

NETZ Warum treibst du keinen Sport.

Pfeil stöhnt.

MATTHIAS Siegbert hat einen Bock geschossen.

MIRU Das hört sich eher wie ein Ochse an.

NETZ Was ist dir wichtiger, dein Kreuz oder das Vertrauen deiner Mitarbeiter.

MIRU 6 Männer und 8 Frauen, wieviel Familien sind das, wenn –

GÖTZ Das kommt auf die Organisationsform an. Die Zukunft gehört dem Mehrfamilienverband. Ein Waschautomat pro Familie ist unökonomisch, wenn man die Durchschnittsfamilie von drei bis vier Köpfen zugrundelegt. Bei drei Familien amortisiert er sich in vier Monaten. Das Dreifamilienbett ist eine höhere Stufe der Kommunikation. Es greift schon in den Überbau. Ich rede von der nächsten Zukunft. Auch der Mehrfamilienverband ist natürlich nur ein Übergang zur allgemeinen Promiskuität.

MATTHIAS Dann können wir uns das Tauchen sparen, wie?

GÖTZ Das könnte dir passen.

MIRU Was ist Promiskuität, Franz?

FRANZ Promiskuität ist, wenn, zum Beispiel, ich mit Sukko –

MIRU UND GÖTZ Was! Du mit Sukko –

FRANZ Und Götz mit dir —

MATTHIAS Götz mit Miru?

GÖTZ Ich mit Miru?

MIRU Götz mit mir? Du —

Miru ohrfeigt Franz.

FRANZ Das war doch nur ein Beispiel.

MATTHIAS Ich glaube, das wird eine lange Übergangsperiode, bis zu deiner Promiskuität.

GÖTZ Kollegin Mullebär. Mathematik ist was fürs Leben. Das können Sie immer gebrauchen. Aber —

FRANZ *zieht Miru weg:* Nein, ich ertrage das nicht. Komm, ich helf dir bei der Mathematik.

MIRU *lacht:* Franz. Du bist eifersüchtig. Manchmal ist er ein richtiger Türke.

FRANZ Das fragt sich, wer von uns beiden der Türke ist. Komm.

Beide ab.

PFEIL Ich muß mich in einen Baum verwandeln. Sitzen kann ich nicht mehr.

NETZ Tu dir keinen Zwang an. Wir habens reichlich. Aber such dir einen dicken, der dünnste bist du nicht.

Pfeil verwandelt sich in einen Baum.

MATTHIAS Wir hinken 2000 Jahre hinter dem Weltstand her mit unsrer Methode der Entscheidungsfindung. Tauchen. Die Kollegen würden sich totlachen. Das können wir keinem erzählen, das glaubt kein Mensch.

GÖTZ Umso besser. Dann wird auch keiner drüber lachen. Notstand geht vor Weltstand. Komm tauchen.

Ab.

MATTHIAS Verrückt.

Ab. Netz und Pfeil stellen Busch und Baum an ihre alten Plätze. Dehnen und strecken sich, Pfeil unter Stöhnen.

PFEIL Ich wollte, ich säße an meinem Schreibtisch, zwischen vier schalldichten Wänden. Psychologie erschwert die Leitungstätigkeit.

NETZ Die Wände werden immer durchsichtiger. Daran müssen wir uns gewöhnen. Der Mensch auch. Das Leben wird öffentlich, Richard.

PFEIL *seufzend:* Und das Leiten.

NETZ Das war der erste Akt. Für mich. Auf Wiedersehn im zweiten.

Ab. Tilli Rundlauf und, mit Mathematikbuch, Miru Mullebär von verschiedenen Seiten.

PFEIL Ich muß schon wieder in die Illegalität. Mein Zusammenstoß mit diesen Damen ist erst für den zweiten Akt vorgesehn.

Verwandelt sich in einen Busch.

TILLI Ich verstehe Sie nicht, Frau Mullebär. Daß Sie immer noch mit der Mathematik herumlaufen. Da kann ich nur sagen Hut ab, wenn ich einen Hut aufhätte. Das ist Lerneifer. Und alles umsonst.

MIRU Sie meinen, weil ich nicht mehr verdiene als Chemiemeister? Das ist nur am Anfang. Und außerdem: wie lange werden Lohnbuchhalter noch gebraucht. Morgen macht das der Computer.

TILLI Ich meine, weil Sie doch mit der Planstelle als Chemiemeister gar nicht mehr rechnen können. Oder hat man Ihnen das noch nicht gesagt? So sind die Männer –

MIRU Weil ich mit der Planstelle – Wie kommen Sie darauf? Wer hat Ihnen das erzählt? Das ist doch nicht möglich. Das kann doch nicht wahr sein. Das gibt es doch gar nicht.

TILLI Das neue Optimierungsmodell verringert den Kaderbedarf, meine Liebe. Ihre Planstelle ist schon gestrichen, der Förderungszuschuß für das Fernstudium wird eingestellt. Jaja, Frau Mullebär, die WTR fordert ihre Opfer. Wir kommen gar nicht so schnell mit wie wir fortschreiten.

MIRU Was ist das, WTR?

TILLI Sie stellen Fragen. Die Wissenschaftlich Technische Revolution, was sonst.

MIRU Das kann nicht wahr sein. Ich glaube das nicht. Gestrichen. Sie wollen sich über mich lustig machen. Mein Mann hätte es mir gesagt.

TILLI Sie glauben noch an Männer? Wie alt sind Sie eigentlich, Frau Mullebär?

MIRU *läßt das Mathematikbuch fallen:* Ja. Aber was soll nun werden.

TILLI Machen Sie sich keine Sorgen. Der Sozialismus läßt keinen im Stich.
Ab.

MIRU Warum hat er mir nichts gesagt? Franz! Er hätte es mir sagen müssen. Ich lasse mir das nicht gefallen. Ich laß mich nicht streichen. Ich kratz ihm die Augen aus. Franz!
Schnell ab.

PFEIL So muß einem Bergsteiger zumute sein, angeseilt zwischen zwei Felsen, wenn er eine Lawine auf sich zukommen sieht. Mit jedem Hinsehn wird sie größer, aber wenn er die Augen zumacht, wächst sie auch. Ich wollte, ich wär jemand anders. Ludwig Netz zum Beispiel, der erst im zweiten Akt wieder vorkommt.
Ludwig Netz in Pfeil-Maske.
Schon passiert. Ich bin es.

NETZ Übrigens, Hora, was ich sagen wollte –

PFEIL Bin ich verrückt? Ist ers? Was soll das heißen.
Hora Pfeil.

HORA *zu Netz:* Ja, Richard?

PFEIL   Meine Frau. Mit Ludwig Netz.
Hat sie Richard gesagt? Ein feiner Parteisekretär.
Macht sich an meine Frau heran im Schutz
Der Nacht in meiner Maske.

NETZ   Ich hab mit ihm
Gesprochen, Hora, mit Matthias Kanten.

PFEIL Was soll das –

NETZ Du wirst mit mir zufrieden sein.

HORA Ach Richard, du bist doch der beste.

Küßt Netz.

PFEIL Das ist

Zu viel.

Ergreift einen Knüppel.

Halt! das kannst du nicht machen als Genosse.

Der Doppelmord im Naherholungszentrum.

Werkleiter erschlägt Gattin und Parteisekretär in

flagranti.

Nein, das geht nicht.

Legt den Knüppel weg.

PFEIL Leiten heißt leiden.

NETZ Matthias Kanten bleibt

Produktionsdirektor.

PFEIL Das kommt nicht in Frage.

In meiner Maske über meinen Kopf weg

Falsche Entscheidungen —

HORA Du machst dirs leicht.

PFEIL Das kann man wohl sagen.

HORA Beruhigst dein Gewissen —

NETZ Ich laß ihm seinen Arbeitsplatz. Was willst du.

HORA Ich-laß-ihm-seinen-Arbeitsplatz. Und weiter?

Was wird aus ihm, auf seinem Arbeitsplatz

Für den er nicht ausreicht?

PFEIL Genau. Das sind Leitungsmethoden.

HORA

Du spielst den Menschenfreund. Und was aus ihm wird

Ist seine Sache. Markierst den Genossen, der

Sich sorgt um den Genossen. Spielst dir selber eine

Komödie vor, und du gefällst dir auch noch

In deiner Komödie —

PFEIL Jetzt hat er was zu kaun.

Da mußt du früher aufstehn, Ludwig, wenn du

Den Werkdirektor mimen willst, und das
Vor seiner Frau. Sie nimmt ihn auf den Arm
Und er merkt nichts. Theater spielen ist
Nicht seine Stärke. Oder? Der Betriebsball.
Er hat mit ihr getanzt. Und nur mit ihr.
Aber warum tritt er als ich auf, wenn?
Und warum muß sie ihren Text ablesen
Wenn? Soll das eine neue Spielart sein?
Als Kinder haben wir Mann und Frau gespielt –

NETZ Was willst du eigentlich? Matthias Kanten
War Produktionsdirektor. Ich hab ihn abgelöst
Weil seine Qualifikation nicht mehr ausreicht.
Das war vielleicht ein Fehler. Zugegeben.

PFEIL Es war die richtige Entscheidung, Richard.
Hab ich Richard gesagt? Du fängst schon an
Dich mit dir selber zu verwechseln, Ludwig.
Hab ich Ludwig gesagt? Das ist der Vollmond.

NETZ Ich hab vielleicht zu weit nach vorn gesehn.

PFEIL Das mach mir erst mal vor: zu weit nach vorn sehn.

NETZ Ein Leiter muß hinten auch ein Auge haben.

PFEIL Da ist was dran.

NETZ   Und jetzt hab ich den Fehler
Korrigiert –

HORA   Mit einem andern Fehler.

PFEIL   Genau.
Aber der erste Fehler war kein Fehler.

HORA
Zu weit nach vorn. Das glaubst du dir doch selbst nicht.
Sei ehrlich, Richard. Dir kannst du vielleicht
Noch dies und das vormachen, aber mir nicht.
Wir müssen alle lernen, unsrer Arbeit
Voraus zu sein.

PFEIL   Wo sie das herhat. Eine
Hausfrau!

NETZ   Ökonomie der Zeit, ja.

PFEIL   Schwätzer.

HORA Uns selber müssen wir auch voraus sein, Richard.
Und wer kein Ziel hat, woher soll der wissen
Was vorn und hinten ist. Matthias Kanten
Zum Beispiel braucht ein Ziel und keinen Posten.
Du bist ein Motor für die Produktion
Aber als Leiter —

NETZ *lacht:*   Ja, so wirds richtig, Hora.

PFEIL Das geht ihm ein. Der Lump. Die eigne Frau.

HORA *lacht:* Und wenn du dir noch lange hinterherhinkst
Kanns dir passieren, daß du abgeschleppt wirst
Mit Kupplungsschaden, Richard.

NETZ UND PFEIL *gleichzeitig. Pfeil dabei aus seiner Deckung
tretend:*   Kupplungsschaden?

HORA Hilfe! Mein Mann.

*Hora Pfeil und Netz ab, von Pfeil verfolgt. Franz Mullebär,
Matthias Kanten-Maske in der Hand.*

FRANZ Das hab ich mir auch nicht träumen lassen. Ich als
Schauspieler. Ich habe Mathematik studiert, Sie werden
lachen. Ich habe lange kein Theater von innen gesehn,
Fernsehn ist bequemer. Als ich das letzte mal im Theater
war, haben sie »Bertha von Köthen« gespielt. Oder so
ähnlich. Da kommt eine minderjährige Jungfrau in einer
Mülltonne aus dem Schnürboden herunter, und das ist der
neue Mensch. Es war sehr realistisch. Die Mülltonne war
aus Tafelsilber. Sie hatten es rußig gemacht, damit es alt
aussah.
Matthias Kanten. Produktionsdirektor.
Ab ersten nicht mehr Produktionsdirektor
Weil dich dein Bruder disqualifiziert hat.
Und ich hab ihm dabei geholfen, und
Weil dem Genossen Werkdirektor nichts
Besseres einfällt als Ablösung vor.

Warum soll ich mir deine Jacke anziehn?
Bin ich dein Bruder? Bin ich Werkdirektor?
Was gehn mich deine Sorgen an, Kollege?
Hab ich an meinen eignen nicht genug?
Acht Wochen hab ich auf meine Frau eingeredet, damit sie
das Fernstudium aufnimmt, drei Wochen Geschirr gespült mit hoher Verlustrate, Windeln gewaschen und wie
ein Mönch gelebt, oder beinahe wie ein Mönch, damit sie
sich qualifizieren kann. Und jetzt ist die Planstelle ge-
strichen mit meiner Hilfe und alles umsonst, und wenn
meine Frau das erfährt, wird sie das Restporzellan an
meinem schlauen Kopf zerschlagen, und ich muß im
Keller schlafen ganz wie ein Mönch oder fremdgehn
wie – ich darf hier keine Namen nennen.
Setzt die Maske auf.
Jetzt bin ich du, Matthias. Jetzt paß auf.
Matthias, du bist zu bescheiden und
Was du nicht sagen willst, ich sags für dich.
Theater oder nicht, mir ist es ernst.
Ich werde dem Genossen Werkdirektor
Jetzt deine Meinung sagen. Es ist unsre.
Hör zu, Genosse Pfeil, am ersten Mai
Hast du mich dekoriert mit einer Prämie
Zum drittenmal die Ökonomischen Schriften
Und hast mir Glück gewünscht und mich umarmt –
Pfeil, mit Knüppel.
PFEIL Es war ein schöner Augenblick, Matthias.
Man kommt sich nah in solchen Augenblicken.
FRANZ *zum Publikum:*
Jetzt kommts drauf an. Das ist die Feuerprobe. –
Ein schöner Augenblick, du sagst es, Richard.
Drei Tage später war ich Schrott für dich.
So nah, Genosse, sind wir uns gekommen.
PFEIL Was unterstellst du mir. Mit welchem Recht –
Geht mit dem Knüppel auf ihn los.

FRANZ *weicht aus:*

Das ist nicht Pfeil. Der hat sich in der Hand. –
He, Ludwig, leg den Knüppel weg. Wir sind nicht
Im Kabarett. Soll das der Holzhammer sein?

PFEIL Was heißt hier Ludwig? Auf dem Ohr seh ich rot.
Das ist ein Steuerknüppel. Ich lern fliegen.
Die höchste Form der Leitungstätigkeit.
Wirft den Knüppel weg.

FRANZ Er ist es wirklich. Und er denkt, ich bins auch.
Wer hätte das gedacht: Ich bin Schauspieler.
(Rolf Ludwig) ist ein Laie gegen mich.

PFEIL Du kannst mir glauben, Matthias, ich hab auch
Meine Probleme.

FRANZ   Das will ich hoffen, Richard.

PFEIL Das ist nicht schön von dir.

FRANZ   Weil du sonst tot wärst.

PFEIL Da hast du recht: tot sein ist auch nicht das Wahre.
Im Ernst: ich wünsch dir meine Sorgen nicht.

FRANZ Ich wünsch dir meine. Vielleicht lernst du draus.

PFEIL Wie redest du mit mir. Was soll ich lernen.

FRANZ Der Mensch ist eine variable Größe –

PFEIL Und störanfällig, ja, sehr störanfällig –

FRANZ Und mathematisiert sich nicht so leicht
Wie du denkst oder mein Kollege Bruder.
Mit Plus und Minus kommst du ihm nicht bei.

PFEIL Wir werden schon einen Platz für dich finden, Matthias. Vorläufig kannst du in der Abteilung von deinem
Bruder mitarbeiten. Oder willst du, daß ich meine Entscheidung rückgängig mache? Bitte, dann müssen wir
darüber diskutieren. Du warst einverstanden mit deiner
Ablösung, wenn ich dich daran erinnern darf. Du hast sie
beinahe gefordert. Aber bitte, wenn du jetzt der Meinung
bist, sie war ein Fehler –

FRANZ Soll ich dir die Füße küssen? Der Heilige Vater
gesteht seine Fehlbarkeit ein.

*Auftritt, versteckt, Siegbert Rundlauf, in der Hand Götz-
Kanten-Maske.*

SIEGBERT Aber er glaubt nicht daran, das sieht ein Blinder.
Aber so hat noch keiner mit ihm geredet. Am wenigsten
Matthias Kanten. *Hält sich die Maske vor.* Mein Bruder.
Ob er mich erkennt?

PFEIL Wir sind Genossen.

SIEGBERT Das sagt er immer, wenn er in die Verteidigung
geht.

FRANZ Sind wir das?

SIEGBERT Das war der richtige Gegenzug.

PFEIL Ich dachte immer, unsre Sache ist dir heilig.

FRANZ Und unsre Sache, das bist du?

Siegbert Rundlauf lacht.

PFEIL Ich, du, wir alle. Was gibts da zu lachen?

FRANZ Mir ist nicht zum Lachen zumute.

Siegbert Rundlauf lacht.

PFEIL Das hört man.

FRANZ   Mir ist auch, als hätte wer
Gelacht hier. Das sind die Nerven, strapaziert
Von deiner Leitungstätigkeit. Ja, ich
War einverstanden, und ich bins, mit deiner
Entscheidung. Es war meine, weil ich weiß
Daß ich versagt hab. Das weiß ich auch: mit dir
Bin ich nicht einverstanden, und ich sag dir:
Wenn heute ich untauglich bin, morgen
Bists du. Lange vor mir hast du gewußt
Daß meine Arbeit eine Halbheit war
Gut für die Zeitung und für die Statistik
Aber prognostisch eine Fehlgeburt
Und hast geschwiegen und mir auf die Schulter
Geklopft und eine Prämie nach der andern
Weil es dir in den Kram gepaßt hat gegen
Die wilden Utopien von meinem Bruder

Der dir über den Kopf gewachsen war
Du brauchtest einen Bremsklotz und ich war der.
Und als die Utopie am Zügel ging
Und hörte auf den Namen Prognose und
Hieß Optimierung, hast du die Kurve gekriegt:
Der Bremsklotz war der Bremsklotz, weg mit Schaden.

PFEIL So hab ich das nie angesehn, Matthias.

SIEGBERT *in Götz-Kanten-Maske, tritt auf:* Ich auch nicht.

FRANZ UND PFEIL Götz.

SIEGBERT   Matthias. – Jetzt wirds ernst.
Entschuldigt, Kollegen, daß ich euch belauscht hab.
Es war sehr interessant. Ich hatte Angst
Wenn ich euch unterbrech, verliert ihr den Faden.

*Götz Kanten und Matthias Kanten, triefend, von den an-
dern unbemerkt.*

SIEGBERT Ich glaub, ich kann von dir was lernen, Matthias.
Du auch, großer Leiter.

Zum Publikum: Was ich mir herausnehm.
So hätt ich nie mit meinem Chef gesprochen
In meiner Eigenschaft als ich. Das ist
Die Macht der Kunst: sie potenziert den Menschen.

Zu Pfeil:
Die Unterlassung von Kritik ist Mord
An der Zukunft, und die fängt heute an.

FRANZ Ich hab von dir auch viel zu lernen, Götz.

PFEIL *zum Publikum:*
Jetzt geht mir auf, warum der Parteisekretär
Sport treibt. Das klärt den Kopf und schafft Einsichten.
Besonders, scheints, der Unterwassersport.

FRANZ UND SIEGBERT *ebenso:*
Er ist nicht wiederzuerkennen. Aber
Er glaubt mir meine Rolle, und ich bins auch nicht.
Wenn ich mal rationalisiert werd, weiß ich
Wohin. Dem Mimen flicht die Mitwelt Kränze.

MATTHIAS *noch versteckt:* Ich glaube, wir sind im Theater.

GÖTZ   Ja

Mit Realismus hat das nichts zu tun.

Ich von dir lernen.

MATTHIAS   Oder ich von dir.

PFEIL *zu Siegbert und Franz:*

Wer hat gewonnen bei eurem Tauchversuch?

Ich hab euch auch belauscht. Entschuldigt, Genossen.

FRANZ UND SIEGBERT

Gewonnen? Tauchversuch? Belauscht? Wieso?

PFEIL Ihr braucht euch nicht zu schämen. Ich weiß auch

Wozu die Liebe einen treiben kann.

MATTHIAS Und jetzt ist Schluß mit der Komödie.

*Will auftreten. Auftritt Miru Mullebär. Götz Kanten hält
Matthias Kanten zurück.*

GÖTZ   Wart.

MIRU Die Herren Leiter. Alle drei. Das trifft sich.

Das können Sie mit mir nicht machen, Sie.

Ich lasse mir das nicht gefallen, ich nicht.

Auf Franz Mullebär:

Der redet mir ein Studium ein –

FRANZ   Hilfe.

MIRU

Mein Mann sein Sprachrohr. Ich setz meine Ehe aufs Spiel:
Studiere.

Auf Siegbert Rundlauf:

Und der optimiert mich weg –

Mein Mann sein Werkzeug. Und feig sind sie alle

Und keiner sagt mir was.

Zu Pfeil: Sie habens auch

Nicht nötig, wie? Und jetzt könnt ihr

Mich kennenlernen.

SIEGBERT *Maske ab:*

Hilfe. Ich bin es nicht. Ich bin unschuldig.

Im Gegenteil, ich bin in Ihrer Lage.

FRANZ *ebenso:*
Ich bin es auch nicht, Miru. Reg dich nicht auf.

MIRU So ist das? Auch gut. Dich such ich schon lange.

PFEIL Kollegin Mullebär –

MIRU   Und wer ist das?
Haben Sie Angst, die Maske abzunehmen?
Ich werd sie Ihnen schon herunterreißen.

FRANZ Miru –

MIRU   Wir rechnen nachher ab.
Sukko, in Panik.

SUKKO   Kollegen.
Im See. Götz und Matthias. Sie haben um die Wette
getaucht. Meinetwegen. Sie sind ertrunken. Vielleicht
können wir sie noch retten. Kommt schnell.
Ab.

MIRU *zu ihrem Mann:* Was stehst du noch herum.
Zieht ihn mit. Alle ab zum See.

MATTHIAS   Hast du gehört?
Wir sind ertrunken.

GÖTZ   Meinen Namen hat sie
Zuerst genannt. Hast du das auch gehört?

MATTHIAS Du hättst es nicht mehr hören können, wenn ich
Dich nicht herausgezogen hätte, Einstein.

GÖTZ Aber ich war am längsten unter Wasser.
Siegbert Rundlauf schnell vorbei.

MATTHIAS Wohin?

SIEGBERT *im Laufen:* Mein Tauchgerät. Götz und Matthias
Sind unter Wasser.

GÖTZ UND MATTHIAS Beeil dich.

SIEGBERT *unsichtbar:*   Ich tu was ich kann.

MATTHIAS Ich wußte nicht, daß es mich zweimal gibt.

GÖTZ Der Mensch multipliziert sich, wenn er liebt.
Ein Einhorn geht über die Bühne.

GÖTZ Was war das? Hast du das gesehn? Verrückt.

MATTHIAS Du warst zu lange unter Wasser. Ich
Hab nichts gesehn.

GÖTZ   Ein Einhorn.

MATTHIAS   Gibt es nicht.

*Das Einhorn geht noch einmal über die Bühne. Musik. Der
märkische Wald verwandelt sich in einen tropischen. Netz
läuft auf Rollschuhen über die Bühne und zieht an einem
Schleppseil Pfeil hinter sich her, der in einem Ohrensessel
sitzt und Industriebetriebe aus dem Ärmel schüttelt, die
sofort zu produzieren anfangen. Siegbert Rundlauf fliegt
hinter Papageien her – Papageientext: Kybernetik Qualifizierung Prognose – seine Frau hinter ihm. Miru Mullebär
will auf ihren Mann losgehn, der stellt ein kleines Transistorgerät auf sie ein und sie verwandelt sich in ein liebendes Weib, umarmt und küßt ihn; eine rosa Wolke senkt sich
über die beiden; aus der Wolke quellen kleine Mullebärs.
Sukko in Hochzeitskleid, Brautschleier und Myrthenkranz
schwebt zwischen Götz und Matthias Kanten. Die Brüder
greifen nach ihr. Die Musik setzt aus. Rückverwandlung des
tropischen Walds in den märkischen. Die Brüder halten
einander an den Nasen. Alle andern sind verschwunden.*

SIEGBERT *zurück mit Tauchgerät:*
Ihr seid Kollegen. Worauf wartet ihr?
Wir tauchen uns die Lunge aus dem Hals
Und ihr laßt euch ersaufen. Ihr? Verdammt.
Ihr seids ja selber.

Ab, rufend: Kollegen. Kommt. Hier sind sie.

GÖTZ Was machen wir?

MATTHIAS   Da bleibt nur Flucht.

GÖTZ   Zu spät.

DER HORATIER

Zwischen der Stadt Rom und der Stadt Alba
War ein Streit um Herrschaft. Gegen die Streitenden
Standen in Waffen die Etrusker, mächtig.
Ihren Streit auszumachen vor dem erwarteten Angriff
Stellten sich gegeneinander in Schlachtordnung
Die gemeinsam Bedrohten. Die Heerführer
Traten jeder vor sein Heer und sagten
Einer dem andern: Weil die Schlacht schwächt
Sieger und Besiegte, laßt uns das Los werfen
Damit ein Mann kämpfe für unsere Stadt
Gegen einen Mann, kämpfend für eure Stadt
Aufsparend die andern für den gemeinsamen Feind
Und die Heere schlugen die Schwerter gegen die Schilde
Zum Zeichen der Zustimmung und die Lose wurden
                                        geworfen
Die Lose bestimmten zu kämpfen
Für Rom einen Horatier, für Alba einen Kuriatier.
Der Kuriatier war verlobt der Schwester des Horatiers
Und der Horatier und der Kuriatier
Wurden gefragt jeder von seinem Heer:
Er ist   deiner
        verlobt   Schwester. Soll das Los
Du bist   seiner
Geworfen werden noch einmal?
Und der Horatier und der Kuriatier sagten: Nein
Und sie kämpften zwischen den Schlachtreihen
Und der Horatier verwundete den Kuriatier
Und der Kuriatier sagte mit schwindender Stimme:
Schone den Besiegten. Ich bin
Deiner Schwester verlobt.
Und der Horatier schrie:
Meine Braut heißt Rom
Und der Horatier stieß dem Kuriatier
Sein Schwert in den Hals, daß das Blut auf die Erde fiel.

Als nach Rom heimkehrte der Horatier
Auf den Schilden der unverwundeten Mannschaft
Über die Schulter geworfen das Schlachtkleid
Des Kuriatiers, den er getötet hatte
Am Gürtel das Beuteschwert, in Händen das blutige eigne
Kam ihm entgegen am östlichen Stadttor
Mit schnellem Schritt seine Schwester und hinter ihr
Sein alter Vater, langsam
Und der Sieger sprang von den Schilden, im Jubel des
                                                    Volks
Entgegenzunehmen die Umarmung der Schwester.
Aber die Schwester erkannte das blutige Schlachtkleid
Werk ihrer Hände, und schrie und löste ihr Haar auf.
Und der Horatier schalt die trauernde Schwester:
Was schreist du und lösest dein Haar auf.
Rom hat gesiegt. Vor dir steht der Sieger.
Und die Schwester küßte das blutige Schlachtkleid und
                                                    schrie:
Rom.
Gib mir wieder, was in diesem Kleid war.
Und der Horatier, im Arm noch den Schwertschwung
Mit dem er getötet hatte den Kuriatier
Um den seine Schwester weinte jetzt
Stieß das Schwert, auf dem das Blut des Beweinten
Noch nicht getrocknet war
In die Brust der Weinenden
Daß das Blut auf die Erde fiel. Er sagte:
Geh zu ihm, den du mehr liebst als Rom.
Das jeder Römerin
Die den Feind betrauert.
Und er zeigte das zweimal blutige Schwert allen Römern
Und der Jubel verstummte. Nur aus den hinteren Reihen
Der zuschauenden Menge hörte man noch
Heil rufen. Dort war noch nicht bemerkt worden

Das Schreckliche. Als im Schweigen des Volks der Vater
Angekommen war bei seinen Kindern
Hatte er nur noch ein Kind. Er sagte:
Du hast deine Schwester getötet.
Und der Horatier verbarg das zweimal blutige Schwert
nicht
Und der Vater des Horatiers
Sah das zweimal blutige Schwert an und sagte:
Du hast gesiegt. Rom
Herrscht über Alba.
Er beweinte die Tochter, verdeckten Gesichts
Breitete auf ihre Wunde das Schlachtkleid
Werk ihrer Hände, blutig vom gleichen Schwert
Und umarmte den Sieger.
Zu den Horatiern jetzt
Traten die Liktoren, trennten mit Rutenbündel und Beil
Die Umarmung, nahmen das Beuteschwert
Vom Gürtel dem Sieger und dem Mörder aus der Hand das
zweifach
Blutige eigne.
Und von den Römern einer rief:
Er hat gesiegt. Rom
Herrscht über Alba.
Und von den Römern ein andrer entgegnete:
Er hat seine Schwester getötet.
Und die Römer riefen gegeneinander:
Ehrt den Sieger.
Richtet den Mörder.
Und Römer nahmen das Schwert gegen Römer im Streit
Ob als Sieger geehrt werden sollte
Oder gerichtet werden als Mörder der Horatier.
Die Liktoren
Trennten die Streitenden mit Rutenbündel und Beil
Und beriefen das Volk in die Versammlung

Und das Volk bestimmte aus seiner Mitte zwei
Recht zu sprechen über den Horatier
Und gab dem einen in die Hand
Den Lorbeer für den Sieger
Und dem andern das Richtbeil, dem Mörder bestimmt
Und der Horatier stand
Zwischen Lorbeer und Beil
Aber sein Vater stellte sich zu ihm
Der erste im Verlust, und sagte:
Schändliches Schauspiel, das der Albaner selbst
Nicht ansäh ohne Scham.
Gegen die Stadt stehn die Etrusker
Und Rom zerbricht sein bestes Schwert.
Um eine sorgt ihr.
Sorgt um Rom.
Und von den Römern einer entgegnete ihm:
Rom hat viele Schwerter.
Kein Römer
Ist weniger als Rom oder Rom ist nicht.
Und von den Römern ein anderer sagte
Und zeigte mit Fingern die Richtung des Feinds:
Zweifach mächtig
Ist der Etrusker, wenn entzweit ist Rom
Durch verschiedne Meinung
In unzeitigem Gericht.
Und der erste begründete so seine Meinung:
Ungesprochenes Gespräch
Beschwert den Schwertarm.
Verhehlter Zwiespalt
Macht die Schlachtreihe schütter.
Und die Liktoren trennten zum zweiten Mal
Die Umarmung der Horatier, und die Römer bewaffneten
                                                    sich
Jeder mit seinem Schwert.

Der den Lorbeer hielt und der das Beil hielt
Jeder mit seinem Schwert, so daß die Linke jetzt
Den Lorbeer oder das Beil hielt und das Schwert
Die Rechte. Die Liktoren selbst
Legten aus der Hand einen Blick lang
Die Insignien ihres Amts und steckten
In den Gürtel jeder sein Schwert und nahmen
In die Hand wieder Rutenbündel und Beil
Und der Horatier bückte sich
Nach seinem Schwert, dem blutigen, das im Staube lag.
                              Aber die Liktoren
Verwehrten es ihm mit Rutenbündel und Beil.
Und der Vater des Horatiers nahm sein Schwert auch und
                                                    ging
Aufzuheben mit der Linken das blutige
Des Siegers, der ein Mörder war
Und die Liktoren verwehrten es ihm auch
Und die Wachen wurden verstärkt an den vier Toren
Und das Gericht wurde fortgesetzt
In Erwartung des Feinds.
Und der Lorbeerträger sagte:
Sein Verdienst löscht seine Schuld
Und der Beilträger sagte:
Seine Schuld löscht sein Verdienst
Und der Lorbeerträger fragte:
Soll der Sieger gerichtet werden?
Und der Beilträger fragte:
Soll der Mörder geehrt werden?
Und der Lorbeerträger sagte:
Wenn der Mörder gerichtet wird
Wird der Sieger gerichtet
Und der Beilträger sagte:
Wenn der Sieger geehrt wird
Wird der Mörder geehrt.

Und das Volk blickte auf den unteilbaren einen
Täter der verschiedenen Taten und schwieg.
Und der Lorbeerträger und der Beilträger fragten:
Wenn das eine nicht getan werden kann
Ohne das andere, das es ungetan macht
   Sieger   Mörder
Weil der   und der   sind ein Mann, unteilbar
   Mörder   Sieger
Sollen wir also von beidem keines tun
    Sieg   Sieger
So daß da ein ist, aber kein
    Mord   Mörder
    Sieger
Sondern der   heißt Niemand?
    Mörder
Und das Volk antwortete mit einer Stimme
(Aber der Vater des Horatiers schwieg)
Da ist der Sieger. Sein Name: Horatius.
Da ist der Mörder. Sein Name: Horatius.
Viele Männer sind in einem Mann.
Einer hat gesiegt für Rom im Schwertkampf.
Ein anderer hat seine Schwester getötet
Ohne Notwendigkeit. Jedem das Seine.
Dem Sieger den Lorbeer. Dem Mörder das Beil.
Und der Horatier wurde gekrönt mit dem Lorbeer
Und der Lorbeerträger hielt sein Schwert hoch
Mit gestrecktem Arm und ehrte den Sieger
Und die Liktoren legten aus der Hand
Rutenbündel und Beil und hoben das Schwert auf
Das zweimal blutige mit verschiedenem Blut
Das im Staub lag und reichten es dem Sieger
Und der Horatier mit gekrönter Schläfe
Hielt sein Schwert hoch so daß für alle sichtbar war
Das zweimal blutige mit verschiedenem Blut

Und der Beilträger legte das Beil aus der Hand, und die
                                                    Römer
Hielten jeder sein Schwert hoch drei Herzschläge lang
Mit gestrecktem Arm und ehrten den Sieger.
Und die Liktoren steckten ihre Schwerter
In den Gürtel wieder, nahmen das Schwert
Des Siegers aus der Hand dem Mörder und warfen es
In den vorigen Staub, und der Beilträger riß
Dem Mörder von der Schläfe den Lorbeer
Mit dem der Sieger gekrönt worden war und gab ihn
Wieder in die Hand dem Lorbeerträger und warf dem
                                                    Horatier
Über den Kopf das Tuch in der Farbe der Nacht
In die zu gehen er verurteilt war
Weil er einen Menschen getötet hatte
Ohne Notwendigkeit, und die Römer alle
Steckten jeder sein Schwert in die Scheide
So daß die Schneiden alle bedeckt waren
Damit nicht teilhatten die Waffen
Mit denen der Sieger geehrt worden war
An der Richtung des Mörders. Aber die Wachen
An den vier Toren in Erwartung des Feinds
Bedeckten ihre Schwerter nicht
Und die Schneiden der Beile blieben unbedeckt
Und das Schwert des Siegers, das im Staub lag, blutig.
Und der Vater des Horatiers sagte:
Dieser ist mein letztes. Tötet mich für ihn.
Und das Volk antwortete mit einer Stimme:
Kein Mann ist ein andrer Mann
Und der Horatier wurde gerichtet mit dem Beil
Daß das Blut auf die Erde fiel
Und der Lorbeerträger, in der Hand
Wieder den Lorbeer des Siegers, zerrauft jetzt
Weil von der Schläfe gerissen dem Mörder

Fragte das Volk:
Was soll geschehn mit dem Leichnam des Siegers?
Und das Volk antwortete mit einer Stimme:
Der Leichnam des Siegers soll aufgebahrt werden
Auf den Schilden der Mannschaft, heil durch sein
                                        Schwert.
Und sie fügten zusammen ungefähr
Das natürlich nicht mehr Vereinbare
Den Kopf des Mörders und den Leib des Mörders
Getrennt voneinander mit dem Richtbeil
Blutig aus eigenem beide, zum Leichnam des Siegers
Auf den Schilden der Mannschaft, heil durch sein Schwert
Nicht achtend sein Blut, das über die Schilde floß
Nicht achtend sein Blut auf den Händen, und drückten
                                        ihm
Auf die Schläfe den zerrauften Lorbeer
Und steckten in die Hand mit den gekrümmten Fingern
Vom letzten Kampf sein staubig blutiges Schwert ihm
Und kreuzten über ihm die nackten Schwerter
Andeutend, daß nichts versehren solle den Leichnam
Des Horatiers, der gesiegt hatte für Rom
Nicht Regen noch Zeit, nicht Schnee noch Vergessen
Und betrauerten ihn mit verdecktem Gesicht.
Aber die Wachen an den vier Toren
In Erwartung des Feinds
Verdeckten ihre Gesichter nicht.
Und der Beilträger, in Händen wieder das Richtbeil
Auf dem das Blut des Siegers noch nicht getrocknet war
Fragte das Volk:
Was soll geschehn mit dem Leichnam des Mörders?
Und das Volk antwortete mit einer Stimme
(Aber der letzte Horatier schwieg):
Der Leichnam des Mörders
Soll vor die Hunde geworfen werden

Damit sie ihn zerreißen
Also daß nichts bleibt von ihm
Der einen Menschen getötet hat
Ohne Notwendigkeit.
Und der letzte Horatier, im Gesicht
Zweifach die Tränenspur, sagte:
Der Sieger ist tot, der nicht zu vergessende
Solange Rom über Alba herrschen wird.
Vergeßt den Mörder, wie ich ihn vergessen habe
Der erste im Verlust.
Und von den Römern einer antwortete ihm:
Länger als Rom über Alba herrschen wird
Wird nicht zu vergessen sein Rom und das Beispiel
Das es gegeben hat oder nicht gegeben
Abwägend mit der Waage des Händlers gegen einander
Oder reinlich scheidend Schuld und Verdienst
Des unteilbaren Täters verschiedener Taten
Fürchtend die unreine Wahrheit oder nicht fürchtend
Und das halbe Beispiel ist kein Beispiel
Was nicht getan wird ganz bis zum wirklichen Ende
Kehrt ins Nichts am Zügel der Zeit im Krebsgang.
Und der Lorbeer wurde dem Sieger abgenommen
Und von den Römern einer verneigte sich
Vor dem Leichnam und sagte:
Gestatte, daß wir aus der Hand brechen, Sieger
Dir nicht mehr Empfindendem
Das Schwert, das gebraucht wird.
Und von den Römern ein andrer spie auf den Leichnam
                                          und sagte:
Mörder, gib das Schwert heraus.
Und das Schwert wurde ihm aus der Hand gebrochen
Nämlich seine Hand mit der Totenstarre
Hatte sich geschlossen um den Schwertknauf
So daß die Finger gebrochen werden mußten

Dem Horatier, damit er das Schwert herausgab
Mit dem er getötet hatte für Rom und einmal
Nicht für Rom, das blutige einmal zu viel
Damit gebraucht werden konnte von andern besser
Was gut gebraucht hatte er und einmal nicht gut.
Und der Leichnam des Mörders, entzweit vom Richtbeil
Wurde vor die Hunde geworfen, damit sie
Ganz ihn zerrissen, so daß nichts bleibe von ihm
Der einen Menschen getötet hatte
Ohne Notwendigkeit, oder so viel wie nichts.
Und von den Römern einer fragte die andern:
Wie soll der Horatier genannt werden der Nachwelt?
Und das Volk antwortete mit einer Stimme:
Er soll genannt werden der Sieger über Alba
Er soll genannt werden der Mörder seiner Schwester
Mit einem Atem sein Verdienst und seine Schuld.
Und wer seine Schuld nennt und nennt sein Verdienst
                                         nicht
Der soll mit den Hunden wohnen als ein Hund
Und wer sein Verdienst nennt und nennt seine Schuld
                                         nicht
Der soll auch mit den Hunden wohnen.
Wer aber seine Schuld nennt zu einer Zeit
Und nennt sein Verdienst zu anderer Zeit
Redend aus einem Mund zu verschiedner Zeit anders
Oder für verschiedne Ohren anders
Dem soll die Zunge ausgerissen werden.
Nämlich die Worte müssen rein bleiben. Denn
Ein Schwert kann zerbrochen werden und ein Mann
Kann auch zerbrochen werden, aber die Worte
Fallen in das Getriebe der Welt uneinholbar
Kenntlich machend die Dinge oder unkenntlich.
Tödlich dem Menschen ist das Unkenntliche.
So stellten sie auf, nicht fürchtend die unreine Wahrheit

In Erwartung des Feinds ein vorläufiges Beispiel
Reinlicher Scheidung, nicht verbergend den Rest
Der nicht aufging im unaufhaltbaren Wandel
Und gingen jeder an seine Arbeit wieder, im Griff
Neben Pflug, Hammer, Ahle, Schreibgriffel das Schwert.

Anmerkung

Das Spiel folgt der Beschreibung. (ALLE SPIELER: Zwischen der Stadt Rom ... die gemeinsam Bedrohten. AUFSTELLUNG. DIE HEERFÜHRER: Die Heerführer / Traten jeder vor sein Heer und sagten / Einer dem andern: Weil die Schlacht schwächt usw. Variante: DIE HEERFÜHRER: Die Heerführer / Traten jeder vor sein Heer und sagten / Einer dem andern. ALLE SPIELER: Weil die Schlacht schwächt ...) Alle Requisiten: Masken (Römer- und Albanermasken, Maske der Schwester, Hundemasken), Waffen usw. sind während des ganzen Spiels sichtbar. Kein Abgang. Wer seinen Text gesprochen und sein Spiel gespielt hat, geht in seine Ausgangsposition zurück bzw. wechselt die Rolle. (Die Albaner, nach dem Kampf, spielen das römische Volk, das den Sieger empfängt. Zwei römische Soldaten, nach dem Mord, spielen die Liktoren usw.) Nach jeder Tötung läßt ein Spieler an der Rampe ein rotes Tuch fallen. Der Spieler des Horatiers kann, nach seiner Tötung, durch eine Puppe ersetzt werden. Die Puppe sollte überlebensgroß sein. Der Text: Nämlich seine Hand mit der Leichenstarre ... wird in jedem Fall von dem Spieler des Horatiers gesprochen.

WALDSTÜCK

Nach Gerhard Winterlich »Horizonte«

MIRANDA O, wonder!
  How many goodly creatures are there here!
  How beauteous mankind is! O brave new world,
  That hath such people in't!
PROSPERO 'Tis new to thee.

Shakespeare, *The Tempest*

PERSONEN

Dr. Richard Pfeil, *Werkdirektor*
Hora Pfeil, *seine Frau*
Ludwig Netz, *Parteisekretär*
Dr. Matthias Kanten, *Produktionsdirektor*
Dr. Götz Kanten, *Kybernetiker, Leiter der Optimierungs-
gruppe, sein Bruder*
Sukko, *Ökonomin*
Franz Mullebär, *Mathematiker*
Miru Mullebär, *Facharbeiterin, seine Frau*
Siegbert Rundlauf, *Ingenieur*
Tilli Rundlauf, *seine Frau*
Die Unbekannte Oma

Der Schauspieler und Autor Gerhard Winterlich hatte während eines mehrjährigen Arbeitsaufenthalts in einem DDR-Betrieb ein Stück mit dem Titel HORIZONTE geschrieben und 1968 mit Betriebsangehörigen aufgeführt. In einem Rollenspiel, ausgehend von Shakespeares SOMMER-NACHTSTRAUM und dem Modellbegriff der Kybernetik, verhandeln die leitenden Mitarbeiter eines Betriebs und ihre Frauen im Wochenendurlaub im Naherholungszentrum ihre vom Arbeitsalltag verdrängten oder vertagten Probleme. Nach dem Laienspiel entstand ein Text für Schauspieler, der 1969 in der Regie von Besson an der Berliner Volksbühne aufgeführt wurde. Die Namen sind aus der Vorlage übernommen, die Dramaturgie ist die des Schwanks: was gebraucht wird, geschieht und Kleider machen Leute. Die Identität der Figuren ist an Requisiten festgemacht, an »Eigentum«, die Verwandlung einer Figur in die andre passiert durch den Austausch der Requisiten. Wer den Mantel des andern anzieht, die Brille des andern trägt, mit dem Ball des andern spielt, ist für die andern der andre. Mein Interesse an der Arbeit war das Wechselbad von Diskussion und Korrektur, zum Teil aufgrund von Improvisation der Schauspieler in den vorgezeichneten Grundriß.

Erholungszentrum eines volkseigenen Betriebes in der DDR. Wald, See, Sommernacht.

I

1

Pfeil im Liegestuhl.
PFEIL Ein herrlicher Abend.
   Ein Mann im Trainingsanzug läuft vorbei.
Das ist unser Parteisekretär, Ludwig Netz, Waldläufer aus

Passion, und nicht erst seit dem Staatsratsbeschluß über Körperkultur. Ich bin sehr dafür, daß er sich Bewegung macht: Sein zweites Steckenpferd ist die Diskussion. Mit mir.

Netz zurück.

NETZ Ein herrlicher Abend.

PFEIL Ja.

Pause.

Der Himmel zum Greifen nah.

NETZ Er steht uns offen.

PFEIL Als kämen die Sterne herunter.

NETZ Wir stürmen hinauf.

PFEIL Machst du schon wieder Ideologie.

Ich bin im Urlaub.

NETZ Ohne Ideologie?

Eine Sternschnuppe. Genosse Werkleiter, wünsch dir was.

PFEIL Ich bin Marxist.

NETZ Und wunschlos glücklich?

PFEIL Dieser Druck

Im Magen.

NETZ Ich weiß, was dir den Magen drückt.

PFEIL Das Eisbein.

NETZ Und dein Eisbein heißt Götz Kanten.

PFEIL Ich bin kein Menschenfresser. Götz Kanten macht Mir keine kalten Füße.

NETZ Aber mir.

PFEIL Der Druck wird stärker.

NETZ Allerdings.

PFEIL Ich red

Von meinem Magen.

NETZ Ich nicht.

PFEIL Wem sagst du das.

Hör zu: Götz Kanten hat

NETZ Hat er allein?

PFEIL Also die Optimierungsgruppe hat
 Ich will nicht sagen unter meiner Leitung
NETZ Das würd ich auch nicht sagen: lang genug
 Hast du die Zähne aufgehoben vor
 Der Optimierung.
PFEIL   Rührst du die alte Suppe?
 Ich habe sie geschluckt. Man wird auch klüger.
 Willst du mir das Lernen verbieten?
NETZ   Im Gegenteil.
PFEIL Fünf Tage Leitungstätigkeit, man ist
 Kein Mensch mehr, unser Naherholungszentrum
 Wasser und Wald, ein kleines Paradies
 Man könnte Mensch sein undsoweiter, die
 Reproduktion der Arbeitskraft ist Arbeit
 Schlägt nach Mücken.
 Wenns keine Mücken gäb oder du wärst still.
 Willst du nicht doch noch einen Waldlauf machen?
NETZ Nein, und so leicht wirst du mit mir nicht fertig,
 Genosse. Wir müssen schneller lernen, du auch.
 Schlägt nach Mücken.
 Und die Beherrschung der Natur genügt nicht.
PFEIL Also die Optimierungsgruppe hat
 Nicht ohne meine Initiative und
 Geleitet von Götz Kanten, eine neue
 Realität geschaffen. Das neue Modell
 Weist mathematisch nach, und das begreift
 Jeder Zehnklassenschüler, daß die alten
 Auslastungsgrößen nicht mehr optimal sind.
 Jetzt kannst du wieder einen Waldlauf machen.
NETZ Ich kann mit einem Bein nicht laufen. Deine
 Neue Realität, Genosse, steht
 Auf einem Bein.
PFEIL   Eins nach dem andern. Erst
 Die neue Technik

NETZ   Und der liebe Gott
Der Kybernetik präsentiert im Selbstlauf
Zur neuen Technik uns die neuen Menschen.
PFEIL Was willst du. Das neue Optimierungsmodell
NETZ Wir haben Feuer unterm Sessel, Richard.
Die Leute rennen mir die Bude ein.
Sie wollen wissen, was aus ihnen wird.
Die Optimierung, ein Parteibeschluß, ja,
Ist ein Gespenst für manchen, wenn sie nicht
Mit allen diskutiert wird. Und ich sag dir:
Solange die Kollegen Fragen stelln
Kannst du mit ihnen reden, aber wenn
Die Antwort ausbleibt, ist die Klappe zu.
Wer seinen Weg nicht weiß, wird kein Schrittmacher.
Die neue Realität auf dem Papier,
Wer stellt sie auf die Beine, du, ich, Götz Kanten
Dein kybernetischer Elitekopf.
Der nur Computer sieht und keine Menschen?
Ein Schritt zu viel und du katapultierst dich
Aus der Realität, aus unsrer, in
Den Himmel der Kybernetik. Wo willst du landen.
PFEIL Ich will nicht diskutieren, Ludwig. Du
Kennst meinen Blutdruck. Ich brauch meine Freizeit
Damit ich meine Arbeit leisten kann
Am Montag. Und ich red von meiner Arbeit
Als Werkdirektor. Ich muß leiten, du auch.
Keiner kommt unter die Räder. Wo leben wir.
Das Recht auf Arbeit steht in der Verfassung.
Ich kann mich nicht um alles kümmern. Und
Götz Kanten, mein Elitekopf, zuerst
Wars deiner, wenn ich dich erinnern darf
Ist Wissenschaftler, und er kann es auch nicht.
Und wer sich gegen die Entwicklung stemmt
Du weißt von wem ich rede

NETZ   Allerdings,
Du redest von Matthias Kanten, seit
Zehn Jahren im Betrieb, und seit sechs Jahren
Produktionsdirektor, und seit siebenundsechzig
Vorsitzender des wissenschaftlichen Beirats.
Zehn Jahre lang war er dir gut genug.
Und jetzt wirfst du ihn weg, für seinen Bruder.

PFEIL   Matthias Kanten. Ich hab auch ein Herz, er
Hat Qualitäten, als Genosse und
Als Mensch. Als Produktionsdirektor auch
Solang die Planerfüllung alles war.
Jetzt ist der Weltstand unser Nahziel, Ludwig.
Und dazu brauch ich wissenschaftliche Kader.
Und Wissenschaft heißt neue Wissenschaft.
Wir konnten ihn nicht halten, Ludwig. Auch
Als Produktionsdirektor werden wir
Ihn nicht mehr lange halten können, Ludwig.

NETZ   Auf Wiedersehn. Genosse, auf dem Schrottplatz
Dort landen wir nämlich, du auch, ich, wir alle,
Wenn wir die sozialistische Menschenführung
Durch deine Mathematik ersetzen, Richard.
Mit der Mathematik ist der Kapitalist auch verheiratet.
Matthias Kanten, dein Alteisen, hat
Drei Formeln weniger im Kopf vielleicht
Aber im kleinen Finger mehr Bewußtsein.
Wenn du so weitermachst und dem Computer
Die Schleppe trägst, deinem Elitekopf,
Wie lange werden wir dich halten können, Richard.

*Dunkel, Donner und Blitz. Wenn es wieder hell wird, sitzt
Netz, bekleidet mit Pfeils Bademantel, in Pfeils Liegestuhl
und trinkt Pfeils Bier.*

NETZ   Ich bin der Werkdirektor Richard Pfeil.
Ich bin ein guter Leiter, jedes Jahr
Zwölf Prämien. Einen feinen Mantel hab ich
Mein Stuhl ist sehr bequem. Das Bier ist Weltstand.

PFEIL Was soll das heißen. Wer. Bin ich verrückt.
Ich bins. Bin ich das? Dieser Wald. Mein Blutdruck.
Wer soll sich da erholen. Wer ist der Kerl.
Ich sitz in meinem Stuhl. Ich trink mein Bier.
Ich steh auf meinen Beinen. Ich hab Durst.
Ich will verdammt sein, oder gleich parteilos
Wenn hier der Teufel nicht die Hand im Spiel hat.

2

HORAS STIMME Warum kommst du nicht in den Bungalow
Du brauchst deine Erholung.
PFEIL *gleichzeitig mit:*
NETZ *als Pfeil:*   Allerdings.
HORA Was treibt dich in den Wald?
NETZ *als Pfeil:*   Der Parteisekretär.
PFEIL Da ist was dran.
Hora hält Netz für Pfeil.
HORA Richard, bist dus?
PFEIL   Ja.
NETZ *als Pfeil:*   Wer soll ich sonst sein, Hora.
HORA Richard, was hast du?
NETZ *als Pfeil:*   Ich brauch meine Erholung.
Du weißt es, Hora. Aber wie soll ich mich
Erholen, in einem Wald mit Ludwig Netz.
PFEIL Mit Ludwig Netz? Wo ist er überhaupt?
NETZ *als Pfeil:* Den ganzen schönen Abend liegt er mir
Schon in den Ohren mit den Brüdern Kanten.
»Matthias Kanten, dein Alteisen.« Ich bin
Kein Eisenwarenhändler. »Götz Kanten, dein
Elitekopf.« Als wär ich ein Kopfjäger.
NETZ UND PFEIL Ich kanns schon singen.
NETZ *als Pfeil:* Ich misch mich nicht in seine Ideologie
Warum mischt er sich in die Produktion.
HORA *Kuß:* Ach, Richard, du bist doch der beste.

PFEIL   Das kann

Nicht wahr sein.

NETZ *als Pfeil:*   Sags dem Parteisekretär. Ich weiß es.
Was soll ich machen? Matthias Kanten war, ist
Produktionsdirektor. Ich hab ihn abgelöst.
Das heißt: wir müssen ihn ablösen, weil
Seine Qualifikation nicht mehr ausreicht,
Aber vielleicht hat er Reserven. Und
Vielleicht ist seine Ablösung ein Fehler.
Ich hab vielleicht zu weit nach vorn gesehn, wie?
Ein Leiter muß hinten auch ein Auge haben.

PFEIL Da ist was dran. Und nicht nur eins. Aber
Was nützen tausend Augen, wenn man schon
Den zweien, die man hat, nicht mehr traun kann, wie ich
                                                    jetzt.

Und was heißt ich. Weiß ich noch wer ich bin.

HORA

Zu weit nach vorn. Das glaubst du dir doch selbst nicht.
Sei ehrlich, Richard. Dir kannst du vielleicht
Noch dies und das vormachen, aber mir nicht.

NETZ *als Pfeil:* Matthias Kanten bleibt Produktionsdirektor.
Netz ab.

3

HORA Richard, zieh deinen Mantel wieder an.
    Zu Pfeil: Er braucht ein Ziel und keinen Posten, Richard.
Du spielst den Menschenfreund, markierst den Genossen,
                                                    der
Sich sorgt um den Genossen. Spielst dir selber eine
Komödie vor. Und du gefällst dir auch noch
In deiner Komödie. Hast du das nötig, Richard.
Immer bist du den graden Weg gegangen.
Jetzt weichst du aus. Und immer ehrlich. Jetzt
Spielst du Theater.

PFEIL   Und jetzt fällt der Vorhang.
Matthias Kanten geht am ersten. Punkt.
HORA Richard. Ich kenn dich nicht mehr. Bist du krank.
Komm in den Bungalow. Du brauchst Erholung.
PFEIL Geh in den Bungalow mit wem du willst.
HORA Das wird dir leid tun, Richard.
PFEIL   Geh zum Teufel.
Hora ab.

4
Matthias Kanten.
MATTHIAS KANTEN
Das wird mir schwer falln. Ich bin Materialist.
PFEIL Ich red mit meiner Frau.
MATTHIAS KANTEN   Willst du die auch
Abhängen, weil sie dir nicht ausreicht.
PFEIL   Ich
Hab andre Sorgen.
MATTHIAS KANTEN   Ich auch.
PFEIL   Nicht nur deine.
Ab.
MATTHIAS KANTEN
Die Optimierung schlägt ihm auf den Magen. *Pause.*
Sukko. Warum bestellt sie mich hierher.
Was wird sie von mir wollen. Jeder kommt
Zu mir, wenn er ein Pflaster braucht. Oder
Ein Rendezvous? Matthias, werd nicht komisch,
Zwei Kinder, Witwer, vierzig Jahre alt
Und sie ist fünfundzwanzig. Und. Und. Und.

5
Götz Kanten, der mit einem Ball spielt.
GÖTZ Nichts gegen Bäume. Die Natur muß auch sein.
Ich frag mich: muß sie so langweilig sein.

Läuft gegen Baum.
Fliegende Wälder und ich bin Naturfreund.
Sukko. Warum bestellt sie mich hierher.
Seit einem Jahr arbeiten wir zusammen.
Für mich war sie ein Arbeitsökonom.
Ein Arbeitsökonom hat keine Kurven.
Kaum hat sie mich in diesen Wald gelockt,
Gehn mir die Augen auf für ihre Kurven.
Unter dem wenig optimalen Mond.
Ein Lichtblick. Die Langeweile hat ein Loch.
Sukko.
SUKKO *befestigt einen Brief an einem Baum:*
Wissen Sie, was ein Katalysator ist.
Wen frag ich das. Sie wissen es natürlich.
Ich bin ein Katalysator. Halten Sie mir
Die Daumen, daß mein Hexperiment gelingt.
Matthias Kanten.
MATTHIAS Mein Bruder, der Computer. Was will der hier.
GÖTZ Mein Bruder, das Gebetbuch. Was will der hier.
MATTHIAS Was suchst du hier.
GÖTZ   Was hast du hier verloren.
MATTHIAS Ich bin nicht hier, weil ich dich gern reden hör
Oder aus Liebe zum Wald.
GÖTZ   Such dir einen andern.
MATTHIAS Ich bin verabredet.
GÖTZ   Ich auch.
Und nicht mit dir.
MATTHIAS Kein Wunder, daß sie zu spät kommt.
GÖTZ   Ja.
Sukko vorbei. Brief.
MATTHIAS Ein Brief. Es ist ihre Handschrift. »Lieber Götz.
Lieber Matthias,«
GÖTZ Mich hat sie zuerst genannt.
MATTHIAS »Ich weiß nicht, wen ich zuerst nennen soll, ich

habe Euch beide hierher bestellt, damit Ihr einmal nicht voreinander weglaufen könnt. Sukko.«

Ich möchte wissen, was sie an dir findet.

GÖTZ Mein Bruder. Wissenschaftlich betrachtet könnte er mein Großvater sein. Ich meine, wenn man die wissenschaftlich-technische Zuwachsrate seit 1920 in Rechnung stellt. Er ist fünf Jahre älter als ich. Das macht im Zeitalter der Wissenschaft mindestens fünfzig.

MATTHIAS Mein Bruder. Politisch betrachtet ein Säugling. Oder ein Greis, wie mans nimmt. Ein politischer Säugling kann leicht an seinem eignen Bart ersticken im Zeitalter des Sozialismus.

GÖTZ Matthias. Als Kinder haben wir um die Wette getaucht. Du hast gewonnen, immer, weil du älter warst. Versuchen wir es jetzt. Wer zuerst auftaucht, hat verloren.

MATTHIAS Wie du willst, Computer. Gehn wir tauchen.

GÖTZ Gehn wir.

MATTHIAS Und wenn du nicht mehr auftauchst, von mir kein Kranz.

GÖTZ Sterben ist unwissenschaftlich. Ich bin Kybernetiker.

MATTHIAS Von Gottes Gnaden. Aus dem gewärmten Nest zur Universität. Die ABF war eine andre Schule. Wer hat das Bildungsprivileg gebrochen. Wir.

GÖTZ Der majestätische Plural. 1980 werden wir Charakter und Intelligenz mit Medikamenten steuern, und du gehst hausieren mit dem Schnee von gestern. ABF.

MATTHIAS Wer steuert wen. Das ist die Frage. Man müßte dir

GÖTZ Die schwielige Arbeiterfaust. Auch ein Argument aus dem Märkischen Museum.

MATTHIAS Vielleicht hörst du dirs erst mal an. Sei froh, daß du ein Kader bist. Parteilos ist er auch noch. Und das in unsrer Familie.

GÖTZ Das Kämpfen überlaß ich dir. Ich denke.

MATTHIAS

Und wo du hindenkst, wächst kein Gras mehr. Aber
Solang ich Produktionsdirektor bin, wird
Dein schlauer Kopf uns nicht die Beine weghaun.
Was hast du erreicht mit deiner Kybernetik.
Rührst den Betrieb um, bringst die Pläne und
Die Kader durcheinander, keiner weiß mehr
Was vorn und hinten ist. Dich gehts nichts an, du
Bist Wissenschaftler. Ein Hazardeur bist du.
Und wenn dein mathematisches Modell
Die Menschen nicht in Rechnung stellt, hat es
Für mich mit Wissenschaft so viel zu tun
Wie Alchimie, und ich sag: weg mit Schaden.
Die Kybernetik ist ein Rohrkrepierer
Eh ihr nicht Marx gelesen habt, mein Junge.

GÖTZ Hältst du die Fahne wieder hoch, mein Alter?
Die Kybernetik hat er nicht erfunden.
Und Produktionsdirektor bleibst du nicht
Wenn du der Wissenschaft im Weg stehst. Wir sind
Die Vorhut, Mathematik und Kybernetik.

MATTHIAS Ich bin schneller als du, sagte das Auto zum
Fahrer.

GÖTZ Das Auto hat recht.

6

Siegbert Rundlauf.

SIEGBERT Götz. Eh dich meine Frau fragt
Du kennst sie. Sie ist hinter Pfeil her, du bist
Der nächste. Sie will wissen, warum ich
Studieren soll, zum zweiten Mal. Und was
Danach kommt. Und ich wills auch wissen, Götz.
Ein Jahr hab ich gearbeitet, mit dir
Für dich, in deiner Optimierungsgruppe

In einem Jahr war keine Stunde Zeit
Und keine halbe Stunde, Götz, für ein
Wort über meine Perspektive. Ich
Bin keine zwanzig. Fernstudium. Sieben Jahre.
Für mich sind sieben Jahre sieben Jahre.
Ich frag dich.

GÖTZ   Das kann dir niemand sagen, jetzt.

MATTHIAS Er will es aber wissen, jetzt, von dir.

GÖTZ *zu Siegbert:*
Daß grade du mich das fragst. Nach einem Jahr
Arbeit in meiner Optimierungsgruppe
Solltest du wissen, was Prognose ist.

MATTHIAS Wie soll er wissen, was du selbst nicht weißt.

GÖTZ Was weißt du. Wer nicht mitkommt, kommt nicht mit.
Ich bin kein Kindermädchen. *Zu Siegbert:* Deines auch
nicht.
Zu Matthias: Theologie ist dein Fach.

MATTHIAS   Wer hat dir
Die Steine aus dem Weg geräumt, den Kleinkram
Oder was du so nennst, mit dem wir uns
Herumschlagen müssen, die tägliche Arbeit
Wer hat sie getan für dich, und jeden Tag neu
Wer stellt das Bodenpersonal, Götz Kanten
Für deinen Höhenflug? Er. Und das ist der Dank:
Der Mohr hat seine Schuldigkeit getan,
Der Mohr kann gehn. Soll er sich gleich erschießen?

SIEGBERT Da weißt du wenigstens, was rauskommt: nichts.

GÖTZ Das ist noch nicht bewiesen. Die Wissenschaft –

MATTHIAS Was war zuerst, der Kopf oder die Zahl.

GÖTZ Die Zahl. Du fängst dich in der eignen Schlinge.

MATTHIAS
Wer keinen Kopf mehr hat, weiß keine Zahl mehr.

SIEGBERT
Ich weiß schon jetzt nicht mehr, wo mir die Zahl steht.
Wo mir der Kopf steht, wollt ich sagen.

GÖTZ   Gut.

Nicht wissen was man weiß, das ist der Anfang
Der Wissenschaft.

MATTHIAS   Oder das Ende.

GÖTZ   Ja.

Das Ende ist der Anfang.

SIEGBERT   Ja, vielleicht.

Lange genug hab ich für dich geschwitzt.
Das Bodenpersonal muß fliegen lernen.

7

Franz Mullebär.

FRANZ Götz, dort geht meine Frau. Der Arzt hat ihr Bewegung verordnet. Jetzt lernt sie im Gehn Mathematik. Für
ihre Qualifizierung als Meister. Aber die Planstelle ist
schon gestrichen. Unser neues Optimierungsmodell. Ich
kann mich genausogut selber ohrfeigen. Die Optimierungsgruppe ist ein Kollektiv. Ich, Sukko, Siegbert, und
so weiter. Und keiner hat gewußt. Ich kann es ihr nicht
sagen. Drei Monate haben wir sie agitiert, Pfeil zuerst, für
den Meisterlehrgang. Wenn der mir über den Weg läuft,
Pfeil, bei Neumond.

GÖTZ Laß Dampf ab. Es ist Vollmond.

FRANZ Sie kommt. Geh, sag ihr, daß alles umsonst ist.

Sag du's ihr, Matthias. Du weißt, wie das ist.

MATTHIAS Löffle die Suppe selber aus, die du
Ihr eingebrockt hast und mit meinem Bruder.

8

Miru Mullebär.

MIRU Franz, was ist das für eine Formel?

FRANZ   Nein.

Ich kann es ihr nicht sagen.

MIRU   Was kannst du

Überhaupt noch.

FRANZ   Miru.

MIRU   Kollege Kanten

GÖTZ Mathematik, Kollegin Mullebär

Ist was fürs Leben. Das können Sie immer gebrauchen.

MATTHIAS Wozu bist du noch zu gebrauchen.

GÖTZ   Frag dich.

MATTHIAS

Mir kocht die Galle, wenn ich dich anseh. Komm tauchen.

Wenigstens seh ich unter Wasser dich nicht.

Zu Franz: Und du, wenn du schon mitgemacht hast und

Mit dem — halt mir jetzt die Brille wenigstens.

Matthias gibt Franz die Brille. Götz wirft seinen Ball hin.
Beide ab.

FRANZ Ich bin kein Brillenständer.

Franz setzt die Brille auf.

MIRU   Wo ist Franz.

Matthias.

FRANZ *als Matthias:* Ich bin doch ein Brillenständer.

Ich muß dir etwas sagen, Miru.

Franz nimmt die Brille ab.

MIRU   Franz

Was hast du.

FRANZ   Eine Brille.

MIRU   Franz, seit wann?

9

Tilli Rundlauf, Siegbert Rundlauf.

TILLI Kollegin Mullebär.

Immer noch Mathematik? Da kann ich nur sagen:

Hut ab. Das ist Lerneifer. Und alles für nichts.

FRANZ Siegbert.

SIEGBERT Tilli.

TILLI Haben Sie Pfeil gesehn.

MIRU   Alles für nichts?

FRANZ Sag deiner Frau, sie soll den Mund halten.
   Ich sags ihr selber.
SIEGBERT   Du kennst meine Frau.
MIRU Wie soll ich das verstehn. Wie meinen Sie das.
   Weil ich nicht mehr verdien als Meister? Das
   Ist nur am Anfang. Und außerdem: wie lange
   Werden Buchhalter noch gebraucht? Morgen macht das
   Der Computer
TILLI   Ja, hat man Ihnen nichts gesagt?
   So sind die Männer. Ihre Planstelle
   Für die Sie sich qualifizieren jetzt
   Auf Kosten Ihrer Ehe, ist gestrichen.
   Mein Mann ist in der Optimierungsgruppe.
   Er weiß Bescheid. Stimmts, Siegbert. Und Ihr Mann
   Er ist auch in der Optimierungsgruppe.
   Franz Mullebär ab.
SIEGBERT Das neue Optimierungsmodell, Kollegin
   Verringert den Kaderbedarf.
TILLI   Die WTR
   Kollegin, fordert ihre Opfer –
MIRU   Franz
   Was ist das, WTR?
TILLI   Sie stellen Fragen.
SIEGBERT Die WissenschaftlichTechnischeRevolution.
MIRU Wo ist mein Mann. Franz. Wo bist du. Kollegin,
   Ich glaube Ihnen nicht. Das kann nicht wahr sein.
   Mein Mann hätte es mir gesagt.
TILLI   »Mein Mann.«
   Sie glauben noch an Männer. Kommen Sie.
   Fragen Sie den Genossen Werkdirektor.
   Ich such ihn auch. *Drohend:* Ich will ihn auch was fragen.
SIEGBERT Tilli.
   Siegbert und Tilli Rundlauf ab.

10

MIRU   Warum hat er mir nichts gesagt? Franz!
Er hätte es mir sagen müssen.
Ich laß mir das nicht gefalln. Ich kratz ihm
Die Augen aus. Ich laß mich nicht ausbooten.
Franz! Er hat mich betrogen. Wem kann ich
Noch glauben. Ich muß mit Matthias reden.
War er betrunken oder war ers nicht.
Ich weiß nicht, was mit diesen Männern los ist.
Matthias ist Produktionsdirektor.
Und er hat mir das Studium eingeredet.

11

Franz Mullebär mit Brille als Matthias.

FRANZ *als Matthias:*
Miru.

MIRU   Matthias, mein Mann hat mich betrogen.

FRANZ *als Matthias:*   Franz?
Das kann nicht wahr sein.

MIRU   Es ist wahr.

FRANZ *als Matthias:*   Mit wem denn?

MIRU   Mit wem. Mit – mit der Optimierungsgruppe.
Und mit sich selber. Wie soll ich das sagen.
Acht Wochen hat er auf mich eingeredet
Damit ich diesen Meisterlehrgang mache.

FRANZ *als Matthias:* Drei Monate hat er Geschirr gespült
Mit hoher Verlustrate. Windeln gewaschen
Und wie ein Mönch gelebt.

MIRU   Mönch?

FRANZ *als Matthias:*   Oder fast wie
Ein Mönch. Alles für deine Qualifizierung.
Das darfst du nicht vergessen, Miru. Und
Jetzt ist die Planstelle gestrichen, und
Mit seiner Hilfe. Alles war umsonst.
Und das ist schwer genug für ihn.

MIRU   Für mich nicht?

FRANZ *als Matthias:* Er liebt dich, Miru.

MIRU   Woher weißt du das?

FRANZ *als Matthias:* Wir sind Genossen. Du bist seine Frau.
   Willst du das restliche Porzellan jetzt ihm
   Am Kopf zerschlagen, der ihm schwer genug ist.

MIRU Genau. Und wenns drei Monatslöhne kostet.

FRANZ *als Matthias:* Miru. Soll er im Keller schlafen jetzt
   Ganz wie ein Mönch, oder fremd gehn wie –
   Ich darf hier keine Namen nennen.

MIRU   Fremd?
   Das soll er nur machen. Zweimal macht er das nicht.
   Und du, statt meinen Mann herauszuschwindeln
   Du kannst es doch nicht, gib dir keine Mühe
   Kollege Kanten, geh zum Werkdirektor
   Und leg ihm deine Fragen auf den Tisch
   Und unsre. Mein Mann soll mich kennenlernen
   Alle solln sie mich kennenlernen. Franz. *Ab.*

FRANZ *nimmt die Brille ab:*
   Ich bin Schauspieler. Not kennt kein Gebot.
   Das hab ich mir nicht träumen lassen. Ich.
   Leb wohl, Franz Mullebär. Wer weiß, wann wir
   Uns wiedersehn. Ich bin Matthias Kanten.
   Setzt Brille auf.

12

Netz. Hora.

NETZ Nein. Diesen Mantel zieh ich nicht mehr an.
   Ich hab ihn einmal angezogen und
   Gleich war der Teufel los.

HORA   In meiner Ehe.

NETZ Siehst du. Ich laß mich darauf nicht mehr ein.

HORA In meiner Ehe wird der Teufel los sein
   Bis eure Optimierung optimiert ist

Oder wie ihr das nennt.
Wenn ich auch Hausfrau bin, das merk ich auch
Daß ein Gewitter sich zusammenbraut hier.
Am Montag geht es nieder im Betrieb
Wenn ihr nicht miteinander redet. Ich bin
Kein Blitzableiter und ich weiß zu wenig
Von euren Fragen, mein Mann sagt mir nichts mehr
Seit du in seinem Stuhl gesessen hast und –
NETZ Sein Bier getrunken hab. Und seine Frau
Geküßt hab, ja. Ich hab das nicht gewollt.
Du hast es auch geglaubt und mich geküßt
Du wüßtest jetzt noch nicht, daß ich es war
Und nicht dein Mann, wenn ich dirs nicht gesagt hätt.
Es war der Mantel. Ich bin Materialist.
Ich laß mich nicht mehr ein auf Hokuspokus.
Ich bin Parteisekretär und kein Schauspieler.
Ich werde mit ihm reden als Genosse.
HORA Da ist nur eine kleine Schwierigkeit
Ludwig. Der Betriebsball.
NETZ   Was für ein Betriebsball.
HORA Du hast mit mir getanzt.
NETZ   Und?
HORA   Nur mit mir.
NETZ Ich wollte mir dir reden, ja, weil ich
Mit ihm nicht reden konnte. Wieder mal.
HORA Und jetzt ist wieder wiedermal und darum
Kannst du mit ihm nicht reden als Genosse.
Ich dachte, der Betriebsball ist begraben.
Jetzt spukt er wieder in unserm Ehekrach,
Der unbekannte Doppelgänger, er, Richard,
Weiß nicht, daß dus warst, hat ihn ausgegraben
Und weil du angefangen hast, mußt du
Jetzt weiterspielen, bis der Himmel klar ist
In unsrer Ehe, hier, und im Betrieb.

Kulturarbeit ist nicht freiwillig, Ludwig,
Du bist Parteisekretär.

NETZ Nein, nicht den Mantel.
Er hat mich nicht erkannt?

HORA Nein, und er wird
Dich nicht erkennen. Zieh den Mantel an.

NETZ Das kannst du nicht von mir verlangen, Hora.
Ein Mantel, und der Mensch ist ausgewechselt.
Das ist unmenschlich. Das ist schwarze Kunst.

HORA Wenn du den Mantel nicht mehr anziehn willst
Mußt du dein Bruder sein, dein Zwillingsbruder.

NETZ Mein Zwillingsbruder?

HORA Ja, aus einem Ei.

NETZ Aus einem Ei?

HORA Ja, und du bist Schauspieler.
Mit Künstlernamen. Ludwig Reuse. Und
Du spielst in einem Stück den Werkdirektor.
Du hast mit deiner Rolle Schwierigkeiten.
Ich hab dich eingeladen, damit du
Dich konsultieren kannst mit meinem Mann.
Er geht nicht ins Theater. Keine Sorge.

NETZ Ich habe keinen Bruder. Ich bin ich.
Ich heiße Ludwig Netz. Lieber den Mantel.

Netz zieht den Mantel an.

HORA Richard!

13
Tilli Rundlauf.

TILLI Hierher: Ich hab ihn. Genosse Werkdirektor –

NETZ *als Pfeil:* Ich bin nicht der Genosse Werkdirektor.

TILLI Wo bleibst du, Siegbert.

Siegbert Rundlauf.

SIEGBERT Hier. Herr Werkdirektor.

TILLI Hast du gesagt Herr Werkdirektor?

SIEGBERT   Tilli,
    Ich bitte dich.
    Zu Netz als Pfeil: Es ist ihr Temperament.
NETZ *als Pfeil:* Ich finde Ihre Frau durchaus normal.
TILLI Du bist Genosse, Siegbert. Wieviel Jahre?
SIEGBERT Achtzehn, du weißt es.
TILLI   Und Sie, Genosse Pfeil?
NETZ *als Pfeil:* Es werden
HORA *soufffliert:*   Neunzehn
NETZ *als Pfeil:*   Neunzehn.
TILLI Vielleicht auch nicht.
    Kann sein, daß Ihnen das Benzin ausgeht
    Wenn Sie so weitermachen, großer Leiter.
    Ich meine: das Bewußtsein. Mancher läuft
    Herum und weiß nicht, daß er tot ist.
SIEGBERT   Tilli.
HORA Ich bin ganz Ihrer Meinung.
TILLI   Wie?
HORA   Ich meine
    Sie haben recht.
TILLI   Ich habe immer recht.
    Da ist mein Mann zum Beispiel, ein kleines Kraftwerk.
    Drei Rationalisierungswellen hat er
    Schon überstanden. Nach der ersten saß er
    Auf einer JAWA, nach der zweiten im
    TRABANT, im MOSKWITSCH nach der dritten. Das
    Herr Werkdirektor –
SIEGBERT   Genosse, Tilli –
TILLI   Wie?
    Siegbert, du schweigst. Das ist die Dialektik
    Der Rationalisierung. Einsparn, durchstehn
    Die Renaissance stellt sich von selber ein.
NETZ *als Pfeil:* Es steht mir nicht zu, in Abwesenheit

Des Werkdirektors, ich meine, in meiner
Abwesenheit, aber als Werkdirektor –
TILLI Jetzt rede ich. Lassen Sie mich ausreden.
Jetzt rollt die vierte Welle auf uns zu.
Lassen Sie keine Schulung aus, verehrter
Mitkämpfer, Klassenkampf und Kybernetik,
System, Prognose, Netzwerk, Massenarbeit,
Etc. pp aus dem ff.
Und alles im Zusammenhang, und zwar im
Komplexen. Nicht umsonst legt die Partei
Wert auf Zusammenhänge. Und auf die
Komplexität derselben. Eine Stunde
Versäumt, schon haben Sie komplexe Lücken
Ihr Kopf ein Sieb, und Siebe leiten schlecht.
Da zuckt der Blitz in Ihren Augen, wie
Und Ihre Sohlen fangen an zu rauchen.
Die Rationalisierung, vierte Welle
Geht Ihnen auch an die Gefäße, Chef
Wenn Sie sich nicht auf die Genossen stützen.
Da steht mein Mann zum Beispiel, eine Säule
Vize bei Kanten junior, Ihrem Star
Mit dem Sie auf den Mond umsteigen wolln
Auf Kosten Ihrer alten Mitarbeiter
Und ohne Rücksicht auf die Klassenlage.
Und Sie sind nicht der einzige. Ludwig Netz
Zum Beispiel, der ihn besser kennen müßte
Sagt meinem Mann: Genosse, du mußt lernen
Studiere den Marxismus-Leninismus.
Götz Kanten, sein Abteilungsleiter, sagt ihm:
Du wirst bezahlt für ein Diplom. Wo ist es.
Entscheide dich: Fernstudium oder Rente.
Schlaf schneller, Genosse. Wie schnell schlafen Sie.
Mein Mann kann eins nicht und das andre auch nicht
Weil er beim Luftschutz nicht abkömmlich ist.

Das leuchtet einem Klassenkämpfer ein
Nicht einem Opportunisten. Und was tun Sie.
Sie graben ihm ein Optimierungsloch.
Und er. Stolpert hinein in seiner Unschuld.
Komm, Siegbert.

NETZ *als Pfeil:* Vielen Dank für die Lektion,
Genossin Rundlauf. *Zu Siegbert:* Und warum hast du
Nie so geredet mit deinem Werkdirektor.

TILLI Ich hab mich immer gern mit ihm gestritten.
Es macht schon keinen Spaß mehr. Er siehts ein.
Tilli und Siegbert ab.

HORA Jetzt weißt du, was auf meinen Mann zukommt.
Und auf dich auch. Ihr seid in einer Lage
Zwischen zwei Felsen angeseilt und die
Lawine rollt, mit jedem Hinsehn wächst sie
Und wenn du dir die Augen zuhältst, auch.

NETZ *zieht den Mantel aus:*
Lieber will ich mein Bruder sein und Filmstar
Als daß ich diesen Mantel noch mal anzieh.
Und ich bin nicht mein Bruder und kein Filmstar.
Schluß. Ich kann selber mit den Leuten reden.
Ich brauche das Theater nicht dazu.
Hora und Netz ab.

14
Franz Mullebär.

FRANZ *Brille ab:* Ich habe Mathematik studiert. Sie lachen.
Ich weiß nicht, was es da zu lachen gibt.
Im Gegenteil. Nämlich seit fünf Minuten
Bin ich Schauspieler. Und warum? Weil ich
Mathematik studiert hab. Und Schauspieler
Muß ich jetzt bleiben, bis unser Modell stimmt.
Für meine Frau zum Beispiel. Und zum Beispiel
Für Siegbert Rundlauf. Und für wen weiß ich.

Wenn ich als Schauspieler keinen Erfolg hab
Muß ich im Keller schlafen. Keins von beiden
Hab ich gelernt. Ich bin kein Schauspieler.
Im Keller hab ich auch noch nicht geschlafen.
Und grade diese Rolle muß mich treffen.
Matthias Kanten, Produktionsdirektor.
Steht vor der Kybernetik wie die Feuerwehr
Vorm Rechenautomaten, Wasser marsch.
Warum: Das hab ich mich noch nie gefragt.
Götz Kanten auch nicht. Und er ist sein Bruder.
Sie haben ein Ziel. Warum stehn sie sich im Weg.
Ich wills jetzt wissen. Und der Werkdirektor
Will ihn, Matthias Kanten, hört man, jetzt
Ablösen als Produktionsdirektor auch.
Er muß es wissen. Noch am Donnerstag
Hat er ihn dekoriert mit einer Prämie.
Warum das eine und warum das andre.
Und wir, was hatten wir für dich, Matthias
Wenn du gefragt hast nach dem »Faktor Mensch«.
Ein Lächeln. Und jetzt hab ich meine Frau
Um ihre Planstelle gelächelt, mich
In deine Haut. Oder in meinen Keller.
Und wenn hier alle andern aus der Haut fahrn
ich will zurück in meine Haut. Darum:
Brille auf.

15
Pfeil.
FRANZ *als Matthias:* Hör zu, Genosse Pfeil, am ersten Mai
    Hast du mich dekoriert mit einer Prämie
    Und hast mir Glück gewünscht und mich umarmt.
PFEIL Es war ein schöner Augenblick, Matthias.
    Man kommt sich nah in solchen Augenblicken.
FRANZ *als Matthias:*

Drei Tage später war ich Schrott für dich.
So nah, Genosse, sind wir uns gekommen.

PFEIL Was unterstellst du mir. Mit welchem Recht. Du
Warst einverstanden. Deine Ablösung
Im wissenschaftlichen Beirat, du hast sie
Beinah gefordert. Aber wenn du jetzt
Der Meinung bist, sie war ein Fehler, bitte
Dann müssen wir darüber diskutieren.
Und nicht im Naherholungszentrum, nicht
Am Sonntag, sondern im Parteiaktiv.
Du kannst mir glauben, Matthias. Ich hab auch
Meine Probleme.

FRANZ *als Matthias:* Das will ich hoffen, Richard.

PFEIL Im Ernst: Ich wünsch dir meine Sorgen nicht.

FRANZ *als Matthias:*
Ich wünsch dir meine. Vielleicht lernst du draus.
Solang dirs in den Kram gepaßt hat gegen
Die wilden Utopien von meinem Bruder
Der uns über den Kopf gewachsen war
War ich dein Mann. Du hast mir auf die Schulter
Geklopft und eine Prämie nach der andern.
Du brauchtest einen Bremsklotz und ich war der.

PFEIL Wie redest du mit mir, Genosse Kanten.
Noch bist du Produktionsdirektor, aber –

FRANZ *als Matthias:* Wenn heute ich untauglich bin,
Morgen bists du, Genosse Pfeil. Laß mich ausreden.
Und als die Utopie am Zügel ging
Und hörte auf den Namen Prognose und
Hieß Optimierung, hast du die Kurve gekriegt.
Der Bremsklotz ist der Bremsklotz, weg mit Schaden.
Der Sündenbock erspart die Demission.

PFEIL Wenn deine Qualifikation nicht ausreicht,
Ich kanns nicht ändern, du bist dir der nächste
Ich hab zu tun, daß ich am Ball bleib. Mir ist

Die neue Technik auch nicht an der Wiege
Gesungen worden. Was die Prämie angeht,
Du hast Verdienste und die Prämie kam
Von Herzen −

FRANZ *als Matthias:* Aus dem Prämienfonds.

PFEIL   Wir sind
Genossen.

FRANZ *als Matthias:* Sind wir das.

PFEIL   Die Optimierung,
Genosse, ist Parteibeschluß. Und wenn
Du dich dagegen stemmst, was soll ich machen.
Deine Verdienste gelten nur solange,
Wie du sie dir jeden Tag neu verdienst.
Aber wenn du mir ein Parteiverfahren
Anhängen willst, ich hab auch Munition.

16

Siegbert. Mit Ball als Götz.

SIEGBERT Wenn Sie Ihre Kanone laden wolln
Mit mir, Kollege Werkdirektor, das gibt
Ein Eigentor. Nämlich, was hier mein Bruder
Ihnen gesagt hat, unterschreib ich.

FRANZ *als Matthias:*   Du, Götz?
Das kann nicht wahr sein.

SIEGBERT *als Götz:*   Warum nicht, Matthias.

FRANZ *als Matthias:* Ja, warum nicht.

PFEIL   Kollege Kanten, Sie auch.
Das ist mein erstes freies Wochenende
Seit Ihr Modell, Kollege, mir den Schlaf raubt.
Sind hier denn alle gegen mich verschworen.

SIEGBERT *als Götz:*
Es tut mir leid, Herr Werkdirektor. Meine
Kritik an Ihnen und meine Selbstkritik
Sind eine Sache. Wenn ich im Regen steh,

Werden Sie auch naß. Mein Modell ist eine
Realität erst wenn es realisiert wird
Von Menschen. Und der Mensch will überzeugt sein,
Wozu das gut ist, wenn er sich ein Bein
Ausreißen soll oder den Kopf zerbrechen.
Wo eine Frage ist, fehlt eine Antwort.
Den letzten beißen die Hunde ist vorbei.
Der Sozialismus ist kein Hunderennen
Und ich bin auch ein Mensch und brauch Kritik
Und was für mich die Menschen waren, bin ich
Für Sie, ein Kader, eine Produktivkraft
Ein Wert, der Mehrwert heckt. Die Fragen, die
Jetzt durch das Naherholungszentrum spuken
Wer hat sie von mir ferngehalten. Ihr.

FRANZ *als Matthias:* Ich?

SIEGBERT *als Götz:*   Hast du mir gesagt, was das Modell
                                                  braucht.
Hast du nicht immer nur gesagt, niemand
Braucht das Modell. Was soll ich daraus lernen.

FRANZ *als Matthias:*
Es war dein Lächeln, dein verdammtes Lächeln.

PFEIL Was für ein Lächeln. Ich bin Werkdirektor.
Warum werd ich nicht informiert. Was soll das.
Was hat sein Lächeln mit der Produktion
Zu tun.

SIEGBERT *als Götz:* Ich kenns. Drei Spiegel hab ich schon
Zertrümmert, weil ich mich nicht ausstehn kann,
Wenn ich mein Dreietagenlächeln seh.
Ja, ich war arrogant bis zum Erbrechen.
Zum Beispiel Siegbert Rundlauf. Ich sag ihm,
Er soll studieren. Und wenn er mich fragt,
Was aus ihm wird, danach, in sieben Jahren
Sag ich: das kann dir niemand sagen, jetzt.
Er will es aber wissen, jetzt, von mir.

FRANZ *als Matthias:*
Daß ich das von dir hören muß. Mein Bruder.
Ja, das Modell, wir haben es gefürchtet
Wie ein Gespenst, bekämpft wie einen Feind.
Zu Pfeil: Und dann hast du es angebetet. Eins
Haben wir nie getan: es diskutiert.
Und zwar mit allen, die es angeht. Nämlich
Wir brauchen dein Modell, und das Modell braucht
Modelle von den Menschen, die es angeht.
SIEGBERT *als Götz:* Und so daß eins das andre optimiert.
FRANZ *als Matthias:*
Jeder muß wissen, wo sein Platz ist im Modell.
SIEGBERT *als Götz:* Ja, das Berufsbild.
FRANZ *als Matthias:*   Und prognostisch.
SIEGBERT *als Götz:* Wir müssen wissen, und von jedem, was
Er kann
FRANZ *als Matthias:*
Und was er braucht, damit er mehr kann.
SIEGBERT *als Götz:*
Ich hab dich unterschätzt, das muß ich sagen.
FRANZ *als Matthias:* Ich hab von dir gelernt.
SIEGBERT *als Götz:*   Und ich von dir.
Und wenn Sie meinen Bruder jetzt – ich brauch ihn,
Wir brauchen ihn, als Produktionsdirektor –
Aufs tote Gleis rangiern wolln, wie man hört
Dann sabotieren Sie die Optimierung,
Herr Werkdirektor – Was ich mir herausnehm.
So hätt ich nie mit meinem Chef gesprochen
In meiner Eigenschaft als ich. Das ist
Die Macht der Kunst. Sie potenziert den Menschen.
PFEIL Das fällt euch jetzt ein. Hier. Im Wald. Und weiter?
Ich hab gedacht, dein Ofen brennt nicht mehr.
Du hast Reserven, Matthias. Ein neues Kraftfeld.
FRANZ *als Matthias:*
Das fällt dir jetzt ein. Hier. Im Wald. Und weiter?

PFEIL Das frag ich dich. Und Sie, Kollege Kanten,
Sie kannte ich von dieser Seite auch nicht.
Ich hab gewußt, Sie sind ein Wissenschaftler,
Jetzt seh ich, Sie sind auch ein Mensch, das freut mich.
Aber unsre Probleme sind konkret.
Schon lange liegt mir euer Bruderzwist
Im Magen und ich bin der erste, glaubt mir,
Der an die Decke springt bei Friedensschluß.
FRANZ *als Matthias:* Spring.
PFEIL   Wenn ich weiß, wofür der
Frieden gut ist.
Ich bin kein Pazifist. Was schlagt ihr vor.
Wie optimieren wir die Optimierung.
Ich hör nichts. Meine Ohren sind in Ordnung.
Was wollt ihr? Daß ich das Modell auf Eis leg?
Der Weltstand wartet nicht.
STIMME MIRU MULLEBÄR   Franz.
PFEIL   Die Imperialisten –

17
Miru Mullebär.
MIRU Die Herren Leiter. Alle drei. Das trifft sich.
Das können Sie mit mir nicht machen, Sie.
Ich lasse mir das nicht gefallen, ich nicht.
Zu Franz als Matthias:
Der redet mir ein Studium ein – Mein Mann
Sein Sprachrohr. Ich setz meine Ehe aufs Spiel.
Zu Siegbert als Götz Kanten:
Studiere. Und der optimiert mich weg,
Mein Mann sein Werkzeug. Und feig sind sie alle
Zu Pfeil: Und keiner sagt mir was. Sie habens auch
Nicht nötig, wie? Und jetzt könnt ihr
Mich kennenlernen. Sucht euch ein andres Beispiel
Für euren Rechenschaftsbericht. Ich bin

Nicht dazu da, Genosse Werkdirektor,
Daß Sie in der Zeitung stehn. Warum
Reden Sie Ihrer Frau kein Studium ein.
Ich bin ein Mensch, ich lasse mich nicht streichen.
PFEIL Ich werd mich darum kümmern. Im Betrieb.
Am Montag. Meine Zeit ist ausgeplant.
Mein Arbeitstag, Kollegin, hat zwölf Stunden.
MIRU Meiner hat vierundzwanzig, Herr Direktor.
PFEIL Und nach fünf Tagen Leitungstätigkeit
Gehört mein Wochenende mir und meiner
Familie. Und das ist das letzte Mal
Daß ich mich kollektiv erhole. Hab ich
Erholung gesagt. Ich kann schon nicht mehr lachen.
STIMME SUKKO Hilfe.

18
Sukko.
SUKKO Sie sind ertrunken. Sie haben um die Wette getaucht.
Vielleicht können wir sie noch retten. Kommt, schnell.
SIEGBERT *als Götz:* Ertrunken?
PFEIL Wer? Meine Badekappe.
Was steht ihr noch herum.
Siegbert, Franz, Pfeil, Miru ab.

19
Sukko sieht Franz und Siegbert als Matthias und Götz.
SUKKO Was war das. Götz? Matthias? Hier? Bin ich
Verrückt? Ich hab sie doch gesehn. Im See.
Götz und Matthias.
Da. Wieder. Dreimal Götz? Dreimal Matthias?
Ich glaub nicht an Gespenster. Hilfe. *Ab.*
MATTHIAS Wohin.
Siegbert ohne Ball.
SIEGBERT Mein Tauchgerät. Zwei sind ertrunken.
Ab.

GÖTZ UND MATTHIAS Wir sind ertrunken.

GÖTZ Meinen Namen hat sie
Zuerst genannt. Hast du das auch gehört.

MATTHIAS Du hättst es nicht mehr hören können, wenn ich
Dich nicht herausgezogen hätte, Einstein.

GÖTZ Du hast ein Rettungsschwimmen gut bei mir.

MATTHIAS Es kommt nicht wieder vor. Das nächste Mal
Kannst du die Fische optimieren. Lern tauchen
Ohne zu atmen. Das rationalisiert.

GÖTZ Ich weiß, du bist im Trockenschwimmen besser.

MATTHIAS Das Kompliment kann ich dir wiedergeben.
Du zauberst Perspektiven aufs Papier.
Du spielst mit Menschen wie mit Schachfiguren
Und wer nicht mitkommt kommt nicht mit. Hast du
Mit einem schon geredet, ihm geholfen,
Der deine Hilfe gebraucht hat, ihm Mut gemacht,
Wenn ihm der Mut ausging, täglich und stündlich –

GÖTZ Die alte Platte: Sorge um den Menschen.

21

Pfeil mit Badekappe. Hora.

PFEIL Ihr. Habt ihr sie gefunden? Wer? Wer ist
Ertrunken.

MATTHIAS Niemand. Wir sind nicht ertrunken.

HORA Wer war im Wasser.

MATTHIAS Wir. Es war ein Spiel.
Ich hab mich darauf eingelassen. Leider.
Götz wollte um die Wette tauchen und –

PFEIL Wieso. Ihr wart doch hier.

MATTHIAS Ja, wir sind hier.

HORA Reg dich nicht auf. Bleib ruhig, Richard. Puls.

PFEIL Ich laß mir solche Scherze nicht gefallen.
Ich hab genug am Hals. Geh, hol die andern.
Hora ab.

PFEIL Was ist mit euch los. Vor zwei drei Minuten
Hab ich zum ersten Mal gehört, daß ihr
Vernünftig miteinander reden könnt. Zwar
Eure Kritik an mir war nicht ganz sachlich.
Schwamm drüber, weil das andre Hand und Fuß hat.
Ich dachte, wir sind aus dem Schneider. Und
Jetzt das.

MATTHIAS Du hast mit uns gesprochen? Wann?

GÖTZ Mit Ihnen? Wir? Sehn Sie auch schon Gespenster.

23
Miru.

MIRU Das steht herum und diskutiert und dort
Ersaufen zwei Kollegen. Das sind Leiter.
Ihr seid wohl froh, wenn wir zwei weniger sind?
Wer tot ist, fragt nicht mehr. Das ist wohl eine
Neue Methode, wegzuoptimieren
Was nicht in eure Pläne paßt. Ihr Mörder.

PFEIL Wie reden Sie mit mir.

MATTHIAS   Es war ein Irrtum.

MIRU Ein Irrtum, so. Mein Studium war ein Irrtum.
Ich bin gestrichen und es war ein Irrtum.

24
NETZ Wer redet davon.

MIRU   Ich. Und Sie sind auch
Nicht besser als die andern, der und der.
Sie habens auch gewußt und nichts gesagt.

PFEIL Die ganze Zeit muß ich mir das schon anhörn.

NETZ Das mußt du, ja. Was ist passiert im See.

MIRU Ein Irrtum.

NETZ   Und wo sind die andern? Franz?
Franz.

MIRU Wo ist mein Mann? Franz —

FRANZ   Hier.

MIRU *Umarmung:*   Franz –
  Ohrfeige. Und ich hab mir
  Sorgen gemacht. Um dich. Und du, du
  Alles hast du gewußt. Und kein Wort. Und
  Ich mach mir Sorgen.

FRANZ   Miru.

MIRU   Faß mich nicht an.
  Ab, alle mit Formeln beschimpfend.

25
Tilli.

TILLI Wer ist ertrunken? Wo ist Siegbert? Wenn
  Ihm was passiert ist, meinem Siegbert. Sie
  Sind schuld. Das mußte ja so kommen. Immer
  Hat er sich eingesetzt für andre. Immer
  Hat er sich aufgeopfert. Und Sie haben
  Es ausgenutzt. Er war ein Kraftwerk. Und
  Sie stehn dabei, wenn –

PFEIL   Niemand ist ertrunken.

26
Siegbert.

TILLI *ohrfeigt und umarmt ihn:*
  Siegbert, du schweigst.

SIEGBERT   Entschuldigen Sie. Es ist
  Ihr Temperament, Herr Werkdirektor.

NETZ   Genosse.

27
Hora, Sukko.

HORA Alle sind da, Richard. Niemand ertrunken.

SUKKO Steht ihr schon wieder da. Ich glaub nicht an
  Gespenster. Warum seid ihr nicht ertrunken.

Ich hab euch schon dreimal zu viel gesehn.
Wieviel mal seid ihr jetzt. Sechs, oder sieben?
MATTHIAS Ich wußte nicht, daß es mich doppelt gibt.
GÖTZ Der Mensch multipliziert sich, wenn er liebt.
SUKKO Von euren Witzen hab ich jetzt genug.
Unser Betrieb ist keine Kinderwippe.
Was wollt ihr von mir. Ich bin kein Preispokal.
GÖTZ Muß ich dir sagen, was ich von dir will?
SUKKO Könnt ihr mich nicht in Ruhe lassen. *Weint.*
MATTHIAS   Ich
Bin nicht mein Bruder, Sukko.
SUKKO   Und ich bin
Nicht deine Amme. Denkt ihr, ich hab mich
Für euch naß gemacht, ihr Froschmänner. *Weinend ab.*

28
NETZ Was ist mit ihr?
TILLI   Sie ist verliebt.
FRANZ   Ja, das
Ist Liebe.
NETZ   Das hat uns gefehlt.

29
Sukko zurück, läuft vor einem Einhorn fliehend über die
Bühne.
PFEIL Sie ist verrückt geworden.
FRANZ   Was ist jetzt los.
SUKKO Ein Einhorn.
GÖTZ   Gibt es nicht. Das sind die Nerven.
Das Einhorn geht noch einmal über die Bühne. Musik. Der
märkische Wald verwandelt sich in einen tropischen. Netz
läuft auf Rollschuhen über die Bühne und zieht an einem
Schleppseil Pfeil hinter sich her, der in einem Sessel sitzt und
Industriebetriebe aus dem Ärmel schüttelt, die sofort zu

produzieren anfangen. Siegbert Rundlauf fliegt hinter Pa-
pageien her, Papageientext: Kybernetik – Qualifizierung –
Prognose, seine Frau hinter ihm. Miru Mullebär will auf
ihren Mann losgehn, der stellt ein kleines Transistorgerät
auf sie ein und sie verwandelt sich in ein liebendes Weib,
umarmt und küßt ihn; eine rosa Wolke senkt sich über die
beiden; aus der Wolke quellen kleine Mullebärs. Sukko in
Hochzeitskleid, Brautschleier und Myrthenkranz schwebt
zwischen Götz und Matthias Kanten. Die Brüder greifen
nach ihr. Musik setzt aus. Rückverwandlung des tropischen
Walds in den märkischen. Die Brüder halten einander an
den Nasen. Alle andern sind verschwunden.
PFEIL Unsre Erholung braucht jetzt eine Pause.
Ihr auch, Kollegen. Bockwurst, Bier und Brause
In den Salons. Doch gehn Sie nicht nach Hause.
Vorhang.

II

1
Siegbert mit Ball.
SIEGBERT *als Götz:* Haben Sie schon in Ihrem Chef gesteckt.
Götz Kanten, bestes Pferd in unserm Stall,
Bin ich jetzt. Ich kanns ändern. Tu ichs? Nein.
Ich wills jetzt wissen. Die Kultur ist Pflicht.
Und der Kultur entkommt ein Leiter nicht.

2
STIMME TILLI Siegbert.
SIEGBERT *als Götz:* Wer. Meine Frau. Die Kunst geht baden.
Nein. Ich riskiers. Das ist die Feuerprobe.
Der Atem ist die Seele. Stützen. Stauen.
Die Kunst schlägt Funken und der Funke zündet.
Aus Siegbert Rundlaufs Asche steigt Götz Kanten.

Tilli.
Sie suchen Ihren Mann, Kollegin. Ich auch.

TILLI Und es wird Zeit, daß wir uns um ihn kümmern.
Ein prächtiger Mensch. Fleißig. Er hat Ideen
Wie keiner. Seine Initiative ist
Ein Kapital und mehr als ein Diplom wert.

SIEGBERT *als Götz:*
Kollegin. Ihr Mann ist mein Stellvertreter.
Ich kenne ihn. Und ich weiß, was er wert ist.
Er braucht Ihre Vermittlung nicht, Kollegin.

TILLI Er braucht sie. Er ist zu bescheiden. Alles
Für andre, nichts für sich. Und wenn nicht ich
Ihn an die Hand nehm, läßt er sich ausnutzen.
Er ist zu gut. Ich bin die stärkere Hälfte.
Und wir ergänzen uns. Ich lenke ihn.
Ich muß ihn lenken. Ohne daß ers merkt.

SIEGBERT *als Götz:* Sie lenken ihn, so, ohne daß ers merkt.

TILLI Kennen Sie meinen Mann, Kollege Kanten.
Und wissen Sie, was Sie ihm antun, wenn Sie
Ihm jetzt zum Studium raten.

SIEGBERT *als Götz:* Was zum Beispiel.

TILLI Zum Beispiel weiß er nicht, ob Sies im Ernst tun
Oder sich lustig machen über ihn.
Ob Sies in seinem Interesse sagen.
Ich frag Sie. Er braucht jemand, der an ihn denkt.

SIEGBERT *als Götz:* Ich dachte, Sie denken an ihn, Kollegin.

TILLI Kollege Kanten, ich bin seine Frau.
Wie sag ich Ihnen das. Er ist ein Kind.
Er spielt herum.

SIEGBERT *als Götz:* Was wolln Sie damit sagen.

TILLI Das weiß nur ich.

SIEGBERT *als Götz:* Und jetzt weiß ich es auch, wie.

TILLI Er darf es nie erfahren. Wir führen eine
Glückliche Ehe. Vierzehn Jahre lang

Hab ich ihn abgeschirmt. Meinen Beruf
Sogar habe ich aufgegeben, um ihn –
SIEGBERT *als Götz:* Zu lenken ohne daß ers merkt. Kollegin
Rundlauf, ich weiß jetzt auch, warum Ihr Mann
Rot wird wie ein Haltesignal, wenn Sie
Für ihn auf die Genossen Leiter losgehn.
Sie machen einen Clown aus Ihrem Siegbert.
TILLI Wie reden Sie mit mir.
SIEGBERT *als Götz:*   So wie Ihr Mann
Schon längst mit Ihnen hätte reden solln.
O Siegbert. Das ist deine Frau. Sie ist es.
Wie lange sind Sie –
TILLI   Vierzehn Jahre. Glücklich.
SIEGBERT *als Götz:*
Dann wird es Zeit, daß Sie ihn kennenlernen.
Ihr Mann ist zu bescheiden, das ist wahr.
Und ich bin nicht Ihr Mann, ich bin Götz Kanten.
Ich pfeife auf Bescheidenheit, Frau Rundlauf.
Und darum sag ich Ihnen jetzt, Frau Rundlauf:
Wir ständen nicht so da wie wir jetzt dastehn.
Die Optimierungsgruppe, der Betrieb.
Nach einem Jahr Arbeit, wenn nicht Ihr Mann,
Frau Rundlauf.
TILLI   Und weil er Ihnen jetzt über den Kopf wächst
Stelln Sie ihm eine Optimierungsfalle.
Du wirst bezahlt für ein Diplom, wo ist es.
Ein Studium, sieben Jahre. Und wozu.
Es kostet Sie ein Lächeln. Weiter nichts.
Kollege Kanten, das ist Menschenraub.
Heiraten Sie erst mal, damit Sie wissen
Was die Familie einem Mann bedeutet.
SIEGBERT *als Götz:*
Kann sein, ich bin gedankenlos manchmal
Und ich vergesse manchmal vielleicht auch
Über der Arbeit meine Mitarbeiter

Und wenn mein Lächeln Ihnen nicht gefällt
Und Siegbert nicht, nun, mir gefällt es auch nicht.
Die Optimierungsfalle ist ein Witz.
Ich Ihrem Kraftwerk eine Falle stelln.
Die Optimierungsgruppe, Sukko, Franz
Und Siegbert, ist ein Kollektiv, und Götz, ich
Bin Leiter eines Kollektivs, kein Hecht
Im Karpfenteich. Siegbert wächst mir vielleicht
Über den Kopf bald. Seine Analyse
Über den Weltstand in der Modellierung
War Neuland. In der Menschenführung ist er
Mir weit voraus. Und was ich ihm voraushab
Das holt er spielend auf, wenn er studiert.
Er kann Minister werden, wenn er will.
Das ist Ihr Mann, Kollegin Rundlauf.

TILLI   Minister.
Wenn er Minister wird, was wird aus mir.
Ich habe nur ihn. Mein Beruf ist kein
Beruf mehr. Eine Kartenstelle hab ich
Geleitet, und sehr gut geleitet, jetzt –
Ich dachte immer, mein Mann hat nur mich.
Jetzt hat er eine Perspektive und
Ein Ministerium nimmt ihn mir weg.

SIEGBERT *als Götz:*
Kennen Sie Ihren Mann so schlecht, Kollegin
Rundlauf. Er liebt Sie. Ich weiß es, von ihm.
Sie sollten sich schämen. Aber sein Kopf ist
Volkseigentum, nicht Ihr Privatbesitz.
Entschuldigen Sie die harten Worte, aber
Die Lenkung Ihres Kraftwerks können Sie
Mir überlassen und dem Kraftwerk selber
Und was Ihren Beruf angeht, Siegbert
Läßt sich ausnutzen, nutzen Sie ihn aus
Im Interesse Ihrer Perspektive. *Ab.*

TILLI Siegbert.

3

SIEGBERT Sie lenkt mich, ohne daß ichs merk.
Genie ist Schweiß. Aber das weiß ich jetzt:
Ich bin zu Höherem berufen als
Zum Stromversorger für die Industrie.
Oder zum Kraftwerk für meine Familie. *Ab.*

4

Auftritt Miru, eine Formel rekapitulierend.

SUKKO Jetzt lernen die Gespenster schon
Mathematik. *Korrigiert die Formel.*

MIRU   Ich weiß keine Formel mehr.

SUKKO Ich auch nicht. Meine Formeln sind
Im See ertrunken. Und jetzt geistern sie
Durch den Wald in der dritten Potenz.

MIRU Ich habe kein Talent für Mathematik.

SUKKO Ich habe kein Talent für Männer mehr.

MIRU Die erste Zwischenprüfung hab ich doch
Bestanden.
Wiederholt Formel, stockt.

SUKKO *komplettiert die Formel:*
Einmal bin ich schon geschieden.

MIRU Was suchst du nachts im Wald?

SUKKO   Wenn ich das wüßte.

MIRU Du bist verliebt. Götz und Matthias.
Und einmal mußt du dich entscheiden.

SUKKO   Fängst du
Jetzt auch noch an? Nichts muß ich, nichts. Warum
Wollt ihr mir einreden, daß ich verliebt bin.
Ich bin kein Backfisch mehr. Ich kann mich selber
Verlieben, wenn ich will. Aber ich wills nicht.

MIRU Wenn sie schon unter Wasser gehn für dich.

SUKKO Für mich?

MIRU   Was sonst?

SUKKO   Du weißt es?

MIRU   Bin ich dumm?

SUKKO   Wo ist dein Mann?

MIRU   Im Bungalow. Nein, nicht
Im Bungalow. Ich laß mir nichts gefalln.
Ich hab ihn vor die Tür gesetzt. Er hat mich
Wegoptimiert. Jetzt hab ich ihn
Wegoptimiert. Von Tisch und Bett.

SUKKO   Hat er dir nicht gesagt, daß die Planstelle —

MIRU   Nichts. Keiner hat mir was gesagt.

SUKKO   Und woher
Weißt du — Hat Götz mit dir gesprochen?

MIRU   Der?
Ich laß mir nichts gefalln. Die denken wohl
Mit einer Frau können sies machen. Nicht
Mit mir.

SUKKO   Ja, Miru, du hast recht. Die Männer —

MIRU   Männer? Von Tilli Rundlauf mußte ich
Erfahren, daß ich rationalisiert bin.
Ja, auf dem Mond wollen sie landen, und
Auf unsre Kosten, mit ihrem Modell.
Das Naherholungszentrum ist ein Zirkus.

SUKKO   Von Tilli Rundlauf, so. Und Götz hat nicht
Mit dir gesprochen. Das ist gut.

MIRU   Ich weiß nicht.
Was daran gut sein soll.

SUKKO   Ja, das ist gut.
Jetzt hab ich wieder Grund unter den Füßen.
Jetzt weiß ich, wie ich dich zu fassen krieg
Götz Kanten. Hast du ihn gesehn?

MIRU   Wen? Nein.
Mach was du willst. Ich werd es ihnen zeigen.
Ab mit Formeln.

5
Siegbert.

SIEGBERT Ich mache, was ich will, ich werds ihr zeigen.

Ball. Verwandlung.

SUKKO Und was willst du mir zeigen, Götz.

SIEGBERT *als Götz:*   Mich, Sukko.
  Ihr wißt nicht, wer ich bin.

SUKKO   Ich weiß es, Götz
  Du spielst mit Menschen –

SIEGBERT *als Götz:*   Wie mit Schachfiguren.

SUKKO Ja. Die Kader –

SIEGBERT *als Götz:*   Hängen in der Luft.

SUKKO   Ja, du bist –

SIEGBERT *als Götz:* Ein kybernetischer Wasserkopf –

SUKKO Was soll das?
  Wer hat dir das gesagt.

SIEGBERT *als Götz:*   Meine Frau.

SUKKO   Seit wann
  Bist du verheiratet?

SIEGBERT *als Götz:*   Das sind die Nerven
  Strapaziert von unsrer Naherholung.

SUKKO   Und
  Was solln die andern sagen

SIEGBERT *als Götz:*   Tilli, Siegbert
  Alle. Kennst du sie überhaupt. Die keinen
  Grund mehr unter den Füßen haben, weil
  Unser gepriesenes Modell ein Loch hat.

SUKKO Wir klären das am Montag im Betrieb.
  Schlafen denn diese Frösche nie? Mein Kopf. –

SIEGBERT *als Götz:*
  Warum nicht heute? Glaubst du, man kann sich
  Erholen ohne Perspektive. Hinter jedem
  Baum wartet eine Frage hier auf Antwort.
  Die Nacht ist voll von den Problemen, die

Ich aufgeworfen hab und nicht gelöst.

Und du hast nichts im Kopf als dein Vergnügen.

SUKKO Ich — mein Vergnügen. Wer stellt hier wem nach.

SIEGBERT *als Götz:* Ich hab dir nachgestellt.

SUKKO   Du. Und dein Bruder.

SIEGBERT *als Götz:*

Ich und Matthias, wir haben dir nachgestellt.

Das geht zu weit. Da spiel ich nicht mehr mit.

Wir haben dir nicht nachgestellt.

SUKKO   Wieso nicht.

Ihr habt getaucht, im See, und meinetwegen.

Beinah wärt ihr ertrunken, meinetwegen.

SIEGBERT *als Götz:*

Getaucht? Wir deinetwegen? Sukko. Tauchen als

Methode der Entscheidungsfindung ist

Unwissenschaftlich.

SUKKO   So. Unwissenschaftlich.

Feig bist du auch noch. Und ich hab gedacht —

SIEGBERT *als Götz:* Was, Sukko? Was hast du gedacht?

SUKKO Nichts.

SIEGBERT *als Götz:* Nichts?

Vielleicht hab ich dir wirklich nachgestellt.

SUKKO   So.

SIEGBERT *als Götz:*   Nein.

SUKKO Du bist ein Mann.

SIEGBERT *als Götz:*   Wie soll ich das

Erklären. Sukko. Das verstehst du nicht.

SUKKO   Nein.

Und meinen Brief habt ihr auch nicht gelesen.

Ich habs gesehn.

SIEGBERT *als Götz:* Was für einen Brief?

SUKKO   Matthias.

Wo ist Matthias?

Matthias.

MATTHIAS   Ich hab ihn gelesen.

SIEGBERT *als Götz:*
> Jetzt weiß ich wieder. Ja, mit deinem Brief
> Hat alles angefangen.

SUKKO   Was hat angefangen
> Mit meinem Brief?

SIEGBERT *als Götz:*   Ich bin ein andrer Mensch.

MATTHIAS Der Optimierer hat sich optimiert.
> Mein Bruder ist ein andrer Mensch geworden.
> *Hohngelächter.*

SUKKO Matthias, es ist wahr. Etwas ist anders.

SIEGBERT *als Götz:* Ich hab mit Pfeil gesprochen.

MATTHIAS   Intressant
> Mich wundert nichts mehr. Ja. Wenn du mit Pfeil
> Gesprochen hast, wundert mich nichts mehr. Jetzt
> Weiß ich, warum die Frösche quaken, ich
> Wär abgelöst. Was hat er denn gesagt, Pfeil?

SIEGBERT *als Götz:* »Der Weltstand wartet nicht —«

MATTHIAS Das weiß ich selber.

SIEGBERT *als Götz:*
> »Ich hab gedacht, dein Ofen brennt nicht mehr.«

MATTHIAS Du wirst dich wundern, wie ich dir noch einheiz.

SIEGBERT *als Götz:* Das hat er nicht gesagt.

MATTHIAS   Nein, das hab ich
> Gesagt.

SIEGBERT *als Götz:* Nein, Pfeil. Und das hat er gesagt:
> »Die Optimierung ist Parteibeschluß
> Unser Hauptkettenglied im Klassenkampf«.
> Hast dus vergessen?

MATTHIAS   Nein.

SIEGBERT *als Götz zu Sukko:*
> Als ich mit Pfeil gesprochen hab.

MATTHIAS   Er lügt
  Schon wieder. Ich war nicht dabei.
SUKKO   Wer lügt hier.
SIEGBERT *als Götz:*
  Ich bin doch nicht verrückt. Du warst dabei
  Du hast mit Pfeil gesprochen. Und dann ich.
  Und einer mit dem andern. Du mit mir
  Und ich mit dir. Pfeil hatte solche Ohren.
MATTHIAS So? Und was hast du ihm gesagt?
SIEGBERT *als Götz:*   Zum Beispiel:
  Wenn er seine Kanone laden will
  Die er jetzt gegen dich auffährt, mit mir
  Schießt er ein Eigentor. Und: »unser Modell braucht
  Modelle von den Menschen, die es angeht«.
  Nein, das hast du gesagt.
MATTHIAS   Ich?
SIEGBERT *als Götz:*   Ja, zu mir.
MATTHIAS Ich weiß, was du brauchst: dieses Argument
  Faust.
  Frisch aus dem Märkischen Museum.
SIEGBERT *als Götz:*
  Vorhin war er noch ganz normal. Was hat er?
  Markierst du für Sukko den wilden Mann?
MATTHIAS   Idiot.
SIEGBERT *als Götz:* Ich habe Pfeil gesagt: wenn er
  Dich ablöst auch als Produktionsdirektor
  Dann sabotiert er unsre Optimierung.
MATTHIAS Was steckt dahinter. Das ist nicht von dir.
SUKKO *stellt sich zu Götz:*
  Warum nicht.
MATTHIAS   Weil –
  Pause.   Und – was hab ich gesagt?
SIEGBERT *als Götz:* Machst du dich lustig über mich –
MATTHIAS   Ich nicht.
SUKKO Matthias, warum lügst du.

MATTHIAS   Ich?
SUKKO   Ja, du.
MATTHIAS

Ich weiß jetzt, was man braucht und was mir fehlt.
Und was ich nicht mehr lern mit meinen vierzig
Zwanzig davon in der Partei.

SIEGBERT *als Götz*:   Vierzig.
Ein schönes Alter. So alt wird man nur einmal.
Und bis zur Rente sinds noch fünfundzwanzig.

MATTHIAS Ich kann auch Witze reißen. Aber mir steht
Nur eine Zunge zur Verfügung. Dein
Politischer Silberblick geht mir auch ab.
Den braucht man jetzt wohl in der Produktion.
Dafür war ich mit vierzehn schon zu alt.
Die Veteranen werden immer jünger.
Morgen rasiern sie sich im Kindergarten
Und spalten sich die Haare in den Windeln.
Ich paß auf keine Schulbank mehr, ich bin
Zu alt für eure Haarnadelkurven.
Ein Kybernetiker wird aus mir nicht mehr.
Ich bin Kommunist. Ich geh am ersten.

SIEGBERT *als Götz:*   Jetzt
Versteh ich gar nichts mehr. Ich-geh-am-ersten.
Ein feiner Kommunist bist du.

SUKKO   Warum
Gehst du nicht gleich. Je eher desto besser.

MATTHIAS Ja, und ich sag dir auch, warum ich geh.
Damit ich dein – dein Grinsen nicht mehr sehn muß.

SUKKO Vielleicht gehn wir erst mal zusammen
In meinen Bungalow. Oder zum Seeblick
Und trinken einen Eiskaffee, ihr Hähne.

SIEGBERT *als Götz:* Geh mit Matthias. Er hats nötig.

MATTHIAS   Ich
Brauch keinen Eiskaffee. *Ab.*

SUKKO   Ihr – Gute Nacht. *Ab.*

7

Auftritt Franz mit Brille als Matthias.

SIEGBERT *als Götz:*

Ich glaub ich hab was falsch gemacht. Aber
Ich kann doch nicht. Ich sollte vielleicht doch
Will hinter Sukko her.

FRANZ *als Matthias:*

Ich möchte wissen, was in mich gefahrn ist.
Der der ich eben hier gewesen bin, Götz
Ist nicht dein Bruder. Und jetzt bin ichs wieder.
Was ich gesagt hab, ich versteh es auch nicht.
Es muß die Nacht sein. Alles ist verrückt
In diesem Wald. Sogar der Mond sieht falsch aus.
Ich wette, wenn es regnet, wird er grün.
Ich frag mich schon, ob diese Bäume echt sind.
Ich geh nicht. Ich werd noch gebraucht. Von dir auch.

SIEGBERT *als Götz:* Matthias, wir sind doch aus einem Holz.

FRANZ *als Matthias:* Aus einem. Aber viel ist noch zu tun.

SIEGBERT *als Götz:* Ja, Siegbert –

FRANZ *als Matthias:* Miru –

SIEGBERT *als Götz:* Und die andern alle.

FRANZ *als Matthias:* Und mit Pfeil sind wir auch nicht fertig.

SIEGBERT *als Götz:* Und

Mit Götz –

FRANZ *als Matthias:* Und mit Matthias –

SIEGBERT *als Götz:* Wie war das?

Hast du gesagt, mit – mit Matthias –

FRANZ *als Matthias:* Hast du

Gesagt, mit Götz –

Siegbert läßt Ball fallen, Franz nimmt Brille ab.

SIEGBERT Franz

FRANZ Siegbert

SIEGBERT Aus der Traum.

FRANZ Und ich hab schon gedacht, du bist – ich meine
Ich hab gedacht, Götz ist ein andrer Mensch.

SIEGBERT Und ich Idiot hab an die Kunst geglaubt.
Jetzt stehn wir wie der Dackel im Spinat.

8

Netz.

SIEGBERT Du rauchst. Im Wald.

NETZ   Es hat geregnet. Gestern.
Auf unsre Optimierung regnets noch.
Und wenn der Regen aufhört, gibts Gewitter.

SIEGBERT Wieso. Ich hab mit Pfeil geredet. Und
Du wirsts nicht glauben, man kann mit ihm reden.

NETZ Was hast du ihm gesagt.

SIEGBERT   Was du ihm nicht
Gesagt hast.

NETZ   So und woher weißt du das
»Herr Werkdirektor«

SIEGBERT *lacht:*   Soweit ists noch nicht.

NETZ Hast du Pfeil nicht gesagt »Herr Werkdirektor«

SIEGBERT Aus Realismus, ja. *Pause.* Warst du dabei?

NETZ Wie sollt ichs wissen, wenn ich nicht dabei war.

SIEGBERT Wenn du dabei warst, warum hast du nichts
Gesagt?

NETZ   Weil deine Frau mir sozusagen
Die Worte aus dem Mund genommen hat.

SIEGBERT Was hast du gegen meine Frau. Was soll das.
Ja, und wieso hat sie die Worte dir
Und was für Worte, aus dem Mund genommen –

NETZ Hast du mit Pfeil geredet oder sie.

SIEGBERT Wie? Ich natürlich. Und auch wieder nicht ich.
So hätt ich nie mit meinem Chef gesprochen.
In meiner Eigenschaft als ich. Das ist
Die Macht der Kunst; sie potenziert den Menschen.

NETZ Sie potenziert. »Wie lange bist du schon
In der Partei«

SIEGBERT   Achtzehn, du weißt es.

Pause.   Woher

Weißt du das?

NETZ   Die Partei weiß manches.

SIEGBERT   Bist du

Denn überall dabei.

NETZ   In meiner Rolle

Als Werkdirektor —

SIEGBERT   Du warst Pfeil?

NETZ   Wer sonst.

FRANZ Das durfte nicht passieren.

NETZ   Tut mir leid.

Es war nicht meine Schuld. Es war der Mantel.

Ich kann mir selber nicht erklären, wie.

Theater ist für mich Abrakadabra.

FRANZ Es bringt nichts ein, ja. Wenn du Pfeil warst.

Und ich hab schon gedacht, Pfeil hat gelernt

Aus seinen Fehlern, aus meiner Kritik —

NETZ Du hast mit Pfeil gesprochen?

FRANZ   Ja, mit dir.

SIEGBERT Mit Pfeil, du? Wann hast du mit Pfeil gesprochen?

FRANZ Und Pfeil war er.

SIEGBERT   Was hast du ihm gesagt?

FRANZ »Der Bremsklotz ist der Bremsklotz« —

SIEGBERT   »Weg mit Schaden«

FRANZ Das warst du?

SIEGBERT   Ich war Götz. Du warst Matthias.

FRANZ Und er war Pfeil —

NETZ   Ich? Ich war nicht dabei.

SIEGBERT Wer dann?

ALLE   Pfeil.

FRANZ   Also haben wir mit Pfeil

Gesprochen und Pfeil hat es eingesehn.

NETZ Was?

SIEGBERT Daß Matthias Kanten kein Alteisen
  Ist.
FRANZ Und Götz Kanten kein Elitekopf.
NETZ Was ist damit gewonnen. Wißt ihr, was
  Sich hier zusammenbraut und morgen losgeht
  Hier sind wir zehn, viertausend im Betrieb
  Und keiner hat nur für sich selbst zu sorgen
  Wir müssen hier und heute fertig werden
  Mit der Lawine, morgen friert sie schon
  Zum Eisberg, und wir alle mittendrin
  Wie die Fliege in Bernstein, und wenn der
  Gesprengt wird, gehn wir alle hoch! Und ihr
  Macht Maskeraden wie die kleinen Kinder.
  Ich optimiere dich, du optimierst mich
  Die Produktion läuft wieder optimal
  Und wenn was nicht klappt, spielen wir Theater
  Und einer spielt den andern und es klappt
  Und morgen bricht der Kommunismus aus
  Der letzte Imperialist stirbt am Infarkt
  Aus Freude über die befreite Menschheit
  Vom Mars Glückwunschadressen undsoweiter.
  Miru vorbei, formelnd.
  Schon wieder eine Produktivkraft, die
  Romantisch durch den Wald spukt, ungebraucht.
  Hört ihr die Frösche nach Planstellen schrein?
  Nichts gegen Bäume. Aber morgen ist
  Ein andrer Tag und der wills wissen. In
  Der Produktion hört die Romantik auf.
FRANZ Ohne Romantik hört die Produktion auf.
SIEGBERT Wenn du nicht Pfeil gewesen wärst vorher
  Und warst ein bessrer Pfeil als Pfeil, hätt ich
  Mit Pfeil nicht reden können so wie ich
  Mit ihm geredet habe, als Genosse.
  Ich wollte Götz sein. Jetzt will ichs nicht mehr.

Ich habe aufgesehn zu ihm bis heute
Und jeden Abend war mein Nacken steif.
Jetzt hab ich mich von oben angesehn
Durch seine Brille. Und soll ich dir sagen,
Was ich gesehn hab: ich stand über mir.
Ich brauch mich vor mir nicht mehr zu verstecken.
Und nicht vor meiner Frau. Und nicht vor Götz.
Sein Weg zum Sozialismus ist der längste.
Er denkt, er ist heraus aus allem. Und
Das kommt, weil er in allem nicht mehr drin ist.
Bald fällt er aus sich selber auch heraus.
Und wenn ich ihm nicht auf die Sprünge helf, geh
Ich auch parterre. Mit oder ohne Netz.

FRANZ

Vielleicht machst du den Sprung doch lieber mit Netz.

NETZ Nach Witzen ist mir nicht. Gut war der auch nicht.
Ich weiß nicht, ob ich das Theater mitmach.
Es muß was dran sein, wenn ich dir so zuhör.
Ich hab das nicht studiert. Aber vielleicht
Kanns wirklich mehr als Subventionen schlucken.
Bei uns ists ehrenamtlich. Das ist auch gut.
Es schaufelt Schutt aus Herzen und Gehirnen
Massiert das Zwerchfell mit Komödien und
Fördert mit Trauerspielen die Sekretion.
Pflanzt Träume, und, wenns gut war, auch die Kraft
Sie wahrzumachen. Ja, es ist ein Motor.
Es hat auch seine Tücken wie ein Motor.
Auf einmal weißt du nicht mehr, wer du bist.
Und plötzlich weißt dus besser als vorher.
Es hat mit Dialektik was zu tun, wie.
Den Teufel treibt man mit dem Teufel aus.
Am Ende ist der Teufel gar kein Teufel.
Es schmeckt mir nicht. Zwischen zwei Punkten die
Kürzeste Strecke ist noch immer die
Gerade.

137

FRANZ   Mathematisch.

NETZ   Mathematisch?
Das hab ich doch schon mal gehört. Von mir.
Warum spielst grade du Matthias Kanten?

FRANZ Ja, weißt du, Not kennt kein Gebot. Ich mußte.
Und ich kann nicht heraus aus meiner Rolle,
Eh in unserm Modell für alle Platz ist.
Für meine Frau zum Beispiel. Sonst muß ich
Im Keller schlafen. Ich habs nicht gewollt.

NETZ Hast du ihr nicht gesagt, daß die Planstelle –

FRANZ Warum hast du ihr nichts gesagt. Du bist –

NETZ Bin ich verheiratet mit deiner Frau?

FRANZ Ich wollte es ihr sagen. Aber da
Gab mir Matthias Kanten seine Brille.
Ich weiß nicht mehr warum. Als sie vor mir stand
Hat sie mich mit Matthias angeredet
Und hat gesagt, mich will sie nicht mehr sehn.
Das heißt Franz. Das heißt, ihren Mann. So kam das.

SIEGBERT Und wenn du vor Götz Kanten selber deine
Rolle so spielst wie du vor mir gespielt hast
Vorhin mit »Ich bin Kommunist. Ich geh
Am ersten«, kannst du dich gleich scheiden lassen.
Nämlich dann hast du eine Lebensstellung
Als Waldgeist und Touristenattraktion
Oder wirst im Museum ausgestellt
Als Wiedergänger aus der Urgemeinschaft.
Was hast du dir dabei gedacht.

FRANZ   Ich wars nicht.
»Ich geh am ersten« war Matthias Kanten.

NETZ Also das müssen wir in Ordnung bringen.
Matthias wird gebraucht. Das heißt: ihr müßt.
Siegbert und Franz ab.

9
Hora und Pfeil von verschiedenen Seiten.

HORA Du hast gebadet, Richard.

PFEIL Warum nicht.

HORA Was glaubst du, wen ich hier getroffen hab.

PFEIL Wen du –

HORA Ja, Richard. Du wirst es nicht glauben.
Ich ging im Wald. Du warst ichweißnicht wo.
Der Mond. Die Frösche. Manchmal klang es mir
Als ob die Bäume eine Stimme hätten
Und unterhielten sich mit Mathematik.
Es klang wie eine Formel, a Quadrat
Und b Quadrat in Klammern minus x
Oder so ähnlich. Und auf einmal wer
Steht vor mir wie auf einer Bühne.
Der Narr von Shakespeare. Wie es euch gefällt.
Ich hab es vor vier Wochen erst gesehn
Du hattest Konferenz und keine Zeit.
Er war es, Richard. Und ich selber hab ihn
Oh mein Gedächtnis! eingeladen hierher
In unser Naherholungszentrum. Ich
Hab es vergessen dir zu sagen über
Der ganzen Aufregung um das Modell.
Er memorierte seine neue Rolle
Mitten im Wald, gegen den Chor der Frösche.
Die Rolle wird dich interessieren. Er spielt
In einem neuen Stück den Werkdirektor.
Ich hab ihm als Modell empfohlen dich.
Und jetzt kommt das Verrückte. Weißt du wer
Er ist? Sieh ihn dir an. Sieh ihn genau an.
Sieht er nicht Ludwig Netz so ähnlich wie
Ein Ei dem andern? Es ist wie ein Wunder.
Es ist ein Wunder, Richard. Ludwig Netz
Hat einen Zwillingsbruder, und das ist er.

Darf ich vorstellen. Richard Pfeil, mein Mann.
Und das ist der Schauspieler Ludwig Reuse.

NETZ   Ein Künstlername. Sie verstehn, Herr Pfeil.

PFEIL   Schauspieler. So. Ein Zwillingsbruder, so.
Aus einem Ei wohl auch noch.

NETZ   Sie sagen es.
Gönnen Sie mir ein paar Minuten und
Wir werden berühmt, Herr Pfeil. Ich mache Sie
Zum Kunstwerk sozusagen. Ein Ehrenplatz
Im Neuen Deutschland. Aus dem Wirtschaftsteil
Auf die Kulturseite, Herr Pfeil.
Sie werden sehn, es ist die Sonnenseite.
Ernst ist das Leben, heiter ist die Kunst.
Ich leide an der Rolle, wissen Sie.
Ich kann den Hamlet rückwärts spielen und
Den Faust im Kopfstand. Aber was weiß ich
Von einem Mann in Ihrer Position
Von Ihren Sorgen und Problemen. Nichts
Und weniger. Weniger als nichts, Herr Pfeil.

PFEIL   Die Kunst. Sie hat mir immer viel gegeben.
Muß es ein Werkdirektor sein, Herr Reuse?
Ich weiß, wir sind als Sündenbock in Mode.
Haben Sie schon Verbindung zu Brigaden.

NETZ   Herr Pfeil. Wenn Sie gestatten, möchte ich
Ihnen jetzt einen kleinen Einblick geben
In unser Stück. Mein Werkdirektor ist
Ein Mensch —

PFEIL   Was soll er sonst sein, Herr.

NETZ   Wie wahr.
Zum Beispiel zeigen wir in einer kurzen
Szene, es ist ein Monolog, wie das
Betriebsgeschehen seinen Schatten wirft
Über die Ehe meines Werkdirektors.
Er steht allein im Licht der Punktscheinwerfer.

Auf drei Filmleinwänden im Hintergrund
Akzentuiert von der Musik – viel Blech
Drei Geigen – laufen überlebensgroß
Die ungelösten Fragen und Probleme.
Was ist mit meiner Frau. Sie kritisiert mich.
Wann hab ich sie zum letzten Mal geküßt.
PFEIL Heute Morgen. Vorm Frühstück.
NETZ   Ich meine: richtig.
Jetzt fällts mir ein. Ja, nach dem Festbankett
Am Frauentag.
Schuld war der Parteisekretär. Er hatte mich
Verrückt gemacht. Er hätte meine Rede
Zum Frauentag beim Sportfest schon gehört.
In meiner Rede waren ihm zu viel
Zitate, warum soll ich nicht zitieren.
Aber zu den Problemen unsrer Frauen
Besonders im Betrieb, kein eigner Gedanke.
Und da ging mir der Strom aus, ich kam mir vor
Wie eine ideologische Funzel. Und
Dann tanzte er mit meiner Frau, auch das noch
Und redete mit ihr drei Tänze durch
Und sie mit ihm, und ich im Abseits dachte:
Sie reden und sie tanzen gegen mich
Und ich stand da wie eine tote Leitung
Und dann zu Hause: meine Frau sieht meinen
Einsamen Leiterblick, den kennt sie gut.
Aus mancher turnusmäßigen Beratung
In hohen Gremien komm ich heim damit
Wie ein verwundeter Stier aus der Arena.
Dann steht sie in der Tür mit dem Verbandszeug
Nämlich sie weiß die Stelle, wie Brunhilde
Bei ihrem Siegfried, wo die Hornhaut fehlt.
Und das war der Moment. An diesem Abend
Wir stehn umschlungen, Hora fragt in meine

Verlorenen Augen: Richard, Liebster, wie kommt
Der Dolch in deinen Rücken? Und ich schweige
In meinem Blick die Einsamkeit verstärkt sich.

PFEIL Und dann der Kuß −

NETZ   Und sie, mit schwerem Atem:
Richard, dein Kuß verrät es mir: du schreist
In deinen Augen läuft ein Stummfilm: wer
Ist hinter dir her? Und ich will sagen: Liebste
Es ist die Sehnsucht, die mich zu dir treibt
Aber was sag ich? Der Parteisekretär.
Da war die Nacht im Eimer −

PFEIL   Das gehört
Nicht auf die Bühne.

HORA   Ich laß euch jetzt allein. *Ab.*

10

PFEIL Die Szene streichen wir. Das bringt nichts ein.
Wir brauchen Qualität auch in der Kunst.
Und realistisch war es auch nicht. Ein Leiter
Hat kein Privatleben. Und wenn, dann anders.
Wir haben mehr zu tun als unsre Wunden
Zu lecken, Herr. Wir handeln mit andern Gewichten.
Weltstand und Perspektive für viertausend
Beschäftigte, und bald, im Kombinat
Sinds zwanzigtausend, können Sie sich das vorstelln.
Wenn Sie erlebt hätten was ich, allein
An diesem Wochenende. Meine besten
Kader fallen über mich her. Ihr Bruder.
Zwei wollten sich ertränken. Oder nein.
Das war ein Irrtum. Ich erfahre Dinge.
Einhörner brechen aus dem Wald −

NETZ   Einhörner.
Sehr interessant, Herr Pfeil. Haben Sie das öfter?

PFEIL Sie können lachen. Sie sind fein heraus.

Ich sage Ihnen, was sich hier abspielt
Von morgen im Betrieb gar nicht zu reden
Das können Sie nicht auf die Bühne bringen.
Zum Beispiel haben wir den Fall – der Name
Sagt Ihnen nichts – ein Produktionsdirektor,
Der nicht Schritt hält mit der Entwicklung. Er
Stemmt sich gegen die Forderung des Tages,
Die Optimierung unsrer Produktion
Durch Mathematik und Kybernetik. Ein
Experiment vielleicht, aber notwendig.
Und dieser Produktionsdirektor, ein
Genosse mit Verdiensten, uns verbindet
Viel, und ich muß mich von ihm trennen, weil er
Nicht Schritt hält. Neue Ziele, neue Kader.
Und jetzt entdecke ich, er hat Reserven.
Und diese Optimierung hat ein Loch.
Der Boden der Tatsachen ist ein Sieb
Geworden unter meinen Füßen. Hier auch.
Passen Sie auf, daß Sie nicht durchfalln. Und
Jetzt weiß ich nicht mehr, was ich machen soll.
Der beste Fahrplan ist Makulatur,
Wenn ihn der Passagier nicht lesen kann.
Das ist die eine Seite. Andrerseits:
Weil der und der den Zug verpaßt, kann ich
Nicht auf der Strecke halten. Ein Stop zu viel: die
Parteihochschule ist die Endstation.
NETZ Amen. Ein interessanter Standpunkt. Die
Parteihochschule ist die Endstation.
Gestatten Sie, daß ich mir das notiere.
Herr Pfeil, die Rolle nimmt Gestalt an.
PFEIL   Ich
Halte sehr viel von der Parteihochschule.
NETZ Sie halten sie mit Abstand hoch. Um alles
Mit einem Wort zu sagen. Ich verstehe.

In Ihnen ist ein Schauspieler versteckt.
Ich habe eine Nase für Talente.
Stelln Sie sich vor, Sie sind mein Bruder und
Sie kritisieren mich, den Werkdirektor.
Den Apfel lernt man kennen durch Kritik:
Man ißt ihn. Sie verstehen. Dialektik.

PFEIL Ich habe schon gegessen.

NETZ   Guter Witz.
Können Sie sich das vorstelln?

PFEIL   Lang genug
Hat er auf mir herumgehackt. – Richard.
Du bist ein Spießer. – Was sagen Sie dazu.

NETZ Ich kann Kritik vertragen.

PFEIL *lacht:*   Du Kritik?

NETZ Ich bin ein guter Leiter. Wir sind Spitze
Im Wettbewerb.

PFEIL   Wie lange noch, Richard. – Das
Könnte von mir sein. Das frag ich mich auch. – Wenn
Von zehn Kollegen unter deiner Leitung
Fünf jetzt nicht wissen, was sie lernen solln
Damit sie morgen nicht Alteisen sind
Wie jetzt der Produktionsdirektor. – Ist ers?
Und zwei haben sich qualifiziert für einen
Platz, den der dritte rationalisiert hat.
Der eine sieht den Wald vor Bäumen nicht,
Der andre sieht die Bäume nicht vor Wald.
Und keiner weiß vom andern und du weißt nichts
Bis es die Frösche aus dem Waldsee quaken.
Und alles unter deiner guten Leitung.

NETZ Ich mache was ich kann.

PFEIL   Das ist zu wenig.

NETZ Und nicht nur meine Arbeit.

PFEIL   Das ist zu viel.

NETZ Zu wenig, wenn ich mache, was ich kann.

Zu viel, wenn ich mehr mach als meine Arbeit.
Das mußt du mir erklären. Ich verstehs nicht.
PFEIL Man siehts an deiner Arbeit. – Wie soll ich
Erklären, was ich selber nicht versteh.
Aber ich habs gesagt. Es muß was dran sein. –
Richard, du glaubst nicht an das Kollektiv.
NETZ Was heißt hier Kollektiv. Ich muß entscheiden.
Und wenn ich Fehler mach, ich bad sie aus.
PFEIL Steckst du die Prämien auch für alle ein.
NETZ Ludwig, das geht zu weit. Ich –
PFEIL   Kennst du das noch.
Fünf Finger. Jeder einzeln hält nicht viel aus.
Faust. Das gilt noch, Richard.
NETZ   Keine Phrasen, Ludwig.
PFEIL Haben Sie Phrasen gesagt? Sie. Sie Schauspieler.
Sie hätten keine Bühne unterm Schuh
Ohne das, was Sie eine Phrase nennen.
Was die Partei zusammenhält seit achtzehn
Was unsern Staat gebaut hat aus Ruinen
Aus Schrott und Steinen unsre Industrie –
NETZ Du redest goldne Worte, Ludwig. Aber
Meine Probleme sind konkret. Den Weltstand,
Genosse, holst du mit der Faust nicht ein.
PFEIL Weißt du noch, was du redest. Phrasen. Meine
Probleme. Er schlägt wieder einen Haken
Und kommt schon wieder bei sich selber an.
Leitungsprobleme sind Betriebsprobleme
Und nicht privates Eigentum des Leiters. –
Ich merks. Ich weiß schon nicht mehr, wer ich bin.
Oder weiß ichs jetzt besser? Wenn man sich
Sehn könnte mit den Augen der Kollegen.
Und wer bist du, Pfeil, Richard, Doktor der
Chemie. Und von dir selber keine Ahnung.
So hab ich mich noch nie gesehn. Immer

Die eigne Brille. Und wie leicht beschlägt die.
Halt. Wem erzähl ich das.
NETZ   Dem Werkdirektor.
Das heißt mir. Das heißt Ihnen.
PFEIL   Ein Schauspieler.
Betriebsfremd. Und ich red mit ihm wie –
NETZ   Ich
Bin nicht mein Bruder. Und Schauspieler auch nicht.
Ich bin es selber. Ludwig Netz.
PFEIL   Bin ich.
Und du bist Richard Pfeil, der Werkdirektor. –
Ich will doch sehn, was mir gegen mich selber
Noch einfällt. – Richard, hast du kein Benzin mehr.
NETZ Da frag ich dich zum Beispiel: Wie soll ich
Mit einer Hand viertausend Schultern klopfen.
PFEIL Da geb ich dir zum Beispiel diese Antwort:
Für Schulterklopfen wirst du nicht bezahlt.
Das ist das eine. Und das ist das andre:
Die Technik hat der Kapitalismus auch.
Wir haben mehr zu planen und zu leiten.
Die Solidarität fängt im Betrieb an.
Und an der Staatsgrenze hört sie nicht auf.
Das gilt. Und wenn das Einhorn fliegen lernt. –
Mir gehn da Lichter auf.
NETZ   Es wird auch Zeit, wie
PFEIL Du hast es nötig, Richard. Selbstkritik.
Wo ist Matthias. Ich muß mit ihm reden. *Ab.*

11
NETZ Richard. Warte. Wie eine Lokomotive.
Die Weichen sind noch nicht gestellt. Ich muß
Ihn bremsen, eh er aus dem Gleis springt.
HORA   Laß ihn.
Richard hat was entdeckt: sich selber. Und
Jetzt will er die Entdeckung ausprobieren.

NETZ Ich frag mich bloß, an wem und was es kostet.
HORA Wenn er in Fahrt ist, schafft er jede Hürde.
NETZ Es könnte leicht die falsche Hürde sein.
Ich bin auch nicht so sicher, ob er weiß
Wer er ist und wer ich. Wir haben schon
Genug Theater hier in diesem Wald.
Ich hätte nicht Schauspieler spielen solln.
Es war mir gleich unheimlich. Und vielleicht
Denkt er jetzt, er ist ich, und wenn ich ihn
Nicht einhol gleich, setzt er Götz Kanten ab,
Weil er entdeckt hat, Pfeil ist Netz und Netz
Wills so, und macht Matthias Kanten zum
Leiter der Optimierungsgruppe, und
Schuld wie gehabt ist der Parteisekretär.
Und diese Wissenschaftler sind empfindlich.
Schuld? Der Elitekopf war mein Patent.
Ich hätt es wissen müssen: das geht schneller
In Serie als das beste Aggregat.
Und wie man in den Wald ruft, schallts heraus.
Den ersten beißen die Hunde ist auch verkehrt.
Ich hätt es wissen müssen. Ich zuerst.
Wenn dem Esel zu wohl wird, spielt er Theater –
Der Wald geht.
Und was ist das. Ich glaub, jetzt hab ich schon
Die Bäume überzeugt: sie üben Waldlauf.
Dabei hab ich mit keinem Baum gesprochen. *Ab.*

12
Pfeil.
PFEIL Das Naherholungszentrum hört auf mein
Kommando. Ich laß mich von einem Wald nicht
Terrorisieren.
HORA   Richard. Die Massage.
PFEIL Ich brauch keine Massage. Ich muß leiten.

HORA Das MÜCKENTOD
PFEIL   Wo ist hier eine Mücke.
Kann diese Scheibe sich nicht schneller drehn. Danke.
Ich bitte die Kollegen Frösche, ihr
Sinnloses Quaken einzustelln. Es stört
Die Leitungstätigkeit. Und jetzt – Matthias – *Ab.*

13
Matthias Kanten.
MATTHIAS Pfeil ist verrückt geworden. Der auch. Alle.
Als ob das Einhorn sie gebissen hat.
Der Wald. In diesen Bäumen steckt was. Oder
In diesem Wind, der durch die Bäume geht.
Das ist der Pferdefuß der Kybernetik.
Mein Bruder hat den Wald verrückt gemacht.
Ich stecke immer noch in meiner Haut.
Und wenn hier alle auf den Händen laufen,
Was geht es mich noch an. Ich geh am ersten.
Die Republik ist Platz genug für mich.
Solln sie allein die Karre aus dem Sumpf ziehn,
In den mein optimaler Bruder steuert.
Ich finde nicht heraus aus meiner Haut.
Das Kollektiv. Mein Kollektiv heißt Niemand.
Hast du noch Platz, Niemand, in deinem Nichts.
Wo will er hin mit seiner Optimierung.
Er ist ein Hazardeur. Er spielt mit Menschen.
Die Optimierung ist ein Kadersieb.
Das haben die Kutscher vom Auto auch gesagt, wie
Als es neu war. Und sie hatten recht.
Aber sie hatten unrecht. Hab ich unrecht?
Mein Bruder hat mit Pfeil gesprochen. Er sagt
Pfeil hat gesagt: Matthias hat Reserven.
Wer lügt. Mein Bruder? Pfeil? Was haben sie vor.
Warum hat Pfeil mir selber nichts gesagt.

Ich glaub hier keinem mehr. Alles Theater.
Warum hat Götz nicht längst mit mir gesprochen.
Warum ich nicht mit ihm. Sein Hochschullächeln.
Die Optimierung ist Parteibeschluß.
Mein halbes Leben war Parteibeschluß.
Und jetzt bin ich der Bremsklotz, und mein Bruder
Die Lokomotive. Und der Bremsklotz schimpft
Die Lokomotive Bremsklotz. Immer hab ich
Gewußt, wo vorn war. Und es war, wo ich war.
Die Lokomotive mit dem Hochschullächeln.

14
Miru.
MIRU *ruft in den Wald:*
Das hab ich gern: Der Kommunismus für
Die Herrn von der Elite. Ja, Sie mein ich.
Herr Kybernetiker. Dich auch, Matthias.
Der eine hats nicht nötig und der andre
Hat keine Lust mehr. Man hat ihn gekränkt.
Er geht am ersten, und aus Kommunismus.
Und für das Fußvolk reicht die Volksausgabe
Der Sozialismus mit Trabant und Bockwurst.
Es wird euch leid tun. Ich studier euch tot. *Ab.*

15
Pfeil.
PFEIL *ruft in den Wald:* Matthias. Alles ist in Ordnung. Du
Bleibst Produktionsdirektor. Und kein Wort mehr.
Und Sie, Götz Kanten. Ihre Optimierung
Wird optimiert. Ihr Kopf und unsre Praxis.
Ich war ein Maulwurf. In der Theorie
War die Prognose kein Problem für mich.
Aber im Vierzehnstundentag des Leiters
Dreizehn, sei ehrlich, Richard – hab ich manchmal

Teilziele – Automatisierung, Vorlauf
Kennziffern zum Endziel gemacht und dabei
Vergessen, daß der Mensch kein Automat ist,
Und die Prognose für den Menschen auch
Vergessen. Und seinen Vorlauf und seine
Kennziffern. Der verfluchte Engpaß
Zwischen Parteiarbeit und Produktion.
Jetzt weiß ich meinen Weg. Unsern. Und Schluß
Mit der Handwerkelei, auf dem Bauch vor Tatsachen.

16
Netz.

NETZ *ruft in den Wald:*

Matthias. Glaub ihm nichts. Er ist Pfeil. Er
Weiß es nur nicht. Er denkt er ist ich. Und
Ich bin schuld, ich hab ihn verrückt gemacht
Mit meinem Theater. Das muß mir passiern.
Nehmen Sie ihn nicht ernst, Kollege Kanten.
Wir brauchen Sie, Sie bleiben im Betrieb.
Ich bin an allem schuld. Zuerst hab ich
Sie hochgeschossen und dich zum Alteisen
Gestempelt. Dann Sie zum Elitekopf
Und dich zu Altgold aufgewertet. Rein
In die Kartoffeln, raus aus den Kartoffeln.
Wenn du am ersten gehst, bin ich auch reif.
Gut, daß ich noch zur Zeit gekommen bin.
Eh ihr die Sache unter Wasser austragt
Und unsre besten Kader gehn auf Grund.

PFEIL Was ist mit dir los. Hat das Einhorn dich
Gebissen, Ludwig.

NETZ   Hast du Ludwig gesagt.

PFEIL Wenn einer hier ein Bad braucht, bist es du. *Ab.*

MATTHIAS Ich dachte schon, Pfeil hat was eingesehn.
Und jetzt kommt Ludwig Netz und sagt. Wem glaub ich.

Reden konnte er immer, Richard Pfeil.
Flammende Reden und man glüht mit ihm
Für seine Ideale. Wenn man aufwacht,
Wars Feuerwerk. Ich wart mit meinem Auftritt.
Erst will ich wissen, wie das weitergeht.
NETZ Das ist der deutsche Wald. Er hat es in sich.
Man sollte ihn ausreißen mit der Wurzel.
Die Nacht ist auch zu blau. Wer soll da leiten.
Der Mond ist eine ideologische Funzel.

17
Hora.
HORA Ludwig, was hast du gegen unsern Wald.
Der Mond scheint auch ganz freundlich, und die
Nacht
Ist hell genug: mancher sieht manches anders.
Ich kenn mich da nicht aus, aber ich glaube,
Was du da von dir gibst, heißt Linksabweichung.
NETZ Wem sagst du das.
HORA   Dem Parteisekretär.
MATTHIAS *zeigt sich:*
Wer hat gesagt, ich geh am ersten. Das
Müssen die Frösche hier verbreitet haben.
PFEIL Den Fröschen hab ich grad das Wort entzogen.
Die reden mir kein Loch mehr in den Bauch.
MATTHIAS
Mich kriegt ihr nur mit Werkschutz vom Gelände.

18
MATTHIAS Hier ruht Matthias Kanten ist vorbei.
Die Kunst war nie mein Fall und das Theater.
Und jetzt. Wie oft schon war ich Gegenstand
Von Sitzungen, und Diskussionen, und
Wie oft ging ich nach Hause hinterher

Zermürbt und mit mir selber nicht im reinen.
Und jetzt, in diesem Wald, in dieser Nacht
Jemand spielt mich und zeigt mir meinen Bruder,
Wie ich ihn nie gesehn hab. Und mein Bruder
(Oder wars nicht mein Bruder) zeigt mir mich,
Wie ich mich nie gesehn hab, eh ich ihn sah.
Und mit sechs Augen seh ich durch die Wand
Zwischen heute und morgen. Oder war mein Bruder
Nur ein Modell von meinem Bruder wie
Mein Doppelgänger ein Modell von mir war.
Wo ist der Unterschied. Keiner hört auf
An seiner eignen Grenze, wenn er will
Und wenn sich einer in den andern denkt
In seine Möglichkeiten und Reserven,
Kann jeder jedem auf die Sprünge helfen
Aus einer Qualität in seine nächste.
Er hat sich ganz in mich hineingedacht
Und hat mich ganz aus mir herausgerissen.
Und jetzt kann ich mich neu zusammensetzen.
Die alten Teile nach dem neuen Bauplan.
Sie passen. Das Getriebe knirscht nicht mehr
Im Vorwärtsgang. Die Kurvenlage ist auch gut.
Mein Bruder hat den Wirbel ausgelöst,
Der uns in neue Horizonte trägt,
Wenn wir uns auf ihn setzen und ihn steuern.
Der Wald bewegt sich schon. Die Bäume tanzen
Und die Einhörner stampfen durch den Busch.
Was die Natur kann, können wir schon lange.

PFEIL Worte genug.
Umarmt Matthias.
NETZ   Umarme deinen Bruder.
MATTHIAS *ruft in den Wald:*
Götz.
Siegbert mit Ball.
Umarmung Matthias und Siegbert.

PFEIL   Kommt jetzt das Einhorn zähmen.
Das unsre Naherholung optimiert hat.
Es muß am Zügel gehn.
Hora.   Gibt es noch Bier
Hora, im Bungalow.
HORA   Dein Kreislauf. Richard.
PFEIL Ich kann nicht alles selber machen. Mein
Kreislauf ist dein Ressort. Bier. Götz. Matthias.
Hora, Pfeil, Matthias ab.

19
SIEGBERT *läßt Ball fallen:*
Der Rauch ist da. Es fehlt nur noch das Feuer.
Franz.
FRANZ Apotheose, wo ist die Versenkung
In der wir untertauchen können. Ich seh
Aus unsrer Lage keinen andern Ausweg.
Hätt ich mich mit der Kunst nicht eingelassen.
Pfeil glaubt, Siegbert ist Götz. Was wird, wenn Götz
                                        kommt.
Franz Mullebär, wie schläft sichs in den Bäumen.
Miru, von dir ach kann ich nur noch träumen.
Rufe: Götz.

20
Tilli und Sukko.
SIEGBERT
Man soll die Nacht nicht vor dem Morgen fürchten.
Jetzt muß ich mich zerreißen. Meine Frauen.
Rufe von Pfeil: Götz.
TILLI Er ist der einzige Mensch in diesem Wald.
Die andern sind Computer ohne Seele.
Sie hätten hören sollen, wie er sprach

Von meinem Mann. Er braucht ihn. Ja, so ist er,
Götz Kanten, Ihr Götz, sagen Sie nicht nein
Ich brauche Sie nur anzusehen, Sukko,
Zwischen Relais und Transistoren eine
Fühlende Brust.

SUKKO   Das hätt ich merken müssen.
Fühlende Brust. Ein Stein –

TILLI   Da ist er.

SUKKO   Götz.
   Siegbert als Götz.

SIEGBERT *als Götz:*
   Sieht man dich auch mal wieder, Sukko. Sie,
   Kollegin Rundlauf –

TILLI   Ihre Zeit ist kostbar,
   Kollege Kanten. Und ich weiß es. Aber
   Würden Sie bitte meinem Mann auch sagen
   Was Sie mir über ihn – Er braucht es. Er
   Ist zu bescheiden. Wir verstehn uns.

SIEGBERT *als Götz:*   Gut.
   Ich hol ihn. Warten Sie.

TILLI   Wo –

SIEGBERT *als Götz:*   Eine Sitzung. *Ab.*

21
SUKKO Im Naherholungszentrum eine Sitzung?
TILLI Warum nicht. Die Probleme warten auch nicht
   Und wenn sie reif sind, werden sie gelöst.
STIMME SIEGBERT *als Götz:*
   Eine Minute, Siegbert. Deine Frau –
   Keine Minute, Götz. Es tut mir leid.
   Die Optimierung duldet keinen Aufschub. –
   Muß das im Wald sein. – Es muß heute sein, Götz –
   Wir werden später mit ihr reden, gut.
   Ich sags ihr. – Du wirst hier gebraucht, Götz.

Hier sind die Unterlagen. Ich geh selber –
Gut, Siegbert. Aber komm gleich wieder. Du
Hast die Parameter im Kopf. Ich nicht.
TILLI Haben Sie das gehört. Mein Siegbert.

22
Siegbert.
SIEGBERT   Tilli.
Wir können jetzt nicht weg. Es tut uns leid.
Wir reden später. Ich muß gleich zurück. *Ab.*

23
SUKKO Er drückt sich wieder.
TILLI   Sie sind ungerecht.
So etwas dürfen Sie nicht sagen, Sukko.
SUKKO Ich frag mich, ob vor mir oder vor Ihnen.
TILLI Haben Sie nichts im Kopf als Ihre Liebe. *Ab.*

24
SUKKO Ich will doch sehn, worüber die da sitzen.
Götz mit Pferdefuß, gehörnt.
Ich denke, ihr habt eine Sitzung.
GÖTZ *lachend:*   Wir?
SUKKO Was ist mit deinem Fuß?
GÖTZ *springt:*   Gefällt er dir?
SUKKO Dein Kopf –
GÖTZ   ist ein Elitekopf. Sieh her.
Komm in den Wald. Dort zeig ich dir noch mehr.
SUKKO Faß mich nicht an, du Scheusal. Laß mich los.
GÖTZ Vergessen will ich mich in deinem Schoß.
Sukko, schreiend ab.
GÖTZ Und jetzt, und das ist neu in diesem Hause
Gönnen wir Ihnen eine zweite Pause.
Vorhang.

III

1

Götz und Sukko von verschiedenen Seiten.

GÖTZ Sukko. Seit Stunden lauf ich durch den Wald.
Ich weiß schon jeden Moosfleck hier auswendig.
Mit jedem Baum hab ich dich schon verwechselt.
Ich hab schon an meinem Verstand gezweifelt:
Zwei drei mal hab ich einen Baum gesehn
Der durch den Wald ging und Mathematik lernt.
Dann stand mein Bruder hinter einem Baum
Und hörte aufmerksam sich selber zu
Nämlich vier Meter weiter stand er auch
Und sah mich nicht und redete mit mir.
Der Werkdirektor war auch zweimal da
Und redete sich selbst mit Ludwig an.
Ein Regelkreis mit unbekannten Regeln.
Gespenster sehn aus Liebe war mir auch neu.
In diesem wenig optimalen Wald
Bewohnt von Mückenschwärmen, zwischen See
Und Bungalow, Kinder und Vogellärm,
Ohne dich unbewohnt, hab ichs gelernt.
Du warst verschwunden wie der weiße Hirsch,
Hinter dem alle Jäger her sind seit
Der Steinzeit und den keiner jagen kann.
Dann hab ich mich ins Moos gelegt, damit ich
Wenigstens von dir träumen kann, und jetzt
Ich schlag die Augen auf, und vor mir steht er.
SUKKO Daß ich ein Hirsch bin, war mir neu.
GÖTZ   Der weiße.
SUKKO Schwarz oder weiß. Warum lügst du schon wieder.
Erst gehst du unter Wasser wegen mir
Dein Bruder mit, der eine Mutter sucht
Für seine Kinder, ich bin keine Amme,

Dann läufst du dir die Beine ab mir nach
Dann treff ich dich. Du bist so klein. Du badest
In Selbstkritik, daß sich die Bäume biegen.
GÖTZ Ich Selbstkritik. Warum. Hab ich das nötig.
SUKKO Das hast du allerdings. Wie, ist die Frage.
»Ich kybernetischer Wasserkopf. Ich Windei.«
GÖTZ Das hätte ich gesagt.
SUKKO   Vor einer Stunde.
Dann warst du wieder ganz normal. Nicht lange.
Auf einmal hast du eingesehn sogar
Unser gepriesenes Modell hat Löcher
Mit den Planstellen falln die Kader durch
Und für die neuen Plätze keine Kader.
Ich dachte schon, du bist wieder ein Mensch.
Seit wir in diesem Wald sind, warst dus nicht mehr.
Nichts gegen deine Arbeit. Ich hab viel
Gelernt von dir. Den Spaß auch an der Arbeit.
Du bist ganz anders, wenn du ein Problem
Im Kopf bewegst. Wenn ich dich denken seh
Wird mir schwach in den Knien.
GÖTZ   Ich denke, Sukko.
SUKKO Hör auf mit deinen Witzen. Warum lügst du.
Und warum läufst du weg vor mir, zweimal.
Vor Tilli Rundlauf auch. Als ob eure Sitzung
Nicht drei Minuten warten kann auf dich.
GÖTZ Die Sitzung. Was für eine Sitzung, wo.
SUKKO Hier.
GÖTZ   Eine Sitzung, hier. Interessant.
Und ich war auch dabei. Jetzt wird es spannend.
Ein neurokybernetisches Problem.
SUKKO Götz. Warum bist du vor mir weggelaufen.
GÖTZ Der Wald als Regelkreis. Selbstregulierend.
Der Mensch als Störfaktor. Die Führungsgröße.
Wo ist die Führungsgröße –

SUKKO Götz. Warum —
GÖTZ Ich wäre vor dir weggelaufen, sagst du —
SUKKO Ja, zweimal. Wie der Hund vorm Knüppel. Ich
  Verstehs nicht. Hast du Angst, ich zieh dir einen
  Ring durch die Nase mit Heiratemich.
GÖTZ Die Ehe, Sukko, ist ein bourgeoises
  Relikt. Heiraten ist unwissenschaftlich.
SUKKO Du wärst der letzte, der mich dazu kriegt.
GÖTZ Das ist nun auch wieder unwissenschaftlich.
SUKKO Weichst du schon wieder aus. Ich wills jetzt wissen.
  Du hast gesagt, du kannst dir mich nicht leisten.
  Du hast gesagt: das geht zu weit. Was soll das.
GÖTZ Das war ich nicht. Das war ein Angsttraum, Sukko.
SUKKO Mein Wunschtraum ist, ich hätt es gleich gewußt.
GÖTZ Ich war es wirklich nicht. Du hast geträumt.
SUKKO In meinen Träumen sind die Männer anders.
  Und nach der Sitzung. Nein, das war nichts. Das —
GÖTZ Hast du mich auch mit einem Baum verwechselt.
SUKKO Hast du schon einen Baum gesehn, der —
GÖTZ   Was —
SUKKO Der aus dem Boden wächst und —
GÖTZ   Bäume sind so.
SUKKO Nein. Dafür kannst du nichts.
GÖTZ   Das ist erwiesen.
SUKKO Hab ich das etwa auch geträumt, daß du
  Mit Pfeil geredet hast für deinen Bruder
  Und mit Matthias dann und er mit dir
  Wie ihr unser Modell verbessern wollt
  Mit deiner Mathematik und seiner Praxis.
  Ich freu mich auch darüber, wer nicht, aber
  Was nützt mir deine Optimierung und
  Die Optimierung unsrer Optimierung
  Wenn du kein Mann mehr bist, nur noch ein Mensch.
GÖTZ Willst du dich überzeugen, Sukko. Komm —

SUKKO

Faß mich nicht an, du — Wenn das auch kein Traum war.
Wer bist du wirklich hinter deinen Masken.
Alles lächelst du weg. Mich nicht, Götz Kanten.
Du bist ein Feigling. Mir machst du nichts vor.
Du zauberst Perspektiven aufs Papier
Und vor dem Hier und Heute hast du Angst.
Du spielst mit Menschen wie mit Schachfiguren,
Damit dir keiner in die Augen sieht.
Das ist ein Spiegel. Hast du Angst vor Spiegeln.
Es könnte sein, wenn du die Maske abnimmst
Ist hinter deiner Maske kein Gesicht mehr.

GÖTZ Was hast du mit mir vor. Ich liebe dich.
Ich hab es nicht gewollt, aber es ist so.
Warum spielst du mit mir. Wer spielt mit mir.
Ich hab mit meinem Bruder nicht gesprochen
Und nicht mit Pfeil. Ich bin nicht weggelaufen
Vor dir. Das ist die Wahrheit. Warum lügst du.

SUKKO Jetzt lüge ich. Das auch noch. Und jetzt geh ich.

GÖTZ Und unsre Optimierung hat kein Loch.
Unser Modell ist optimal. Du weißt es.
Es ist nicht mein Modell. Das Kollektiv —
Und wer nicht mitkommt, der ist selber schuld.

SUKKO Das unterschreib ich: du bist selber schuld,
Wenn du nicht mitkommst. Und das war mir neu
Daß du derselbe bist wie vor zwei Stunden.
Jetzt weiß ichs. Und ich sag dir noch was: ich
Liebe dich auch. Ich habs auch nicht gewollt.
Und jetzt ist das vorbei, und nicht gewesen.

GÖTZ Das ist vorbei. Gut. Und jetzt geh und hol
Die Optimierungsgruppe. Jetzt will ich
Wissen, was hier gespielt wird. Und sofort. Ich
Bin keine Schachfigur. Ich laß mit mir
So nicht umspringen.

SUKKO   Götz. – Er weiß wirklich nichts.
Und ich. – Die Optimierungsgruppe. Ja, Chef. *Ab.*

2

GÖTZ Jemand schleicht durch den Wald in meiner Maske
Und stellt ihr eine Falle nach der andern
Und will uns auseinanderoptimieren
Und alle machen mit und keiner merkt was
Und sie macht auch mit und hat nichts gemerkt.
Pfeil fällt auf ihn herein. Netz. Und mein Bruder.
Es ist mein Bruder. Weil er eine Amme
Für seine Kinder braucht. Und meine Arbeit
Will er zu Boden reden, unsre Arbeit.
Weil er mit seinem Rentnerhorizont
Nur noch den Schutzwall sieht und weiter nicht mehr
Hängt er sich an unser Modell wie Senkblei.

3
Franz, Siegbert, Sukko.
GÖTZ Franz, Siegbert. Was geht vor in diesem Wald.
Ich höre, hier war eine Sitzung. Und
Es gibt Einwände gegen das Modell.
Habt ihr Einwände gegen das Modell.
Ich höre, jemand hat mich optimiert.
Ich will nicht wissen, wer es war. Ich weiß es.
Ich stecke immer noch in meiner Haut.
Warum werd ich nicht informiert. Hat Pfeil
Mit euch gesprochen. Warum nicht mit mir.
Und warum habt ihr nicht mit mir gesprochen.
Die Frösche haben mich nicht informiert.
Die Mücken auch nicht. Das Einhorn war taubstumm.
SUKKO Ich seh, du hast dein Lächeln wieder, Götz.
GÖTZ Was für ein Lächeln, Sukko. Liebst du mich.
SIEGBERT Es ist nicht leicht, mit dir zu reden, manchmal.

FRANZ Es gibt Einwände. Das Modell hat Lücken.

Ein Einwand geht seit gestern durch den Wald

Auf eignen Beinen und lernt Mathematik –

GÖTZ Auf eignen Beinen. Weiblich oder männlich.

FRANZ Du hast vielleicht gedacht, er ist ein Baum.

Aber er ist ein Mensch und meine Frau.

GÖTZ So. Deine Frau. Ein Einwand gegen dich, wie.

FRANZ Hier sitzt ein andrer, und der geht dich an.

GÖTZ Du hast dich zum Einwand qualifiziert.

Jetzt hast du endlich eine Perspektive.

SUKKO *zu Götz:* Die Lücke in unserm Modell bist du.

FRANZ Wir hätten ohne Siegbert das Modell nicht.

Und das Modell hat keinen Platz für ihn.

GÖTZ Er muß studieren.

SUKKO   Ja. Das kann er singen.

GÖTZ So. Kann er das. Und worauf wartest du.

Die Stimme wirft mehr ab als das Diplom.

Du steigst vom Moskwitsch um in den Mercedes.

SUKKO Ich hab es nicht geträumt. Du bist ein Teufel.

GÖTZ Was taten wir in deinem Traum, mein Engel.

SIEGBERT Ich darf vielleicht daran erinnern, daß

Du mich gebraucht hast für die Optimierung.

Darf ich zitieren: du bist unabkömmlich.

Zweites Zitat: du mußt studieren, Siegbert.

Du hast mir nicht gesagt, wie man sich teilt.

GÖTZ Du hast mich nicht danach gefragt. Warum nicht.

Und was du dir gefalln läßt, ist dein Bier.

Unser Modell hat Lücken. Gut. Warum nicht.

Was wir gemacht haben, war neu für uns.

Wenn wirs nicht ändern, ist es nicht mehr neu.

Warum erfahr ich das im Wald. Von euch.

Warum nicht eher. Habt ihr Angst vor mir.

Vor meinem Lächeln. Warum nicht vor Pfeil.

Hat Pfeil auch Angst vor mir. Vor meinem Lächeln.

Ich denke, Sukko. Zeig mir deine Knie.
Wie solln wir das Modell verbessern, wenn
Die Leitung nicht verbessert wird. Bin ich
Der Werkdirektor.

SUKKO   Nein, du bist der Leiter
Der Optimierungsgruppe.

SIEGBERT   Und –

GÖTZ   Der Beirat
Ich weiß. Ich habe Pfeil nicht informiert, wie.
Und Pfeil hat mich nicht informiert. Und Franz
Hat seine Frau nicht informiert. Und wer
Nicht fragt, kriegt keine Antwort, wie. Und ich
Hab nicht gefragt. Und Pfeil hat nicht gefragt.
Und ihr habt nicht gefragt. Ist euch nicht gut.
Ein feines Spiel. Gefällts euch nicht. Lächelt.
Könnt ihr nicht lächeln. Das ist eine Weisung.
Ihr seid das Kollektiv. Ich bin der Leiter.
Und wenn ich lächeln sage, wird gelächelt.

SIEGBERT Er ist verrückt geworden.

FRANZ   Ja, der Wald.
In diesen Bäumen steckt was.

SIEGBERT   Er ist krank.

4
Pfeil und Netz.
PFEIL Kollege Kanten. Wir warten auf Sie.
Ich wollte meine Ruhe haben hier
In diesem schönen Wald. Ich brauch sie manchmal.
Dann fing der Wirbel an um das Modell.
Und keine Ruhe. Und jetzt fühl ich mich
Erholt wie nie. Und das verdank ich Ihnen
Kollege Kanten, Ihrem Bruder auch.
Ich hab ihn neu entdeckt mit Ihren Augen
Und Sie mit seinen Augen das Modell neu.

Gemeinsam werden wir es jetzt verändern.
Morgen hat der Betrieb uns wieder. Und
Ich dachte, wir besprechen hier und heute
Die neue Lage und den ersten Schritt.
Ich wußte, daß ich mich verlassen kann
Auf meine Kader. Mein Vertrauen, Sie
Haben es nicht enttäuscht. Ihr Kollektiv –
GÖTZ Ein schöner Wald, und eine schöne Nacht.
Lästig die Mücken. Aber man erholt sich.
PFEIL Das sagte ich bereits, Kollege Kanten.
GÖTZ Ich bin gewillt, mich weiter zu erholen.
Was Fragen angeht, das Modell betreffend
Wenden Sie sich an meine Mitarbeiter.
Drei schlaue Köpfe.
PFEIL   Ich verstehe nicht –
GÖTZ Ich auch nicht. Ich weiß nicht, was für ein Spiel
Sie spielen. Mich hat niemand informiert.
Ich kenn die Regeln nicht. Ich spiel nicht mit.
Jemand läuft durch den Wald und spielt Götz Kanten.
Jemand hat seine Gründe. Jemand braucht das.
Von Jemands Gründen einer steht vor Ihnen
Auf langen Beinen und sieht attraktiv aus.
Jemand braucht eine Frau für seine Kinder
Vielleicht, und eine Wand für seinen Rücken
Weil er auf seinen Beinen nicht mehr stehn kann
Und nichts an meinem Bruder ist mir neu.
Ich weiß von keinem Wirbel. Wißt ihr etwas.
Ihr seid mein Kollektiv. Ihr müßt es wissen.
Habt ihr nicht was gesagt von einem Wirbel.
PFEIL Genossen, was ist los mit ihm.
SIEGBERT   Ich weiß nicht.
FRANZ Ich weiß es auch nicht.
PFEIL   Sukko.
FRANZ   Dieser Wald
Bekommt ihm nicht. Er ist ein Arbeitstier.

PFEIL Der Wald. Der Wald. Was habt ihr mit dem Wald.

NETZ Reg dich nicht auf, Richard. Das geht in Ordnung

PFEIL Nichts geht in Ordnung. Und ich reg mich auf
Wann ich will.

NETZ　　　　　　Muß es jetzt sein.

SUKKO　　　　　　　　　　　Götz. Hör auf.

GÖTZ Ich hab noch gar nicht angefangen. Ihre
Modellkritik ist kein Kritikmodell.
Ihre Kritik ist eine Selbstkritik.
Was Sie mir nicht vorgeben, kann ich nicht
Berechnen. Optimierung aus dem Hut
Geht über meine Mittel. Lassen Sie
In einem andern Atelier arbeiten
Wenn Ihr Kopf zu klein ist für meinen Hut.

NETZ Es wäre klug, wenn Sie jetzt schlafen gehn.

GÖTZ Mit wem.

NETZ　　　　Das müssen Sie schon selber wissen.

PFEIL Wir denken uns den Kopf heiß, reden uns
Das Maul in Fransen. Ich als Werkdirektor
Spiel Bäumchenwechsledich wie ein Schauspieler.
Das ganze Naherholungszentrum kreist
Um ihn. Und er – erholt sich. Und jetzt das.
Und ihr. Ihr seid Genossen. Alle drei.
Ein feines Kollektiv. Ein guter Leiter.
Und niemand hat mich informiert.

FRANZ　　　　　　　　　　Wovon.
So war er nie. Wir wissen selbst nicht, was –

SIEGBERT Und wenn wir schon beim Informieren sind
Haben Sie seiner Frau gesagt, daß ihre
Planstelle –

PFEIL　　　　Mich hat niemand informiert.

NETZ Ich heiße Ludwig Niemand. Und ich hab
Familie. Mancher im Betrieb heißt Niemand.

PFEIL Niemand und Jemand. Und jetzt schlägt der Blitz ein.

NETZ Damit solltest du ökonomisch umgehn.

PFEIL So. Ökonomisch. Wer muß leiten.

NETZ   Wir.

PFEIL Kollege Kanten. Sie haben als Leiter
Fachlich, politisch, menschlich mein Vertrauen
Mißbraucht.

GÖTZ   Sehr interessant, Herr Werkdirektor.

PFEIL Ich habe Ihnen weiter nichts zu sagen.
Zu andrer Zeit an andrer Stelle mehr.

5
Miru, Tilli, Hora.

MIRU Hier hat es eingeschlagen. Endlich.

TILLI   Siegbert.

HORA Ich wußte gleich, der Donner ist mein Mann.

MIRU Er ist es. Seine Phonzahl ist beachtlich.

GÖTZ Und wer wird Ihren Platz einnehmen, wenn
Mein Bruder meinen Platz einnimmt, Herr Pfeil.

PFEIL Das haben Sie gesagt, Kollege Kanten.
Ich werds mir merken. Ein konstruktiver Vorschlag.

NETZ Ich denke, das wird im Parteiaktiv
Beraten, nicht im Wald, nicht in der Nacht
Und wenn es möglich ist ohne Gewitter.

6
Matthias Kanten.

GÖTZ Mein Bruder ist ein großer Künstler, wie.
Ein Intrigant der alten Schule. Jago
Der tapfre Jago, der Rodrigo in
Die Waden beißt. Er hat mich optimiert, wie.
Das Kollektiv, die große Mutter, wie
Die ihre Kinder frißt aus lauter Liebe.
Ich bin mein eignes Kollektiv.

MIRU   Paßt auf
Gleich frißt er sich aus lauter Liebe.

SUKKO   Götz.

GÖTZ Macht eure Optimierung ohne mich.
Mit meinem Bruder. Ohne das Modell.
Ein Sprengstoff für die Industrie. Für euch
Ein fauler Fisch. Wenn nur der Hintern an
Der Wand bleibt. Staatliche Beschlüsse. Ihr –
Verkauft unser Modell. Der böse Feind
Nimmt es mit Kußhand und es bringt Devisen.
Steigt.

MIRU Jetzt ist er Weltniveau. Jetzt ist er oben.
Das könnt ihm passen. Das Modell verkaufen.

GÖTZ *tanzt in den Bäumen:*
Tertiär, Steinkohlenwald. Neun Primitive
Tanzen um einen Götzen, den sie sich
Gebastelt haben, damit ihre Angst
Einen Namen hat. Der Heilige Computer.
Zwischen den Riesenfarnen klicken die
Relais der Dinosaurier. Die Heilsarmee
Bekehrt den Golem. Spielt allein Theater.
Die Dummheit ist die Mutter der Tragödie.
Ein Parasit, wer nicht lernt.

SUKKO   Komm herunter.

GÖTZ Mein Bruder hat mich optimiert. Hier bin ich.
Willst du nicht wieder meine Rolle spielen.
Mein Text ist besser. Kannst du mir noch folgen.
Willst du nicht meinen Platz einnehmen. Komm.
Die Luft ist optimal, der Horizont weit.
Das ist mein Bruder, der mich optimiert hat.
Ein Mann für dich.

MATTHIAS   Ich hol ihn dir herunter.

GÖTZ Der tapfre Jago. Zwei Kinder, keine Frau –

MATTHIAS Laßt uns allein.
Die andern ab.

7

GÖTZ   Hol Sukko.

MATTHIAS   Warum ich.
Warum holst du sie dir nicht selber.

GÖTZ   Ich
Hab Angst, sie kommt nicht.

MATTHIAS   Du bist ein Idiot.
Zweimal hol ich sie nicht. Das nächste mal
Mußt du dich selber aus dem Wasser ziehn.

Matthias ab, Götz wartet. Auftritt Sukko.

8

GÖTZ Warum bist du gekommen.

SUKKO   Soll ich gehn.

GÖTZ Ich hasse dich. Das wollte ich dir sagen.

SUKKO *lacht:* Götz Kanten, du enttäuschst mich. Deine
Liebeserklärung ist nicht originell.
Umständlich ist sie auch. Der Störfaktor
Als Führungsgröße. Nicht sehr optimal.

GÖTZ Du willst mich nicht verstehn, wie. Ich bin ehrlich.
Ich war nicht ehrlich. Und ich bin es jetzt.

SUKKO Das war nicht origineller. Etwas mehr
Hab ich nun doch von dir erwartet, Götz.
So leicht bin ich auch nicht zu unterhalten.

GÖTZ Wenn du mir nicht glaubst, muß ich eben lügen.
Vielleicht glaubst du mir dann. Ich liebe dich.

SUKKO Das pfeifen schon die Frösche von den Bäumen.

GÖTZ Vorhin hast du gesagt, es ist vorbei.

SUKKO Es war vorbei und es ist nicht vorbei.
Und morgen ists vielleicht wieder vorbei.

GÖTZ Morgen ist morgen. Und es fängt gleich an.
Siehst du den Nebel, der vom See aufsteigt.
Dort haben wir getaucht, vor tausend Jahren
In einer blauen Nacht. Weißt du warum.
Vielleicht hab ich geträumt. Hier war ein Einhorn

SUKKO Einhörner gibt es nicht. Du hast geträumt.
Nimmt ihm den Ball weg.
Götz sieht sie als Götz und erstarrt.
Als Götz:
Mich hast du auch geträumt. Ich bin Götz Kanten.
Der Mensch multipliziert sich, wenn er liebt.
Muß ich dir sagen, was ich von dir will.
Ich denke, Sukko. Zeig mir deine Knie,
Ich bin der Chef. Die Optimierungsgruppe.
Könnt ihr nicht lächeln. Das ist eine Weisung.
Ihr seid das Kollektiv. Ich bin der Leiter
Und wenn ich lächeln sage, wird gelächelt.
GÖTZ Ich bin Götz Kanten, Sukko. Das ist mein Ball.
SUKKO *als Götz:* Probleme löse ich im Höhenflug.
GÖTZ Sukko. Hör auf damit. Was soll das jetzt.
SUKKO *als Götz:* Siegbert, du mußt studieren. Siegbert, du
Bist unabkömmlich. Lern dich teilen, Siegbert.
GÖTZ Sukko. Du hast gesagt, daß du mich liebst.
SUKKO *als Götz:* Mathematik, Frau Mullebär, ist was
Fürs Leben. Lernen, lernen, nochmals lernen.
Was geht mich Ihre Perspektive an.
GÖTZ Das war nicht richtig, ja. Und jetzt hör auf.
SUKKO *als Götz:* Ich bin ein freier Mensch. Fürchtest du dich
Vor mir. Siehst du mein Lächeln. Hast du Angst.
Mein Reich ist nicht von dieser Welt, Kollegen.
Der Zufall der Begabung ist mein Freibrief.
Was heißt hier Politik, Kleinkram. Wir sind
Die Vorhut. Mathematik und Kybernetik.
GÖTZ Ich bin ein Teufel.
SUKKO *als Götz:*   Ein Elitekopf.
Ist einer unter euch Eliteköpfen
Der meine Arbeit besser machen kann.
GÖTZ Ihr seid die Optimierungsgruppe. Ich bin
Das fünfte Rad. Ich bin die letzte Schraube.

SUKKO *als Götz:* Die Optimierungsgruppe, das bin ich.
Siegbert, ich brauch dich nicht. Und nicht dein Studium.
Die Wissenschaft organisiert sich selber.
Laß deine Frau die Kinder hüten, Franz.
Datenverarbeiter brauchen wir auch nicht.
Das mach ich selber mit der linken Hand.
GÖTZ Warum ist das mir selbst nicht eingefallen.
SUKKO *als Götz:* Götz Kanten ist sein eignes Kollektiv.
Er kann sich zehnmal teilen. Hundertmal.
Dich brauch ich auch nicht, Sukko. Nicht als Frau.
Wirft den Ball weg. Verwandlung.
GÖTZ Ich brauch dich, Sukko.
SUKKO   Nicht als Ökonom.
GÖTZ Ich brauch dich wirklich. Und ich liebe dich.
Quäl mich jetzt nicht mehr.
SUKKO   Auch als Ökonom?
GÖTZ Ich liebe dich. Ja, auch als Ökonom.
Hast du die ganze Nacht hier mich gespielt.
SUKKO Hab ich dir deinen Ball zurückgegeben.
GÖTZ Nein, er ist weg.
SUKKO   Wer hatte ihn vor mir.
GÖTZ Siegbert. Das hab ich nicht gewußt. Und ich
Und ich hab meinen Bruder. Ich Idiot.
Und Siegbert Rundlauf, meine linke Hand.
Und meine linke Hand war meine rechte.
Die Wissenschaft braucht Organisation, wie.
Die Organisation ist ihre Basis
Und selber eine Wissenschaft. Er muß studieren,
Fernstudium. Ohne ihn bin ich ein Windei
Morgen. Und ohne Studium ist ers morgen.
Und warum ist das mir nicht eingefallen.
Franz, niemand lernt umsonst Mathematik.
Jeder muß lernen, mehr zu lernen als
Er heute braucht, denn morgen braucht er mehr

Und morgen, das ist immer wieder heute.
Vorausqualifizierung – unsre Lücke.
Die Optimierungsgruppe. Siegbert, Franz.
SUKKO *spielt Götz:* Und ich hab meinen Bruder. Ich Idiot
    Er hat vielleicht gedacht, ich mache mir
    Gedanken über ihn. Ich mach mir keine.
    Matthias –

9
Matthias.
SUKKO   Dein Bruder will mit dir reden.
GÖTZ Es tut mir leid, Matthias.
MATTHIAS   Alter Schnee.
    Ich hab viel über dich gelernt von meinem
    Und über mich von deinem Doppelgänger.
    Lange genug hab ich improvisiert
    Und nicht gewußt, wozu die Kybernetik
    Bloß weil ich sie verwechselt hab mit dir.
GÖTZ Ich bin ein Parasit. Ein Fachidiot.
MATTHIAS Soll ich mitsingen. Kannst du alle Strophen.
    Ich kann dir auch soufflieren, wenn dus brauchst.
    An Arbeit wird kein Mangel sein ab Montag.
    Ich dachte schon, es trägt uns aus der Kurve.
    Ich geh jetzt baden. Sukko, kommst du mit.
    Ab mit Sukko.

10
Netz vorbei beim Waldlauf.
NETZ Haben Sie sich erholt, Kollege Kanten.
GÖTZ Ja, optimiert von meinen Doppelgängern.
    Ich bin ein schwerer Fall. Ich brauche zwei.
NETZ Wo ist der zweite.
GÖTZ   Er steht hinter mir.
    Zeigt auf die Stelle, wo Sukko gestanden hat.

NETZ Niemand steht hinter Ihnen.

GÖTZ   Warum nicht.

Ich hab nichts gegen Niemand. Im Gegenteil.

Niemand wird meine Frau, wenn Niemand Ja sagt.

Niemand gefällt mir. Niemand hat zwei Augen –

NETZ Mit dem Theater hören wir jetzt auf, ja.

GÖTZ Ich will ja aufhörn. Und niemand spielt weiter.

NETZ Das werden wir gleich haben.

Ab und zurück in Pfeils Bademantel. Wer bin ich.

GÖTZ Derselbe der Sie immer waren. Sie.

Oder auch nicht derselbe. Aber Sie.

11

Pfeil und Hora.

PFEIL Wo ist mein Bademantel. Ludwig –

NETZ   Netz.

PFEIL Das weiß ich selber, daß du Ludwig Netz heißt.

Morgen fängt unser Produktionsstück an.

Ohne Theater und ganz realistisch.

Und Schwimmen ist verboten, und hier darf ichs.

Und Sie, wenn Sie mir noch einmal so kommen

Dann tauche ich mit Ihnen um die Wette.

GÖTZ Wir machen unter Wasser Selbstkritik.

12

Sukko mit den anderen, außer Matthias.

PFEIL Ich hab mich lange nicht so gut erholt

Besser als bei der passiven Erholung

Auf unserm Grundstück nur mit dir und mir.

HORA Richard.

PFEIL   Ich meine, du mit mir, und ich

Mit dir. Und es wird nicht das letzte mal sein

Daß ich mich kollektiv erhole.

HORA   Und

Ich kann mich nur aktiv erholen, wenn

Du dich passiv erholst, auf unserm Grundstück.
Das Minimum von Martin Luther sollte
Die Norm sein auch für die Genossen Leiter.

SUKKO Was für ein Minimum.

NETZ   Zweimal die Woche.

SUKKO Zweimal die Woche. Ich bin Atheist.

PFEIL Du mußt es wissen, Hora.

HORA   Ja, ich weiß es.

GÖTZ Seid ihr die Optimierungsgruppe, alle.

NETZ Was alle angeht, wollen alle wissen.

FRANZ *hat Matthias' Brille auf, glaubt sich Matthias:*
Miru, ich muß dir etwas sagen.

MIRU   Du, Franz?

FRANZ Franz? Miru, jetzt bin ich Matthias.

MIRU   Franz.

FRANZ Ich geb es auf. Es funktioniert nicht mehr.

MIRU Was funktioniert nicht mehr. Was hast du, Franz
Ist dir die Mathematik zu Kopf gestiegen
Die ich gelernt hab.
Zu den andern: Und ich lern auch weiter.
Ob unter Wasser oder in der Luft
Man lernt nie aus. Mich könnt ihr nicht mehr bremsen.

GÖTZ Unser Modell hat Lücken, wie.
Die Lücken setzen sich in Marsch, Kollegen.

MIRU Die Lücke wird nicht alt. Das sag ich Ihnen.

GÖTZ Ihr Wort in Gottes Ohr, Frau Mullebär.

MIRU Das Recht auf Arbeit steht in der Verfassung.
Das werd ich mir da holen, wo ichs brauch.

GÖTZ Fragt sich nur, was Sie brauchen und was wir.

FRANZ Was ich dir sagen wollte, Miru –

MIRU   Ja
Ich weiß. Sags mir ein andermal, du Held

FRANZ Ich wollte sagen, bei der Optimierung –
Datenverarbeitung zum Beispiel –

GÖTZ   Nicht mit
Vier Wochen Mathematik, nicht mit acht Wochen.
Aber wir brauchen Kader, in zwei Wochen.
Am Montag im Betrieb —
PFEIL   Oder am Freitag
Oder am Montag nicht und nicht am Freitag.
MIRU Vor zwei Stunden war ich ein Irrtum und
Jetzt bin ich schon zur Lücke avanciert.
Komm Franz. Jetzt zeig mir meine Varianten.
PFEIL Die Varianten, ja. Wir brauchen neue
Berufsbilder, komplex und variabel.
GÖTZ Ich kann sie euch nicht machen.

13
Matthias Kanten.
MATTHIAS   Nicht allein.
GÖTZ Die Fragen sind noch in der Mehrzahl, wie.
MATTHIAS Merkst du das auch schon.
GÖTZ   Hast du was dagegen.
MATTHIAS Warum.
Franz gibt Matthias die Brille zurück.
TILLI *zu Götz:* Kollege Kanten. Darf ich bitten.
Was Sie gesagt haben, zu mir, von Siegbert —
Sagen Sies ihm auch.
GÖTZ   Was hab ich gesagt.
TILLI Daß er Minister werden kann.
GÖTZ   Minister.
Lachen.
TILLI Wollen Sie damit sagen, daß ich lüge.
Warum macht ihr euch lustig über mich.
Er hats gesagt. Mir. Hier. In diesem Wald.
Ich lasse mir das nicht gefallen, Sie —
GÖTZ Schon wieder eine Produktivkraft, die
Unser Modell befreit hat und nicht brauchen kann.
Die Lücken schließen sich und werden größer.

SIEGBERT Ich war Götz Kanten.

GÖTZ   Götz, wo ist dein Ball.

SUKKO Er war ein Windei und ist weggeflogen.
Ein Sturm hat ihn wegrationalisiert.

GÖTZ Du mußt studieren.

SIEGBERT   Ja, das muß ich wohl.

GÖTZ
Und frag mich nicht, was dann. Das weiß hier niemand.

MATTHIAS In diesem Wald, an diesem Morgen, heute.

TILLI Warum soll er studieren, wenn hier niemand –

SIEGBERT Tilli, du schweigst. Ich meine, bis auf weitres.

TILLI Ich wills ja lernen. Nur: werd nicht Minister.

SIEGBERT Ich will mir Mühe geben, daß ichs nicht werd.

NETZ Genosse Rundlauf, ich glaub nicht, daß die
Partei so eine Haltung billigen kann.
Aber vielleicht denkst du mal drüber nach
Am Montag im Betrieb, und revidierst dich.
Die Fragen sind bekannt. *Zu Götz:* Viel Arbeit, wie.
Die Antwort werden wir allein nicht finden.
Viertausend wissen mehr als zehn. Ich bin
Gewillt, *zu Götz:* wars so? mich weiter zu erholen.
Ich rat euch auch dazu. Wir werdens brauchen.

14

Kindergeschrei.

STIMME DER OMA
Erst schlagt ihr euch die Nächte um die Ohren
Mit Prognostella oder wie das heißt
Und wenn die Kinder aufstehn, schlaft ihr ein.

PFEIL Wer ist das. Fängt das wieder an.

MATTHIAS   Das ist
Die Frau für meine Kinder.

KINDERSTIMMEN   Oma, Oma
Auftritt überlebensgroß, die Unbekannte Oma.

174

OMA Qualifizierung. Wenn ich das schon höre.
    Warum schafft ihr euch Kinder an, wenn ihr
    Euch qualifiziern müßt noch am Wochenende.
    An mir hängt eure ganze Qualifizierung.
    Und wer qualifiziert die Oma. Keiner.
MATTHIAS
    Gleich streikt sie. Wenn mein starker Arm es will –
OMA Die halbe Industrie läg schon im Koma
    Wenn ich nicht wär, die Unbekannte Oma.
    Vorhang.

WEIBERKOMÖDIE

Nach dem Hörspiel »Die Weiberbrigade« von Inge Müller

PERSONEN

Jenny Nägle, *Brigadier*
Emma Kaschiebe
Vera
Hilde Prill
Anna Zabel
Häcksel
Karl
Zabel, *Kaderleiter*
Meister
Parteisekretär
Prill
Franz Häcksel
Kaschiebe
Brigadier
Arbeiter, Schlosser, Inspizient, Feuerwehrmann

Prolog

Himmlischer Vater!
Ist hier ein Bauplatz oder ein Theater?
Ob Sie vom Bau sind oder nicht vom Bau
Ob Sie ein Mann sind oder eine Frau
Damen und Herrn, Kolleginnen und Kollegen
Wir wollen heute Ihr Zwerchfell bewegen
Mit einer Komödie so alt wie neu
Adam und Eva waren schon dabei
Und spielten ihre Rollen schlecht und recht
Von Aristophanes bis Bertolt Brecht.
Wir sind aus der Rolle gefallen. Heute und hier
Ist keine Frau mehr ihrem Mann sein Bier.
Die Liebe geht nicht mehr durch seinen Magen
Sie braucht ihn nicht mehr im Bad zu erschlagen
Wie vor zweitausend Jahren im klassischen Stil
Wenn sie sich emanzipieren will.
Auch kämpfen wir nicht bloß um Tisch und Bett.
Wir sagen: wer A sagt, muß nicht nur B sagen, sondern auch,
                                    bitteschön, Z.
Weil aber, wie der Marxismus lehrt
Die herrschende Klasse der Macht nicht freiwillig den
                                    Rücken kehrt
Setzen zu ihrem und unserm Glück
An unsre Männer wir den Hebel der Kritik
So lange bis der letzte Mann einsieht
Daß zwischen Mann und Frau der Unterschied
Nur dazu da ist und nur dafür gut
Daß man für sein und ihr Vergnügen damit etwas tut.

Am Baggerteich.
Arbeiter stehen mit dem Rücken zum Publikum.

KLEINER DICKER
  Ich seh nichts. Seid Kollegen. Laßt mich ran.
  Er bleibt hinter dem längsten Kollegen stehn, versucht, an
  ihm hochzuklettern, der schüttelt ihn ab. Am Boden liegend:
  Ein Bier für deinen Platz, Kollege.

LANGER ARBEITER *zeigt Vogel:* Hier.

KLEINER DICKER Das sind Kollegen!

LANGER ARBEITER Hast du Bier gesagt? Wieviel?

KLEINER DICKER Eins.
  Da der lange Arbeiter nicht reagiert: Zwei.

LANGER ARBEITER *ohne sich umzudrehen:* Ein Kasten.

KLEINER DICKER Gut.

LANGER ARBEITER Dein Ausweis. Ich brauch Sicherheiten.

KLEINER DICKER Hier.

LANGER ARBEITER Ein Kasten Bier?

KLEINER DICKER Ein Kasten Bier.

LANGER ARBEITER Steig auf.

KLEINER DICKER *oben:* Die ist ja bis zum Kopf im Wasser.

LANGER ARBEITER Stimmt.

KLEINER DICKER Wißt ihr genau, daß sie nichts anhat?

LANGER ARBEITER Nichts.

KLEINER DICKER Wie lange ist sie schon im Wasser?

STIMME Achtung! Jetzt kommt sie raus.
  Der lange Arbeiter läßt den kleinen Dicken fallen.

KLEINER DICKER Hast du dein Bier vergessen
  Kollege? Keine Solidarität!

STIMME Jetzt geht sie wieder rein.

LANGER ARBEITER Ein Kasten Bier?
  Der Dicke nickt, der lange Arbeiter läßt ihn wieder auf-

steigen. Eine ältere Arbeiterin löst sich aus der Menge und stürzt sich auf Zabel.

ARBEITERIN Kollege Zabel, ein Skandal!

ZABEL Was ist?

ARBEITERIN Sie als der Kaderleiter müssen das verbieten.

ZABEL Was denn?

ARBEITERIN Sind Sie blind, Kollege?

Da – Ihre Kandidatin badet nackt

Und die Kollegen stehn am Ufer Schlange?

Und sie ist Aktivist und Brigadier.

ZABEL Was ich nicht seh, das kann ich nicht verbieten.

ARBEITERIN Macht Platz, Kollegen, für den Kaderleiter!

ARBEITER Zabel? Der ist in der Partei, der muß

Moralisch sein.

Laßt ihn doch ran. Komm. Zabel.

Das steht nicht in den Kaderakten, was?

Zabel setzt eine Brille auf.

Der hat noch keine nackte Frau gesehn.

Borg ihm dein Fernglas, Franz.

ZABEL Das geht zu weit.

ARBEITERIN Das muß verboten werden, sag ich.

ZABEL Ja.

EIN SCHLOSSER Was gibts?

ARBEITER Dort badet eine.

DER SCHLOSSER Und?

ARBEITER Nackt.

DER SCHLOSSER Wer?

ARBEITER Die Aktivistin aus der Schlosserei.

DER SCHLOSSER *prahlt:* Die kenn ich.

ARBEITER So kennst du sie nicht.

DER SCHLOSSER Denkst du

Sie hat mehr an, wenn sie mit mir?

Ein zweiter Schlosser ist hinzugekommen und hat das Gespräch gehört.

DER ZWEITE Mit dir?

Ich bin der Hahn im Kombinat.

DER ERSTE Ein Wort noch

Und deiner Mutter fehlt ein Sohn.

DER ZWEITE Und deiner!

Prügeln sich. Häcksel.

HÄCKSEL Was gibts?

MEHRERE Ein Hahnenkampf.

Sie schlagen sich

Die Hörner ab aus Kollegialität.

Der Kriegsgrund badet nackt im Baggerteich.

Die Aktivistin aus der Schlosserei.

Ist das nicht deine Aktivistin, Häcksel?

HÄCKSEL Wenn ich das halbe Kombinat ausrotte.

Ich werd euch zeigen, wer hier Hörner hat.

Stürzt sich in den Kampf.

ARBEITER Der dritte Mann.

Prill.

PRILL Kollegen, seid vernünftig.

Denkt an die Planerfüllung. Auseinander.

ARBEITER Der Multifunktionär.

ANDRER Halt dich heraus, Prill.

Sonst funktionierst du nicht mehr lange.

ANDRER Ja.

Bleib weg, sonst läßt du Federn, Friedensfreund.

Prill versucht, die Kämpfenden zu trennen und wird in den Kampf verwickelt.

ARBEITERIN Kollege Zabel. Sie sind Kaderleiter

Und Sie sehn zu, wie sich die Kader prügeln.

ZABEL Ich kann nicht länger zusehn. Das ist wahr!

Zabel stürzt sich in den Kampf.

2

Büro.

ZABEL Hallo. Genosse. Sekretär. Seit Stunden
  Telefonier ich mir die Finger ab.
  Ich frag mich, wozu hast du ein Büro.
PARTEISEKRETÄR
  Was ist mit deinem Kopf. Trägst du jetzt Turban.
ZABEL Das war ein Unfall. Aber darum gehts nicht.
  Es ist moralisch.
PARTEISEKRETÄR Die Moral kann warten.
ZABEL Was ist das für ein Standpunkt.
PARTEISEKRETÄR Meiner. Also.
ZABEL Es geht um die Kollegin Nägle, Jenny.
PARTEISEKRETÄR Ja, der Verbesserungsvorschlag.
ZABEL Was für ein
  Verbesserungsvorschlag. Davon weiß ich nichts.
PARTEISEKRETÄR Der Meister hat die Unterlagen. Frag ihn.
ZABEL Wir haben die Kollegin vorgeschlagen
  Als Delegierte. Und das war ein Fehler.
  Ein schwerer Fehler. Und nicht meiner. Ich
  Bin neu hier. Ihr hättet sie kennen müssen.
PARTEISEKRETÄR Was willst du. Sie ist Bestarbeiterin.
ZABEL Sie hat gebadet.
PARTEISEKRETÄR Hast du was dagegen.
ZABEL Im Baggerteich. Nackt.
PARTEISEKRETÄR So. Hast dus gesehn.
ZABEL Ja. Heute früh vor sieben. Unfreiwillig.
PARTEISEKRETÄR Ab morgen steh ich früher auf. Freiwillig.
ZABEL Das halbe Kombinat hat zugesehn.
  Als Delegierte ist sie nicht mehr tragbar.
PARTEISEKRETÄR Ist sie so häßlich.
ZABEL Häßlich ist sie nicht.

PARTEISEKRETÄR Was willst du also. Eine Delegierte
　　Die gut gewachsen ist, was spricht dagegen.
　　Ich wollt, wir hätten mehr davon. So gründlich
　　Stelln sich die Kandidaten sonst nicht vor.
　　Und viele sinds nicht, die sichs leisten können
　　Wenn du mich fragst.
　　Meister.
ZABEL Was willst du.
MEISTER Einen Strick.
ZABEL Bin ich die Materialverwaltung. Alles
　　Kann ich nicht machen. Ich bin Kaderleiter.
MEISTER Es kann auch Gift sein. Oder ein Revolver.
　　Der Mensch hält viel aus, aber jeder Mensch
　　Hat seine Grenze. Ich bin auch ein Mensch.
　　Und wenn ich mich im Baggerteich ertränke.
　　Vier Schlosser, Zabel, oder ich mach Schluß.
ZABEL Ich bin nicht Jesus. Ich bin Kaderleiter.
MEISTER Und meine Weiber delegierst du weg.
　　Arbeiterkonferenz. Und wer macht die Arbeit.
　　In meiner Werkstatt ist der Teufel los
　　Und zwar mit drei verbundnen Köpfen und
　　Es stinkt nach Planrückstand und angefangen
　　Hats mit dem Baggerteich und wenn du mir
　　Nicht auf der Stelle jetzt drei Schlosser ausspuckst
　　Geh ich heut abend Wasser saufen, Zabel
　　Im Baggerteich und meine Kaderakte
　　Ist Altpapier. Ich kann auch anders, Zabel.
　　Drei Schlosser, oder ich sag der Partei
　　Wo du dir deinen Kopfverband geholt hast.
　　Ich zähl bis drei. Mit vier verbundnen Köpfen
　　Kann ich den Kran am Montag nicht verlegen
　　Und wenn der Kran am Montag nicht verlegt wird
　　Wegen der Prügelei am Baggerteich
　　Weil ihr noch keine nackte Frau gesehn habt

Weiß ich wer baden geht, der Plan geht baden
Von den Reparaturen red ich nicht
Die auf Eis liegen in der Werkstatt
Und alles wegen eurer Delegierten.
ZABEL Das war gut: eure Delegierte.
PARTEISEKRETÄR Drei
Verbundne Köpfe –
MEISTER In der Werkstatt.
PARTEISEKRETÄR
Du machst mir Spaß. Nacktbaden und Moral.
Und von der Schlägerei kein Wort, die uns
Drei Arbeitskräfte kostet –
ZABEL Kein Wort ist auch gut
Mein Kopf sagt dir wohl nichts.
PARTEISEKRETÄR Ein Unfall, wie.
Man kann auch sagen Arbeitsunfall, wie.
Der Kaderleiter stößt sich an den Kadern.
Streich deine Delegierte von der Liste.
ZABEL So. Deine Delegierte ist gestrichen.
MEISTER Was geht mich eure Delegierte an.
Gestrichen oder nicht gestrichen, ich brauch
Drei Schlosser.
ZABEL Und ich kann mir keine
Drei Schlosser aus den Rippen schneiden, Meister.
MEISTER Zwei Schlosser, Zabel.
ZABEL Hätt ich einen halben.
Sie war die einzige Frau auf unsrer Liste.
Wen delegieren wir.
PARTEISEKRETÄR Find eine andre.
ZABEL Ich kann auch Witze reißen, Sekretär.
Die Delegierung ist freiwillig und
Freiwillig tut uns keine den Gefalln.
Die eine kann oder sie will nicht reden
Auf einer Konferenz. Aber nach Platz

Im Kindergarten schrein, nach Waschanstalten
Das können alle. Da ist keine schüchtern.
Ich kann mich nicht zerreißen, Kaderleiter.
Beruf und Haushalt und die Kinder und
Mein Mann macht keinen Finger krumm zu Hause.
Ja, wenn Sie meine Wäsche waschen und
Bekochen meinen Mann, ich bin die erste.

MEISTER Vielleicht soll ich mich noch als Weib verkleiden
Damit ihr eine Delegierte habt
Das auch noch. Die Termine sind im Eimer
Wenn wir den Kran am Montag nicht umsetzen.
Ich hab es euch gesagt. Ich bin unschuldig.
Ab.

PARTEISEKRETÄR
Frag mich nicht wie. Aber die Kranmontage
Brauchen wir zum Termin. Und eine Frau muß
Dabei sein.

ZABEL Bei der Kranmontage? Eine
Frau bei der Kranmontage?

PARTEISEKRETÄR *lacht:* Auf der Liste.

ZABEL Ich dachte schon, du bist verrückt geworden.
Du auch. Ich wollte schon die Erste Hilfe –

PARTEISEKRETÄR Was ist mit der Genossin Prill.

ZABEL Belegt
Mit einer andern Konferenz. Und teilen
Kann ich sie nicht. Das wär die Lösung: der
Teilbare Funktionär –

PARTEISEKRETÄR Setz unsre Delegierte wieder ein.

ZABEL Und Nägle, wie gehabt. Ich bin dagegen.

PARTEISEKRETÄR Dann schenk ihr einen Badeanzug. Oder
Gib ihr Nachhilfestunden in Moral.

ZABEL Was ihr versäumt habt, soll jetzt ich ausbaden.

PARTEISEKRETÄR
Vom Baden hab ich nichts gesagt. Und jetzt

Der Kran. Warum eigentlich nicht die Frauen.
Die Nägle hat die Suppe eingebrockt
Soll sie sie löffeln mit ihrer Brigade.
ZABEL Die Frauen einen Kran. Du bist verrückt.
PARTEISEKRETÄR
Was heißt hier Frauen. Sie sind Schlosser, wie.
ZABEL Ja.
PARTEISEKRETÄR Gute Schlosser.
ZABEL Unsre besten. Aber —
PARTEISEKRETÄR Ja?
ZABEL Aber. Frauen. Eine Kranmontage.
PARTEISEKRETÄR
Glaubst du, daß sich der Kran den Kopf zerbricht
Über den Unterschied von Mann und Frau.
ZABEL Glaubst du, du kannst den Kran noch unterscheiden
Von einem Haufen Schrott, wenn wir die Frauen —
PARTEISEKRETÄR
Hast du nicht was gesagt wie »unsre besten«.
Vielleicht denkst du mal drüber nach. Und nicht
Zu lange.
Ab.
Auftritt Nägle.
NÄGLE Guten Tag. Hier bin ich. Nägle.
Sind Sie der Kaderleiter.
ZABEL Angenehm.
Ich hab Sie herbestellt, Kollegin Nägle —
NÄGLE Deswegen bin ich hier, Kollege Zabel.
Kriegen Sie Ihren Schreibtisch nicht mehr auf
Oder die Heizung nicht mehr zu oder
Ist mein Verbesserungsvorschlag angenommen.
Oder wolln Sie mir meine Prämie streichen
Wegen der Schlägerei am Baggerteich.
Haben Sie auch für mich gekämpft?
ZABEL Kollegin —

NÄGLE Nägle.

ZABEL Die Prämie ist für Ihre Arbeit
Und gegen Ihre Arbeit liegt nichts vor.
Was den Verbesserungsvorschlag angeht, der liegt
Bei Ihrem Meister –

NÄGLE Seit acht Wochen, ja.
Und in der Zeit bau ich ein Kombinat auf.

ZABEL Weil ich mit Ihnen reden muß, Kollegin –

NÄGLE Haben Sie mich hierherbestellt. Ich höre.

ZABEL Wir haben Sie qualifiziert, Kollegin –

NÄGLE Nägle.

ZABEL Ja, von der Küchenhilfe zum
Bauschlosser.

NÄGLE Was geraucht hat, war mein Schädel.

ZABEL Wir schlagen Sie als Delegierte vor
Für eine wichtige Konferenz, Kollegin
Das heißt, wir hatten Sie als Delegierte
Ich meine, wir haben Sie vorgeschlagen
Und das ist eine Auszeichnung, Kollegin –

NÄGLE Mir wird ganz feierlich.

ZABEL Ich lache auch gern
Kollegin. Aber jetzt ist nicht die Zeit
Für Ihre Späße. Das ist ernst: Sie haben
Im Baggerteich gebadet heute früh.
Nackt.

NÄGLE Haben Sie mich gesehn?

ZABEL Ja. Unfreiwillig.

NÄGLE Und hab ich Ihnen nicht gefallen.

ZABEL Das
Gehört wohl nicht hierher.

NÄGLE Da wärn Sie auch
Der erste. Morgen bad ich wieder.

ZABEL Sie
Sind Brigadier. Und Bestarbeiterin.

Ein Vorbild in der Arbeit. Wir sind stolz
Auf dich, Kollegin. Hab ich du gesagt?
Entschuldigen Sie. Warum wirfst du dich weg.
NÄGLE Legen Sie Ihrer Zunge keinen Zaum an.
Zu mir sagt jeder du. Sogar ein Dichter
Hat mich geduzt in sieben Strophen, weil er
Am Aktivistenbrett mein Bild gesehn hat.
»Vom Aktivistenbrett siehst du mich an.
Dein Lächeln sagt: mein Herz schlägt für den Plan.«
ZABEL Du wechselst deine Männer wie die Hemden.
NÄGLE *lacht:*
»Die Frau ist ein Mensch wie der Mann, und sie soll wie er
die Freiheit haben, über sich zu verfügen als ihr eigener
Herr.«
ZABEL Wo hast du das gelesen.
NÄGLE August Bebel.
Das Buch heißt: Die Frau und der Sozialismus.
Es steht in unsrer Bücherei gleich im
Ersten Regal. Aber der Bücherwurm
Ist auf dem Land und liest Kartoffeln. Wenn Sies
Gleich lesen wollen, borg ich Ihnen meins.
ZABEL Ich habs gelesen. Und als du noch nicht
Gewußt hast, daß du eine Frau bist, Mädchen.
Wir reden drüber, bei Gelegenheit.
Und von Nacktbaden steht bei Bebel nichts
Am wenigsten in Baggerteichen. Nämlich
Drei leere Arbeitsplätze sind genug.
Ein Kran zum Beispiel muß verlegt werden
Am Montag. Unser Plan ist hin wenn nicht.
Aber wir haben keine Schlosser und
Ich kann mir keine aus den Rippen schneiden.
Mein-Herz-schlägt-für-den-Plan und dann nacktbaden.
Das hab ich gern. Das ist Plansabotage.
Ihr unmoralisches Verhalten hält
Die Produktion auf. Bebel, wenn er hier

An meinem Schreibtisch säße, würde dir
Dasselbe sagen. Was gibts da zu lachen.

NÄGLE Ich hab mir vorgestellt, Sie sind der alte
Bebel, und wie Sie aussehn mit dem Bart
Unter dem Turban. Was die Rippe angeht
Es hat sich schon mal einer draus geschnitten
Was er gebraucht hat. Was der liebe Gott kann
Das kann vielleicht ein Kaderleiter auch.
Was würde Bebel sagen, wenn ich sage
Den Kran verlegen wir.

ZABEL Von Ihren Witzen
Hab ich genug jetzt. Das ist Männerarbeit
Kollegin.

NÄGLE Bebel würde das nicht sagen.
Und wir sind Schlosser wie die andern.

ZABEL Frauen.

NÄGLE »Die Frau ist ein Mensch wie der Mann«, siehe oben.
Und
Jetzt ist der Knopf ab.

ZABEL Knopf? Was für ein Knopf.

NÄGLE Von Ihrer Jacke, Kaderleiter. Seit
Ich hier bin, drehn Sie an dem Knopf herum.
Als ob der was dafür kann. Können Sie
Das selber reparieren oder soll ich –

ZABEL Ich habs noch nicht versucht.

NÄGLE Das ist ein Fehler.
Wo bleibt die Gleichberechtigung des Mannes
Kollege Kaderleiter, wenn der Mann
Sich keinen Knopf annähn kann selber.

ZABEL Das
Macht meine Frau. Wenn ich zu Hause bin.

NÄGLE Geben Sie her.
Zabel will ihr das Schild »Nacktbaden verboten« geben.
Den Knopf. Dann ists ein Fehler

Von Ihrer Frau. Der Mann ist auch ein Mensch.
Ich kanns sogar am lebenden Objekt.
Ich werd Sie nicht erstechen. Keine Panik.
Telefon.
ZABEL Hallo. Ja, Kaderleiter. Zabel. Du?
Ist was passiert. Ich hab zu tun. Wie gehts dir.
Am Sonntag konnte ich nicht weg. Viel Arbeit.
Am nächsten Sonntag kann ich auch nicht weg.
Au. Du warst nicht gemeint. Das war nur ein
Kollege, der mir einen Knopf annäht.
NÄGLE *mit Männerstimme:*
Wenn du nicht stillhältst, mußt du dich nicht wundern.
ZABEL Ja, ein Kollege. Frauenarbeit, sagst du.
Die Frauenarbeit machen hier die Männer.
Und umgekehrt. Ja, so ist das bei uns.
Und umgekehrt. Und umgekehrt. Was sagst du?
Fängst du schon wieder damit an. Arbeiten.
Hier. Das kommt nicht in Frage, Anna. Du
Kennst meinen Standpunkt. Was sagst du? Dein
                                    Standpunkt?
Au. Das war wieder der Kollege, der
Mir meinen Knopf annäht. Das kommt davon
Wenn Männer eine Frauenarbeit machen.
Was sagst du? Ob ich deinen Standpunkt – Anna
Das Thema haben wir ausdiskutiert.
Ich meine, du weißt nicht, wie es hier zugeht.
NÄGLE *Baß:* Der Knopf ist dran.
ZABEL Was für ein Knopf. Der Knopf
Ist dran. Ja, ich bin Kaderleiter, und
Wir brauchen Arbeitskräfte. Aber ich
Bin auch ein Mann. Der Mann ist auch ein Mensch.
Und als Mensch brauch ich keine Arbeitskraft
Als Mensch brauch ich zu Hause eine Frau.
Was heißt hier Heim und Herd. Ich bin kein Spießer.

Wart wenigstens, bis ich nach Hause komme.
Ich komme. Nächsten Sonntag. Ganz bestimmt.
Legt auf.
Sie will arbeiten. Hier. Verstehst du das?
NÄGLE Ja. Warum haben Sie einen Mann gemacht
Aus mir vor Ihrer Frau mit »Ein Kollege«.
Was will sie denn arbeiten.
ZABEL Sie war Schlosser.
NÄGLE Wir könnten sie gebrauchen. Für den Kran.
Ich find es gut, daß es bei uns so ist
Daß Männer auch die Frauenarbeit machen
Und umgekehrt, Kollege Kaderleiter.
Ab.
ZABEL Die Rippe wächst sich aus und wird zum Hebel
Schuld ist der liebe Gott und August Bebel.

3

Bierschwemme.

KASCHIEBE Auf deine Prämie, Brigadier.
Trinkt aus.
Der Wein
Ist gut.
Pause.
Der Wein ist sehr gut.
Pause.
Also ich
Stoß noch mal an auf deine Prämie. – Nein.
Anstoßen mit dem leeren Glas bringt Unglück.
VERA Warum sagst du nicht gleich, du willst noch Wein.
KASCHIEBE Man muß die Prämien feiern wie sie fallen.
Aber Manieren hab ich noch gelernt.
Trinkt wieder aus.

VERA Das war dein fünftes Glas. Gleich läuft sie über.
Machst du heut deinem Alten Konkurrenz.

KASCHIEBE *zu Nägle:*
Schenk unseren Küken nicht zu viel ein, Nägle.
Du siehst ja, wie es wirkt. Als ich so jung war.

VERA Wetten, daß ich euch alle untern Tisch sauf.
Prost. Mir wird schlecht.

KASCHIEBE Was sag ich. Arme Jugend.
Das Feiern hat sie nicht gelernt. Oder
Fastest du wieder für die schlanke Linie.
Die Mädchen grasen wie die Ziegen heute
Daß sie nur ja kein Fleisch ansetzen. Dabei
Weiß man seit Adam, was den Mann reizt: Fleisch.

VERA Red nicht von Fleisch.

NÄGLE Geh, kauf dir eine Bockwurst.

VERA Nicht nötig, Brigadier.

NÄGLE Mit meinem Geld.

VERA Du bist wie eine Mutter, Brigadier.
Ab.

KASCHIEBE Du bist großzügig. Das wird ausgenutzt.
Schenkt sich ein.
Im Wein ist Wahrheit und mich gehts nichts an
Aber mir kannst du sagen, Brigadier
Wo du am Wochenende hinfährst. Ist er
Verheiratet? Ich frag dich nicht aus Neugier.
Kann sein, daß du mal eine Mutter brauchst
Jung wie du bist und ganz ohne Familie.
Arbeit ist Medizin. Aber der Mensch
Braucht einen Menschen manchmal, der ihm zuhört.
Wenn eine schweigen kann, bin ichs. Das weißt du.
Was du mir sagst, ist wie ins Grab gesprochen.
Warum bist du mit Häcksel überkreuz?
Acht Männer haben sich um dich geprügelt
Hört man. Am Baggerteich. Am frühen Morgen.

Man muß die Männer feiern wie sie fallen.
Du hast an jedem Finger einen Mann, wie.
Mir kannst dus sagen, ich kann schweigen.

NÄGLE Ich auch.

Vera.

VERA Ich hab dir eine Bockwurst mitgebracht.

NÄGLE Und ich eß keine Bockwurst und das weißt du.

VERA Ich tu alles für dich. Ich eß die auch noch.

KASCHIEBE Auf deine Männer.

VERA Nur kein Neid, Kaschiebe.

KASCHIEBE Hab ich das nötig? Und die nächste Prämie
Die hier gefeiert wird, ist meine Prämie.

VERA Ich lach mich tot. Kaschiebe eine Prämie.
Die Mondrakete aus dem Kaffeegrund.

KASCHIEBE Das tu ich meinem Alten an. Und wenn ich
Mir mein Gehirn ausrenk dabei.

NÄGLE Damit er
Mehr zu versaufen hat.

KASCHIEBE Und es wär mein Geld ...
Und wenn ichs auf den Tisch zähl, sag ich ihm:
Alter, das schenk ich dir zum Hochzeitstag
Zum fünfunddreißigsten vom vorigen Jahr.
Und mach dir einen schönen Abend, ich
Habs übrig. Der Schlag wird ihn treffen. Das wird
Mein schönster Tag.

VERA Das müßte mein Mann sein.
Der könnte seine Socken selber stopfen.

KASCHIEBE Ich weiß, was ich an meinem Alten habe.
Er ist mir teuer wie meine linke Hand.
Und eh der mich loskriegt, geht sein Fell mit.
Einmal hat ers versucht, vor dreißig Jahren.
Aber ich sag euch, wie ein Bumerang
Ist er gelandet in Kaschiebes Schoß.
Ich pfeif aufs Geld, ich bin für wahre Liebe.
Habt ihr was gegen ihn, ihr Fortgeschrittnen.

VERA Du bist konservativ, Kaschiebe. Dir
Fehlt das Bewußtsein. Nägle macht es richtig.
Männer gibts viel, aber der Kopf bleibt oben
Und bei der Frau kommts heute auf den Kopf an.
KASCHIEBE Ich kenn die Männer, Mädchen. Die sehn tiefer.
NÄGLE Auf deinen Alten. Und auf deine Prämie.
Zwei blessierte Schlosser mit Kopfverband.
1. BLESSIERTER
Jetzt saufen uns die Weiber schon das Bier weg.
KASCHIEBE Wir trinken Wein. Jeder nach seiner Leistung.
Und hier wird eine Prämie gefeiert.
Wie ich euch kenn, ist das für euch ein Fremdwort.
Fünf Schlosser und nicht einer Aktivist.
Ich müßte in eurer Brigade sein.
1. BLESSIERTER Da sei Gott vor oder der Meister.
2. BLESSIERTER Ihr seid
Die ersten Schlosser, was.
VERA Und ihr die letzten.
NÄGLE Ich lad euch ein. Was wollt ihr trinken.
1. BLESSIERTER Bier.
KASCHIEBE
Wenn ihr auch Männer seid, ich lad euch auch ein.
Schließlich haben sie sich für uns geprügelt.
1. BLESSIERTER
Ich machs auch wieder, Nägle. Aber wenn ich
Kaschiebe mit in Zahlung nehmen muß
Kriegst du mich lebend nicht unter die Haube.
KASCHIEBE
Du kannst gleich weitermachen. Häcksel kommt.
Häcksel.
VERA Jetzt wird es spannend.
HÄCKSEL Seid ihr noch nicht weg.
Das ist mein Platz.
NÄGLE Und das ist meine Party.

HÄCKSEL Entschuldige, Nägle. Dreimal hoch die Damen.
Aber seit heute morgen seh ich rot.
Wenn ich was seh, was wie ein Schlosser aussieht.
KASCHIEBE Ein Kavalier, der Kranführer.
VERA Endlich
Ein Mann.
HÄCKSEL *zu den Schlossern:* Wer hat euch eingeladen.
NÄGLE Ich.
1. BLESSIERTER
Wie gehts dir, Alter. Lange nicht gesehen. Bier?
HÄCKSEL Ich bin kein Spielverderber, Jenny. Aber
Das geht zu weit. Die SVK läßt grüßen.
Im Krankenhaus sind Betten reserviert.
Ich zeig euch wo sie stehn.
NÄGLE Zieh deine Fahne
Woanders auf.
HÄCKSEL Heut bin ich nüchtern, Jenny.
1. BLESSIERTER In der Versammlung gestern warst du besser.
Mir aus der Seele hast du da geredet.
KASCHIEBE Mein Strickzeug gegen eine Abschmierhebe
Daß ich weiß, wo bei dir die Seele sitzt.
Was hat er denn gesagt auf der Versammlung.
NÄGLE Frag ihn doch selber. Hast du deinen Text
Vergessen, Häcksel. Ich hab nichts vergessen.
Baß:
Ob Jenny Nägle Delegierte wird
Bestimme ich, sonst keiner. Ich sag Nein.
Die Konferenz kann mir gestohlen bleiben.
Meine Frau geht auf keine Konferenz.
Und wer sie delegiert, ist selber schuld
Wenn ich ihm alle Knochen einzeln breche.
2. BLESSIERTER Und dreimal recht hat er.
HÄCKSEL Was gehts dich an.
Ich wollt mit dir anstoßen. Und ich
Muß mit dir reden.

NÄGLE Tu dir keinen Zwang an.

HÄCKSEL Wir müssen uns aussprechen.

NÄGLE Was heißt wir.

HÄCKSEL Heut ist nicht gestern, Jenny. Ich glaub keinem
Der dir was nachsagt. Aber ich wills wissen.
Nichts gegen deine Prämie. Und du sollst
Auch feiern. Aber ich muß mit dir reden.
Allein.

NÄGLE In der Versammlung warst du besser.
Die Blessierten lachen.

KASCHIEBE Ich hab gewußt, sie hat was auf der Leber.
Das nächste Mal laß ich die Wäsche liegen
Und geh in die Versammlung.
*Auftritt Brigadier und Karl mit Blumen und Prill mit
Trompete.*
Ist heut Ostern.
Die Konkurrenz. Und mit Trompete.

VERA Karli.

BRIGADIER Gratulation, Kollegin Nägle.

VERA Blumen.
Ach Karli. Endlich wirst du mal galant.

BRIGADIER Karl, halt die Blume fest. Wir sind im Dienst.

KARL Galant. Ich bin kein Spießer. Hände weg.
Das ist für Jenny. Bitte, Prämientiger.

KASCHIEBE Ein Kaktus.

VERA *probiert:* Und aus Marzipan. Mir schenkst du
Nie Marzipan.

KARL Ich schenk dir einen Kaktus.

NÄGLE Danke, Kollegen. Den Rest heb ich mir auf.
Als Andenken.

HÄCKSEL An drei verbundne Köpfe.

NÄGLE Den Kaderleiter zählst du wohl nicht mit.

KASCHIEBE Der Kaderleiter hat sich auch geprügelt.
Und mir sagt keiner was. Der Kaderleiter.

Ich muß auf meinen Haushaltstag verzichten
In Zukunft. Man versäumt zu viel. Sechs Männer.

HÄCKSEL He, Brigadier, wann wird mein Kran verlegt.
Ich garantier für sechs verbundne Köpfe
Wenn ich am Montag Schrauben drehn muß und
Im Zeitlohn. Ich bin Kranführer. Ich frag dich.

BRIGADIER
Vielleicht sagst du mir auch mit wem, Kranführer.

1. UND 2. BLESSIERTER
Dank für den Urlaub, Häcksel. Und viel Spaß
Beim Schraubendrehn.

HÄCKSEL Ich weiß Bescheid. Ihr Hunde.
Ihr habt mich provoziert. Damit ihr meinen
Kran nicht verlegen müßt. Das wird euch leid tun.

1. BLESSIERTER
Was willst du. In vier Monaten drei Prämien.
Wenn sie dich heiratet, bist du versorgt.

PRILL Ich provoziere nie, Kollege Häcksel.
Ich habe eingegriffen in den Kampf
Um Arbeitsausfall zu verhüten. Leider
Dem besten Willen sind Grenzen gesetzt
Wenn rohe Kräfte. Und so weiter. Ein
Bedauerlicher Vorfall. Aber eine
Vernünftige Diskussion wird, meine ich.
Kollegen, diskutieren wir den Vorfall.

2. BLESSIERTER Wird hier gefeiert oder diskutiert.

HÄCKSEL Nägle. Entscheide dich. Die oder ich.

KASCHIEBE Besinn dich, Mädchen. Es wird Zeit, daß du
In feste Hände kommst. Und Häcksel liegt
Dir in den Karten. Ich habs gleich gesehn.
Und er ist Jungfrau, du bist Stier. Das paßt.

2. BLESSIERTER Häcksel ist Jungfrau.

1. BLESSIERTER Paß auf, daß der Stier
Der Jungfrau keine Hörner aufsetzt, Häcksel.

2. BLESSIERTER

Gleich nimmt der Stier die Jungfrau auf die Hörner.

PRILL Kollegen, dieser Aberglaube muß –

Hilde Prill.

HILDE PRILL Prill. Was hast du mit deinem Kopf gemacht.

1. BLESSIERTER

Ja, was hast du mit deinem Kopf gemacht, Prill.

2. BLESSIERTER Warum hast du nicht diskutiert.

1. BLESSIERTER Sehr richtig.

Warum hast du nicht diskutiert, Prill.

HILDE PRILL Entschuldige. Ich konnt nicht früher weg.
Ein schwerer Fall. Kampf der Geschlechter. Ich war
Schiedsrichter. Ein Arbeiter aus der Wohnstadt
Kommt in den Frauenausschuß, schreit herum.
Ist hier der Frauenausschuß, fragt er. Ja
Sag ich, und er sagt: ich verlange, daß die
HO-Verkäuferin entlassen wird
Oder gesellschaftlich belehrt. Warum
Frag ich. Er zeigt mir eine Beule. Eine
Schlackwurst hat die Verkäuferin ihm an
Den Kopf geworfen. Da kam sie schon selber
In Tränen, und das war ihre Geschichte:
Er hat sie eingeladen und sie hat
Ihm einen Korb gegeben, sie kann nicht
Mit jedem Kunden ausgehn schließlich. Ihn hats
Getroffen und er kommt am nächsten Tag
Heute, und fragt nach Katenschinken und
Bloß weil er weiß, der hängt im Kühlschrank, hinten.
Sie holt den Schinken. Er sagt: zu viel Fett
Und er will Sülze. Sie wieder zum Kühlschrank.
Und als sie mit der Sülze kommt, will er
Die Sülze nicht mehr, sondern saure Gurken.
Die stehn im Keller. Und da hat sie ihm
Die Schlackwurst an den Kopf geworfen und
Jetzt kam er sich beschweren und sie auch.

VERA Und was ist draus geworden.

HILDE PRILL Ich hab ihnen
Gesagt, daß heute abend Tanz ist und
Da sind sie jetzt. Und daß dus weißt, für dich
Hab ich im Frauenausschuß auch gekämpft.

PRILL Im Frauenausschuß du. Am Baggerteich ich.

HILDE PRILL Am Baggerteich? Du auch. Was geht hier vor.

PRILL Wann sollte ich dir. Wir sahn uns so selten.
Auf einer Sitzung du, ich auf der andern.

HILDE PRILL Das könnte ich auch sagen, Prill. Ich hätte
Das nicht von dir gedacht.
Zu Nägle: Und von dir auch nicht.
Ich red mir noch die Zunge heiß für dich.

PRILL Das war ein Mißverständnis.

HILDE PRILL Allerdings.

HÄCKSEL Zum letzten Mal, Jenny. Vergiß was war.
Und ich vergeß es auch. Stoß mit mir an.

NÄGLE Was meint ihr. Wenn die Helden müde sind
Wolln wir den Kran verlegen?

FRAUEN Wir? Den Kran?

HÄCKSEL Warum machst du dich lustig über mich.

2. BLESSIERTER Das möcht ich sehn: Die Weiber einen Kran.
Männerlachen.

KARL *zu Vera:*
Wenn der Kran steht, zieh ich dein Brautkleid an.
Großes Männerlachen.

4

Am Baggerteich. Abend.
Nägle und Zabel gehen stumm vorbei, kommen wieder, gehen
wieder stumm vorbei. Kommen wieder.

NÄGLE Sind Sie noch da? Ich auch. Seit einer Stunde
  Genießen wir den Baggerteich bei Nacht
  Stumm wie die Fische wärn, wenn Fische drin wärn.
  Zabel schweigt.
  Ist das die Funktionärskrankheit? Reden
  Wie tausend Bücher bis Büroschluß, taubstumm
  Danach? Mir tut der Mund schon weh vom Stummsein.
  Ich bin kein Fisch.
  Zabel schweigt.
  Sie sollten mit mir reden.
  Gehn vorbei.
  Vera und Karl mit Motorrad.
KARL Sie steht schon wieder. Jetzt müssen wir schieben.
VERA *bleibt sitzen:*
  Ja, was man nicht im Kopf hat. Du mußt schieben.
KARL *schiebt:* Kennst du den: Kapitalismus ist Ausbeutung
  Des Menschen durch den Menschen. Sozialismus
  Ist Ausbeutung des Mannes durch die Frau.
  Du bist zu schwer.
VERA Wetten, daß ich sie hinkrieg.
KARL Du?
VERA Worum wetten wir.
KARL Das will ich sehn.
  Wenn du sie hinkriegst, lern ich häkeln.
VERA *küßt ihn:* Karli.
  Die Wolle hab ich schon. Die reicht für zwei Pullover.
  Repariert Motorrad.
  Bitte.

KARL Sachen gibts, die gibts nicht.
Hauswirtschaftslehrgang und Kochkurse auch noch.
Kein Wunder, wenn man den Beruf verlernt.
Und jetzt noch Häkeln und alles aus Liebe.
VERA Wenn wir zu Hause sind, geb ich dir gleich
Die Wolle. Wetten, daß sie dir gefällt.
KARL Ich wette nicht mehr.
VERA Häkeln kann Kaschiebe.
Die bringts dir bei.
KARL Danke. Wann steigt die Hochzeit.
VERA Wenn die Pullover fertig sind. Ach Karli.
Fahren ab. Nägle und Zabel kommen wieder.
NÄGLE Das war die dritte Runde und Sie sagen
Noch immer nichts, und nach der vierten geh ich.
ZABEL Es tut mir leid.
Pause.
Ein schöner Abend.
Nägle lacht.
Jetzt lachst du. Ich habs ernst gemeint.
NÄGLE *lacht mehr:* Ich glaub
Sie haben lange keinen Stern gesehn und
Den Mond zuletzt im Neuen Deutschland.
ZABEL *lacht:* Stimmt.
Pause.
NÄGLE Ich bin gern draußen. Setzen wir uns hin?
ZABEL Ich wollte mit dir reden, Kollegin, weil –
Versteh mich richtig: Die Moral gehört
Zum Leben wie
Sieht sich nach einem Beispiel um:
Ja, wie der Schuh zum Bein.
Nägle zieht die Schuhe aus.
Nicht daß ich dir Vorschriften machen will.
Du lebst dein Leben und mich gehts nichts an.
Privat, nicht, weil du mir gefällst als Frau

Das auch, aber die Frage steht nicht, sondern
Und das ist nicht privat, das geht mich an
Weil du ein Kader bist, ein tüchtiger Mensch:
So wie du lebst, kannst du nicht weiterleben.
NÄGLE Wenns nicht verboten ist, daß Kaderleiter
Mit ihren Kadern baden gehn, wir sitzen
Grad an der Badestelle, Ihr Verbotsschild
Kann ich so lange umdrehn, wenn Sies stört
Oder ich häng die Schrift mit meinem Kleid zu.
Baden Sie mit, dann kann ich mir den Rest
Von Ihrer Predigt unter Wasser anhörn.
Da tuts uns beiden nicht so weh, wenn Sie
Ihr Soll erfülln. Genieren Sie sich? Ein Mann
Ist keine Frau und muß nicht schön sein. Und
Ich seh nicht hin, eh Sie im Wasser sind.
ZABEL Sei ehrlich, Mädchen. Dir ist gar nicht wohl
In deiner Haut.
NÄGLE Sie müssens wissen. Und ...
Ab. Wirft ihre Kleider über die Bühne.
Jetzt ist mir wohler. Hängen Sie das Schild zu.
Und passen Sie auf meine Sachen auf.
Häcksel.
HÄCKSEL Wer –
Der Kaderleiter.
ZABEL Wer. Was suchst du nachts
Am Baggerteich, Kranführer?
HÄCKSEL Danke, gleichfalls.
Was ist das für ein Kleid.
ZABEL Davon gibts viel
Im Konsum.
HÄCKSEL Hier ist nicht der Konsum.
Was wird hier gespielt.
ZABEL Ich weiß nicht mehr als du.
HÄCKSEL Erzähl mir keine Märchen, Kaderleiter.
Wer ist im Wasser.

ZABEL Das frag ich mich auch.
Ich bin zufällig hier vorbeigekommen.
Erst heute mittag hab ich das Verbotsschild
Hier aufstelln lassen wegen heute früh.
Vier Schlosser in der Poliklinik ist
Zu viel, mein blaues Auge zähl ich nicht
Und deins. Und hier, was seh ich, das Verbotsschild
Ist zugehängt. Mit einem Kleid.
HÄCKSEL Zufällig.
Bist du vorbeigekommen, so, zufällig.
Läufst du vielleicht zufällig meiner Frau nach
Und wartest hier zufällig mit Stielaugen
Bis deine Delegierte aus dem Bad steigt?
Was sagst du dazu, Kaderleiter.
ZABEL Ich?
HÄCKSEL Ich laß mir das zufällig nicht gefalln. Und
Wenn du jetzt nicht zufällig gleich verschwindest,
Wächst dir zufällig noch ein blaues Auge.
ZABEL Eins ist genug für dich auch, Häcksel, denk ich.
Ab Montag mußt du Schrauben drehn, dein Kran
Kann nicht verlegt werden, durch dein Verdienst
Wenn du so weitermachst, wirst du den Kran los.
Für Rowdys ist kein Platz im Kombinat.
Aber wenn dus nicht anders haben willst
Ich kann auch mit den Fäusten diskutieren.
Nägle taucht auf.
NÄGLE Auf Wiedersehn im Krankenhaus, seht zu
Daß ihr ein Doppelzimmer kriegt, dann kann ich
Mir einen Weg sparn, wenn ich euch besuche.
Sei friedlich, Häcksel, sonst komm ich heraus.
HÄCKSEL Das kannst du mir nicht antun, Jenny. Bleib
Im Wasser, bis ich mit ihm fertig bin.
Ich lasse mir das nicht gefalln. Von keinem.
Erst läßt er Schilder aufstelln mit Nacktbaden

Verboten, als obs ihm um die Moral geht
Und dann schleicht er dir nach und wartet mit
Stielaugen, daß du aus dem Wasser kommst
Und ich soll zusehn. Das ist meine Frau
Und wer sie anrührt, kriegts mit mir zu tun.
Wenn du noch einmal hinsiehst, ists soweit.

NÄGLE Ich komm heraus.

HÄCKSEL Ich bin ganz friedlich, Jenny.

NÄGLE Und wenn mir kalt ist?

HÄCKSEL Es geht schnell. Geh, Zabel,
Oder –

NÄGLE Er ist mit mir gekommen und
Er geht, wann er will. Und kalt ist mir auch nicht.
Ich bin nicht dein Privatbesitz, Kranführer.

ZABEL Die Frau ist gleichberechtigt. Das wäscht uns
Kein Regen ab.

NÄGLE Sie habens nötig.

ZABEL Ich?

NÄGLE Ich bin nicht deine Frau.
Anna Zabel mit Koffer, unbemerkt.
Zu Zabel:
Sie können froh sein,
Daß ich nicht Ihre Frau bin. Die kann mir
Auch leid tun, wenn ich seh, wie Sie sich winden
Am Telefon. Das war nur ein Kollege.
Als ob ich Ihnen an die Unschuld will.

HÄCKSEL Was soll das heißen.

NÄGLE Was gehts dich an.

ANNA ZABEL Stör ich?

ZABEL Anna. Wo kommst du her. Um diese Zeit.

ANNA ZABEL Vom Bahnhof, wenn du nichts dagegen hast.

HÄCKSEL Noch eine. Kaderleiter, du fängst an
Mir Spaß zu machen. Alter Casanova.

ZABEL Kranführer Häcksel. Seine Frau. Und das
Ist meine Frau.

HÄCKSEL Mir kannst du viel
Erzählen.
ANNA ZABEL Erst ein Kollege und jetzt seine Frau.
Sie werden sich erkälten.
NÄGLE Keine Sorge.
Ich werde nicht gefragt, wie. Seine Frau.
ZABEL Kollege Häcksel, warst du nicht dabei
Als ich mit meiner Frau telefoniert hab.
HÄCKSEL Mit deiner Frau. Ja, ja, ich war dabei.
Wenn er mit seiner Frau telefoniert
Bin ich dabei. Ja, und wenn meine Frau –
Ich weiß, du bists noch nicht, aber du wirst es –
Badet im Baggerteich, ist er dabei
In aller Freundschaft. Keiner ist allein.
ANNA ZABEL In aller Freundschaft, so.
ZABEL Ja, sozusagen.
ANNA ZABEL Dein blaues Auge und Ihr blaues Auge
Sind auch ein Freundschaftsdienst, wie? Ich verstehe.
Sie kommen jetzt heraus, eh Sie uns einfriern.
Sie haben ja nichts an.
NÄGLE Ja, stört Sie das.
ANNA ZABEL Das werden wir gleich haben. Warten Sie.
Holt ein großes Handtuch aus dem Koffer.
So. Dreht euch um, ihr Helden. Beide. Und
Ihr auch, Kollegen, wenn ich bitten darf.
Liebe Kolleginnen im Publikum
Helfen Sie mir. Drehn Sie die Männer um.
NÄGLE Mein Vorschlag wär, wir ziehn uns alle aus
Dann stößt sich keiner dran.
HÄCKSEL Jenny.
ZABEL Dies Haus
Hat einen Ruf, Kollegin, zu verlieren.
Wir müssen mit dem Autor diskutieren.
Sie sehen selbst, da muß etwas geschehn.

So kann es schließlich hier nicht weitergehn.
Und das muß uns passiern. In diesem Hause.
Wir bitten jetzt um eine kurze Pause.
Die Feuerwehr.
Feuerwehr mit Badeanzug.
FEUERWEHR Das schickt der Intendant.
ANNA ZABEL Ein Badeanzug.
NÄGLE Und so elegant.
Nägle im Badeanzug, trocknet sich ab, zieht Kleid an.
Ich heiße Nägle, Jenny.
ANNA ZABEL Anna Zabel.
NÄGLE Als Schlosser sind Sie bei mir richtig. Ich
Bin Brigadier. Ein Platz im Frauenwohnheim
Ist auch frei. Wenn Sie wolln.
ANNA ZABEL Ich glaub, ich will.
Komm, Brigadier.
NÄGLE Und Gute Nacht, ihr Helden.
Beide ab.
HÄCKSEL Bei deiner Frau hast du nichts mehr zu melden.
ZABEL Das Kompliment kann ich dir wiedergeben.
HÄCKSEL Türke müßte man sein. Das wär ein Leben.
Pause.

5

Frauenwohnheim.
Anna Zabel. Nägle. Vera.

ANNA ZABEL
Ich habs mir schlimmer vorgestellt im Wohnheim.
Mein Mann hat mir erzählt, ihr haust in Höhlen.
VERA *zu Nägle:* Warum bist du nicht weg wie jeden Sonntag.
NÄGLE Weil wir Besuch kriegen. An diesem Sonntag.
Hilde Prill.

HILDE PRILL Was gibts. Warum hast du mich herbestellt
Am Sonntag. Und du selber bist auch hier.
Hast du Männer genug im Kombinat jetzt
Daß du dein Wochenende nicht mehr brauchst.

NÄGLE *stellt vor:* Kollegin Zabel. Das ist Hilde Prill.

HILDE PRILL Da sitzen wir in einem Boot, Kollegin.

ANNA ZABEL Vor unserm Brigadier ist kein Mann sicher.

VERA Nägle, wer ist unser Besuch.

HILDE PRILL Besuch?
Kaschiebe.

KASCHIEBE Nägle. Warum hast du mich herbestellt.
Warum fährst du nicht weg wie jeden Sonntag.
Was ist passiert, Kind. Hast du Schluß gemacht
Mit ihm. Wollte er sich nicht scheiden lassen.
Mir hättst dus sagen können. Ich kann schweigen.
Und vielleicht hätt ich Rat gewußt.

NÄGLE Vielleicht.

KASCHIEBE Das mußte nicht so kommen.

HILDE PRILL Schluß gemacht.
Mit wem.

ANNA ZABEL Wer wollte sich nicht scheiden lassen.

KASCHIEBE Das Wochenende. Wißt ihr das Neuste. Sie
Hat ihn gebissen.

VERA Wer hat wen gebissen.

KASCHIEBE Dein Liebster sitzt auf dem Motorrad draußen.
Er sieht schon aus wie eine Lokomotive
Die unter Dampf steht auf dem Abstellgleis.
Wißt ihr, was ich geträumt hab. Also ich –

VERA Karl. Der kann warten. Das hat er gelernt.
Kaschiebe, gut, daß du vorbeikommst. Karl
Muß Häkeln lernen. Eine Sparmaßnahme.
Ich brauch mir die Pullover nicht zu kaufen
Nur noch die Wolle. Die kostet fast nichts.

ANNA ZABEL Häkeln. Ich war wohl doch zu lange Hausfrau.

Ich komme aus dem Staunen nicht heraus hier.
Es hat sich viel verändert. Mehr als man
Sich vorstelln kann zwischen vier Wänden. Häkeln.

VERA Ja, alles andre kann er schon. Kaschiebe
Bringst dus ihm bei.

KASCHIEBE Bring du ihm nicht zu viel bei
Sonst braucht er dich nicht mehr und aus der Traum.

HILDE PRILL Prinzessin hättst du werden sollen, Mädchen.

VERA Hab ich das nötig. Hier. Im Sozialismus
Regiert die Frau.

Karl.

KARL Ich warte, Vera. Lange wart ich nicht mehr.

VERA Wo ist die Wolle, Karli, die ich dir
Gestern gegeben hab.

KARL In meinem Spind.

VERA Hol sie. Kaschiebe bringts dir bei.

KARL Was.

VERA Häkeln.

KARL Muß das gleich sein.

VERA Denk an die Hochzeit, Karli.

Karl ab.

KASCHIEBE Gebissen. So wahr ich hier stehe. Ich
Komm rein, was seh ich, er steht da und hält sich
Mit einer Hand am Telefon fest und
Sie beißt ihm in den Bauch.

HILDE PRILL So. In den Bauch. Wer –

KASCHIEBE Eine gewisse Bestarbeiterin
Einen gewissen Kaderleiter –

HILDE PRILL Jetzt
Hör auf, Kaschiebe. Deine Märchen kannst du
Andern erzählen.

ANNA ZABEL Kaderleiter?

KASCHIEBE Märchen?
Ich? Über meine Lippen ist noch kein

Unwahres Wort gekommen, Hilde Prill.

Gebissen hat sie ihn, glaubs oder nicht

Es ist die heilige Wahrheit.

VERA In den Bauch.

KASCHIEBE Und wenn du mich fragst, so was geht zu weit.

Wir müssen unsern Ruf hochhalten, mein ich.

Als einzige Weiberbrigade hier.

Und du hast keinen Sinn für Sinnlichkeit.

Du und dein Prill. Ich will nicht wissen, wie ihr –

Ich glaub, ihr lest im Bett Parteibeschlüsse.

HILDE PRILL Im Bett? Glaubst du, daß wir die Bibel lesen?

KASCHIEBE Ich hab euch meinen Traum noch nicht erzählt.

NÄGLE *stellt vor:* Das ist Kaschiebe, unsre lebende Zeitung.

Und das ist die Kollegin Zabel –

KASCHIEBE Zabel.

Mir scheint, den Namen hat man schon gehört.

Ja. Einen Knopf hat sie ihm angenäht.

VERA Wer?

HILDE PRILL Einen Knopf? Wieso?

ANNA ZABEL Dem Kaderleiter.

KASCHIEBE Wieso dem Kaderleiter. Dem Sekretär.

ANNA ZABEL Ich glaub, hier gibts viel Knöpfe anzunähn.

KASCHIEBE Ja, wo ein Wille ist, ist auch ein Knopf.

Und weil sie keine Schere bei sich hatte

Hat sie den Faden abgebissen. So wars.

Ich habs von der Rothaarigen aus dem Konsum

Die hats von der Brünetten aus der Org

Die mit der Blonden aus der Kaderleitung

Ich meine mit der Schwarzen im Vorzimmer

Vom Sekretärbüro ein Zimmer hat.

Aus erster Quelle also, und ich frag euch:

Näht eine Frau einem wildfremden Mann

Einen Knopf am lebendigen Leib an ohne

Eine gewisse Absicht.

Zu Anna Zabel: Keine Angst

Der Sekretär. Das ist ein reifer Mensch.

Der fliegt nicht auf junges Gemüse.

VERA Eher

Auf alte Wurzeln, was. Wann ist Verlobung.

Ein schöner Mann, Kaschiebe.

KASCHIEBE Ein Charakter.

Das ist für dich ein Fremdwort. Arme Jugend.

VERA Ich werd verrückt. Sie liebt den Sekretär.

Und alles für den einen Walzer, den er

Mit ihr getanzt hat auf dem Kombinatsball.

Dabei muß er mit allen, als Partei.

KASCHIEBE Hat er mit dir getanzt

Zu Prill: oder mit dir?

HILDE PRILL Wir sind Genossen.

VERA So schön ist er auch nicht.

NÄGLE Unser Besuch kommt.

KASCHIEBE Was für ein Besuch?

NÄGLE Der Meister, unter Führung der Partei.

KASCHIEBE Und woher wissen wir, daß sie zu uns wolln.

NÄGLE Sie ist rasiert und hat den Schlips um.

HILDE PRILL Sie?

VERA Ja, die Partei.

KASCHIEBE Der Meister sieht nicht aus

Als ob er gern kommt.

NÄGLE Daran sieht man eben

Daß er zu uns kommt.

KASCHIEBE Was werden Sie wolln.

NÄGLE Die Kranmontage.

HILDE PRILL Wir. Die Kranmontage?

KASCHIEBE Vera. Dein Lippenstift.

NÄGLE Hast du das nötig?

Der Sekretär sieht auf die innern Werte.

Sekretär mit Meister.

MEISTER Nur über meine Leiche, Sekretär.

SEKRETÄR Wer hat die Frauen ausgebildet?

MEISTER Ich.

Ich soll euch fragen, ein Parteiauftrag
Ob ihr den Kran verlegen wollt am Montag.

HILDE PRILL Ein Kran. Wir haben das noch nie gemacht.

MEISTER Ich hab es dir gesagt, sie machens nicht.
Der Kran ist Männerarbeit. Ihr habt recht.

HILDE PRILL Das hab ich nicht gesagt.

NÄGLE Wir wolln den Männern
Die Arbeit nicht wegnehmen, großer Meister.

MEISTER Und meine Männer könnens jetzt nicht machen
Und ich bins nicht der nackt gebadet hat.

VERA Was kann Nägle dafür, wenn Ihre Schlosser
Sich Beulen haun. Wir prügeln uns bestimmt nicht
Wenn Sie nackt baden, Chef, im Baggerteich.
Machen Sie eine Probe.

MEISTER *zum Sekretär:* Halt mich fest.

SEKRETÄR *tut es:* Willst du den Kran allein verlegen.

MEISTER Könnt ichs.

KASCHIEBE Ich sag wir machens. Brigadier, was sagst du.
Und, Hilde Prill, der Kran ist Politik.
Die Freiheit fällt der Frau nicht in den Schoß.
Das einzige was uns in den Schoß fällt, sind
Die Männer. Und die Gleichberechtigung
Kriegen wir nie, wenn wir den Männern nicht
Beweisen, daß es ohne Männer geht.
Fünf Jahr hab ich gekämpft mit meinem Alten
Jetzt rührt er keine Hand mehr in der Küche.
So muß mans machen.

MEISTER In der Küche, ja.

KASCHIEBE Und mit der Kranmontage ists nicht anders.
Ich muß an meine Perspektive denken.
Zurück zur Wasserschlauchbrigade, ich?

Mit lahmen Enten Fundamente wässern
Aktivist ein Fremdwort, Prämie auch und ihr
Verdient euch krumm? Mir imponiert kein Kran.

MEISTER
Ich weiß vielleicht nicht, was ein Kran ist, schließlich
Bin ich erst dreißig Jahre auf dem Bau
Aber das weiß ich: zwischen Mann und Frau
Ist immer noch ein Unterschied. Den wäscht uns
Kein Regen ab.

Karl mit Wolle.

VERA Was für ein Unterschied
Meister. Erklärn Sies mir?

MEISTER Komm heute abend
Mit auf mein Zimmer, dann zeig ich ihn dir.

KARL Und wenn Sie hundertmal mein Chef sind, so
nicht.

MEISTER Bedien dich. Ich geh gern ins Krankenhaus.

Häcksel und Zabel.

Mit Weibern einen Kran. Das hat noch keiner
Von mir verlangt hier. Und ihr könnt nicht sagen
Daß ich euch zugeredet hab.

SEKRETÄR Nein. Das
Kann man dir wirklich nicht vorwerfen.

MEISTER Ja.
Wenn einer überfahrn wird hier, bin ichs.
Das sag ich hier vor Zeugen.

HÄCKSEL Was für ein Kran.

MEISTER Deiner. Die Weiber sollen ihn verlegen.

NÄGLE Wir wollen und wir werden, großer Meister.

MEISTER Ja, unter Führung der Partei. Ich bin
Dagegen.

ZABEL Ich bin auch dagegen.

HÄCKSEL Mich
Fragt keiner, was. Ich bin ja nur Kranführer.
Ich kann ja Schrauben drehn, wenn mir die Damen

Den Kran zu Schrott montiern. Nichts gegen dich
Jenny, und gegen deine Arbeit. Aber
Wenn ich mir vorstell: Kaschiebe und mein Kran.
KASCHIEBE Und wenn ich deinen Kran allein umleg
Ich werds dir zeigen, du, du Aktionär.
VERA Reaktionär, Kaschiebe.
KASCHIEBE Alles eins.
NÄGLE Wir müssens machen. Sonst macht sies allein.
Das wirst du doch nicht wollen, Häcksel. Oder?
Zum Meister:
Kaschiebe ist wie eine Lokomotive.
Wer kann sie halten, wenn sie unter Dampf steht.
Wir haben keine Wahl mehr, Meister. Also.
Sekretär lacht.
MEISTER Mir bricht der Schweiß aus, und du amüsierst dich.
SEKRETÄR Ich hab mich lange nicht so amüsiert, stimmt.
ZABEL Anna. Sag du ein Wort. Sei du vernünftig.
Das geht nicht gut aus. Das könnt ihr nicht machen.
Ein teures Aggregat. Der blanke Leichtsinn.
ANNA ZABEL Das hab ich auch gedacht. Jetzt denk ich anders.
ZABEL Nichts gegen Frauenarbeit. Ich war immer
Für gleiche Rechte. Aber eine Frau
Ist immer noch was andres als ein Mann.
Und irgendwo muß eine Grenze sein.
ANNA ZABEL Vielleicht ziehst du die Grenze lieber an
Einem gewissen Baggerteich bei Mondschein.
ZABEL Bleib sachlich, Anna. Meine Kaderakte
Hat keine Sommersprossen, das weiß jeder.
Ein falscher Zungenschlag am Telefon.
ANNA ZABEL Du hast mich überzeugt. Wir müssens machen.
KARL Also ich sag, die Frauen haben recht.
Und wenn der Chef mich freigibt, ich mach mit.
VERA Wir machens ohne Männer. Du lernst häkeln.
MEISTER SEKRETÄR HÄCKSEL ZABEL Häkeln?

KARL Ja. Eine Wette. Ich hab sie
Verloren. Und jetzt muß ich häkeln lernen.

KASCHIEBE Dir bring ichs auch bei, Häcksel, wenn du willst.
Prill.

MEISTER
Weibergeschwätz. Ich seh mich schon im Zuchthaus.
Weil ich euch an den Kran gelassen hab.
Von mir aus. Wenigstens hab ich dort euch nicht
Am Hals.

SEKRETÄR Bleibt nur die Frage, warum schlagt ihr
Die Hilfe aus. Was habt ihr gegen Männer.
In der Partei heißt das Sektierertum.
Das Häkeln kann er in der Freizeit lernen.
Der Kran ist Schwerarbeit.

KASCHIEBE Ich hab nichts gegen Männer.

HILDE PRILL Ich glaub nicht, daß du recht hast, Sekretär.
Wir müssen das politisch sehn, versteht ihr.
Wenn Frauen einen Kran umlegen hier
Das gibt ein Beispiel für die Republik.

HÄCKSEL Vielleicht gibst du mal deiner Frau ein Beispiel
Prill, als Vorkämpfer für das Frauenrecht.
Soll ich dir sagen, was ihr fehlt? Ein Mann.

PRILL Kollegen, das gehört wohl nicht hierher.

HÄCKSEL Mir geht mein Kran vor deiner Politik, Prill.
Das ist kein Spielzeug. Und für euch schon gar nicht.
Dich nehm ich aus. Nur über meine Leiche.

NÄGLE Das war das Schlußwort. Wir machens allein.

MEISTER Morgen früh sechs am Kran. Und wieder eine
Schlaflose Nacht. Die letzte wirds nicht sein.
Wer braucht ein Bett. Meins kann ich gleich verkaufen.
Mohammedaner hätt ich werden solln.
Lieber ein Harem als eine Brigade.
Ab.

KASCHIEBE Das könnt ihm passen, dem alten Genießer.

HÄCKSEL Jenny −

NÄGLE Noch was?

HÄCKSEL Wir müssen uns aussprechen.

NÄGLE Nur über meine Leiche, wars nicht so?

HÄCKSEL Jenny, ich hab dich nicht beleidigen wolln.
Und wenn du Delegierte werden willst
Bitte. Hoch die Arbeiterkonferenz.
Aber mein Kran ist mir mehr wert als eure
Arbeiterkonferenz. Ein Kran, das ist
Ein Kran, versteht ihr. Jenny, du verstehst mich.
Und wenn du meinen Kran zu Schrott montierst.
Jenny, du bist mir mehr wert als mein Kran.

PARTEISEKRETÄR
Ich glaub, jetzt wirds privat und ich kann gehn.
Und vielleicht überlegt ihrs euch, ob ihr
Nicht doch noch einen Mann gebrauchen könnt.
Und wenn er sich als Frau verkleiden muß
Damit das Beispiel nicht beschädigt wird.
Ab.

PRILL Politisch hast du recht, und ökonomisch
Hat er recht.

HILDE PRILL Politik vor Ökonomie.

PRILL Ökonomie vor Politik.

HILDE PRILL Also
Das müssen wir ausdiskutieren.

PRILL Wann?

HILDE PRILL Die Nacht ist lang.

PRILL Man muß auch schlafen.

HILDE PRILL Leider.

PRILL Schlafen ist auch Parteiarbeit.

HILDE PRILL Wem sagst dus.
Beide ab.

KASCHIEBE *zu Karl:* Und wir gehn häkeln lernen.
Zu Vera: Kommst du mit?

VERA Was denkst du. Daß ich dich mit meinem Karl
Allein laß. Und bei deinem Sexappeal.

KASCHIEBE Bei mir brauchst du da keine Angst zu haben.
Ich respektiere eine feste Bindung.
Ich bin nicht wie gewisse andre Leute.
Gehn wir. In einer Stunde kannst du häkeln.
Den Kaffee und den Kuchen stellt Kaschiebe.
Und ihr bringt mir die neuen Tänze bei.
Rumba und Güterbock und wie das heißt.
Ich kann nicht immer warten beim Betriebsfest
Bis eine Polka kommt oder ein Walzer.
KARL Euch beide krieg ich nicht auf mein Motorrad.
VERA Dann fährst du zweimal.
KARL Das Benzin.
VERA Karli.
KASCHIEBE Unser Quartett lassen wir jetzt allein.
Die haben jedes jedem viel zu sagen
Glaub ich. Und wenn die Wände Ohren hätten
Die Wände könnten viel erzählen morgen.
Da fällt mir ein, beinah hätt ichs vergessen:
Ich muß euch meinen Traum erzählen. Also –
VERA Kaschiebe, komm, Karli fährt ohne uns.
KASCHIEBE Mein Traum.
VERA Erzähl ihn morgen.
KASCHIEBE Wenn ihr wüßtet
Im Traum ist Wahrheit. Morgen kanns zu spät sein.
Vera zieht Kaschiebe weg.
HÄCKSEL Warum willst du nicht mit mir reden, Jenny.
ZABEL Warum ziehst du ins Frauenwohnheim, Anna.
HÄCKSEL Du machst den Clown aus mir vor den Kollegen.
ZABEL Ich bin dein Mann. Die Leute reden drüber.
NÄGLE Kann ich dafür, wenn du ihnen den Clown machst.
ANNA ZABEL
Mit wem bist du verheiratet. Mit den Leuten?
HÄCKSEL Gestern am Baggerteich.
NÄGLE Warst du der Clown, ja.

HÄCKSEL Ich?

NÄGLE Nicht allein.

ANNA ZABEL Die Leute wissen mehr
  Von dir als ich weiß.

ZABEL Und kein Wort ist wahr.

HÄCKSEL Clown oder nicht, du hast im Baggerteich
  Gebadet, und wer Schmiere stand, war Zabel.

ANNA ZABEL Das Lügen war nie deine Stärke, Zabel.

NÄGLE Was gehts dich an.

HÄCKSEL Was mich das angeht.

NÄGLE Ja.

ZABEL Wir haben uns getroffen, ja, zufällig.
  Frag den Kollegen Häcksel. Häcksel, du warst
  Dabei. Du weißt, es war ein Zufall, daß
  Wir uns getroffen haben, du und ich
  Und die Kollegin Nägle, gestern.

HÄCKSEL Ein Zufall.

NÄGLE Warum regst du dich denn auf.

HÄCKSEL Das fragst du. Du fragst, warum ich mich aufreg
  Wenn du mit andern –

NÄGLE Wenn ich was mit wem.

HÄCKSEL Willst du mich heiraten, Jenny.

NÄGLE Warum.

HÄCKSEL Warum.

ANNA ZABEL Ich hab geglaubt, du kennst mich besser, Zabel.

ZABEL Ja, ich hab auch geglaubt, du kennst mich, Anna.

ANNA ZABEL Wenn dir mal eine andre Frau gefällt
  Ich bin nicht eifersüchtiger als andre
  Und mir gefällt auch mal ein andrer Mann. –

HÄCKSEL Ich hab dich was gefragt.

NÄGLE Und ich dich, Häcksel.

ZABEL Ein andrer Mann –

ANNA ZABEL Ja, hast du was dagegen.

ZABEL Ob ich – Natürlich hab ich was dagegen. Wer –

ANNA ZABEL Bist du eifersüchtig?

ZABEL Nein.

ANNA ZABEL Ich auch nicht.

ZABEL Du auch nicht. So.

ANNA ZABEL Störts dich?

ZABEL Mich. Nein. Warum auch.

ANNA ZABEL Dann ists ja gut. Und aus dem Märchenalter
Bin ich heraus. Die Ehe als Versteckspiel –

ZABEL Was heißt Versteckspiel. Wer versteckt sich.

ANNA ZABEL Du.
Und jetzt, wenn dirs nichts ausmacht vor den Leuten
Daß du mit deiner Frau gesehn wirst, und
Am Sonntag, und vielleicht noch Arm in Arm
Gehn wir, und du zeigst mir dein Eigenheim.
Wenigstens will ich wissen, wies dort aussieht.
Und wenn du keine Märchen mehr erzählst
Kannst du mir einen Heiratsantrag machen.
Hier störn wir nämlich.

HÄCKSEL Allerdings.

NÄGLE Mich nicht.

Zabel und Anna Zabel ab.

HÄCKSEL Ich hab dich was gefragt.

NÄGLE Und ich dich, Häcksel.

HÄCKSEL Ich wart auf deine Antwort.

NÄGLE Ich auf deine.

HÄCKSEL Und warum willst du mich nicht heiraten, Jenny.

NÄGLE Und warum willst du mich heiraten, Häcksel.
Warum nicht lieber einen Hund zum Beispiel.
Hunde sind treu und Hunde sind bequem.
Wenn dein Hund fremd geht oder delegiert wird,
Legst du ihn an die Kette oder zeigst ihm
Den Knüppel und gleich weiß er, wo Gott wohnt.
Mich würd ich nicht heiraten, wenn ich du wär.
Wenn ich ein Mann wär, ich nähm einen Hund.

HÄCKSEL Zum letzten Mal, Jenny: mir ist es ernst.
In der Versammlung meine Rede war
Vielleicht ein Blödsinn. Gut, ich machs nicht wieder.
Aber die Modenschau am Baggerteich
Mußte nicht sein. Das machst du nicht noch mal, du.
NÄGLE Und wenn ichs wieder mach.
HÄCKSEL Zum letzten Mal:
Was war, das ist gewesen und kein Wort mehr.
Ich will nicht wissen, wo du hingefahrn bist
Am Wochenende. Du fährst nicht mehr hin.
NÄGLE Am nächsten Wochenende fahr ich wieder.
HÄCKSEL Das Wochenende überlebt er nicht.
Wenn dir sein Leben lieb ist, bleibst du hier.
NÄGLE
Wenn du ihn kennst, sagst du das nicht mehr, Häcksel.
HÄCKSEL
Und wenns ein Schrank ist, ich bin auch ein Schrank.
Du wirsts erleben, und ich wünsch dirs nicht.
Und der ist nicht der letzte, den ich umbring.
Ich bin der Clown, wenn die Kollegen sich
Das Maul zerreißen über dich. Ich glaub
Kein Wort von allem, was sie dir nachreden
Aber ich hab ein Recht drauf, ich wills wissen.
Hast du mit ihnen oder hast du nicht.
NÄGLE Und wenn.
HÄCKSEL So ist das also.
NÄGLE Das hast du
Gesagt.
HÄCKSEL Das kann nicht wahr sein, Jenny, sag
Daß es nicht wahr ist, Jenny. Du hast nicht –
NÄGLE Das hab ich nicht gesagt.
HÄCKSEL Ja oder Nein.
NÄGLE Frag ich dich, wieviel Frauen du gehabt hast.
HÄCKSEL Ein Mann ist keine Frau. Das ist was andres.

NÄGLE Du mußt es wissen. Wenn du fertig bist
Mit unsern Möbeln, anderswo gibts mehr.
Ab. Häcksel fährt fort, das Mobiliar zu demolieren.
HÄCKSEL Ich bring sie um. Ich bring sie alle um.

6

Straße.
Kaschiebe und ihr Mann im Kampf um ein Fahrrad. Nägle.

KASCHIEBE Gut, daß du kommst. Seit einer Stunde red ich.
Er gibt das Rad nicht her.
KASCHIEBE-MANN Ich gebs nicht her.
Den Krieg hats überlebt. Dich überlebts nicht.
Gern tät ich Ihnen den Gefalln, Fräulein.
So alt bin ich noch nicht.
KASCHIEBE Nimm deine Augen
Von meinem Brigadier und gib das Rad her.
Der erste Bus geht in zwei Stunden und
Wir müssen einen Kran montieren, Alter.
Ich wette, du weißt nicht mal, was ein Kran ist.
KASCHIEBE-MANN
Und wie komm ich zur Arbeit ohne Fahrrad.
KASCHIEBE Fahr mit dem Bus. Das ist gesünder. Der
Hält nicht an jeder Kneipe.
KASCHIEBE-MANN Wissen Sie
Das Rad ist unersetzlich. Friedensware.
Und aus dem ersten Frieden. Eine Prämie
Von meinem Chef persönlich zum Andenken.
Nachtwächter war ich in seiner Fabrik.
Und einmal nachts wird eingebrochen. Auf den
Tresor hatten sies abgesehn, verstehn Sie
Drei schwere Jungs mit Maske und Revolver.

Und ich hab sie in Schach gehalten, ich
Und mit der nackten Hand und hab dem Chef den
Tresor gerettet, ein Vermögen.
KASCHIEBE Dein
Ruin wars. Angeschossen haben sie ihn.
Weil er so mutig war. Und seitdem hinkt er.
KASCHIEBE-MANN Ja, und vom Chef persönlich hab ich denn
Das Rad gekriegt als Prämie zum Andenken
Weil ich nicht mehr arbeiten konnte bei ihm.
Treue um Treue, Fräulein. Laß mein Rad los.
KASCHIEBE Treue um Treue. Hast du das gehört.
Her mit dem Kapitalistenrad, du Rückstand.
KASCHIEBE-MANN Hast du die Nase wieder mal zu tief
In die Zeitung gesteckt. Das hört mir auf.
In mein Haus kommt mir keine Zeitung mehr.
KASCHIEBE Laß deine Prämie los, du Cheftresor.
Ich laß mir meine Prämie nicht versalzen.
Ich sags dir hier vor Zeugen: ich zieh morgen.
Ich mach mich selbständig, wenn du nicht gleich
Dein schäbiges Kapitalistenrad herausrückst.
KASCHIEBE-MANN
Emma, was soll das Fräulein von uns denken.
KASCHIEBE Ich zähl bis drei, dann bricht die Revolution aus.
Dann kannst du deine Socken selber stopfen.
KASCHIEBE-MANN Hier ist der Schlüssel.
KASCHIEBE Da bricht ihm der Schweiß aus.
So muß man mit den Männern umgehn, Mädchen.
Zu ihrem Mann:
Ich werds behandeln wie ein rohes Ei.
Dein Frühstück steht im Herd. Und zieh dich warm an.
Ich hab die Schererei mit deinem Rheuma.
NÄGLE Machen Sie sich nichts draus. Steig auf, Kaschiebe.
In zehn Minuten müssen wir am Kran sein.
Ich hab mehr Helden falln sehn hier, Kollege.

KASCHIEBE Seit gestern fallen sie besonders dicht.

NÄGLE *fährt los:* Das hätt ich dir nicht zugetraut. Du bist
Ein großer Agitator. He, wo bleibst du.

KASCHIEBE Ich komm ja schon.

NÄGLE Kaschiebe. Paß doch auf.
Du fährst mich um.

KASCHIEBE Das Kapitalistenrad
Fährt immer in die andre Richtung.

NÄGLE Sag mal
Kaschiebe, kannst du überhaupt radfahrn.

KASCHIEBE Ich schon. Aber das Fahrrad macht nicht mit.
Ich werds ihm zeigen.

NÄGLE Du brichst dir das Genick.
Bist du wenigstens schwindelfrei, Kaschiebe.
Ich nehm dich mit.

KASCHIEBE Und wenn die Polizei kommt.

NÄGLE Du bist mit deinem Mann fertig geworden.
Da wirst du mit der Polizei auch fertig.
Festhalten.

KASCHIEBE Und wer sorgt für mein Begräbnis?
Kirchensteuer hab ich auch nicht bezahlt.

7

Bierschwemme.
Zwei Blessierte. Ein Kasten Bier.

1. BLESSIERTER
Ich glaub, es ist ein Fehler, daß wir krank sind.

2. BLESSIERTER Ich weiß nicht, was daran verkehrt sein soll.
Das Bier könnt besser sein, wenn du das meinst.
Die Kranmontage ist uns jedenfalls
Erspart geblieben.

1. BLESSIERTER Eben.

2. BLESSIERTER Bist du krank.

Drückt dir der Turban aufs Gehirn. Wir sind

Unter uns Jungfraun. Warum zierst du dich.

Nimmt den Verband ab, der andere ebenso.

Ein Kranker spuckt dem andern nicht ins Bier.

1. BLESSIERTER Ich red nicht davon, daß die Prämie ausfällt.

Ich bin schon beinah über jede Mark froh

Die ich nicht hab. Ein Geld zu viel im Haus

Und meine Frau kauft eine Waschmaschine.

Staubsauger hat sie schon, Kühlschrank, was weiß ich.

Und mit jeder neuen Maschine reißt sie

Die Klappe drei Etagen weiter auf.

Die Technik macht die Weiber renitent.

Du mußt das vom historischen Standpunkt ansehn.

2. BLESSIERTER Ich wußte nicht, daß du hysterisch bist.

1. BLESSIERTER Historisch.

2. BLESSIERTER Was ist das für eine Krankheit.

1. BLESSIERTER Gestern hat meine Frau von mir verlangt

Daß ich Geschirr spül.

2. BLESSIERTER Wenn du dirs gefalln läßt.

1. BLESSIERTER

Ich hab ihr meinen Standpunkt klargemacht.

2. BLESSIERTER Historisch.

1. BLESSIERTER Ja. Drei Teller an die Wand.

Und was soll ich dir sagen. Heute früh

Probiert sies wieder.

2. BLESSIERTER Hast du ihr den Standpunkt –

1. BLESSIERTER

Ich hab nur noch zwei Teller. Und die Scherben

Von gestern liegen in der Küche heut noch.

Und meine Frau studiert.

2. BLESSIERTER Studiert?

1. BLESSIERTER Studiert.

2. BLESSIERTER

In deiner Haut möcht ich nicht stecken, Alter.

1. BLESSIERTER Heute bin ich dran, morgen bist es du.

Das ist wie eine Krankheit. Das steckt an.

Und wenn die Weiber jetzt den Kran montieren

Kein Mann dabei, und sie schaffens allein

Behalten sie die Hosen gleich an und

Wir stehn im Hemd bis in die Steinzeit.

2. BLESSIERTER Da ist

Was dran. Du meinst, wir sollten —

1. BLESSIERTER *Verband auf:* Ich bin krank.

2. BLESSIERTER *ebenso:*

Ich auch. Du meinst, die andern sollten.

1. BLESSIERTER Ja.

2. BLESSIERTER

Das hat was für sich, vom historischen Standpunkt.

Brigadier, Karl, Prill, letzterer ohne Kopfverband. Karl häkelt.

1. BLESSIERTER

Sieh dir das an. Den haben sie schon geschafft.

KARL Ich hab gewettet. Meine letzte Wette

Mit meiner Frau. Mir stehts bis hier. Aber

Die Hochzeit fällt ins Wasser ohne Häkeln.

Und unter zwei Pullovern macht sies nicht.

1. BLESSIERTER Du strickst dein eigenes Gefängnis, Junge.

2. BLESSIERTER

Paß auf, daß dir kein Busen wächst vom Häkeln.

KARL Mir kribbelts schon. Ich zeig dir auch gleich, wo.

2. BLESSIERTER He, ich bin krank.

PRILL Vom Bier, was?

2. BLESSIERTER Bier? Kein Tropfen.

Zehn leere Flaschen. Hier.

Zeigt Bierkasten.

BRIGADIER Ja, und zwei volle.

1. BLESSIERTER Kollegen, wir müssen den Weibern helfen.
KARL Ich bin dafür. Die Weiber wollen nicht.
PRILL Ich bin dagegen.
BRIGADIER Du, Prill?
PRILL Allerdings.
 Wir müssen das politisch sehn, Kollegen.
2. BLESSIERTER Historisch.
PRILL Ja, so kann mans auch ausdrücken.
 Wenn unsre Frauen hier den Kran umlegen
 Das gibt ein Beispiel für die Republik.
1. BLESSIERTER
 Stimmt. Darum müssen wir. Das heißt: ihr müßt –
 Solang wir krank sind, mein ich –
BRIGADIER Lang genug, wie.
1. BLESSIERTER Ich wär der erste, der vorangeht, aber
 Ich muß mir meine Arbeitskraft erhalten.
BRIGADIER Krank für den Sozialismus, wie.
1. BLESSIERTER Genau.
2. BLESSIERTER Ja, ich wär auch der erste. Aber leider.
1. BLESSIERTER
 Ja, wenn dein Beispiel Schule macht, Prill, stehn wir.
2. BLESSIERTER Im Hemd.
1. BLESSIERTER Bis in die Steinzeit.
2. BLESSIERTER Und historisch.
1. BLESSIERTER Ich hab ein Buch gelesen. In der Südsee –
BRIGADIER Du hast ein Buch gelesen?
KARL In der Südsee.
1. BLESSIERTER Ja, in der Südsee gibt es eine Insel –
BRIGADIER Nicht möglich. In der Südsee eine Insel?
1. BLESSIERTER
 Euch wird das Lachen auch vergehn. Dort sind
 Die Weiber an der Macht, und das sieht so aus:
 Männer, solang sie ledig sind, hausen
 Zu hundert in einer Baracke. Dort

Müssen sie Häkeln lernen beispielsweise
Waschen und Kochen und die Kinder wickeln.
Wenn einer ausgelernt hat, ist er fällig.
Die Weiber kommen, eine Kommission.
Die einen Mann braucht, sucht sich einen aus.
Zur Probe. Der muß ihr die Arbeit machen.
Wenn er ihr nicht mehr paßt, tauscht sie ihn um.
Die Weiber amüsiern sich, Bier und Fußball.
So ist das in der Südsee. Und so wirds
Bei uns, wenn ihr den Weibern nicht am Kran helft.
Häcksel.

HÄCKSEL Kollegen, helft mir schnell zu meinem Kran.
Vom Schraubendrehn kann ich den Polterabend
Im Frauenwohnheim nicht bezahlen.

1. BLESSIERTER Ja.
Das Temperament.

PRILL Was für ein Polterabend.

KARL Wann steigt die Hochzeit.

2. BLESSIERTER Hat sie dich soweit.
Othello.

1. BLESSIERTER Er war eifersüchtig auf
Das Mobiliar im Frauenwohnheim, und
Deswegen hat er Kleinholz draus gemacht.
Und jetzt muß ers bezahlen.

BRIGADIER Gratuliere.

PRILL Volkseignes Mobiliar. Zu Kleinholz. Und
Du gratulierst noch. Das ist Rowdytum.

HÄCKSEL Es ist nicht nur der Kran. Mir gehts um mehr.
Und wenn die Weiber mit dem Kran, ich meine
Wenn wir den Weibern nicht am Kran, ich meine
Wenn meine Frau nicht merkt, daß mirs um mehr geht
Als um den Kran, wird sie nicht meine Frau.

BRIGADIER Wir würden dir gern helfen, Häcksel. Aber —

2. BLESSIERTER Was gibst du aus, Häcksel, für deine Frau.

HÄCKSEL Ein Kasten Bier.

2. BLESSIERTER Ich kann auf einem Bein
Nicht stehn.

HÄCKSEL Zwei Kästen. Wenn der Kran steht.

2. BLESSIERTER Ich will
Die Ware sehn, eh ich den Preis zahl.

BRIGADIER Ihr habt
Genug.

2. BLESSIERTER Ich meine: Bier für alle.

HÄCKSEL Da.

PRILL Nichts gegen Bier, Kollegen, aber erst
Die sauren Wochen, dann die frohen Feste.

BRIGADIER Seit wann ist dir die Arbeit sauer, Prill?

PRILL Das war nur ein Zitat. Von Goethe. Und
Das müssen wir kritisch aneignen, und
Bei uns natürlich ist es umgekehrt.

BRIGADIER Die Weiber wolln den Kran allein montieren.
Dreimal hab ich verhandelt. Nichts zu machen.

HÄCKSEL Und wenn ich auf den Knien rutschen muß.

1. BLESSIERTER Das will ich sehn.

HÄCKSEL Was.

1. BLESSIERTER Wenn du auf den Knien rutschst.

PRILL Wir können dir nicht helfen, Häcksel. Leider.
Wir müssen das politisch sehn, verstehst du.
Das Beispiel.

HÄCKSEL Wir verkleiden uns. Als Weiber.
Damit dein Beispiel nicht beschädigt wird.

PRILL Bei dem Theater mach ich nicht mit. Wollt ihr
Der Republik Sand in die Augen streun.
Was ist das für ein Beispiel. Mit Perücken.

HÄCKSEL Perücken müssen her. He. Inspizient.
Inspizient.
Wir brauchen vier Perücken.

1. UND 2. BLESSIERTER *demaskieren sich:* Sechs.

INSPIZIENT Moment.
Ab.
HÄCKSEL Ihr seid krank, was.
1. UND 2. BLESSIERTER *einer zum andern:*
Siehst du hier einen Kranken.
Ein kleiner Urlaub, Häcksel. Dir zu danken.
Kleine Verbeugung vor Häcksel.
HÄCKSEL Spielt wo ihr wollt Theater. Nicht mit mir.
Ich zeig euch, wer hier krank ist.
Schlägt sie. Beide fallen um.
1. UND 2. BLESSIERTER Jetzt sinds wir.
Inspizient mit Perücken.
INSPIZIENT Die sechs Perücken.
BRIGADIER Wir brauchen nur vier.
HÄCKSEL Und jetzt zum Kran.
Ab mit den andern. Die Blessierten setzen ihre Kopfver-
bände wieder auf.
1. UND 2. BLESSIERTER Was uns bleibt, ist das Bier.

8

Baustelle.
Frühstückspause.
Weiber- und Männerbrigade, außer die Blessierten.
Männer ohne Perücken.

HÄCKSEL Wenn wir das Tempo halten, steht mein Kran
Vor dem Termin.
NÄGLE Ja. Willst du mich heiraten, Häcksel.
HÄCKSEL Hat sie gesagt heiraten. Ob ich will.
Ich. Seit ich meiner Mutter von der Brust bin
Hab ich nichts anderes gewollt. Ob ich will.
NÄGLE Ich muß dir noch was sagen und vielleicht
Willst du mich dann nicht mehr heiraten, Häcksel.

KASCHIEBE Jetzt kommt die Beichte, Kinder, jetzt paßt auf.

HÄCKSEL Was war, das ist gewesen und kein Wort mehr.

NÄGLE Nicht alles was war, Häcksel, ist vorbei.

HÄCKSEL Mach mich jetzt nicht verrückt.

NÄGLE Mein Wochenende –

KASCHIEBE Das Wochenende. Kinder, jetzt wirds spannend.

NÄGLE Ich hätt es dir schon lange sagen solln.
Ich hab gedacht, du willst vielleicht nur mich.
Mein Wochenende, Häcksel, ist ein Kind.

KASCHIEBE
Ich habs mir gleich gedacht. Sie hat was Kleines.

HÄCKSEL Ein Kind. Ein richtiges Kind.

NÄGLE Ja, mit zwei Beinen.
Zwei Arme hat es auch.

HÄCKSEL Wer ist der Kerl.
Der lebt nicht lange. Der ist schon so gut
Wie tot. Sag mir nur, wer es ist.

NÄGLE Warum.

HÄCKSEL Ist es von denen einer, von den lieben
Kollegen.

BRIGADIER Häcksel, denk an deinen Kran.

HÄCKSEL *zu Nägle:* Hast du gesagt, warum?
Pause.
Wenn einer hier
Von deinem Kind der Vater ist, bin ich das.
Hast du gelacht, Prill.

PRILL Ich?

HÄCKSEL *zu Karl:* Du?

KARL Nein.

BRIGADIER Warum auch.

HÄCKSEL Du sagst es, Brigadier. Kollegen. Ein
Historischer Moment. Ich bin soeben
Vater geworden. Junge oder Mädchen.

NÄGLE Junge.

HÄCKSEL Es ist ein Junge. Wie alt.

NÄGLE Vier.

HÄCKSEL Vier Jahre alt.

KARL Das macht dir keiner nach
Kranführer.

VERA Karli.

HÄCKSEL Du bestimmt nicht, Grünling.

KASCHIEBE Kein Wort hier gegen den Kranführer. Ich
Habs dir gesagt, er liegt dir in den Karten.
Gegen die Sterne ist kein Kraut gewachsen.
Und auch kein Kind. Hast du auch Kinder, Häcksel.
Du warst auch manchmal weg am Wochenende.
Seit ich in der Brigade bin, viermal.
Das junge Glück. Mir hättst dus sagen können.
Wolltst du mich um die Patenschaft betrügen.
Daraus wird nichts. Gib mir die Maße mit
Nach Feierabend. Ich werd ihm was häkeln.

HILDE PRILL Der Kindergarten ist besetzt. Ich ruf
Den Frauenausschuß an. Es muß ein Platz sein.

PRILL Und wenn ihr einen Bürgen braucht, Kollegen
Für euren Ersten, wenn er soweit ist –

VERA Du hast ein Fahrrad, Karli, schenk es ihm.

KARL Wem.

VERA Brigadier, wir schenken ihm ein Fahrrad.

HÄCKSEL Kommt nicht in Frage. Mein Sohn fährt nur Auto.

VERA Ich will auch Kinder haben, Karli.

KARL Wenn ich
Mit dem Pullover fertig bin.

VERA Gut, Karli.
Dauerts noch lange?

KARL Mit dem zweiten.

VERA Das
Dauert zu lange. Ein Pullover tuts auch.

KARL Vor Zeugen. Ein Pullover.

VERA Einer, Karli.

KASCHIEBE Was ist mit deinem Wochenende, Häcksel.

Mir kannst du alles sagen. Ich kann schweigen.

HÄCKSEL Ja, wie ein Friedhof nach der Auferstehung.

BRIGADIER Setzt die Perücken auf. Da kommt ein – Mensch.

Männer setzen die Perücken auf.

BRIGADIER Mann oder Frau ist nicht zu unterscheiden

Aus der Entfernung.

Franz Häcksel, langhaarig.

Aus der Nähe auch nicht.

PRILL Betriebsfremd jedenfalls.

VERA Mann oder Frau

Was sagst du, Karli.

KARL Eine Frau. Das sieht

Ein Blinder.

VERA Und ich sag, es ist ein Mann.

Wetten.

KARL Ich wette nicht mehr.

VERA Karli.

KARL Wenn das ein Mann ist, freß ich einen Besen.

FRANZ HÄCKSEL *mit Kopfstimme:*

Ich glaub, ich bin verkehrt hier. Alles Weiber.

KASCHIEBE Bist du was Bessres.

FRANZ HÄCKSEL Hab ich das gesagt.

Ich such den Kranführer.

NÄGLE Davon gibts mehr.

KASCHIEBE Das Wochenende.

FRANZ HÄCKSEL *vor Nägle:* Häcksel ist mein Name.

BRIGADIER Jetzt kommts heraus. Häcksel treibt Bigamie.

KASCHIEBE Ich hab gedacht, die Sterne lügen nicht.

PRILL Ich hab dir gleich gesagt: ein Aberglaube.

KASCHIEBE Gleich morgen tret ich ein in die Partei, Prill.

NÄGLE *zu Häcksel:* Hast du mir was zu sagen.

HÄCKSEL Ob ich dir.

NÄGLE Hast du gesagt, du willst heiraten, Häcksel.

Vielleicht heiratst du erst mal deine Frau.

Und deinen Kran kannst du allein verlegen.

HÄCKSEL Ich pfeif auf meinen Kran.

NÄGLE Und ich auf dich.

HILDE PRILL

Ich glaub, hier wird ein Schiedsrichter gebraucht.

HÄCKSEL Halt dich heraus, Prill.

FRANZ HÄCKSEL *zu Nägle:* Mädchen, du gefällst mir.

NÄGLE Da steht dein Kranführer. Ich schenk ihn dir.

FRANZ HÄCKSEL Die alte Eule? Ich such einen Mann.

KARL Bei uns nicht, Puppe. So schön bist du nicht.

FRANZ HÄCKSEL *mit normaler Stimme:*

He, was ist hier los. Macht ihr Maskenball.

VERA Karli!

KARL Verdammt, warum hab ich gewettet.

VERA Wer hat gewonnen.

KARL Ich freß einen Besen.

VERA Ich hol dir einen. Ich nehm dein Motorrad.

HÄCKSEL Und wenn du meine Frau noch lange anstarrst

Werd ich dir zeigen, was ein Mann ist.

FRANZ HÄCKSEL He.

Eine Pupille wird wohl noch erlaubt sein.

Die Stimme kenn ich doch. Alter. Wie gehts dir.

KASCHIEBE Er hat sich rangehalten, der Kranführer.

Früh übt sich, was ein Vater werden will.

Jetzt habt ihr schon zwei Kinder, Brigadier.

NÄGLE Ich hab nichts gegen Kinder.

HÄCKSEL Ich vielleicht?

Es ist mein Bruder. Franz —

KASCHIEBE Heißt die Kanaille.

Warum lacht keiner über meine Witze.

HÄCKSEL Wie läufst du überhaupt herum. Was soll das.

FRANZ HÄCKSEL

Dein Kissen ist auch nicht von schlechten Eltern.

HÄCKSEL Wir sind im Dienst. Die Haare sind politisch.

FRANZ HÄCKSEL Mir kannst du viel erzählen.

HÄCKSEL Noch ein Wort.

Und du hast eine Glatze.

FRANZ HÄCKSEL Guter Vorschlag.

Ich überleg schon lange, ob ich ernst mach.

Und wenn man dich so sieht, spricht viel dafür.

Du hast mich überzeugt, ich sattle um.

Ich muß dich sprechen, Alter. Unter Männern.

Ich brauch zweihundert Mark. Gleich.

HÄCKSEL Ich brauch mehr.

Was hast du angestellt.

FRANZ HÄCKSEL Motorradschaden.

HÄCKSEL Seit wann hast du –

FRANZ HÄCKSEL Ich nicht. Mein Meister. Ich habs

Zu Bruch gefahren. Er hats mir geborgt.

Das heißt, er weiß nicht, daß ers mir geborgt hat.

Ich gebs ihm wieder nach der Reparatur.

Verstehst du, ich muß in den Tabak schießen

Wenn ich das Geld nicht auftreib. Einlochen

Laß ich mich nicht. Lieber mach ich die Mücke.

HÄCKSEL Das hat mir noch gefehlt.

NÄGLE Wo brennts denn, Häcksel.

HÄCKSEL Er hat was ausgefressen. Er braucht Geld.

Sonst muß er sitzen. Und das tät ihm gut.

Die Mücke machen. Dummer Hund. Lieber

Sperr ich dich eigenhändig ein.

NÄGLE Wieviel?

FRANZ HÄCKSEL Zweihundert.

HÄCKSEL Das fehlt noch, daß mein Halbstarker

Deine Prämie schluckt. Was dem fehlt, ist eine

Eiserne Hand.

FRANZ HÄCKSEL Erst mal die goldne, Alter.

NÄGLE Was hat er denn gelernt.

FRANZ HÄCKSEL Ich? Autoschlosser.

NÄGLE Dort steht ein Kran. Das heißt, noch steht er nicht
Aber wir habens eilig. Wenn du willst
Kannst du deine zweihundert abarbeiten.

FRANZ HÄCKSEL Das ist ein Wort.

NÄGLE Die Pause ist beendet.

HÄCKSEL Und deine Glatze schlag dir aus dem Kopf
Bis der Kran steht.

FRANZ HÄCKSEL Warum?

PRILL Aus Politik.

FRANZ HÄCKSEL Was ich noch sagen wollte, Schwägerin
Wenn du Probleme hast mit meinem Bruder
Es ist nicht leicht mit ihm, Anruf genügt.

NÄGLE Jetzt hab ich drei Männer, und keinen störts.

KASCHIEBE Ich hab euch meinen Traum noch nicht erzählt.
Man kommt zu nichts hier. Es passiert zu viel.
Das muß ich euch erzählen. Also ich
Sitz auf dem Kran, die Menschheit unter mir –

HILDE PRILL Die Pause ist zu Ende. Für dich auch
Kaschiebe.

KASCHIEBE Wo ist Vera. So ists richtig.
Die Jugend amüsiert sich. Und ich soll
Arbeiten. Keine Achtung vor dem Alter.
Vera mit Besen.

VERA Dein Besen, Karli, frisch aus der HO.
Soll ich ihn braten.

KARL Nein, ich eß ihn roh.
Zur goldnen Hochzeit, und als Hauptgericht.
Zum Publikum:
Ich glaub, so alt wird unsre Hochzeit nicht.
Pflanzt den Besen auf und geht den andern nach zum Kran.
Vorhang.
Kaschiebe vor dem Vorhang.
Arbeitslärm und Rufe hinter dem Vorhang.

RUF Kaschiebe.

KASCHIEBE Ohne mich gehts nicht voran.
  Ich bin das Arbeitstier. Aber der Mensch
  Braucht einen Menschen manchmal, der ihm zuhört
  Seit gestern liegt der Traum mir auf der Leber
  Und keine Menschenseele hat ein Ohr.
  So oder so. Die Sache muß heraus.
  Also ich sitz, die Menschheit unter mir –
  Zabel.

ZABEL Anna –

KASCHIEBE So kennt der seine Akten. Ich heiß
  Emma.

ZABEL *bemerkt sie:* Kaschiebe.

KASCHIEBE Richtig.

ZABEL Meine Frau –

KASCHIEBE Ich bin nicht Ihre Frau, Sie Wüstling. Erst
  Schmeißt er sich ran bei userm Brigadier.
  Dann, weil der Kranführer drei Muskeln mehr hat
  Macht er Rückzieher, und jetzt gehts auf mich.
  Kriegen Sie nie genug. In Ihrem Alter.
  Ich warne Sie. Mein Mann hat drei Bankräuber
  In Schach gehalten mit der bloßen Hand.

ZABEL Ich suche meine Frau.

KASCHIEBE *kühl:* Am Kran, Kollege.
  Zabel ab hinter den Vorhang.
  Ich will doch sehn, was der von seiner Frau will.
  Will denn hier keiner diesen Vorhang aufziehn.
  Hier wollen alle wissen, was gespielt wird.
  Vorhang auf.

ZABEL *nach oben:* Anna. Kannst du mal runterkommen.

STIMME ANNA ZABEL Nein.
  Was willst du auf dem Bauplatz. Wird dein Schreibtisch
  Desinfiziert.

ZABEL Ich hab dir was zu sagen.

STIMME ANNA ZABEL Hat das nicht Zeit bis heute abend.

ZABEL Nein.

Wir haben eine Wohnung.

STIMME ANNA ZABEL Eine Wohnung.

Nägle. Häcksel. Zabel hat eine Wohnung
Für euch. Sie haben einen Sohn. Wir nehmen
Die nächste.

ZABEL Das kannst du nicht machen, Anna.

Das glaubt kein Mensch. Wir sind hier nicht im Kino.

KASCHIEBE Der weiß nicht, daß er im Theater ist.

Der wird sich wundern, wenn der Vorhang fällt.
*Vom Schnürboden Nägle, Anna Zabel und die Brüder
Häcksel.*

HÄCKSEL Wie hast du das gemacht. Mensch. Kaderleiter.

Kaum bin ich Vater, hab ich eine Wohnung.

ZABEL Man kümmert sich um seine Leute. Und

Was soll die Maskerade.

FRANZ HÄCKSEL Politik.

Der Kran ist Frauenarbeit. Beispielsweise.

ZABEL Ich hätt gewettet, das ist eine Tochter.

Und schnell ist er gewachsen, euer Sohn.

HÄCKSEL Nachmachen, Kaderleiter.

NÄGLE Für die Wohnung

Was meinst du, Häcksel, hat er einen Kuß
Verdient.

HÄCKSEL Damit ist Schluß.

NÄGLE Von seiner Frau.

ANNA ZABEL

Ich glaub, jetzt muß ich doch herunterkommen.

FRANZ HÄCKSEL Und wer küßt mich.

Will Nägle küssen. Gegen Häcksel:
Das bleibt in der Familie.

HÄCKSEL Das Ganze halt. Das Stück geht so nicht weiter.

Zur Liebe brauch ich keine Mitarbeiter.

Ich bin kein Witz für die Theaterkasse.
In meiner Eigenschaft als Arbeiterklasse
Greif ich jetzt ein in die Dramaturgie
Und übernehme selber die Regie.
Kollegen, zu eurer Information:
Ich bin der Held. Ich mach euch nicht den Clown.
Drum hab ich jetzt beschlossen, daß ihrs wißt
Daß dieser Bruder meine Schwester ist.

KASCHIEBE

Was Gott gemacht hat, soll der Mensch nicht lästern.
Wenn ihr mich fragt. Brüder sind keine Schwestern.

FRANZ HÄCKSEL Kaschiebe, du hast auch recht. Und ich bleib
Was ich immer gewesen bin.

*Nimmt Beatle-Perücke ab und demaskiert sich so als Frau
mit Pagenkopf.*

MÄNNER Ein Weib.

FRANZ HÄCKSEL

Nicht an den Haaren kennt man Frau und Mann
Und im Prognosezeitraum kommt es an
Nicht auf das Kissen, sondern auf den Kopf
Und manche Bürste ist ein alter Zopf.

KARL Das Ding ist gut. Vera, hier steht dein Besen.

VERA Karli.

KARL Ich zähl bis drei, dann geh ich fremd.

Geht auf Franz Häcksel zu.

Eins.

VERA Karli.

KARL *geht weiter:* Zwei:

VERA Karl. Sei nicht so unverschämt.

Nimmt den Besen.

Zur goldnen Hochzeit.

Karl bleibt stehen.

Wenn du treu bist. Frieden?

Umarmt ihn. Zum Publikum:

Bis dahin bin ich schon dreimal geschieden.

PRILL Kollegen, wenn wir schon beim Ändern sind
　　　Was mich angeht und meine Frau, ich find
　　　Wir stimmen mit dem Leben sozusagen
　　　Nicht überein. Das muß man doch mal sagen
　　　Ich meine, will man uns hier karikieren.
ZABEL Das mußt du mit dem Autor diskutieren.
NÄGLE Wenn der Kran steht Kollegen, wir verlieren
　　　Schon viel zu viel Zeit hier mit dem Theater.
　　　Mein Mann braucht seinen Kran. Er ist jetzt Vater.
　　　Vorhang.
KASCHIEBE *vor dem Vorhang:*
　　　Wenns intressant wird, fällt der Vorhang. Typisch.
　　　Wo warn wir stehngeblieben. Also ich –
　　　Meister.
MEISTER Was werd ich sehn. Der Kran ein Haufen Schrott
　　　Und unter seinen Trümmern meine Leute.
　　　Ich hätt es wissen müssen. Ich zuerst.
　　　Sieht Kaschiebe.
　　　Kaschiebe. Hast dus überlebt. Allein.
KASCHIEBE Ich überlebe meine Träume immer.
MEISTER Ein schöner Traum. Wann ist es denn passiert.
KASCHIEBE Nach Mitternacht.
MEISTER Wieso nach Mitternacht.
KASCHIEBE Der Geist schweift, wo er will und wann er will.
MEISTER Was für ein Geist. Sie ist verrückt geworden.
KASCHIEBE Also ich sitz, die Menschheit unter mir –
MEISTER Am besten, ich werd auch verrückt. Dann hab
　　　Ichs hinter mir. Erkennst du mich, Kaschiebe.
　　　Ich bin der Papst.
KASCHIEBE Und ich die Muttergottes.
MEISTER Ich kann kein Blut sehn. Einmal muß es sein.
　　　Blickt durch den Vorhang.
　　　Kaschiebe. Warum machst du mich verrückt.
KASCHIEBE Ich?

MEISTER Alles ist in Ordnung und du redest
  Mir eine Katastrophe an den Hals.
KASCHIEBE Ich wollte Ihnen meinen Traum erzählen.
  Ich glaub, jetzt laß ichs. Ich träum nicht für jeden.
  Meister ab durch den Vorhang.
  Also ich sitz –
  Die zwei Blessierten.
  Der Lahme und der Blinde.
  Hier wird gearbeitet.
1. BLESSIERTER Man siehts an dir.
KASCHIEBE Habt ihr herausgefunden aus dem Bier.
2. BLESSIERTER
  Hoffentlich kommen wir nicht schon zu spät.
1. BLESSIERTER *blickt durch den Vorhang:*
  Die Prämie ist im Eimer. Der Kran steht.
  Fallen um.
KASCHIEBE Das nennt ihr Arbeit. Jeder wie er kann.
  Vorhang auf. Kran und Ensemble auf der Bühne.
KASCHIEBE Herr Sekretär. Sie sind ein reifer Mann –
SEKRETÄR Wenn Sie es sagen, muß es wohl so sein.
HILDE PRILL Hör auf, Kaschiebe. Wir sind nicht allein.
KASCHIEBE Man wird mich hier wohl noch ausreden lassen.
  Zum Publikum:
  Damit Sie nicht das Wichtigste verpassen
  Kollegen, rühren Sie noch nicht die Hände.
SEKRETÄR Kaschiebe, die Komödie ist zu Ende.
KASCHIEBE Wenn ihr am Ende seid, fang ich erst an.
  Den möcht ich sehn, der mirs verbieten kann.
  Kaschiebes Mundwerk hört auf keinen Zaum.
  Zum Sekretär:
  Also: Es handelt sich um einen Traum.
SEKRETÄR Nichts gegen Träume. Wenn sie richtig sind.
KASCHIEBE Ich träume vorwärts, und nicht in den Wind.
  Also ich sitz, die Menschheit unter mir –

HÄCKSEL Das möcht ich sehn, die Menschheit unter dir.

KASCHIEBE Die Jugend hat fürs Neue keinen Sinn.

Mein Vorschlag wär, wir gehn woanders hin.

Zu mir nach Hause beispielsweise. Nein.

Mein Alter könnte eifersüchtig sein.

Zum Publikum:

Oder besoffen. – An den Baggerteich.

Lachen.

KASCHIEBE Glaubt ihr, daß ich der nicht das Wasser reich

Und keine Angst, Genosse Intendant,

Ich bin als anständige Frau bekannt.

Im Baggerteich bad ich nur meine Füße.

Zum Sekretär:

Und Sie erklärn mir die Parteibeschlüsse.

Ein Publikum brauchen wir dazu nicht.

Ich bin so frei, ich sags euch ins Gesicht.

1. BLESSIERTER

Die Leute wolln nach Hause gehn, Kaschiebe.

KASCHIEBE Ihr wollt ans Bier. Ich kenn euch. Prämiendiebe.

VERA *mit Brautkleid:* Dein Brautkleid, Karli.

KARL Soll ich das auch essen?

VERA Nein, anziehn, Karli, hast dus schon vergessen?

Wenn der Kran steht, zieh ich dein Brautkleid an.

Dort steht der Kran.

KARL Ich wollt, ich wär kein Mann.

KASCHIEBE Geehrtes Publikum. An diesem Ort

Hat heute eine Frau das letzte Wort.

Ich hoff, daß mancher sich ein Beispiel nimmt

Wie man sich nicht und wie man sich benimmt.

Daß ihr, Kollegen, wenigstens euch schämt

Wenn ihr zu euren Frauen euch benehmt

Wie der und jener heut in unserm Spiel

Bis ihm aufgeht, so kommt er nicht ans Ziel.

Ihr Frauen, hoff ich, habt bei uns entdeckt

In einem Mann ist auch ein Mensch versteckt.
Und das ist nun unsrer Komödie Schluß
Weil sie doch endlich einmal aufhörn muß.
Spielt sie nun selber fort zum guten Ende
Und wenn sie euch gefiel, rührt eure Hände.

MAUSER

CHOR Du hast gekämpft an der Front des Bürgerkriegs
Der Feind hat keine Schwäche gefunden an dir
Wir haben keine Schwäche gefunden an dir.
Jetzt bist du selber eine Schwäche
Die der Feind nicht finden darf an uns.
Du hast den Tod ausgeteilt in der Stadt Witebsk
An die Feinde der Revolution mit unserm Auftrag
Wissend, das tägliche Brot der Revolution
In der Stadt Witebsk wie in andern Städten
Ist der Tod ihrer Feinde, wissend, das Gras noch
Müssen wir ausreißen, damit es grün bleibt
Wir haben sie getötet mit deiner Hand.
Aber an einem Morgen in der Stadt Witebsk
Hast du getötet selbst mit deiner Hand
Nicht unsre Feinde nicht mit unserm Auftrag
Und mußt getötet werden, selbst ein Feind.
Tu deine Arbeit auf dem letzten Platz
An den die Revolution dich gestellt hat
Den du nicht verlassen wirst auf deinen Füßen
An der Wand, die deine letzte sein wird
Wie du getan hast deine andre Arbeit
Wissend, das tägliche Brot der Revolution
In der Stadt Witebsk wie in andern Städten
Ist der Tod ihrer Feinde, wissend, das Gras noch
Müssen wir ausreißen, damit es grün bleibt.
A Ich habe meine Arbeit getan.
CHOR Tu deine letzte.
A Ich habe getötet für die Revolution.
CHOR Stirb für sie.
A Ich habe einen Fehler begangen.
CHOR Du bist der Fehler.
A Ich bin ein Mensch.
CHOR Was ist das.
A Ich will nicht sterben.

CHOR Wir fragen dich nicht, ob du sterben willst.
Die Wand in deinem Rücken ist die letzte Wand
In deinem Rücken. Die Revolution braucht dich nicht
                                                mehr
Sie braucht deinen Tod. Aber eh du nicht Ja sagst
Zu dem Nein, das über dich gesprochen ist
Hast du deine Arbeit nicht getan.
Vor den Gewehrläufen der Revolution, die deinen Tod
                                                braucht
Lern deine letzte Lektion. Deine letzte Lektion heißt:
Du, der an der Wand steht, bist dein Feind und unsrer.
A In den Gefängnissen von Omsk bis Odessa
Wurde mir der Text auf den Leib geschrieben
Gelesen unter Schulbänken und auf dem Abtritt
PROLETARIER ALLER LÄNDER VEREINIGT EUCH
Mit Faust und Kolben, mit Stiefelabsatz und Schuhspitze
Dem Sohn des Kleinbürgers mit eigenem Samowar
Zubereitet auf dem zerknieten Dielenholz
Vor der Ikone für eine geistliche Laufbahn.
Aber ich trat beizeiten aus dem Startloch.
In Versammlungen, Demonstrationen, Streiks
Niedergeritten von rechtgläubigen Kosaken
Von trägen Beamten lustlos gefoltert
Lernte ich nichts über das Leben nach dem Tod.
Töten lernte ich in den langdauernden Kämpfen
Gegen die Umklammerung, zur Zeit des Stirb oder Töte
Wir sagten, wer nicht töten will, soll auch nicht essen
Das Bajonett in einen Feind rennen
Kadett, Offizier, oder Bauer, der nichts begriffen hat
Wir sagten: es ist eine Arbeit wie jede andre
Schädel einschlagen und schießen.
A (CHOR) Aber an einem Morgen in der Stadt Witebsk
Mit nahem Schlachtlärm erteilte die Revolution mir
Mit der Stimme der Partei den Auftrag

Das Revolutionstribunal zu übernehmen
In der Stadt Witebsk, das den Tod austeilt
An die Feinde der Revolution in der Stadt Witebsk.
CHOR Du hast gekämpft an der Front des Bürgerkriegs
Der Feind hat keine Schwäche gefunden an dir
Wir haben keine Schwäche gefunden an dir.
Verlaß die Front und stell dich an den Platz
Auf dem die Revolution dich braucht von nun an
Bis sie dich braucht auf einem andern Platz.
Führ unsern Kampf in unserm Rücken, teile
Den Tod aus an die Feinde der Revolution.
A (CHOR) Und ich war einverstanden mit dem Auftrag.
Wissend, das tägliche Brot der Revolution
Ist der Tod ihrer Feinde, wissend, das Gras noch
Müssen wir ausreißen, damit es grün bleibt
War ich einverstanden mit dem Auftrag
Den die Revolution mir erteilt hatte
Mit der Stimme der Partei im Schlachtlärm.
Und dieses Töten war ein andres Töten
Und es war eine Arbeit wie keine andre.
CHOR Deine Arbeit fängt heute an. Der sie getan hat vor dir
Muß getötet werden vor morgen, selbst ein Feind.
A (CHOR) Warum er.
B Vor meinem Revolver drei Bauern
Feinde der Revolution aus Unwissenheit.
Auf ihren Rücken die Hände, gebunden mit Stricken
Sind zerarbeitet, an den Revolver gebunden
Mit dem Auftrag der Revolution ist meine Hand
Mein Revolver gerichtet auf ihren Nacken.
Ihre Feinde sind meine Feinde, ich weiß es
Aber die vor mir stehn, Gesicht zum Steinbruch
Wissen es nicht, und ich der es weiß
Habe keine andre Belehrung für ihre Unwissenheit
Als die Kugel. Ich habe den Tod ausgeteilt

Der Revolver meine dritte Hand
An die Feinde der Revolution in der Stadt Witebsk
Wissend, das tägliche Brot der Revolution
Ist der Tod ihrer Feinde, wissend, das Gras noch
Müssen wir ausreißen, damit es grün bleibt
Wissend, mit meiner Hand tötet die Revolution.
Ich weiß es nicht mehr, ich kann nicht mehr töten.
Ich nehme meine Hand aus dem Auftrag
Den die Revolution mir erteilt hat
An einem Morgen in der Stadt Witebsk
Mit der Stimme der Partei im Schlachtlärm.
Ich durchschneide die Stricke an den Händen
Unsrer Feinde, die gezeichnet sind
Mit der Spur ihrer Arbeit als meinesgleichen.
Ich sage: eure Feinde sind unsre Feinde.
Ich sage: geht zurück an eure Arbeit.

CHOR (DIE SPIELER DER DREI BAUERN)

Und sie gingen zurück an ihre Arbeit
Drei Feinde der Revolution, unbelehrt.
Als er seine Hand aus dem Auftrag nahm
Den die Revolution ihm erteilt hatte
An einem Morgen in der Stadt Witebsk
Mit der Stimme der Partei im Schlachtlärm
War sie eine Hand mehr an unsrer Kehle.
Nämlich deine Hand ist nicht deine Hand
So wie meine Hand nicht meine Hand ist
Eh die Revolution gesiegt hat endgültig
In der Stadt Witebsk wie in andern Städten.
Nämlich die Unwissenheit kann töten
So wie der Stahl töten kann und das Fieber
Aber das Wissen genügt nicht, sondern die Unwissenheit
Muß aufhören ganz, und nicht genügt das Töten
Sondern das Töten ist eine Wissenschaft
Und muß gelernt werden, damit es aufhört

Denn das Natürliche ist nicht natürlich
Sondern das Gras müssen wir ausreißen
Und das Brot müssen wir ausspein
Bis die Revolution gesiegt hat endgültig
In der Stadt Witebsk wie in andern Städten
Damit das Gras grün bleibt und aufhört der Hunger.
Der auf sich selber besteht als sein Eigentum
Ist ein Feind der Revolution wie andre Feinde
Denn unsers gleichen ist nicht unsers gleichen
Und wir sind es nicht, die Revolution selbst
Ist nicht eins mit sich selber, sondern der Feind mit
Klaue und Zahn, Bajonett und Maschinengewehr
Schreibt in ihr lebendes Bild seine schrecklichen Züge
Und seine Wunden vernarben auf unserm Gesicht.

B Wozu das Töten und wozu das Sterben
Wenn der Preis der Revolution die Revolution ist
Die zu Befreienden der Preis der Freiheit.

A Das oder andres schrie er gegen den Schlachtlärm
Der zugenommen hatte und noch zunahm.
Tausend Hände an unserer Kehle war
Gegen den Zweifel an der Revolution kein
Andres Mittel als der Tod des Zweiflers.
Und ich hatte kein Auge für seine Hände
Als er vor meinem Revolver stand, Gesicht zum
                                        Steinbruch
Ob sie zerarbeitet waren oder nicht zerarbeitet
Aber sie waren gebunden fest mit Stricken
Und wir töteten ihn mit meiner Hand
Wissend, das tägliche Brot der Revolution
Ist der Tod ihrer Feinde, wissend, das Gras noch
Müssen wir ausreißen, damit es grün bleibt.
Ich wußte es, andere tötend am andern Morgen
Und am dritten Morgen wieder andre
Und sie hatten keine Hände und kein Gesicht

Sondern das Auge, mit dem ich sie ansah
Und der Mund, mit dem ich redete zu ihnen
War der Revolver und mein Wort die Kugel
Und ich vergaß es nicht, wenn sie schrien
Wenn mein Revolver sie in den Steinbruch warf
Feinde der Revolution zu andern Feinden
Und es war eine Arbeit wie jede andere.
Ich wußte, wenn man in einen Menschen hineinschießt
Fließt Blut aus ihm wie aus allen Tieren
Wenig unterscheidet die Toten und
Nicht lang das wenige. Aber der Mensch ist kein Tier:
Am siebenten Morgen sah ich ihre Gesichter
Auf ihren Rücken die Hände, gebunden mit Stricken
Mit den Spuren ihrer verschiedenen Arbeit
Wenn sie warteten, Gesicht zum Steinbruch
Auf den Tod aus meinem Revolver, und Platz nahm
Zwischen Finger und Abzug der Zweifel, beschwerend
Mit den Getöteten von sieben Morgen
Meinen Nacken, der das Joch der Revolution trägt
Damit zerbrochen werden alle Joche
Und meine Hand, die gebunden ist an den Revolver
Mit dem Auftrag der Revolution, gegeben
An einem Morgen in der Stadt Witebsk
Mit der Stimme der Partei im Schlachtlärm
Den Tod auszuteilen an ihre Feinde
Damit das Töten aufhört, und ich sprach das Kommando
An diesem Morgen wie am ersten Morgen
TOD DEN FEINDEN DER REVOLUTION
Und teilte den Tod aus, aber meine Stimme
Sprach das Kommando wie nicht meine Stimme und
                                     meine Hand
Teilte den Tod aus wie nicht meine Hand
Und das Töten war ein andres Töten
Und es war eine Arbeit wie keine andere

Und am Abend sah ich mein Gesicht
Das mich ansah mit nicht meinen Augen
Aus dem Wandspiegel, der vielmal geborsten war
Bei der Beschießung der vielmal eroberten Stadt
Und in der Nacht war ich kein Mann, beschwert
Mit den Getöteten von sieben Morgen
Mein Geschlecht der Revolver, der den Tod austeilt
An die Feinde der Revolution, Gesicht zum Steinbruch.

A (CHOR) Warum ich. Entlaßt mich aus dem Auftrag
Für den ich zu schwach bin.

CHOR Warum dich.

A Ich habe gekämpft an der Front des Bürgerkriegs
Der Feind hat keine Schwäche gefunden an mir
Ihr habt keine Schwäche gefunden an mir
Jetzt bin ich selber eine Schwäche
Die der Feind nicht finden darf an uns.
Ich habe den Tod ausgeteilt in der Stadt Witebsk
An die Feinde der Revolution in der Stadt Witebsk
Wissend, das tägliche Brot der Revolution
Ist der Tod ihrer Feinde, wissend, das Gras noch
Müssen wir ausreißen, damit es grün bleibt.
Ich vergaß es nicht am dritten Morgen
Und am siebenten nicht. Aber am zehnten Morgen
Weiß ich es nicht mehr. Töten und Töten
Und jeder dritte vielleicht ist nicht schuldig, der
Vor meinem Revolver steht, Gesicht zum Steinbruch.

CHOR In diesem Kampf, der nicht aufhören wird
In der Stadt Witebsk wie in andern Städten
Als mit unserm Sieg oder Untergang
Verrichten mit zwei schwachen Händen wir jeder
Die Arbeit von zweitausend Händen, gebrochenen
                                 Händen
Händen gebunden mit Ketten und Stricken, Händen
Abgehaun, Händen an unsrer Kehle.

Tausend Hände an unsrer Kehle haben wir
Keinen Atem, zu fragen nach Schuld oder Unschuld
Jede Hand an unsrer Kehle, oder nach Herkunft
Ob sie zerarbeitet ist oder nicht zerarbeitet
Ob das Elend sie um unsern Hals krümmt und die
Unwissenheit über die Wurzel des Elends
Oder die Furcht vor der Revolution, die es ausreißt
Mit der Wurzel. Wer bist du andrer als wir
Oder besondrer, der auf seiner Schwäche besteht.
Der ich sagt mit deinem Mund, ist ein andrer als du.
Nicht eh die Revolution gesiegt hat endgültig
In der Stadt Witebsk wie in andern Städten
Bist du dein Eigentum. Mit deiner Hand
Tötet die Revolution. Mit allen Händen
Mit denen die Revolution tötet, tötest du auch.
Deine Schwäche ist unsre Schwäche
Dein Gewissen ist die Lücke in deinem Bewußtsein
Die eine Lücke an unsrer Front ist. Wer bist du.

A   Ein Soldat der Revolution.

CHOR   Willst du also
Daß die Revolution dich entläßt aus dem Auftrag
Für den du zu schwach bist, der erfüllt werden muß
Von dem einen oder von dem andern.

A (CHOR)   Nein.
Und das Töten ging weiter, Gesicht zum Steinbruch
Am nächsten Morgen vor meinem Revolver ein Bauer
Wie vor ihm seinesgleichen an andern Morgen
Wie vor mir meinesgleichen vor andern Revolvern
Im Nacken Angstschweiß: vier Kämpfer der Revolution
Hat er verraten an unsern und seinen Feind
Im Nacken Angstschweiß, stehend vor andern Revolvern.
Seinesgleichen ist getötet worden
Und meinesgleichen zweitausend Jahre lang
Mit Rad Galgen Strick Halseisen Knute Katorga

Und meines Feindes gleichen, der sein Feind ist
Und mein Revolver gerichtet auf sein Genick jetzt
Ich Rad Galgen Strick Halseisen Knute Katorga
Ich vor meinem Revolver Gesicht zum Steinbruch
Ich mein Revolver gerichtet auf mein Genick.
Wissend, mit meiner Hand tötet die Revolution
Austilgend Rad Galgen Strick Halseisen Knute Katorga
Und es nicht wissend, vor meinem Revolver ein Mensch
Ich zwischen Hand und Revolver, Finger und Abzug
Ich Lücke in meinem Bewußtsein, an unsrer Front.
CHOR Nicht Menschen zu töten ist dein Auftrag, sondern
Feinde. Nämlich der Mensch ist unbekannt.
Wir wissen, daß das Töten eine Arbeit ist
Aber der Mensch ist mehr als seine Arbeit.
Nicht eh die Revolution gesiegt hat endgültig
In der Stadt Witebsk wie in andern Städten
Werden wir wissen, was das ist, ein Mensch.
Nämlich er ist unsre Arbeit, der unbekannte
Hinter den Masken, der begrabene im Kot
Seiner Geschichte, der wirkliche unter dem Aussatz
Der lebendige in den Versteinerungen
Denn die Revolution zerreißt seine Maske, tilgt
Seinen Aussatz, wäscht aus dem steinharten Kot
Seiner Geschichte sein Bild, der Mensch, mit
Klaue und Zahn, Bajonett und Maschinengewehr
Aufstehend aus der Kette der Geschlechter
Zerreißend seine blutige Nabelschnur
Im Blitz des wirklichen Anfangs erkennend sich selber
Einer den andern nach seinem Unterschied
Mit der Wurzel gräbt aus dem Menschen den Menschen.
Was zählt ist das Beispiel, der Tod bedeutet nichts.
A Aber im Schlachtlärm, der zugenommen hatte
Und noch zunahm, stand mit blutigen Händen ich
Soldat und Bajonett der Revolution
Und fragte mit meiner Stimme nach einer Gewißheit.

A (CHOR) Wird das Töten aufhören, wenn die Revolution
                                        gesiegt hat.
    Wird die Revolution siegen. Wie lange noch.
CHOR Du weißt, was wir wissen, wir wissen, was du weißt.
    Die Revolution wird siegen oder der Mensch wird
                                          nicht sein
    Sondern verschwinden in zunehmender Menschheit.
A Und ich hörte meine Stimme sagen
    An diesem Morgen wie an andern Morgen
    TOD DEN FEINDEN DER REVOLUTION und ich sah
    Ihn der ich war töten ein Etwas aus Fleisch Blut
    Und andrer Materie, nicht fragend nach Schuld oder
                                            Unschuld
    Nach dem Namen nicht und ob es ein Feind war
    Oder kein Feind, und es bewegte sich nicht mehr
    Aber er der ich war hörte nicht auf es zu töten.
    Er sagte: (CHOR) Ich habe meine Last abgeworfen
    In meinem Nacken die Toten beschweren mich nicht
                                          mehr
    Ein Mensch ist etwas, in das man hineinschießt
    Bis der Mensch aufsteht aus den Trümmern des
                                          Menschen.
    Und als er geschossen hatte wieder und wieder
    Durch die aufplatzende Haut in das blutige
    Fleisch, auf splitternde Knochen, stimmte er
    Mit den Füßen ab gegen den Leichnam.
A (CHOR) Ich nehme unter den Stiefel was ich getötet habe
    Ich tanze auf meinen Toten mit stampfendem Tanzschritt
    Mir nicht genügt es zu töten, was sterben muß
    Damit die Revolution siegt und aufhört das Töten
    Sondern es soll nicht mehr da sein und ganz nichts
    Und verschwunden vom Gesicht der Erde
    Für die Kommenden ein reiner Tisch.
CHOR Wir hörten sein Brüllen und sahen was er getan hatte

Nicht mit unserm Auftrag, und er hörte nicht auf zu
                                    schrein
Mit der Stimme des Menschen der den Menschen frißt.
Da wußten wir, daß seine Arbeit ihn aufgebraucht hatte
Und seine Zeit war abgelaufen und führten ihn weg
Einen Feind der Revolution wie andre Feinde
Und nicht wie andre, sondern sein eigener Feind auch
Wissend, das tägliche Brot der Revolution
Ist der Tod ihrer Feinde, wissend, das Gras noch
Müssen wir ausreißen, damit es grün bleibt.
Aber er hatte seine Last abgeworfen
Die zu tragende bis die Revolution gesiegt hat
In seinem Nacken die Toten beschwerten ihn nicht mehr
Die beschwerlichen bis die Revolution gesiegt hat
Sondern seine Last war seine Beute
Also die Revolution hatte für ihn keinen Platz mehr
Als vor den Gewehrläufen der Revolution.
Und er selber hatte für sich keinen Platz mehr

A Nicht eh sie mich wegnahmen von meiner Arbeit
   Und nahmen aus meiner Hand den Revolver weg
   Und meine Finger krümmten sich noch wie um die Waffe
   Verschieden von mir, sah ich was ich getan hatte
   Und nicht eh sie mich wegführten hörte ich
   Meine Stimme und wieder den Schlachtlärm
   Der zugenommen hatte und noch zunahm.

A (CHOR) Mich aber führen meinesgleichen zur Wand jetzt
   Und ich der es begreift, begreife es nicht.
   Warum.

CHOR Du weißt was wir wissen, wir wissen was du weißt.
   Deine Arbeit war blutig und wie keine andere
   Aber sie muß getan werden wie andre Arbeit
   Von dem einen oder von dem andern.

A Ich habe meine Arbeit getan. Seht meine Hand.

CHOR Wir sehen, daß deine Hand blutig ist.

A Wie nicht.
  Und lauter als der Schlachtlärm war das Schweigen
  In der Stadt Witebsk einen Augenblick lang
  Und länger als mein Leben war der Augenblick.
  Ich bin ein Mensch. Der Mensch ist keine Maschine.
  Töten und töten, der gleiche nach jedem Tod
  Konnte ich nicht. Gebt mir den Schlaf der Maschine.
CHOR Nicht eh die Revolution gesiegt hat endgültig
  In der Stadt Witebsk wie in andern Städten
  Werden wir wissen, was das ist, ein Mensch.
A Ich will es wissen jetzt und hier. Ich frage
  An diesem Morgen in der Stadt Witebsk
  Mit blutigen Stiefeln auf meinem letzten Weg
  Der zum Sterben geführt wird, der keine Zeit hat
  Mit meinem letzten Atem jetzt und hier
  Frage ich die Revolution nach dem Menschen.
CHOR Du fragst zu früh. Wir können dir nicht helfen.
  Und deine Frage hilft der Revolution nicht.
  Hör den Schlachtlärm.
A Ich habe nur eine Zeit.
  Hinter dem Schlachtlärm wie ein schwarzer Schnee
  Wartet auf mich das Schweigen.
CHOR Du stirbst nur einen Tod
  Aber die Revolution stirbt viele Tode.
  Die Revolution hat viele Zeiten, keine
  Zu viel. Der Mensch ist mehr als seine Arbeit
  Oder er wird nicht sein. Du bist nicht mehr
  Sondern deine Arbeit hat dich aufgebraucht
  Du mußt verschwinden vom Gesicht der Erde.
  Das Blut, mit dem du befleckt hast deine Hand
  Als sie eine Hand der Revolution war
  Muß abgewaschen werden mit deinem Blut
  Vom Namen der Revolution, die jede Hand braucht
  Aber deine Hand nicht mehr.

A Ich habe getötet
  Mit eurem Auftrag.
CHOR Und nicht mit unserm Auftrag.
  Zwischen Finger und Abzug der Augenblick
  War deine Zeit und unsre. Zwischen Hand und Revolver
                die Spanne
  War dein Platz in der Front der Revolution
  Aber als deine Hand eins wurde mit dem Revolver
  Und du wurdest eins mit deiner Arbeit
  Und hattest kein Bewußtsein mehr von ihr
  Daß sie getan werden muß hier und heute
  Damit sie nicht mehr getan werden muß und von keinem
  War dein Platz in unsrer Front eine Lücke
  Und für dich kein Platz mehr in unsrer Front.
  Schrecklich ist die Gewohnheit, tödlich das Leichte
  Mit vielen Wurzeln in uns haust das Vergangene
  Das auszureißende mit allen Wurzeln
  In unsrer Schwäche stehn die Toten auf
  Die zu begrabenden wieder und wieder
  Uns selber müssen wir aufgeben jeder eine
  Aber einer den andern dürfen wir nicht aufgeben.
  Du bist der eine und du bist der andre
  Den du zerfleischt hast unter deinem Stiefel
  Der dich zerfleischt hat unter deinem Stiefel
  Du hast dich aufgegeben einer den andern
  Die Revolution gibt dich nicht auf. Lern sterben.
  Was du lernst, vermehrt unsre Erfahrung.
  Stirb lernend. Gib die Revolution nicht auf.
A Ich weigere mich. Ich nehme meinen Tod nicht an.
  Mein Leben gehört mir.
CHOR Das Nichts ist dein Eigentum.
A (CHOR)
  Ich will nicht sterben. Ich werfe mich auf den Boden.
  Ich halte mich an der Erde fest mit allen Händen

Ich beiße mich mit den Zähnen fest in der Erde
Die ich nicht verlassen will. Ich schreie.
CHOR (A) Wir wissen, daß das Sterben eine Arbeit ist.
Deine Angst gehört dir.
A (CHOR) Was kommt hinter dem Tod.
CHOR (A) Fragte er noch und stand schon auf vom Boden
Nicht mehr schreiend, und wir antworteten ihm:
Du weißt was wir wissen, wir wissen was du weißt
Und deine Frage hilft nicht der Revolution.
Wenn das Leben eine Antwort sein wird
Mag sie erlaubt sein. Aber die Revolution braucht
Dein Ja zu deinem Tod. Und er fragte nicht mehr
Sondern ging zur Wand und sprach das Kommando
Wissend, das tägliche Brot der Revolution
Ist der Tod ihrer Feinde, wissend, das Gras noch
Müssen wir ausreißen, damit es grün bleibt.
A (CHOR) TOD DEN FEINDEN DER REVOLUTION.

MAUSER, geschrieben 1970 als drittes Stück einer Versuchs-
reihe, deren erstes PHILOKTET, das zweite DER HORA-
TIER, setzt voraus / kritisiert Brechts Lehrstücktheorie und
Praxis. MAUSER, Variation auf ein Thema aus Scholochows
Roman DER STILLE DON, ist kein Repertoirestück; der
Extremfall nicht Gegenstand, sondern Beispiel, an dem
das aufzusprengende Kontinuum der Normalität demonstriert wird; der Tod, auf dessen Verklärung in der Tragödie
bzw. Verdrängung in der Komödie das Theater der Indivi-
duen basiert, eine Funktion des Lebens, das als Produktion
gefaßt wird, eine Arbeit unter anderen, vom Kollektiv organisiert und das Kollektiv organisierend. DAMIT ETWAS
KOMMT MUSS ETWAS GEHEN DIE ERSTE GESTALT
DER HOFFNUNG IST DIE FURCHT DIE ERSTE ER-
SCHEINUNG DES NEUEN DER SCHRECKEN. Aufführung
vor Publikum ist möglich, wenn dem Publikum ermöglicht
wird, das Spiel am Text zu kontrollieren und den Text am
Spiel, durch Mitlesen der Chorpartie, oder der Partie des
ersten Spielers (A), oder der Chorpartie durch eine Zuschauergruppe und der Partie des ersten Spielers durch eine
andere Zuschauergruppe, wobei das nicht Mitzulesende
im Textbuch unkenntlich gemacht ist, oder andere Maßnahmen; wenn die Reaktionen des Publikums kontrolliert werden durch Asynchronität von Text und Spiel, Nichtidentität
von Sprecher und Spieler. Die vorgegebene Textaufteilung
ist ein variables Schema, Art und Grad der Varianten eine
politische Entscheidung, die von Fall zu Fall getroffen werden muß. Beispiele für mögliche Varianten: Der Chor stellt
dem ersten Spieler für bestimmte Partien einen Darsteller
des ersten Spielers (A1) zur Verfügung; alle Chorspieler,
nacheinander oder gleichzeitig, stellen den ersten Spieler
dar; der erste Spieler übernimmt, während A1 ihn darstellt,

bestimmte Chorpartien. Kein Spieler kann einen andern durchgängig vertreten. Erfahrungen sind nur kollektiv tradierbar; das Training der (individuellen) Fähigkeit, Erfahrungen zu machen, ist eine Funktion des Spiels. Der zweite Spieler (B) wird von einem Chorspieler dargestellt, der nach seiner Tötung seinen Platz im Chor wieder einnimmt. Theatermittel sollten nur offen eingesetzt werden; Requisiten, Kostümteile, Masken, Schminktöpfe usw. auf der Bühne. Die Stadt Witebsk steht für alle Orte, an denen eine Revolution gezwungen war ist sein wird, ihre Feinde zu töten.

MACBETH

Nach Shakespeare

PERSONEN

Macbeth
Duncan
Malcolm
Donalbain
Banquo
Fleance
Macduff
Lenox
Rosse
Angus
Ein Lord
Seyton
Arzt
Pförtner
Lady Macbeth
Lady Macduff
Hofdame
Drei Hexen

Lords, Ladies, Mörder, Diener, Soldaten, Bauern u. a.

Duncan. Malcolm. Lenox. Soldaten.

DUNCAN
　Was kommt in Blut? In solchem Kleid steckt Nachricht
　Wies dem Aufstand geht.
MALCOLM　Der hat mich aus dem Feind
　Gehaun. Freund, sag deinem König, wie die Schlacht
　　　　　　　　　　　　　　　　　　　　　steht.
SOLDAT　Auf der Kippe.
　Der Hund Macdonwald, der den Brei gekocht hat
　Sammelt den Abraum Schottlands wie das Aas
　Schmeißfliegen, und das Glück war seine Hure
　Bis Macbeth ihm sein Schwert zu schmecken gab
　Dampfend vom Fleischhaun. Nämlich unser Mann
　Das Glück verachtend mit dem blutigen Werkzeug
　Ging über Leichen, bis er den Aufwiegler
　Vorm Eisen hat und aufgeschlitzt, als wärs
　Ein Händeschütteln, vom Nabel hoch ans Kinn, so
　Demonstriert es und fällt dabei um:
　Und seinen Kopf gepflanzt auf unser Banner.
DUNCAN　Guter Macbeth.
SOLDAT　Das war der Anfang. Kaum hat
　Mit Blut und Eisen die gerechte Sache
　Beine gemacht dem schottischen Bauern, fällt
　Norwegens König, auf eignen Vorteil scharf
　Die Waffen blank, mit frischem Volk uns neu an.
DUNCAN　Hat unsern Feldherrn das den Mut gekürzt
　Macbeth und Banquo?
SOLDAT　Wie dem Adler der Sperling.
　Wenn Ihr mich fragt: Die gingen los, geladen
　Wie zwei Kanonen mit doppeltem Gepäck
　Und räumen auf mit Feind und Feind vierhändig

Als ob sie baden wolln in den Wundlöchern
Und spielen mit den Knochen Golgatha
Oder wasweißich. Hört ihr meine Löcher
Nach Hilfe schrein.
DUNCAN Sie reden wie dein Wort
Von Ehre. Schafft ihm Ärzte. Wer kommt.
MALCOLM Der Than
Von Rosse.
LENOX Er hat einen eiligen Blick
Und scheint voll Neuigkeit.
Rosse.
ROSSE Gott schütze den König.
DUNCAN Woher, Than.
ROSSE Aus deiner Schlacht, großer König
Wo Norwegs Banner unser Himmel sind
Kalt fächelnd unser Volk. Norwegen selbst mit
Schreckender Vielzahl, assistiert von Cawdor
Dem ganz abtrünnigen Verräter, fing
Den blutigen Tanz an. Und ihm hat Macbeth
Schwert gegen Schwert, Arm gegen Arm den Nacken
Gebeugt auf unsern schottischen Boden. Kurz:
Uns fiel der Sieg zu.
DUNCAN Das nenn ich Glück.
ROSSE So daß
Um Frieden winselt jetzt Norwegens König.
Und wir weigern für seine Toten ihm
Das letzte Loch im Blutfeld, bis er uns
Zehn Tausend Taler auf die Hand gezahlt hat.
DUNCAN Nicht länger soll uns dieser Than von Cawdor
Am Herzen fressen. Sag ihm seinen Tod an
Und grüß mit seinem Titel mir Macbeth.
ROSSE Ich geh, daß alles gleich vollzogen wird.
DUNCAN Der Held gewinne, was der Hund verliert.

Hexen.

HEXE 1 Hört ihr die Trommeln zwischen Tag und Nacht.

HEXE 2 Verloren und gewonnen ist die Schlacht.

HEXE 3 Schwester, woher das Blut an deinem Kleid.

HEXE 1 Auf dem Schlachtfeld hielt ich meine Mahlzeit.

HEXE 2 Schwester, was für ein Ding in deiner Hand.

HEXE 3 Ein Steuermannsdaumen. Ich warf sein Schiff auf
                          den Strand.

HEXE 1 Was für ein Püppchen, Schwester, in deinem Arm.

HEXE 2 Mein König, mein Schätzchen.

HEXE 3 Komm, Alter, wir machen dir warm.
    *Verbrennen eine Puppe: König Duncan. Macbeth und
    Banquo.*

MACBETH So schön und häßlich sah ich keinen Tag.

BANQUO Wie weit der Weg nach Forres. Wer sind die
    So grau geschrumpft in ihrer wilden Tracht
    Und keinem gleich, was überm Boden wohnt
    Und sind doch auf ihm. Lebt ihr. Seid ihr was
    Ein Mensch befragen darf. He, sie verstehn mich
    Legen den schrundigen Finger an ihr Grindmaul
    Jede. Weiber. Die Bärte sagens anders.
    Im Feuer was für ein Bild. Es gleicht dem König.
    Was treibt ihr mit dem Bild der Majestät.

MACBETH Wer seid ihr. Wenn ihr Sprache habt, redet.

HEXE 1 Heil Macbeth, Than von Glamis.

HEXE 2 Und von Cawdor.

HEXE 3 Heil Macbeth, König von Schottland.

BANQUO Warum
    Kamerad, macht, was so herrlich tönt, dir Grauen.
    Im Namen der Wahrheit: seid ihr was ihr scheint
    Oder ganz Wahnsinn. Meinen würdigen Partner

Grüßt ihr mit frischem Glanz und großer Vorschau
Auf hohen Stand und königliche Hoffnung
Daß er sich nicht mehr kennt. Mir sagt ihr nichts.
Wenn ihr den Blick habt in den Samen der Zeit
Wißt, welches Korn aufgeht und welches nicht
Redet zu mir, der nicht sucht oder fürchtet
Gunst oder Haß von euch.

HEXE 1 Heil Banquo, weniger als Macbeth und mehr.

HEXE 2 Weniger glücklich glücklicher als der.

HEXE 3 Könige zeugst du und bist selber keiner.

ALLE HEXEN
Heil Macbeth und Banquo. Banquo und Macbeth.

MACBETH Einsilbige Sprecher. Bleibt und sagt mir mehr.
Nach meinem Vater bin ich Than von Glamis
Doch wie von Cawdor. Der Than von Cawdor lebt
In bester Blüte. Und daß ich König sei
Ist glaublicher nicht als Cawdor. Sagt, woher
Kommt euch die fremde Kenntnis, und warum
Auf windiger Heide haltet ihr uns auf
Mit prophezeindem Gruß. Sprecht, ich beschwör euch.
Hexen verschwinden.

BANQUO Die Erd treibt Blasen wie das Wasser und
Die waren sowas. Sie sind weg. Wohin.

MACBETH Wie Atem, in den Wind. Ich wollt, sie blieben.

BANQUO War, was wir jetzt bereden, wirklich. Oder
Haben wir gegessen von der kranken Wurzel
Die zur Gefangnen macht unsre Vernunft.

MACBETH Eure Kinder solln Könige sein.

BANQUO Ihr König.

MACBETH Und Than von Cawdor. Wars nicht so.

BANQUO Genau so
War ihre Melodie und Rede. Wer kommt.
Rosse und Angus.

ROSSE Macbeth. Dein König hat empfangen glücklich

Die Meldung seines Siegs und, deinen Part
Abwägend, schwankt, was dir gehört, was ihm.
Damit im reinen sieht er
Am gleichen Tag in Norwegs Schlachtreihn dich
Ganz ohne Furcht vor deiner eignen Arbeit:
Bildern des Tods. Wie Hagel dicht erscheint ihm
Bote auf Bote, voll mit deinem Ruhm
In der Verteidigung seiner Majestät
Und spuckt den aus vor ihm.

ANGUS Wir sind geschickt
Von unserm König dir den Dank zu sagen
Zu eskortieren vor sein Auge dich
Zu lohnen nicht.

ROSSE Und als ein Handgeld einer größern Ehre
Nimm den befohlnen Gruß als Than von Cawdor.
Glück zur Befördrung.

BANQUO Spricht der Teufel wahr.

MACBETH Der Than von Cawdor lebt. Ihr kleidet in
Geborgten Glanz mich.

ANGUS Der Than von Cawdor hieß
Lebt unterm Beil. Ob er im Bund war mit
Norwegen, ob dem Pöbel er den Rücken
Gesteift hat mit heimlicher Hilfe oder
Mit beiden seines Lands Ruin betrieb
Ich weiß nicht und ich weiß nicht wer das weiß
Aber gestanden und bewiesen ist
Sein Hochverrat.

MACBETH Glamis. Und Than von Cawdor.
Das Größte steht bevor. Dank für den Dienst.
Zu Banquo:
Habt Ihr nicht Hoffnung jetzt, daß Eure Brut
Sich mausert, nach der Reihe, königlich.
Die mich zum Than von Cawdor machten, jene
Versprachen weniger nicht.

BANQUO Seid Ihr nicht scharf, Than
  Auf König Duncans Krone.
  Zu Rosse und Angus:
  Ein Wort, ihr Herrn.
MACBETH Zweimal die Wahrheit. Glücklicher Prolog
  Zum Spiel der Macht. Dank, Freunde. Dieser Anruf
  Aus jenseits der Natur kann faul nicht sein
  Gut nicht. Wenn faul, warum das Handgeld: ich
  Bin Than von Cawdor. Wenn gut, warum sträubt
  Gegen das größre Wunschbild sich mein Fell
  Und mein seßhaftes Herz schlägt meine Rippen
  Laut gegen die Natur. Gelebte Schrecken
  Sind Märchen vor dem Graun der Fantasie.
  Mein Plan, in dem der Mord noch keinen Leib hat
  Rüttelt meine einsame Menschheit so
  Daß Vorschau ihren Gang stockt und nichts ist
  Als was nicht ist.
BANQUO Der Mann, seht, ist nicht bei sich.
MACBETH Willst du mich König, Glück, gib mir die Krone
  Spar mir den Griff.
BANQUO Die neuen Ehren sind
  Wie unsre Kleider, fremd, eh der Gebrauch sie
  Anzieht dem Träger.
MACBETH Komm was kommen mag
  Die Zeit mit Stunden quert den rauhsten Tag.
BANQUO Der König wartet auf den Than von Cawdor.

3

*Duncan, auf Leichen sitzend, die zu einem Thron geschichtet
sind. Malcolm.*

DUNCAN Ist Cawdor unterm Beil. Wo sind die wir
Mit seinem Tod begabten. Seinen Kopf.
Lenox.
LENOX Hier, König. Und ich der ihn sterben sah
Kann den Bericht tun, daß er frei gestand
Seinen Verrat und kroch um den Pardon
Mit fleißigen Knien. In seinem Leben nichts
Stand ihm so gut wie sein Abgang. Er starb
Wie einer der trainiert ist auf den Tod
Wegwerfend sein teuerstes Eigentum
Wie einen Fetzen.
DUNCAN Keine Kunst kann lesen
Was in den Schädeln umgeht, am Gesicht.
Ohrfeigt den Kopf.
Er war ein Mann, auf den ich meinen Schlaf
Gebaut hab.
Macbeth, Banquo. Duncan läßt den Kopf fallen.
Macbeth, mein sehr würdiger Feldherr.
Schwer an der Sünde meines Undanks trug ich
Gerade jetzt. So weit bist du voraus
Daß mit dem schnellsten Flügel dich dein Lohn
Nicht einholt. Hättst du weniger verdient.
Die Waage wär in meiner Hand. Ich weiß
Mehr als mein alles zahlt nicht deinen Preis.
MACBETH Der Dienst und der Gehorsam, den ich schulde
Bezahlt sich selbst und Eurer Hoheit Part ist
Bestehn auf unsern Pflichten; welche sind
Kinder und Knechte Eurem Thron und Staat.
DUNCAN Ich
Hab dich gepflanzt und meine Arbeit soll

Dein Wachstum sein. Sehr edler Banquo, mit
Nicht kleinerem Verdienst nimm deinen Platz ein
In meinem Herzen.

BANQUO Ein hoher Platz zu wohnen.
Hoch oder niedrig, was ich abwerf immer
Die Ernte ist für Euch.

Duncan umarmt abwechselnd Macbeth und Banquo. Sol-
daten mit gefangenen Bauern an Stricken.

SOLDAT Das ist der Rest.

MALCOLM Hängt sie.

SOLDAT Solln wir sie durch halb Schottland schleppen.
Die Gegend ist rasiert. Ein Sieg nach dem andern.
Hier wächst kein Gras mehr.

MALCOLM Werft sie in den Sumpf.
Der liegt nahbei. Laßt trommeln, wenn sie brülln
Solang der König Hof hält.

Die Soldaten schleppen die Bauern ab. Gebrüll der Er-
saufenden während des Folgenden. Trommeln.

DUNCAN Freunde, mein Glück
Fließt über und kleidet in Tränen sich.
Söhne, Thans, Nächste unserm Thron ihr, wißt:
Wir erben unsern Staat an unsern Erst-
Gebornen, Malcolm, der genannt sei nach dem
Prinz Cumberland, als welche Ehre soll
Nicht unbegleitet ihm allein verliehn sein.
Adlige Zeichen, Sternen gleich, solln scheinen
Auf jedes Verdienst. Von hier nach Inverness
Daß uns der Than von Cawdor mehr verpflichte.

MACBETH Ich will Euer Bote sein und meiner Frau
Die Freude bringen Eurer baldigen Ankunft.
Ab.

DUNCAN Ja, guter Banquo, so ganz Adel ist er.
Sein Lob zu reden ist ein Fest für mich.
Folgen wir ihm, der uns das Gastbett richtet.

4

Soldaten werfen Bauern in den Sumpf. Macbeth.

MACBETH Prinz Cumberland. Der Schritt geht über mich.
Der stürzen oder springen muß, bin ich.
Lösch deine Feuer, Stern und Stern, daß nicht
Sieht meine Wünsche, schwarz und tief, das Licht.
Auge, vergiß die Hand. Und mag geschehn
Was, wird es Tat, das Aug sich sperrt zu sehn.
Ab.

5

Lady Macbeth, einen Brief lesend.

LADY MACBETH »Sie begegneten mir am Tag des Siegs, und
ich weiß aus dem genausten Beispiel, sie haben mehr als
sterbliche Wissenschaft. Als ich brannte, sie mehr zu
befragen, machten sie sich zu Luft, in der sie verschwan-
den. Während ich betäubt stand, kamen Boten vom König,
die mich grüßten Than von Cawdor, welchen Titel meine
Schwestern, die Hexen, mir verliehen hatten vordem, auf
die Zeit, die kommt, hindeutend mit Heil König, der sein
wird. Das habe ich für gut gehalten dir zu vertraun,
Partnerin meiner Größe. Leg es an dein Herz und leb
wohl.«
Glamis bist du, und Cawdor. Und sollst sein
Was dir bestimmt ist. Wär nicht dein Gemüt
Mit Milch der Menschenliebe allzu voll
Den graden Weg zu gehn. Den Griff nach der Krone
Willst du mit weißer Hand, falsch spielen nicht.
Aber gewinnen quer, brauchst, großer Glamis

Was dir zuschreit: Das, willst du haben, tu
Und was du mehr zu tun dich fürchtest als
Daß du es nicht getan wünschst. Was für Nachricht.
Diener.

DIENER Der König kommt zur Nacht.

LADY MACBETH Dich reitet der Wahnsinn.
Ist nicht dein Herr mit ihm, der, wär es so
Uns Nachricht gab, daß wir uns vorbereiten.

DIENER Verzeiht, es ist wahr. Der Than ist auf dem Weg.
Von unsern Leuten einer ritt voraus ihm
Der kaum mehr Atem hatte nach dem Ritt
Die Botschaft auszusagen.
Ab.

LADY MACBETH Der Rabe selbst
Ist heiser, der Duncans tödlichen Eingang krächzt
In meine Mauern.
Macbeth.
Großer Glamis. Cawdor.
Größer als beides mit dem Gruß aus morgen.
Dein Brief hat über dieses dumpfe Heute
Mich aufgehoben und der Augenblick
Hat den Geschmack der Zukunft.

MACBETH Duncan kommt
Hierher zur Nacht.

LADY MACBETH Wann geht er.

MACBETH Morgen. So will ers.

LADY MACBETH Nie soll die Sonne dieses Morgen sehn.
Klapp dein Gesicht zu, Than, es ist ein Buch
Drin jeder lesen kann seltsame Dinge.
Die Zeit zu täuschen täusch du wie die Zeit
Dein Blick sei Blume, du die Schlange drunter.
Der kommt will gut besorgt sein. Dieser Nacht
Großes Geschäft gib du in meine Hand, Than.

MACBETH Wir reden noch davon.
Ein Brüllen von außen.

LADY MACBETH Was für ein Lärm.

MACBETH Ein Bauer, der den Pachtzins nicht gezahlt hat.

LADY MACBETH Ich will ihn bluten sehn, mein Aug zu üben
Für das Gemälde das die Nacht uns aufgibt.

MACBETH Ich werd ihn holen lassen, da dus willst.
Ab.

LADY MACBETH Macbeth. König von Schottland.
Zwei Knechte mit dem geschundenen Bauern. Macbeth.

MACBETH Dein Bauer, Lady.
Lady Macbeth bedeckt die Augen mit den Händen. Macbeth lacht.

6

Bauer im Block. Duncan und Banquo.

DUNCAN Das Schloß liegt angenehm. Gastlich die Luft
Empfiehlt sich Unsern Sinnen.

BANQUO Der Sommergast
Der gern an Kirchen heckt, die Schwalbe, meldet
Mit vielem Bauwerk, daß der Himmel hier
Gut atmet. Kein Loch im Gemäuer, wo
Der Vogel nicht sein hängendes Bett gebaut hat
Und fortbrütende Wiege. Immer fand ich
Da wo sich das am fleißigsten vermehrt
Die Luft am besten.
Lady Macbeth.

DUNCAN Unsre schöne Wirtin.
Last manchmal wird die Liebe, die Uns anhängt
Doch tragen Wirs als Liebe. Lernt von mir
Gott bitten, daß er Eure Mühn uns aufwiegt
Und dankt Uns Eure Last.

LADY MACBETH All unser Dienst

Zweifach getan in jedem Punkt, dann doppelt
Ist arme Einzelheit gegen die Ehren
Die Eure Majestät auf unser Haus lädt.
Für vorige Würden, und, auf die gehäuft
Die neuesten bleiben wir Schuldner.

DUNCAN Wo ist der Than
Von Cawdor. Wir folgten dicht ihm, sein Vorredner
Wollten wir sein. Aber er reitet gut
Und seine Liebe, wie seine Sporen scharf
Gab ihm den Vorsprung. Schön und edle Wirtin
Wir sind Euer Gast zur Nacht.

LADY MACBETH Eure Diener
Haben das ihre und sich selbst als Lehen
Und rechnen ab nach Eurer Hoheit Lust
Was Euer ist Euch gebend.

DUNCAN Eure Hand.
Führt mich zu meinem Wirt. Wir lieben sehr ihn
Und fort soll Unsre Gnade auf ihn scheinen.
Erlaubt, Lady.

7

Diener tragen geschlachtete Tiere vorbei. Macbeth.

MACBETH Ich war sein Fleischer. Warum nicht sein Aas
Auf meinen Haken. Ich hab seinen Thron ihm
Befestigt und erhöht mit Leichenhaufen.
Wenn ich zurücknähm meine blutige Arbeit
Sein Platz wär lange schon im Fundament.
Er zahlt was er mir schuldet, wenn ichs tu.
Wenn es getan wär, wenns getan ist, gut
Und schnell getan. Wenn Mord einsargen könnte
Was Mord ausbrütet, daß der eine Stoß

Das all und einzige wär und weiter nichts und
Nur hier auf dieser rostigen Werkbank Zeit
Leicht übersprängen wir das kommende Leben.
Auch ist aus dem noch keiner aufgestanden
Zu sagen, ob es ist. Vielleicht kommt keines.
Doch Fälle der Art finden hier Gericht
Der blutige Unterricht schlägt auf den Lehrer
Gradhändig die Vergeltung stopft das Gift
Uns selber in die Zähne. Er ist hier
Doppelt geschirmt: ich bin sein Untertan
Das stumpft dem Dolch die Spitze, und sein Wirt
Der gegen seinen Mörder schließen sollte
Sein Tor, statt daß ich selbst das Messer greif.
Und dieser Duncan, nebenbei, sieht einem
Schnee schon so ähnlich, daß an seinen Klauen
Das Blut nicht mehr geglaubt wird. Und der Schnee
                                          schreit
Gegen die schwarze Bosheit seiner Schlachtung.
Mitleid wie eine nackte Neugeburt
Sein Bauch der Sturm, oder auf unsichtbaren
Gäulen aus Luft die Engel selber blasen
In jedes Aug die Greueltat, daß Tränen
Den Wind ersäufen. Ich hab keinen Stachel
Meinem Willen die Flanken zu kitzeln, nur
Diesen eiligen Ehrgeiz.
Lady Macbeth.
Was jetzt. Was willst du Neues.
LADY MACBETH Er hat gegessen. Morgen essen wir
Von seinem Silber. Warum gingst du weg.
MACBETH Fragt er nach mir.
LADY MACBETH Weißt du nicht, daß ers tat.
MACBETH Wir wolln nicht weiter gehn in dieser Sache.
Er hat mich gut bezahlt, und goldne Achtung
Hab ich gekauft bei Leuten aller Art

Und wie du weißt mit kleiner Münze diesmal
Ich hatte andre Furchen schon im Fleisch.
Der frische Glanz will abgetragen sein
Nicht weggeworfen neu.

LADY MACBETH War die Hoffnung ein Bierdunst
Die dich geschwellt hat, etwas wie ein Schlaf
Daß sie bei Taglicht anglotzt grün und bleich
Was sie getan hat frei. Und das weiß ich
Von deiner Liebe jetzt. Fürchtest du dich
Macbeth, zu werden der du bist im Traum.
Es juckt ihn und er fürchtet sich zu kratzen.
Es könnte Blut ihm untern Nagel kommen.
So leb du mit dem Kitzel nach der Krone
An deiner Geilheit messend deine Feigheit
Still wartend mit Ichwagsnicht auf Ichwill.

MACBETH Schweig. Alles wag ich was dem Mann ansteht.
Der mehr wagt ist keiner.

LADY MACBETH Was für ein Tier dann
Hat diese Unternehmung mir entdeckt.
Du warst ein Mann, es wagend, um so mehr
Wirst du der Mann sein mehr zu sein als du.
Nicht Platz noch Stunde waren günstig damals
Du wolltest beide zwingen in deine Faust.
Sie geben sich und du hast keine Faust mehr.
Du hast für ihn geschlachtet, Blutgestank
War noch in der Umarmung. Wags für dich.
Ich hab gesäugt und weiß wie süß schmeckt Liebe
Zum Kleinen das dich melkt. Ich hätte, im
Gesicht sein Lächeln, aus den beinlosen Kiefern
Gerissen meine Brust und das Gehirn
Ihm ausgeschlagen, hätt ich so geschworen
Wie du geschworen hast dies.

MACBETH Wenn wirs verfehlten.

LADY MACBETH Wir das. Nimm deinen Mut nur in die Zange

Und nichts schlägt fehl. Wenn Duncan schläft, und rasch
Wird nach durchrittnem Tag der Schlaf ihn angehn
Werd mit Gewürz und Wein seine zwei Kämmrer
So ich bereden, daß ihr armer Verstand
Oder was dafür gilt, ein Dunst ist, sein
Behälter ein Dampfhelm. Wenn in schweinischem Schlaf
Ertränkt sie liegen wie in einem Tod
Was können du und ich nicht antun dem
Sehr schutzlosen Duncan, was nicht aufladen seinen
Berauschten Dienern, die tragen solln die Schuld
Bei unserm großen Aufwasch.
MACBETH Du gebär mir
Söhne. Nur Männer sollen wachsen, Frau
Aus deinem wilden Stoff. Wer wird nicht glauben
Wenn wir in seiner Kammer die schläfrigen Zwei
Schminken mit Blut, gezapft mit ihren Dolchen
Sie taten den Stoß.
LADY MACBETH Wer darf es anders glauben
Wenn wirs getan haben mit Glück und schrein
Unsern Gram aus.

8

Banquo. Fleance.

BANQUO Wie alt ist die Nacht, Sohn.
FLEANCE Der Mond ist unten.
BANQUO Der geht
Um Mitternacht.
FLEANCE Ich denk, es ist danach, Sir.
BANQUO
Nimm du mein Schwert. Sie halten haus im Himmel.
Aus alle Kerzen. Nimm das auch. Ein schwerer

Schlaf liegt wie Blei auf mir. Ich will nicht schlafen.
Mächte der Gnade, helft mir von den schwarzen
Gedanken, die aufsteigen in den Schlaf
Aus Kellern der Vernunft. Gib mir mein Schwert.
Macbeth. Diener mit Fackel.

BANQUO Wer da.

MACBETH Ein Freund.

BANQUO Seid Ihr noch wach, Sir. Der König ist zu Bett.
Mit bessrer Laune als gewöhnlich: reich
Hat Eure Diener er beschenkt und grüßt
Mit diesem Diamanten Eure Frau
Als seine beste Wirtin, ganz zufrieden.

MACBETH So eilig der Besuch, daß unser Wille
Der einzige Diener unsres Mangels war.
Wir hätten reicher uns gezeigt sonst.

BANQUO Reich
Genug so. Ich träumte letzte Nacht, Macbeth
Von den drei Zauberschwestern. Euch haben die
Einiges wahrgesagt.

MACBETH Ich denk nicht an sie.
Doch wenn der Dienst uns eine Stunde spart
Wir hätten ein Gespräch in dieser Sache
Wenn Ihr die Zeit gewährt.

BANQUO Nach Eurem Belieben.

MACBETH Steift mir den Rücken, wenn die Zeit ist. Das wird
Euch Ehre bringen.

BANQUO Wenn ich Ehre nicht
Verlier im Greifen nach mehr Ehre und
Bei allem, was in der Pflicht bleibt, zählt auf mich.

MACBETH Bis dahin: gute Nacht.

BANQUO Dank, Sir, und Euch.
Banquo und Fleance ab.

MACBETH Sag deiner Herrin, wenn mein Trank bereit ist
Mag sie die Glocke schlagen. Du geh zu Bett.
Diener ab.

Ist das ein Dolch. Der Griff sucht meine Hand.
Komm, altes Eisen, das die Könige tauscht
Geburtshelfer der Majestät, Thronerbe.
Ich hab dich nicht, und doch seh ich dich gut.
Bist du der Hand nicht wirklich wie dem Auge
Fatales Bild. Bist du ein Traumdolch, eine
Quere Geburt aus überheiztem Schädel.
Ich seh dich noch, deine geborgte Form
Von diesem Dolch, der fest in meiner Hand liegt.
Du gehst mir vor den Weg, der schon mein Gang war.
Du bist das Werkzeug, das ich brauchen wollte.
Mein Auge ist der Clown der andern Sinne
Oder den Rest wert. Ich seh dich immer, Dolch
An deiner Schneide Blut, das vorher nicht war.
Von deinem Griff ist Schweiß an meiner Hand
Von Mördern vor mir. Wie lange zapfst du schon
Von Hand zu Hand gereicht wie eine Hure
Das Blut der Könige, rot wie andres Blut.
Ich hab dich lang genug gesehn. Du bist nicht.
Mein blutiges Geschäft nimmt meine Augen
So in die Lehre. Auf der einen Halb-Welt
Vor der mein Leib ins Nichts hängt, stellt was lebt
Sich tot jetzt, Träume reiten den Schlaf, meine Schwestern
Die Hexen treten ihren Dienst an, Mord
Ist billig, mit Blut geleimt der staubige Erdball
Schluckt seinen Schritt. Geh deinen Gang, Wegweiser
Zur Macht, morgen vielleicht in meinen Rücken.
Worte genug für einen einzigen Tod.
Die Welt hat keinen Ausgang als zum Schinder.
Mit Messern in das Messer ist die Laufbahn.
Glocke.
Das ist die Glocke, Duncan, die uns lädt
Zu Himmel oder Hölle. Sag dein Gebet.
Ab. Lady Macbeth.

LADY MACBETH Er ist bei der Arbeit.
Die Türen offen, vollgeschwemmt die Knechte
Schnarchen Hohn ihrem Amt. Mein Gift im Schlaftrunk
Macht, daß sich in den Haaren liegen Tod
Und Schlaf um die Kadaver.

STIMME Wer ist da. He.

LADY MACBETH Ach. Sie sind aufgewacht und es ist nicht
Getan. Der Anschlag, keine Tat, verschlingt uns.
Ich legte ihre Dolche ihm zur Hand.
Er mußte sie finden. Hätt er nicht gleichgesehn
Im Schlaf meinem Vater, ich hätt es getan. Bist dus, Mann.

MACBETH Ich hab die Tat getan. Könnt ich sein Blut
Zurück in seine Adern gießen.

LADY MACBETH Wozu.

MACBETH *blickt auf seine Hände:* Das ist ein trauriges Bild.

LADY MACBETH Das ist die Krone.

MACBETH Ich hab geschlachtet, und mit gleichen Händen
Was vor mein Schwert kam. In Blut gebadet so
In seinem Dienst weiß waren meine Hände.
Ich war sein Schwert. Ein Schwert hat keine Nase
Für den Gestank aus offnen Leibern. Könnt ich
Die Hand abhaun, die mich geführt hat.

LADY MACBETH Du siehst es.
Dein Schatten ist was deine Sonne schwärzt.
Zum erstenmal dein eignes Schwert warst du.
Nimm unter deinen Stiefel dieses Schottland
Und Schwarz ist Weiß.

MACBETH Hast dus getan. Was weißt du.
Wer schläft in der zweiten Kammer.

LADY MACBETH Donalbain
Mit seinen Knechten.

MACBETH Dort war einer, der
Lachte aus seinem Schlaf und Mord schrie einer
Und weckten sich jeder mit seinem Traum

Und einer den andern. Ich stand und hörte sie.
Aber sie lallten mit Gebet zurück
In ihren Schlaf sich.

LADY MACBETH Das war gut gebetet.

MACBETH Als ich die Dolche aufhob über ihn
Schrie einer Gotthelfuns, Amen der andre
Als sähn sie mich mit diesen Fleischerhänden
Von welcher Macht bestimmt für diesen Purpur.
Behorchend ihre Furcht konnt ich nicht sagen
Amen auf ihr Gotthelfuns.

LADY MACBETH Denk nicht so tief
Darüber.

MACBETH Warum konnt ich nicht Amen sagen.

LADY MACBETH
Ich sags für dich. Amen. Willst dus noch einmal.

MACBETH Ich brauchte mehr die Gnade und Amen
Stockt mir im Hals.

LADY MACBETH Du brauchst kein Amen mehr
Nach dem.

MACBETH Und als ich ihm die Gurgel aufschnitt
Und über meine Hände sprang sein Blut
Schrie eine Stimme: Schlaft nicht mehr. Macbeth
Mordet den Schlaf. Den Schlaf der aus der Schuld ist
Schlaf, der den Wirbel unsrer Sorgen stillt
Den täglichen Tod, das Heilbad der Geschundnen
Balsam für Herzweh, zweiten Gang der Natur
Und Hauptgericht des Lebens.

LADY MACBETH Was redest du.

MACBETH
Und immer schrie das Schlaft nicht mehr das Haus durch
Glamis mordet den Schlaf, und darum für
Cawdor kein Schlaf mehr, für Macbeth kein Schlaf mehr.

LADY MACBETH Das wird sich finden, unser ist der Tag.
Und spar die Tränen für die Leichenwäsche.

Ein wenig Wasser wird das Gras befördern
Das wächst aus seinem Wanst über sein Grab.
Ist es so schwer, dein eigner Herr sein. Bieg
Nicht deine Kraft unter gewohntes Denken.
Nimm Wasser und wasch ab von deiner Hand
Das rohe Zeugnis. Was schleppst du die Dolche her
Von ihrem Platz weg. Trag sie hin und salb
Mit seinem Blut seine schläfrigen Knechte.

MACBETH Ich fürchte mich zu denken was ich tat
Es wieder sehn, ich wags nicht.

LADY MACBETH Schwacher Mensch
Gib mir die Dolche. Leere Bilder sind
Schläfer und Tote. Das Aug der Kindheit scheut
Gemalt den Teufel. Wenn der Alte noch Blut hat
Will das Gesicht der Kämmrer ich vergolden
Daß es von Schuld glänzt.
Ab.

MACBETH Was für ein Lärm. Wer klopft
Aus meiner Nacht oder in deiner Nacht.
Das Herz der Hund oder Kundschaft am Südtor.
Wer will auf die Fleischbank. He, lärmt leiser, ihr.
Der Leichnam ist neu im Beruf, er könnte
Vergessend seine frische Würde aufstehn
Sein Kopf haarunten baumelnd im Genick
An den drei Sehnen, die mein Schnitt geschont hat.
Was ist geschehn, daß jeder Lärm mich schreckt
Und mit Froschfingern greift nach meinem Nacken.
Was ist noch nicht geschehn. Was für Hände
Sind hier mir aufgepflanzt und löffeln mir
Meine Augen aus. Hand oder Auge.
Was brauch ich Augen, diesen Fleck zu sehn.
Nicht alles Wasser, wenn die Meere sich
Versammeln, wird abwaschen meiner Hand sein
Blut ganz. Eher wird diese meine Hand

In Purpur kleiden, ein Rot das Grün, die See.
Lady Macbeth.
LADY MACBETH Von deiner Farb sind meine Hände. Meine
Scham ist mein weißes Herz. Ich hör ein Klopfen
Am Südtor. Laß uns gehn in unsre Kammer.
Ein wenig Wasser wäscht uns von der Tat.
Wie leicht dann wiegt die. Dein Wille hat dich ganz
Allein gelassen. Das Klopfen wieder. Zieh an
Dein Nachtkleid, daß der Zufall nicht uns wach trifft
Vor andern Schläfern. Denk dich nicht so tief
In deine Schwäche.
Ab.
MACBETH Zu wissen meine Tat. Das beste wär
Mich selbst nicht wissen. Klopf aus dem Schlaf
Die Königsleiche. Könntest dus.

9

Pförtner.

PFÖRTNER
Gut geklopft, Herr. Das Klopfen hat Melodie, Herr.
Singt:
Er schnitt mit dem Schwert ihr die Brustwarzen ab
Ein Jammerbild wars zu sehn –
Klopft was Ihr könnt, Ihr müßt doch warten auf den
Pförtner. Das weckt die Toten. Wollt Ihr ein Gespenst
auf den Hals.
Herab und floß der Dame Herzblut
Und tropfte von ihren Knien
Das muß ein weitläufiger Herr sein, der so zeitig Lärm
schlägt. Was ist neu unter dem Mond, daß es nicht warten
kann auf die Sonne. He. Ich kann auch klopfen: mein Bein

ist schottischer Wald wie das Tor. Ein Wald braucht seine
Zeit, Herr. *Trinkt.* Das ist ein Mittel gegen den Wald-
brand. *Schließt auf.*
Macduff und Lenox.
Es war mein Holzwurm, Herrn, der euch warten ließ, ich
bin die Eile selbst im Toraufschließen. Ist Euch mein Bein
über den Weg gelaufen, Herr, daß Ihr so quer blickt. Es war
ein gutes Bein, Herr, bis es mir fremdging gegen England.
Es ist keine Treue in einem Bein, Herr, wenn es ins Laufen
kommt. Es ist niedergekommen, ich rede von meinem
Bein, Herr, auf einem Schlachtfeld bei Bannockbride mit
einer Armee von englischen Würmern. Der Arm, Herr, ist
läufig geworden in seiner Gesellschaft aus Liebe zur Sym-
metrie.

MACDUFF Soll ich dich an die Pforte nageln, Pförtner.
Tut es mit dem Schwert.

LENOX Ich will dir Beine machen, Armstumpf. Lauf.
Haut ihm das Stelzbein ab. Beide lachen. Macbeth.

LENOX Wir mußten Eurem Pförtner, Herr, ein wenig
Die Zeiger richten. Er hinkt gegen die Uhr.

MACBETH Dank für die Arbeit.

LENOX Wir haben sie gern getan.

MACBETH Arbeit ist Arbeit.

MACDUFF Arbeit, die wir gern tun
Ist keine. Wo schläft der König. Er befahl
Mir, zeitig ihn zu wecken.

MACBETH Dort ist die Tür.

MACDUFF Ich wags und weck ihn nach seinem Befehl.
Ab.

LENOX Der König reitet heute?

MACBETH So bestimmt ers.

LENOX Die Nacht war heillos, in unserem Quartier
Schmiß es den Schornstein um. Die Luft war voll mit
Gewimmer, Todesschreie, nie gehört so

Wahrsagerei mit fremd schrecklichem Singsang
Von wilden Bränden, umgekehrtem Weltlauf
Brütend im Bauch der Zeit. Der Vogel der Nacht schrie
Löcher in unsern Schlaf. Die Knechte sagen
Die Erde sei besoffen ganz mit Blut
Und wälzt im Krampf sich.

MACBETH Die Nacht war rauh.

LENOX Mein junges
Gedächtnis weiß von keiner, die der gleichkam.

MACBETH Diener. Räumt weg das, eh der König aufsteht
Daß nicht sein Aug beleidigt wird mit Blut
Für ihn vergossen zwar mit schnellem Eifer.
*Diener schleifen den Pförtner weg, waschen Blut von Tor
und Boden.*
Macduff.

MACDUFF Sauft Ihr gern Blut, Than.

MACBETH Blut. Wovon redet Ihr.

LENOX Was ist geschehn.

MACDUFF Einer ist hier, der weiß
Wovon ich rede. Einer liegt vielleicht
In jener Kammer oder der und krampft
Die frisch geweißten Klauen nach der Krone
Und neben ihm ein andrer schleift vielleicht
Sein Messer für den Schnitt den er verpaßt hat
Für diesmal. Was glotzt ihr. Geht in die Kammer. Dort
Ist Futter. Seht euch satt an dem Gemälde
Das ich gesehn hab, und als erster nicht.
Die Hand, die das gemalt hat, war nicht blind.
Macbeth und Lenox ab.
He. Schlag die Glocke.

DIENER Warum, Herr, wenns beliebt.

MACDUFF Weil ich dir sonst ein Loch in deinen Wanst mach.

DIENER Ein guter Grund, Herr. Es lebe der König.

MACDUFF He
Was sagst du. Weißt du von wem du sprichst, Mensch.

DIENER Herr

Vom König. Der König ist der König. Und

Ists der nicht ists ein andrer. Der oder der.

MACDUFF Der oder der. Der Hund hat Politik

Unter der Zunge. Soll ich sie dir ausreißen, Kerl.

Mit Hilfe von zwei Dienern, die den Mann festhalten und
ihm die Kiefer aufsperren, schneidet Macduff ihm die
Zunge heraus. Der Mann brüllt.

MACDUFF

Das spart die Glocke. He, wacht auf, Thans. Hört ihr

Das Fleisch nach Essern schrein. Zur Tafel, Schlächter.

Mord hat den Tisch gedeckt, Verrat das Fleisch

Gesalzen. Zeigt eure Hände: weiß ist blutig.

Brüll weiter, Mensch. Soll ich dir den Hals abschneiden.

Werft ab den Daunenschlaf, den Affen des Todes

Nehmt euren Platz ein zwischen seinen Zähnen

Wärmt euch im Vorschein des letzten Gerichts

Steht wie aus euren Särgen auf und rennt

Wie Geister mit den Würmern um die Wette

Um euer Fleisch.

Lady Macbeth.

LADY MACBETH Welch häßliche Trompete.

Ist das aus Eurer Werkstatt. Warum stört Ihr

Den Schlaf der Unschuld.

MACDUFF Zarte Lady, nicht

Für Euer Ohr ist was ich sagen könnte

Mit meiner Zunge und mit der.

Banquo.

Banquo.

Der König ist ermordet.

LADY MACBETH In unserm Haus.

BANQUO

Grausam wo immer. Sag daß du lügst, Macduff.

Macbeth und Lenox.

286

MACBETH Wär ich gestorben eine Stunde vor dem
Glücklich war meine Zeit. Nach diesem Heute
Was ist noch heilig hier zwischen Kot und Blut.
Spielzeug alles, ranzig der Ruhm, faul die Gnade.
Der Wein ist abgefüllt, nur Traubenschlamm
Schäumt noch und bläht sich in der hohlen Kelter.
Malcolm. Donalbain.
MALCOLM UND DONALBAIN Wem gilt das Jammern.
MACBETH Euch. Wißt ihrs nicht.
Pause.
Die Quelle ist verstopft, aus der euer Blut sprang.
MACDUFF Der König, euer Vater, liegt ermordet.
MALCOLM Von wem.
LENOX Seine Kämmrer haben, lügt nicht der Anschein
Die Tat getan. Gesicht und Hände waren
Markiert mit Blut so überall als hätten
Die sich gewaschen drin. Die Dolche auch rot
Fanden wir auf den Polstern ausgelegt
Wie zum Beweis ruhmwürdiger Arbeit. Starr
Mit Wahnsinn blickten sie auf uns als wär
Ein Dorn im Aug alles Lebendige ihnen.
MACBETH Hätt ich die Wut bezähmt. Ich hab sie getötet.
MACDUFF Warum habt Ihrs getan.
MACBETH Wer ist im Schrecken
Weise, kalt in der Wut, mit Treue lässig.
Zu schnell war meine Liebe, die unter den Fuß nahm
Meine Vernunft, die Halt schrie. Hier lag er
Sein grauer Leib bestickt mit seinem Blut
Klaffend die Wunden ein Loch in der Natur
Für den Einmarsch des Unheils. Dort seine Mörder
Bemalt mit ihrem Handwerk, in Scheiden aus Blut
Ihre Dolche. Wer der für Liebe ein Herz hat
Und in dem Herzen Mut, die auszustelln
Hielt da sein Schwert zurück.

LADY MACBETH Helft mir weg von hier.

MACDUFF Seht nach der Lady.

MALCOLM Warum schonen wir
Die Stimme, Bruder, mit dem ersten Anspruch
Hier auf Geschrei.

DONALBAIN Was ich bejammern sollt
Lähmt mir die Zunge. Diese Vaterleiche
Geht schwanger, Bruder, mit deinem und meinem Tod.
Weg hier, eh diese Tränen uns ersäufen
Eh dieser Schmerz uns an den Boden nagelt.

BANQUO
Seht nach der Lady. – Wenn wir bedeckt haben unsre
Zu dünnen Häute, Herrn, die allzu leicht
Ein Schwert erröten machen, wenn sie nackt gehn
Wolln wir befragen nach seinem Woher
Dieses sehr blutige Stück Arbeit. Zwischen
Zweifel und Furcht in Gottes mächtiger Hand
Gegen den schweigenden Verdacht steh ich.

MACDUFF Und ich so.

LENOX So in seiner Hand wir alle
Der wenn es ihm gefällt den Erdkreis biegt
In seine Faust.

MACBETH Ich wollte es gefiel ihm.
Legt euer Eisen an und kommt in den Saal.
Alle außer Malcolm und Donalbain ab.

MALCOLM Was wirst du tun. Mit diesen Trauergästen
Ist nicht gut tafeln, wie. Leicht könnten wir
Der Leichenschmaus sein, Bruder. Ich geh nach England.

DONALBAIN Nach Irland ich. Getrennt ist unser Glück
Sichrer uns beiden. Wo wir sind, starrn Dolche
Aus jedem Lächeln. Je näher im Blut
So blutiger die Nähe.

MALCOLM Der Pfeil fliegt noch
Wir haben keinen Weg als aus dem Ziel.

Laß uns nicht zart tun, Bruder, mit dem Abschied.
Die Sitten haben sich geändert hier
Der Mond schneit Blut.
Malcolm und Donalbain ab.
Diener.
DIENER Was aufschlägt ist das Bier.

10

Der Bauer im Block: ein Skelett mit Fleischfetzen. Alte Frau.
Junger Bauer. Schnee.

FRAU Gebt mir meinen Mann wieder. Was habt ihr mit
meinem Mann gemacht. Ich bin nicht verheiratet mit
einem Knochen. Warum hast du die Pacht nicht gezahlt,
du Idiot. *Schlägt die Leiche.*
JUNGER BAUER *zieht sie weg:* Wovon. Die Hunde waren
schon an ihm. Eine Hand ist auch ab. Wir wolln den
Rest einsammeln, eh die Hunde mit ihm fertig sind.
Sie werden die Knochen nicht nachzählen da wo er hin-
geht. Heul nicht. Der Rotz gefriert dir auf den Backen.
Wenn du hin bist, wer macht mir den Gaul. Eine Frau
krieg ich nicht mit der Pachtschuld. Einer ist gekillt
worden, heißt es. Der König. Hörst du die Gäule. Das ist
der Blutgeruch. Wir kriegen ihn nicht heil heraus. Es ist
noch zu viel Fleisch an ihm.
Ducken sich in den Schnee. Rosse. Macduff.
ROSSE Wie geht die Welt, Sir.
MACDUFF Wie. Seht Ihrs nicht.
ROSSE Wer hat getan die mehr als blutige Tat.
MACDUFF Die nicht mehr leugnen können noch gestehn
Weil ihnen in die Grube half Macbeth.

ROSSE Warum sollten sie schlachten ihre Goldgans.

MACDUFF

Für mehr Gold. Malcolm und Donalbain, die Söhne
Der toten Majestät, sind auf der Flucht
Und einzig der Verdacht ist ihre Beute.

ROSSE Ein Wunder der Natur: Der Ehrgeiz als
Verschwender. Schottland also gehört Macbeth.

MACDUFF Er ist ernannt und geht nach Scone zur Krönung.

ROSSE Geht Ihr nach Scone, Sir, mit dem neuen König?

MACDUFF Nein, Vetter. Ich geh nach Fife mit mir.

ROSSE Ich geh
Den anderen Weg.

MACDUFF Tut, was Ihr wollt. Adieu.
Der alte Rock ist hin. Schnell in der Treue
Sorgt daß Euch nicht eng wird am Hals der neue.
*Ab nach verschiedenen Seiten. Der junge Bauer und die alte
Frau fangen an, den Toten aus dem Block zu klauben.*

11

Banquo.

BANQUO Du hast es: Glamis und Cawdor, König jetzt
Ganz nach dem Wahrspruch der Weiber. Und sehr fürcht
ich
Du hast, damit der wahr wird, falsch gespielt.
Das haben sie auch gesagt: dein Stamm, Macbeth
Hat keine Äste. Aber ich soll sein
Von vielen Königen nach dir die Wurzel.
Wenn Wahrheit kommt aus unsern bärtigen Schwestern
Auf seinem Kopf der Reifen sagt es laut
Warum soll guter Hoffnung sein ich nicht.
Hier kommt ein König der keine Zeit hat. Schon
Gehn meine Sonnen auf durch sein Geripp.

Macbeth als König, Lady Macbeth als Königin.
Rosse, Lenox, Lords.

MACBETH Hier unser Hauptgast.

LADY MACBETH Wenn der vergessen wird
Wär etwas wie ein Riß in unsern Freuden.

MACBETH Wir geben heute nacht ein Essen, Sir.
Ich will, daß Ihr dabei seid.

BANQUO Eure Hoheit
Hat das Kommando über mich, der Ihr
Verbunden ist für immer in der Pflicht
Mit einem Band ganz unauflöslich.

MACBETH Ihr
Reitet heut nachmittag.

BANQUO Das will ich, Herr.

MACBETH Wir hätten Euern Rat gewünscht, wärs nicht so
Der immer von Gewicht war und zum Besten
Im heutigen Reichstag. Wir hören morgen Euch.
Reitet Ihr weit.

BANQUO Von jetzt bis Abend, Herr.
Und wenn mein Pferd nicht ausgreift, muß ich borgen
Bei der Nacht.

MACBETH Fehlt nicht bei Unserm Fest.

BANQUO Nicht ich, Herr.

MACBETH Wir hören, Unsre blutigen Vettern, nicht
Geständig ihres rohen Vatermords
Arbeiten als Märchenerzähler in
England und Irland. Davon morgen mehr
Wenn alle uns das Staatsgeschäft versammelt.
Sir, wir entlassen Euch auf Eure Pferde
Bis Ihr heimkehrt zur Nacht. Geht Fleance mit Euch.

BANQUO Ja, hoher Herr. Und unsre Zeit ist knapp.

MACBETH
Ich wünsch Euch Pferde, die schnell und sicher gehn
Und ihren Rücken anvertrau ich Euch.
Lebt wohl.

Banquo ab.

Und jeder sei Herr seiner Zeit.

Bis abend. Daß eure Gesellschaft mehr
Uns angenehm sei, wolln Wir allein sein selbst
Bis zum Nachtmahl. Gott sei mit euch.

Alle ab außer Macbeth.

Ich kann den
Nicht brauchen jetzt und hier. Braucht ich ihn je.
Wenn er die Zeit anhalten könnte. Ich
Kanns mit nicht mehr als vier gemieteten Händen.
Diener.

Diener.

Die Männer, die bestellt sind, Uns
Zu unterhalten, sind sie zur Hand.

DIENER Am Tor, Herr.

MACBETH Befiehl sie vor Uns.

Diener ab.

Meine Furcht heißt Banquo.
Er war zu lange neben mir, er kann
Nicht unter mir sein, über ihm nicht ich
Auf festem Stuhl. Auch hat er einen Kopf
Zu viel seit jener Heide. WENIGER ALS
MACBETH UND MEHR Banquo der Königsmacher.
Ich will ihm kürzen sein zu steiles Glied
Bis ihn der Wurm begattet, seine Brut auch.
Auf meinen Kopf dürr wie ein Stroh die Krone
In meinen Griff ein Zepter ohne Frucht
Von fremder Hand mir aus der Faust gebrochen
Tot oder lebend, weil in meiner Blutspur
Kein Sohn den Stiefel hebt, sein Samen König.
Für den mit Schwertern pflügen diesen geilen
Acker aus Menschenfleisch. Die Knochenmühle
Der Macht drehn für die Mägen seiner Brut
Die aufgespannt sind hinter meinem Aas.

Ich will der Zukunft das Geschlecht ausreißen.
Wenn aus mir nichts kommt, komm das Nichts aus mir.
Wer kommt.
Diener mit zwei Mördern.
Bis wir dich brauchen, steh an der Tür.
Diener ab.
Wars gestern, daß wir sprachen miteinander.
MÖRDER 1 Gestern, Majestät.
MÖRDER 2 Mit Eurer Erlaubnis.
MACBETH Und habt ihr
Nachgedacht meinen Reden. Wißt
Daß er es war, der in voriger Zeit euch
Unter dem Hund hielt, was ihr glaubtet von meiner
Ganz schuldlosen Person, er, Banquo.
MÖRDER 1 Ihr
Habt es uns wissen lassen.
MACBETH Was wollt ihr tun
Dabei.
MÖRDER 2 Herr, was Ihr wollt.
MACBETH Schmeckt euch der Mist
Der seine Ernten reif macht. Seid ihr Männer.
MÖRDER 1 Mit Eurer Erlaubnis, Herr.
MACBETH Wie. Wollt ihr beten
Für diesen guten Mann und sein Geschlecht
Der lebend euch das Grab zu kosten gibt
Und mir.
MÖRDER 1 Wir wolln die Hände falten, Herr
Um seine Kehle.
MACBETH Seid ihr starke Beter.
MÖRDER 1 Die Welt hat uns gelehrt zu beten, Herr.
MACBETH So leg ich diese Arbeit euch ans Herz, die
Den wegräumt und ansiedelt euch in Unserm
Herzen, das lahmt, solang der sein Blut hat. Ihr
Betet für Schottland.

MÖRDER 2 Herr, für was Ihr wollt. Ich
   Bin einer, den die Welt mit Nackenschlägen
   So eingedeckt hat, daß ich nicht mehr frag, was
   Der Welt zum Hohn ich tu.
MÖRDER 1 Ein andrer ich
   Gesiebt von Elend, ausgefranst vom Glück so
   Daß ich das Leben setz auf jeden Wurf
   Es aufzubessern oder los zu sein.
MACBETH Und beide wißt ihr, Banquo war euer Feind
   Und meiner auf so blutige Distanz
   Daß mich sein Atem würgt.
MÖRDER 1 Wir wissens, Herr.
MACBETH Mit der bloßen Macht mir aus dem Auge wischen
   Könnt ich den und mein Wille spräch mich frei.
   Doch darf ichs nicht, gewisser Freunde wegen
   Seiner wie meiner, deren Lieb ich brauch
   Sondern bejammern seinen Fall muß ich der
   Ihn totschlug. Das der Grund warum ich schöntu
   Um eure sehr mit Tod begabte Hand
   Daß ihr mir ausborgt die als einen Handschuh
   Maskierend, weils der Staat braucht, meinen Griff
   Dem öffentlichen Auge.
MÖRDER 2 Was Ihr befehlt, Herr
   Wir wollens tun.
MÖRDER 1 Mit jeder Gurgel, Herr
   Die Ihr die Gnade habt uns anzuvertraun.
MACBETH Durch euren trüben Stoff glänzt was von Adel.
   In dieser Stunde noch weis ich euch an
   Wo ihr euch aufpflanzt; Zeit und Augenblick
   Denn heute nacht muß das getan sein; und
   Vom Schloß weg, meine Unschuld nicht zu schwärzen
   Und mit ihm, daß die Arbeit ohne Rest sei
   Muß der den gleichen Weg kommt, Fleance, sein Sohn
   In eure tödliche Umarmung gehn
   Uns aus der Sonne. Seid ihr bereit.

MÖRDER Wir sinds.

MACBETH Verbergt euch jetzt und wartet auf die Stunde.

Mörder ab.

Das war Banquo. Der Rest ist für die Hunde.

Lady Macbeth.

LADY MACBETH

Warum allein, Majestät. Zu schwer die Krone.
Laßt mich Euch tragen helfen. Grabt Euch nicht
In trübe Fantasien, fortpflanzend immer
Gedanken von der Art, die aus sein sollten
Mit ihm dem ihr nachdenkt. Was man nicht ändern kann
Soll man nicht denken. Getan ist getan. – Banquo
Ist weg vom Hof?

MACBETH Und kehrt zurück.

LADY MACBETH Wohin.

MACBETH Von wo er ausging.

LADY MACBETH Wie alles Lebende. Wann.

MACBETH Das Leben ist ein Wettlauf in den Tod.

LADY MACBETH

Kämm dein Gesicht, mein Herr und König. Zeig
In dieser Nacht dich deinen Gästen freundlich.

MACBETH Das will ich, Liebe. Zeig du dich auch so, ihm
Vor allen, Banquo. Mit Skorpionen voll
Ist mein Gemüt, Frau, und in dieser Nacht
Haben sie Ausgang. Unfest der Thron. Mit unserm
Speichel müssen wir spülen unsre Macht
Unsre Gesichter Larven unsern Herzen.
Dein Lächeln heute nacht gehört ihm, Banquo.
Wir haben gekerbt die Schlange, getötet nicht.
Sie wächst zusammen und ist neu wie vordem
Und wieder unter ihrem Zahn wohnt unser
Wenig an Bosheit. Aus den Fugen geh
In der und jener Welt der Bau der Dinge
Eh unsern Angstschweiß essen wir und schlafen

In der Umklammrung dieser wüsten Träume
Die nachts uns würgen. Besser tot mit dem Toten, den
Steigend auf seinen Platz wir niedertraten
Als liegen auf der Folter ausgespannt
Mit allen Nerven. Duncan hat sein Grab
Unser Verrat hat ihm geholfen aus
Des Lebens Fieberschauern. Gut schläft er.
Gift, Stahl, Aufstand und Krieg, nichts mehr bewegt ihn.
Dein bestes Lächeln heute nacht für Banquo.

LADY MACBETH Was willst du tun.

MACBETH Sorg du nicht darum. Dein
Lächeln für Banquo.

LADY MACBETH Könnt ich ihn totlächeln.

MACBETH Von Männern, Frau, ist diese Welt gemacht
Nur Männer können ihren Bau erschüttern.
Geh und sei schön, ich wills, für unsre Gäste.

LADY MACBETH Wär ichs für dich noch.

MACBETH Meine Braut heißt Schottland.

LADY MACBETH *entblößt ihre Brüste:*
Die Euch das Bett bereitet hat war ich, Sir.

MACBETH Bedeckt Euch, Lady, denn die Macht ist kalt.

LADY MACBETH
Und schrein nach meinen Brüsten wirst du bald.
Lady Macbeth ab.

12

Drei Mörder.

MÖRDER 1 Wer hieß dich uns zur Hand gehn.
MÖRDER 3 Macbeth.
MÖRDER 1 Dein Handgeld.
Dritter Mörder zeigt es.

MÖRDER 2 In solchen Lumpen welcher Reichtum. Wir
    Vertraun dir, Kamerad.
MÖRDER 1 Hier der Beweis
    Rennt dem dritten Mörder sein Messer in den Rücken:
    Kamerad.
    Nimmt das Handgeld.
    Was willst du.
MÖRDER 2 Meinen Teil.
MÖRDER 1 Hast du
    Ihn stumm gemacht.
MÖRDER 2 Nein, Banquo, »unser Feind«. *Lachen.*
MÖRDER 1 Da
    Gibt ihm von dem Geld des Toten.
    Wir wolln ihn hier auslegen als Wegweiser.
    Wir können leichter an sie kommen, wenn
    Die Herrn sich bücken nach dem frischen Aas.
    Ein ehrlicher Mann: tot noch arbeitet er
    Für sein Handgeld.
MÖRDER 2 Jetzt schiebt die Nacht den Tag
    Sich in die Zähne.
MÖRDER 1 Und morgen speit sie uns
    Den nächsten ins Gesicht und Heute ist
    Das Erbrochne von gestern.
MÖRDER 2 Ich wollt ich hätte was
    Zwischen den Zähnen jetzt.
MÖRDER 1 Da kommt dein Fleisch.
    Hörst du die Gäule. Alles geht nach Vorschrift.
    Die Herrn lassen dem Fußvolk ihren Reitstall
    Und gehn den graden Weg her durchs Gehölz
    Aus Liebe zur Natur oder wasweißich.
MÖRDER 2
    Kann sein, die haben Wittrung von dem Anschlag
    Und schicken ihre Affen auf die Schaukel.
MÖRDER 1 Ja, nichts geht über eine gute Nase.

MÖRDER 2 Die habens eilig, sich den Bauch zu fülln.
MÖRDER 1 Uns.

Banquo und Fleance, mit Fackeln.

BANQUO Was liegt im Weg. Ein neuer Schrecken. Wer.
FLEANCE Etwas in Lumpen. Nichts was das Bücken lohnt.
BANQUO Regen kommt heute nacht.
MÖRDER 1 Auf dich.
BANQUO Lauf, Sohn.
Leb für die Rache.
MÖRDER 1 *schneidet ihm die Gurgel durch:*
Der hats hinter sich.

*Fleance befreit sich aus dem Griff des zweiten Mörders,
flieht.*

MÖRDER 1 Wo ist der andre. Hast du ihn laufen lassen.
MÖRDER 2 *hält seinen Arm:*
Die Ratte hat mir das Gelenk zerbissen.
MÖRDER 1 Er war die bessre Hälfte unsrer Arbeit.
MÖRDER 2 Wie mach ich meine Arbeit mit dem Knochen.
MÖRDER 1 Weiß ichs. Gehn wir und melden, was getan ist.
Warte.
Schneidet Banquo das Geschlecht ab.
Ein Liebespfand für unsern Brotherrn.
Die Wurzel des Übels.
MÖRDER 2 Der steht nicht mehr auf. *Lacht.*

13

Bankett. Macbeth. Lady Macbeth. Lords und Diener.

MACBETH Ihr kennt selbst Euren Rang. Nehmt Eure Plätze.
LORDS Wir danken Eurer Majestät.
Stummer Kampf um die Plätze.
MACBETH Wir selbst

Wolln uns in die Gesellschaft mischen als
Bescheidner Wirt. Die Herrin unsres Herzens
Ziere den Thron. Eröffnen unser Fest
Soll ihr Willkommen.

LADY MACBETH Sagt ihn für mich, Herr, allen
Denn alle sind willkommen, sagt mein Herz.

MACBETH Und aus dem Herzen alle danken Euch.
In eurer Mitte sei mein Platz.
Lords bieten ihm um die Wette ihre Plätze an.
Bringt Wein.
Mörder 1.
Du hast Blut im Gesicht.

MÖRDER 1 So ist es Banquos.

MACBETH Besser an dir als in ihm. Ist er am Ziel.

MÖRDER 1 *flügelschlagend:*
Auf dem besten Weg, Herr. Und es regnet stark
In seine Kehle. Das tat ich für ihn.

MACBETH Bester der Gurgelschneider. Gut ist auch
Der gleiches tat für Fleance. Bist du der
Hast du nicht deinesgleichen.

MÖRDER 1 Herr, der Fisch war
Zu klein für unser Netz. Er lief durch die Maschen.

MACBETH Und wieder greift in meine Krone jeder
Wind über Schottland. Wär ich aus Marmor jetzt schon.
Könnt lebend ich mich kleiden in meinen Denkstein
Wie Duncan der Tote. Sie saufen meinen Wein
Gepreßt aus ihren Bauern, meinen Speichel
Und Vorgeschmack ist alles auf mein Blut. –
Trinkt, Freunde. Dieser Banquo, er ist ganz aus?

MÖRDER 1
Herr, wie der Schlauch hier der ihn fortgepflanzt hat.

MACBETH Verhöhnst du mich. Mensch, wer gab dir das ein.

MÖRDER 1 Jedes Handwerk hat seinen Humor, mein König.

MACBETH
Die Schlange liegt. Dank dafür. Der Wurm der davonkam

Hat Gift von der Geburt her, das die Zeit reift
Doch keinen Zahn für heute. Geh. Bring
Das Spielzeug deinen Kindern. Hast du Kinder.
Du trägst ihr Leben auf der Zunge. Schweig.
Das weitere morgen.
Mörder 1 ab.

LADY MACBETH Mein königlicher Herr
Mit vollen Backen unsre Gäste hungern
Nach Eurer Gunst. Dem Fleisch fehlt Würze, fehlt die.

MACBETH Geliebte Mahnerin. Mag euren Mägen
Bequem sein, Freunde, was dem Gaumen lieb war.

LENOX Gefällt es Eurer Hoheit, Platz zu nehmen.
Banquos Geist auf Macbeths Platz.

MACBETH Hier unter einem Dach wär Schottlands Adel
Fehlte nicht unsers Banquo geschätzte Person
Den lieber kalt ich schimpfen wollt als beklagen
Für ein Unglück.

ROSSE Sein Fehlen, Herr, wirft Flecken
Auf sein Wort. Herr, beliebt es Euch, mit Eurer
Gesellschaft königlich uns zu begnaden.

MACBETH Die Tafel ist besetzt.

LENOX Hier Euer Platz, Herr.

MACBETH Mein Platz. Wo.

LENOX Hier, in unsrer Mitte, Herr.

MACBETH Wer von euch tat mir das.

LORDS Herr, was mißfällt Euch.

MACBETH Was mir gefiel, säh ichs mit Augen nicht.
Gern säht ihr mich so, wie.

LORDS Herr, unsre Treue –

MACBETH Du kannst nicht sagen, ich tats. Tat ichs nicht.
Mit meiner Hand nicht das. Nicht gegen mich
Schüttle den Helm, gestrickt aus deinem Blut.
Du tauschst den nicht mehr gegen meine Krone.
Geh zu den Würmern. Dort warte auf mich, Freund.

ROSSE Steht auf, Herrn. Seiner Hoheit ist nicht wohl.

LADY MACBETH Bleibt, werte Freunde. Der König ist oft so
Und wars von Jugend auf. Ich bitt euch, bleibt.
Der Anfall ist ein Augenblick. Ein Gedanke
Und er ist neu er selbst. Wenn ihr drauf seht
Beleidigt ihr und macht ihn länger leiden.
Eßt, achtet nicht auf ihn. – Seid Ihr ein Mann.

MACBETH Und einer, der mit Augen ansieht, Frau
Was den Teufel bleicht. Siehst du die Leiche, breit
Auf meinem Stuhl. Dein Lächeln für Banquo.

LADY MACBETH
Was für ein Zeug. Gemälde deiner Furcht.
Der Dolch aus Luft, dein Wegweiser zu Duncan.
Viel Wind um eine Nachgeburt des Schreckens.
Warum fürchten, was aus der Furcht ist, seiner
Wie unsrer. Ein Weibermärchen am Winterherd
Ist was dich schüttelt. Schande über dich.
Gesichter schneiden einem leeren Stuhl.

MACBETH Was willst du. Über Leichen gehn wir alle
Das Leben durch. Soll ich das Fleisch dir ganz
Vom Knochen hacken und den Hunden ausstreun.
Wenn unsre Leichenäcker nicht mehr fassen
Was hinter uns wir einscharrn, mag der Bauch
Der Geier unser letztes Loch sein.
Banquos Geist verschwindet.

LADY MACBETH Ganz
Entmannt im Wahnsinn.

MACBETH Ich hab ihn gesehn.
Blut wurde ausgegossen vor der Zeit
Eh das Gesetz den Knochenbau des Staats
Auftürmte. Morde ohne Zahl und Namen
Seitdem auch. Und so war es immer: wenn
Das Hirn heraus war, starb der Mann und nichts mehr
Danach. Heute die Toten haben Zukunft.

Im Schädel zwanzig Löcher, durch die Wind geht
Und Regen regnet, stehn sie wieder auf
Und stoßen uns von unsern Stühlen oder
Nehmen auf unsern armen Rücken Platz
In Grund zu reiten unsre Majestät.

LADY MACBETH
Mein König, unsre Freunde entbehren Euch.

MACBETH Wie wir entbehren Banquo. Unsern Freund.
Bringt Wein. Mehr. Auf das Wohl der Tafel. Und
Banquos. Tragt frisches Fleisch auf. Eßt, meine Lieben.
Was eure Mägen stopft, kann euch nicht beißen.
Schlingt schneller ihr, die Toten wachsen schnell
Mit unsern Morgen mästend ihre Gestern.
Könnt ich verschlingen alles Fleisch der Welt
Mit einem Hunger, daß es nicht mehr aufsteht
Was starrst du, Kamerad, mit Augen, die
Nicht dir gehören mehr. Das Eigentum
Der Krähen sind sie. Geh. Du hast kein Blut mehr
In deinen Adern, die der Regen wäscht.
Allein mit deinen Knochen bist du bald
Dein Hemd die Erde. Geh, Aas, oder zieh dein
Fleisch wieder an und fordre Schwert gegen Schwert
Mich in die Wüste.

LADY MACBETH Die Sorge um den Staat
Kürzt seinen Schlaf. Das Joch der Könige, Lords.

LENOX Herr, unsre Treue –

ROSSE Baut auf uns, Majestät.

MACBETH Was könnt ihr gegen Geister. Auf euch baun.
Wer seid ihr. Fremd mir selber macht ihr mich
Ansehend meine blutigen Gesichte
Wie nichts. Seid ihr aus ihrem Stoff, durchgängig
Für Angst und Tod.

ROSSE Was für Gesichte, Herr.

MACBETH Ich will dir Augen machen mit dem Schwert.

LADY MACBETH *stellt sich vor sein Schwert:*
    Geht. Fragt nicht. Gute Nacht euch allen. Haltet
    Beim Weggehn nicht auf euren Rang. Geht schnell.
LENOX Wir wünschen Eurer Hoheit guten Schlaf.
    Lords schnell ab.
MACBETH Sind sie gegangen.
LADY MACBETH Ja.
MACBETH Blut will Blut, sagt man.
    Die Bäume reden und die Steine gehn
    Gegen den Mörder. Das sind lauter Lügen.
    Dauert die Nacht.
LADY MACBETH Sie schlägt sich mit dem Morgen.
MACBETH Banquo kam pünktlich her auf unsre Ladung.
    Er wollte sein Blut wiederhaben, wie.
    Ich schenk ihm andres ein. Der Saft ist billig.
    Was sagst du, daß Macduff ausschlägt unsre Liebe.
    Keiner von ihnen, der im Haus nicht einen
    Knecht hält, der mein Ohr ist, bezahlt von mir.
    Die Hexen meine bärtigen Schwestern wollt ich
    Befragen gestern auf der vorigen Heide
    Doch kamen sie mir nicht. Wo die auch hausen
    In diesem Schottland, finden will ich sie
    Und wenn ich seinen Grund nach oben kehr
    Oder mit Nägeln sie aus seinem Stein grab
    Und frag sie aus. Denn wissen muß ich jetzt
    Das ganze. Alles sei zum Baustein gut
    Mir für mein Glück. So weit bin ich in Blut
    Gestiegen, daß ich weiter waten muß
    Mein Weg zurück so arg wie der zum Schluß.
    Im Kopf geht um und greift nach meiner Hand
    Was eher will getan sein als benannt.
LADY MACBETH Dir fehlt, was unser Leben aus dem Tod hält
    Schlaf. Komm zu Bett.
MACBETH Mein Wahn und was mich quält

Ist Furcht des Neulings, Übung, was mir fehlt.
Wir sind noch jung im Schlachten.

14

Steinquader gehen vorbei, von kriechenden Bauern getragen.
Zwei Gestalten.

GESTALT 1 Der Jüngste Tag ist nah. Die Steine gehn.
GESTALT 2 Nach Dunsinane. Schottlands König baut ein
  Schloß gegen Schottland.

15

Lenox. Lord.

LENOX Ich sag was ist. Denkt was Ihr wollt dabei.
  Auf seltne Art paßt ein Stein auf den andern.
  Nichts weiter sag ich. Duncan wird, der gute
  Bejammert von Macbeth. Nun, er war tot.
  Der tugendhafte Banquo ging zu spät aus.
  Den, könnt Ihr sagen, wollt Ihrs, schlug Fleance tot.
  Denn Fleance ist geflohn. Man soll zu spät
  Nicht ausgehn. Nicht wer einen Sohn hat. Und
  Wer könnte anders denken als mit Abscheu
  An Malcolm und Donalbain. Zu schlachten
  Ihren schneeweißen Vater. Fluchwürdige Tat.
  Wie wand Macbeth im Gram sich. Hat er nicht gleich
  Mit frommer Wut zerhackt die zwei Delinquenten
  Die noch gefesselt lagen von Trunk und Schlaf.
  War das nicht edel. Ja, und weise auch, denn
  Hätte nicht jedes schlagende Herz empört

Ihr schamloses Leugnen. So daß, sag ich, Macbeth
Alles gewendet hat zum Besten mit
Geborner Majestät, und ich denk wenn
In seinem Griff er Duncans Söhne hielt
Und Fleance, Banquos Sohn: auf gleicher Schulbank
Sollten die lernen, was das ist, den Vater
Schlachten aus Liebe zum Staatsschatz. Nämlich den
Ihr blutiges Erbe fliehend, fülln sie auf.
Ist das nicht seltsam. Und zum besten das auch
Wendet Macbeth, unser sehr gnädiger Herr.
Hat er nicht unsern Bauern unsre Pacht
Erleichtert, die schwer unsre Mägen drückte.
Hat er nicht reich beschenkt für lange Treue
Zu Duncan und zu ihm seine Armee.
Wie sparsam lebt er selbst: in seinem Stall
Die Pferde, sagt man, essen Pferdefleisch
Seit jener Nacht, als unter seinem Dach
Im Blut lag Duncan und zwei Gäule brachen
Die Wände niedertretend aus dem Stall
Und fielen einer wild den andern an
Zerstückten roh mit Hufen und mit Zähnen
Und ganz nach Menschenart fraßen vom Knochen
Einer des andern Fleisch.
LORD Ich hörte davon.
LENOX Was hört Ihr von Macduff, der Euer Freund war.
LORD Nicht meiner, Herr, seit er dem Festmahl fernblieb
Mit »Herr, nicht ich« und abgehn will nach England
Wo Malcolm, wie man hört —
LENOX Ich hörs von Euch.
LORD Begünstigt durch den Frömmler Eduard
Pocht auf sein Erbrecht und das große Wort führt
Wie mit dem Schutz des Himmels und Englands
Armee er in den Stand uns setzen will
Fleisch unsern Tafeln, unsern Nächten Schlaf

Zu schaffen wieder, unsern Festen Freiheit
Von, unverschämte Lüge, blutigen Dolchen
Was alles wir entbehren müßten jetzt.
Muß ich mehr sagen.
LENOX Ihr seht mich empört, Herr.
Pause.
Der Himmel über Schottland schmeckt nach Rauch.
LORD Ja, von gewissen Burgen.
LENOX Und von Dörfern
Die bei dem Brand zur Fackel dienen mögen.
LORD Für Schottland ist kein Bauer mir zu schade.
LENOX Für seinen König werf ich Schottland weg.

16

Dunsinane. Macbeth trinkt.

MACBETH Heil Macbeth Heil König von Schottland Heil.
*Er lacht, bis ihm die Krone vom Kopf fällt. Sie rollt über den
Boden, er kriecht ihr nach und fängt sie mit dem Zepter. Er
wirft sie in die Luft, fängt sie wieder mit dem Zepter, wirbelt
sie herum usw. Ein Bote.*
BOTE Nachricht aus England, Herr, Macduff und Malcolm
Sammeln ein Heer aus dem Abschaum der Häfen
Zum Krieg um Schottlands Krone.
Ab. Macbeth setzt die Krone auf.
MACBETH Der Knabe Malcolm.
Macduff, dem ich zuvorkam beim Königsmord.
Mein bester Feind den ich vergaß zu schlachten.
Was für ein Laut. Die Königin schreit im Schlaf.
Ihr solltet nicht mehr schlafen, Königin.
Ihr könntet ausschrein, was im Schlaf Euch schrein macht
MACBETH MORDET DEN SCHLAF.
Lacht.

DEN SCHLAF DER AUS
DER SCHULD IST. Meine Furcht hieß Banquo. Ich
Hab seinen Namen in den Staub geschrieben.
Die Toten kommen nicht nach Dunsinane
Die Engelflügel tragen nicht so weit.
Auch faßt mein Thronsaal ihre Menge nicht mehr
Und nicht mehr einsam faulen sie in Menge.
Ich gab den Toten Tote zur Gesellschaft.
Lacht.
HEIL BANQUO WENIGER ALS MACBETH UND MEHR
Hexen.
HEXEN Heil Macbeth Heil König von Schottland Heil.
MACBETH Ihr. Ich hab euch gesucht auf unsrer Heide.
HEXE 1 Wir grasen auf ganz Schottlands blutiger Weide.
MACBETH Ihr kommt sehr hoch herauf nach Dunsinane.
HEXE 2 Dich auf dem Scheitel deines Glücks zu sehn.
HEXE 3 Geschenke bringen wir für deinen Tisch.
HEXE 1 Hand eines Neugebornen. Sie ist frisch.
Gestern hat seine Mutter es erstickt
Zwischen den Schenkeln. Selbst liegt sie zerstückt
Vom Henker heute.
HEXE 2 Einen Hundemagen
Durch den ein Bauer ging vor wenig Tagen.
HEXE 3 Ein Königsbanner hier aus Menschenhaut
Für Dunsinane, auf Knochen fest gebaut.
MACBETH *wirft die Tafel mit den Geschenken der Hexen um:*
Was kümmert mich der Grund, auf dem ich geh.
*Gelächter der Hexen. Die Halle schwankt. Macbeth fällt
um. Auf Händen und Knien.*
Wies unten aussieht lern ich früh genug.
Das will ich wissen: wie ich oben bleib.
Was wird aus Malcolms Krieg und Banquos Brut.
Ich gab euch Blut zu saufen. Wollt ihr mehr.
Gebt Antwort. Alle Leichenäcker Schottlands
Für einen Blick in das Gedärm der Zeit.

Die Hexen reiten auf ihm, reißen ihm die Haare aus und die
Kleider in Fetzen, furzen ihm ins Gesicht usw. Schließlich
lassen sie ihn liegen, halb nackt, werfen einander kreischend
die Krone zu; bis eine von ihnen sie aufsetzt. Kampf um die
Krone mit Klauen und Zähnen, während eine Große
Stimme den folgenden Text spricht.

GROSSE STIMME

Salb dich mit Blut, sei wie du willst ein Schlächter
Der Mensch ein Dreck, sein Leben ein Gelächter
Denn keiner den geboren hat ein Weib
Zeigt deinem Tod den Weg in deinen Leib.
Sei unbesiegbar, bis die Bäume gehn
Und Birnams Wald marschiert auf Dunsinane.
Die Hexen verschwinden. Macbeth, nackt auf dem Bauch,
kriecht nach der Krone, sammelt die Fetzen seiner Kleidung
usw.

MACBETH

Schlagt an das Kreuz der Winde Schottlands Kirchen
Schraubt ihre Türme in den Staub zurück
Und türmt auf Schottlands Adel seine Burgen
Laßt meine Brandung meine Schiffe saufen
Und düngt mit meinen Bauern meinen Grund
Was fürchte ich. Was bleibt mir noch zu fürchten.
KEINER VOM WEIB GEBOREN BIRNAMS WALD
Setzt die Krone auf.
Kommt, Malcolm, und Macduff, in meine Speere.
Euch haben Weiber auf die Welt geschrien
Aus blutiger Scham auf euren Weg zur Fleischbank.
Wer schirrt den Wald ins Joch und kommandiert
Die Bäume. Nicht eh Birnams Wald marschiert
Hat Glieder der Aufstand. Meine Zeit ist ganz.
Heil bis zum letzten Sprung den Messertanz
Des Lebens schreitet aus Macbeth, bedroht
Von keinem als dem eingebornen Tod.

Der macht mich schwitzen nackt im Frost der Frühe.
Mein Herz schlägt meine Rippen, jeder Schlag
Ein Tod. Kannst du nicht leiser zählen, Uhrwerk.
Ein Augenblick. Ein Augenblick. Und wieder.
Das dröhnt wie Trommeln und ich bin das Fell.
Muß ich das immer hören. Wär ich taub.
Hör ich es noch. Was nicht mehr stirbt ist tot
Mein Leben ist nicht länger als mein Sterben.
Es schlägt zu schnell. Kannst du den Takt nicht halten.
Es schlägt nicht mehr. Ja, alles still. Leb weiter
Rebellisches Fleisch. Mein Zepter. Meine Krone.
Ich bin Macbeth, König, ich kommandiere
Den Tod in Schottland. Was würgt meine Kehle.
Die Wände schließen sich um meine Brust.
Wie soll ich atmen in dem Hemd aus Stein.
Pause.
Mein Grab stand offen einen Augenblick lang
Auf meiner Zunge ein Geschmack von Eisen
Mein Fleisch riecht faulig. Bin ich der ich bin.
Ein Hundemagen wär mir nicht zu stinkend
Gäb er ein Schlupfloch her aus meinem Grab.
Könnt ich zurückgehn in das Kind das ich war.
Ich will die Häute meiner Toten anziehn
In Fäulnis kleiden mein hinfälliges Fleisch
Und überdauern mich in Todes Maske.
Ich will vermehren die Armee der Engel.
Ein Wall aus Leichen gegen meinen Tod.
Du hast ein Weib, Macduff. Und hast ein Kind.
Macduff, du hast kein Weib mehr und kein Kind mehr.
Soldaten.

17

Lady Macduff mit Kind. Macbeth mit zwei Soldaten.

LADY MACDUFF Was für Gesichter.
MACBETH Andre seht Ihr nicht mehr.
  Die Soldaten töten das Kind.
  Habt Ihr nur ein Ei ausgebrütet, Lady.
  Hättet Ihr mehr zu schlachten. Jetzt seids Ihr.
  Lady Macduff ab. Die Soldaten folgen ihr. Man hört sie
  schreien. Macbeth bleibt auf der Bühne, bis das Schreien
  aufhört.

18

Soldaten schleppen einen gefesselten Lord vor Macbeth.

SOLDAT Hier der Verräter, Herr. Dort brennt sein Schloß.
MACBETH Wer hat befohlen, daß ihr sein Schloß abbrennt.
SOLDAT Wir konnten anders, Herr, nicht an ihn kommen.
MACBETH So klaubt euch aus der Asche auch die Beute.
  Wie wollt Ihr zahlen, Lord, Euren Verrat.
LORD Wie du bezahlen wirst zu deiner Zeit.
LENOX Mit seinem Kopf, Herr, wie andre Verräter.
MACBETH Wir führen Krieg um Rabenfutter, wie.
  Unsre Armee mästet die Würmer Schottlands.
  Er war Euer Freund, wie.
LENOX Bis er Euch verriet, Herr.
MACBETH Was macht Euch scharf auf seinen Kopf. Liebe
  Zu Schottland, Furcht, er könnte mehr verraten
  Als Schottland.
LENOX Herr, mit meinem Schwert will ich.
MACBETH Wollt Ihr. Nun, ich besteh nicht auf Beweisen

Solang die Furcht Euch in der Treue hält. –
Die Asche Eurer Güter wäscht Euch nicht weiß.
LORD Und deine Asche dich nicht von dem Blut
In dem du watest. Kannst du schwimmen, Bluthund.
MACBETH Er hat Philosophie. Das trifft sich. Wollt Ihr
Mein Hofnarr werden und am Seil gehn auf
Vier Beinen und gegen mich reden, Lord
Wenn wir allein sind. Uns fehlt Unterhaltung
Auf Dunsinane. Wenig ist neu, so weit
Am Himmel. Und es wird weniger. Wollt Ihr, Lord.
Soldaten lachen.
Lord spuckt Macbeth ins Gesicht. Pause.
Er will mir meinen Speichel wieder geben
Den er getrunken hat an meiner Tafel
Lenox und Rosse wischen ihm den Speichel ab
Mit euch, als er noch ehrlich war, wie ihr seid.
Er ist es noch, ein ehrlicher Verräter
Der seine Rechnung zahlt, eh er ins Grab steigt.
Soldaten lachen.
Die Zahlung auch wäscht den Verrat dir nicht ab
Und mir das Blut nicht, andres nicht noch deines
Das bald du ausspein wirst in dein Gesicht.
SOLDAT Wir wolln ihn lehren, Herr, am Seil gehn und
Auf seinen Vieren. Könnt Ihr tanzen, Lord.
Soldaten, den Lord am Seil, bringen ihn mit Speeren zum
Tanzen.
Wo ist die Witwe. Sie soll ihn tanzen sehn.
Andre Soldaten bringen die Lady.
ROSSE Ich bitte, Herr, laßt nicht die Lady auch
Der Lust des Pöbels, der heute dem den Gaul macht
Und morgen dem.
MACBETH Gefällt sie Euch. Nehmt sie.
Teilt sie mit Lenox, Eurem Freund und meinem.
Zu den Soldaten:

Was ihr da etwa aus den Trümmern fischt
Das Gold gehört der Krone. Die es braucht
Zur Rüstung gegen England.
Auf den Lord: Das gehört euch.

SOLDATEN Was solln wir mit ihm machen.

MACBETH Was ihr wollt.

SOLDAT 1 *zum Gefangenen:* Herr, wollt Ihr König werden.

SOLDAT 2 *auf Händen und Füßen:* Dein Thron, Majestät.

SOLDAT 3 *stülpt dem Gefangenen einen Helm voll Erde auf den Kopf:*
Hier deine Krone.

SOLDAT 1 Er will nicht König sein.

SOLDAT 2 *wirft den Gefangenen ab:* Er ist noch nicht gesalbt.
Schleifen den Gefangenen am Seil über den Boden.

ROSSE Sie treiben Hohn
Mit Schottlands Majestät.

MACBETH Es unterhält mich.
Meine Soldaten unterhält es auch.
Mißgönnt Ihr uns die Unterhaltung, Sir.

SOLDAT 4 Laßt mich. Wir haben ein Geschäft, der Lord
Und ich. Mein Vater starb an einer Pachtschuld
Gnädiger Herr, und als sein treuer Sohn
Will seine Rechnung ich begleichen. Und
Nicht eh Ihr ausseht wie mein Vater aussah
Als Eure Hunde mit ihm fertig waren
Die ihn zerfleischten, Herr, auf Eurem Burghof
Zum Schauspiel Euren Damen, sind wir quitt, Herr.
Und Eurer Dame jetzt geb ich das Schauspiel.

SOLDAT 1 Ich bin dabei.

SOLDAT 2 Ich wollte immer wissen
Wie unter seinem Fell aussieht ein Herr.

SOLDAT 3
Vielleicht finden wir dort was ihn zum Herrn macht.

SOLDAT 1 Wir wolln ihn ausziehn ganz bis auf die Seele.

Die Soldaten schinden den Gefangenen.

MACBETH *zusehend:*
Als hätten sie Ovid gelesen: »WARUM
ENTZIEHST DU MICH MIR SELBER? SCHRIE

                      MARSYAS
ABER IM SCHREIEN ZOG DER GOTT DIE HAUT
IHM ÜBER DIE GLIEDER UND GANZ WUNDE WAR ER
MIT AUGEN SEHBAR DAS GEFLECHT DER MUSKELN
DAS RÖHRENWERK DER ADERN AUFGEDECKT
UND MIT DEN HÄNDEN GREIFEN KONNTE MAN
DAS EINGEWEIDE.« Warum flennst du, Weib.
Die Pfaffen lügen. Ihr seid nicht Ein Leib.

ROSSE *leise:* Marsyas war ein Bauer.

MACBETH *lacht:* Die Zeiten wechseln.
An dem verkohlten Burgtor hängt kopfunten der geschlach-
tete Burgherr.

SOLDAT 4 Kennt Ihr den Bauern wieder, Dame, der
Bei Euren Hunden in die Schule ging.

ROSSE UND LENOX Das ist der Aufruhr.

MACBETH Ja. Das Eis ist dünn
Auf dem wir unsre Bauern rösten. Helft
Den Thron Uns halten, so hält euch der Thron.
Soldaten. Liebt ihr euren König.

SOLDATEN Heil
Macbeth König von Schottland.

MACBETH *auf den 4. Soldaten:* Haut ihn nieder.
Langes Schweigen. Dann führen die Soldaten den Befehl
aus.

Arzt. Hofdame.

ARZT Ihr habt gesehn, wie sie im Schlaf ging.

HOFDAME Ja
  Und ihre Hände wusch in leerer Luft.
  Und die es vor mir sahn sieht niemand mehr.

ARZT Seltne Zerrüttung der Natur: im Schlaf
  Gehn und mit Luft die Hände waschen.
  Was hörtet Ihr sie reden aus dem Schlaf.

HOFDAME Was ich ihr nicht nachreden werde, Sir.

ARZT Dem Arzt mögt Ihr vertraun. Ihr solltets, Lady.

HOFDAME Nicht Euch noch andern das. Nicht ohne Zeugen
  Sir, zu bestätigen mein Wort. – Sie kommt.
    Lady Macbeth.

ARZT Mit offnen Augen.

HOFDAME Ja, doch sieht sie nicht.

ARZT Das Herz ist ein geräumiger Friedhof.

HOFDAME Seht.

LADY MACBETH
  Hier noch ein Fleck. Wieder. Als ob es nachwächst.

ARZT Sie spricht. Ich will aufschreiben was sie aussagt.

LADY MACBETH Weg, Schmutz. Wasch deine Hände, Lieber.
  Das ist die Glocke. Zeit, Herr, es zu tun.
  Wie, ein Soldat und Furcht. Wer das auch weiß
  Was fürchten wir, wenn unsre Macht Gesetz ist.
  Wer konnte denken, daß du so viel Blut
  In dir hast, alter Mann.

HOFDAME Schreibt Ihr auch, Sir.

LADY MACBETH
  Macduff hatte ein Weib. Und hat kein Kind mehr.
  Wie, werden diese Hände nicht mehr weiß.
  Nichts mehr davon. Es ist ein Stuhl, sonst nichts.

Du kannst nicht wiederkommen aus dem Grab
Sag ich. Immer noch riecht es nach dem Blut hier.
Für wen, Herr, ist der Dolch in Eurer Hand.
Ab.
HOFDAME Ist Euch die Tinte ausgegangen, Sir.
ARZT Der Fall liegt außer meiner Praxis, Lady.
Auch kannt ich den und jenen, der im Schlaf
Herumging und im Bett starb Gott gefällig.
HOFDAME Wir sind im Krieg mit England, Sir. Schreibt auf.
ARZT Nicht ich, Lady. Wir sind im Krieg mit England.
Er verschluckt das Geschriebene.

20

Lenox und Rosse, mit Soldaten, von verschiedenen Seiten.

ROSSE Wohin, Lord.
LENOX Wo der Sieg ist.
ROSSE Hier geht der Weg
Nach Dunsinane.
LENOX Mein Weg nach Dunsinane
Geht über Birnam.
ROSSE Wo Englands Truppen stehn.
LENOX Und Schottlands König.
ROSSE Sir, das ist Verrat.
Die Soldaten machen Front gegeneinander.
LENOX An wem. Was schmeckt Ihr lieber, Lord,
Zu Rosses Soldaten:
und ihr:
Schottischen Staub oder englisches Bier.
SOLDATEN Nach Birnam.

Macbeth. Arzt. Boten.

MACBETH Spart eure Meldung. Solln sie alle fliehn.
Bis Birnams Wald auf Dunsinane marschiert
Färbt keine Furcht mich. Wer ist Malcolm. Ein Knabe
Vom Weib geboren, von den Huren Londons
Mit Frechheit aufgeschminkt, die gelten mag
Als Mut im Schweiß ihrer Betten. Lauft, Lords
Vor euren Bauern her um seinen Speichel
Von meinem habt ihr lang genug gezehrt
Und kriecht unter die Weiberröcke Englands.
An meinem Schädel festgewachsen ist
Die Krone, und mein Herz hier das ich trag
Schlägt heut nicht schneller als am ersten Tag.
Bote.
Der Teufel brenn dich schwarz. Du Milchgesicht.
Wo hast du dir den Gänseblick geholt, Mensch.
BOTE Da sind zehntausend –
MACBETH Gänse?
BOTE Soldaten, Herr.
MACBETH Ritz dein Gesicht, Clown, und streich deine Angst
Rot, eh ich dir ein neues schneiden lasse
Weißleber. Was für Soldaten, Hund. Den Tod
Auf deine Seele. Dieses Leichenlaken
Das unter deinem Helm hängt, streut Furcht aus.
Willst du zum Trocknen an der Sonne baumeln.
Was für Soldaten, Molkengesicht.
BOTE Das Heer
Aus England, Herr, mit Eurer Erlaubnis. Und, Herr –
MACBETH Nimm dein Gesicht weg.
Bote ab.
Seyton. – Mein Magen streikt

Wenn ich mein Volk seh. Seyton. Dieser Krieg
Schmiedet mit Ketten mich an Schottlands Thron
Oder stürzt mich. Ich lebte lang genug
Mein Weg war in die Wüste, unterm Stiefel
Raschelt noch Laub. Was sonst dem Alter zukommt
Ehren und Liebe, Gehorsam, die Armee
Der Freunde, mich läßt es aus. Mein Anteil sind
Hinter der Hand in meinen Rücken Flüche
Solang die Dolche noch zu kurz sind, jetzt
Seh ich sie wachsen. Maulehre und, aus Furcht
Vor meinen Dolchen, treuer Dienst, den gern
Mir aufsagte das arme Pack und wagts nicht.
Seyton.

Seyton.

SEYTON Was ist Euer Wunsch, Herr.

MACBETH Neue Nachricht?

SEYTON Die Meldung ist bestätigt.

MACBETH Meine Rüstung.

Wir werden kämpfen, bis von meinen Knochen
Mein Fleisch gehackt ist.

SEYTON Noch ist nicht die Zeit, Herr.

MACBETH

Schickt mehr Soldaten aus. Kämmt kahl dieses Schottland
Hängt was von Furcht greint. Gebt mir meine Rüstung.
Wie geht es deiner Kranken, Arzt.

ARZT Krank nicht so

Herr, als bedrängt von schwierigen Phantasien
Womit im Schlaf sie umgeht.

MACBETH Heil sie davon.

Kannst du nicht aufhelfen einem kranken Gemüt
Aus dem Gedächtnis roden einen Schmerz
Austilgen was die Qual in ein Gehirn schreibt.
Hast du kein Mittel das die Brust freischaufelt
Von der Last die das Herz drückt, ein süßes Vergessen.

ARZT Darin muß der Patient sein eigner Arzt sein.

MACBETH Wirf deine Kunst den Hunden vor, nicht mir.
Helft mir in meine Rüstung. Meinen Speer.
Schickt Reiter, Seyton. Doktor, meine Lords
Laufen mir weg. Beeilt euch. Könntest du, Arzt
Das Wasser abziehn meinem Land, zur Ader
Gelassen hab ichs lang genug, aufdecken
Seine Krankheit und ausschwemmen seinen arg
Geschundnen Leib zur vorigen Gesundheit
Mein Beifall wär dir sicher und das Echo
Von meinem Beifall. Reiß den Riemen ab, Mensch
Wenn er nicht halten will. Ein Loch in der Rüstung
Ist nicht was ich fürchte. Hast du kein Abführmittel
Arzt, gegen England. Meinen Helm. Und nimm
Die Krone. Willst du sie haben. Was fürchtest du
Am meisten, Seyton.

SEYTON Einen leeren Beutel.

MACBETH Hier ist ein voller. Leg ihn auf mein Grab
Wenn er leer ist.

SEYTON Herr, ich hoff, Ihr überlebt ihn.

MACBETH He. Liebst du deinen König, Seyton.

SEYTON Nein, Herr,

MACBETH Und warum willst du, daß ich lebe, Seyton.

SEYTON Weil wir ein Fleisch sind vor den Hunden Englands.

MACBETH Wenn du den Speer in meinen Rücken steckst
Sind wir es nicht mehr.

SEYTON Ja, Herr.

MACBETH *gibt ihm seinen Speer:* Trag das für mich.
Ab, mit dem Rücken zu Seyton, der folgt.

ARZT Es riecht nach Tod auf Dunsinane. Ich kam
Um Reichtum her. Wär ich noch arm.
Eine Magd läuft über die Bühne.
Madame
Habt Ihr ein Bett für mich.
Ab hinter der Magd her.

22

Soldaten jagen einen Bauern. Der Bauer bricht zusammen.

SOLDAT 1 *über dem Bauern:* Warum läufst du weg, Bauer, vor
den Soldaten des Königs. *Bedroht ihn mit der Waffe.* Hast
du Angst.

BAUER Ja, Herr.

SOLDAT 2 Er hat Angst. Das ist der Strick, Bauer.

BAUER *verzweifelt:* Es lebe der König.

SOLDAT 1 Was für ein König, Schuft.

BAUER Der von Schottland.

SOLDAT 2 *listig:* Weißt du seinen Namen.

BAUER *nach einer Pause, erleichtert:* Duncan, Herr.

SOLDAT 1 Das ist wieder der Strick. Wir werden dich zweimal
aufhängen müssen. Macbeth heißt unser gnädiger König
und Kriegsherr, der dir diesen Strick zum Geschenk
macht, Bauer, damit du fliegen lernst. Merk dir den
Namen für die Ewigkeit.

Bauer betet.

SOLDAT 2 *legt ihm die Schlinge um den Hals:* Amen.

*Englische Soldaten treten auf, schlagen die schottischen
Soldaten in die Flucht und gehen ab, sie verfolgend. Der
Bauer zieht den Kopf aus der Schlinge und will weglaufen.
Die englischen Soldaten kommen zurück und greifen ihn.*

BAUER *in Panik:* Heil Macbeth, König von Schottland.

ENGLISCHER SOLDAT Das war dein letztes Heil. Wir werden
dich aufhängen, Hund, für diesen Namen, als einen Feind
Schottlands.

*Legen ihm die Schlinge wieder um den Hals. Schottische
Soldaten treten auf, schlagen die englischen Soldaten in die
Flucht und gehen sie verfolgend ab. Der Bauer zieht den
Kopf aus der Schlinge und bleibt sitzen.*

BAUER Ich will mich aufhängen eh die Soldaten wieder-

319

kommen, die einen oder die andern. Die Welt geht auch zu schnell für meinen armen Kopf. Wenigstens werd ich nicht lang leiden, es ist ein guter Strick. *Legt sich die Schlinge wieder um den Hals.* Komm Herr Jesus.

23

Macbeth. Seyton. Soldaten.
Geschrei: »Sie kommen.«

MACBETH Hängt unsre Banner aus am Außenwall.
Soldaten ab.
Das schreit. Was fürchten sie. Als ob ihr Leben
Nicht Tod genug wär. Geht, schafft das Geschrei ab.
Soldaten ab. Geräusch von Schlägen. Stille.
Sie kommen. Unsre Burg ist Schottlands Spitze.
Soll seinen Milchzahn daran üben Malcolm.
Und meine Lords die sie auftürmten hier
Mit Händen ihrer Bauern, solln sie kratzen
An meinem Stein mit Klauen die zu lang
Ich ihnen wachsen ließ, und liegen davor
Bis sie einander beißen und der Hunger
Sie alle ißt und Pest sie wegfault. Wir
Hätten die Bärte ihnen ausgerissen
Nach England heimgeschlagen England, einzeln.
Was für ein Lärm.
SEYTON Geschrei von Weibern, Herr.
Ab.
MACBETH
Ich hab vergessen, wie mein Angstschweiß schmeckt.
Eine Zeit war, wo mich kalt angriff ein Nachtschrei
Und vor erzähltem Schrecken aufstand mein Haar
Wie lebendig. Ich hab mit Grauen mich gemästet

Und die Gespenster stehn auf Du mit meinem
Fleischergehirn.
Seyton.
Seyton. Warum der Schrei.
SEYTON Die Königin, Herr, ist tot.
MACBETH Sie konnte später sterben. Oder vordem.
Wenn Zeit war für ein Wort das nichts bedeutet.
Hast du was zu betrauern, Seyton.
SEYTON Nein.
MACBETH Ich wollt, du könntest einen Schmerz mir ausleihn
Daß ich wüßte, mein Herz lebt. Seyton, warum
Willst du mich nicht verraten.
SEYTON Warum sollt ich.
MACBETH
Ja. – Morgen und morgen und morgen. Das kriecht
Mit diesem kleinen Schritt von Tag zu Tag
Zur letzten Silbe. Der Rest ist aus der Zeit.
All unsre Gestern, von Blinden am Seil geführt
In staubiges Nichts. Weißt du was andres, Seyton.
Aus, kurze Flamme. Leben ein Schatten der umgeht
Ein armer Spieler, der sich spreizt und sperrt
Auf seiner Bühne seine Stunde lang
Und nicht gehört wird nachdem. Ein Märchen, erzählt
Von einem Irren, voll mit Lärm und Wut
Bedeutend nichts.
STIMME *singt:*
Sie zogen aus ihr Seidengewand
Und stopften damit das Loch
In ihres guten Schiffes Rand
Aber die See kam doch
MACBETH Das wartet auf den Tod
Als wärs ein Beischlaf.
SEYTON Auf Euren, Herr.
MACBETH Wie ich.

Wir wolln die Helme tiefer ins Gesicht ziehn
Wenn die Nacht kommt, Seyton. Keine Sterne mehr.
Bote.

Du hast was auf der Zunge. Spuck es aus.

BOTE Melden muß ich was, sag ich, ich gesehn hab
Und weiß nicht wie das melden.

MACBETH Sag es, Mensch.

BOTE Ich stand auf jenem Hügel meine Wache
Und blickte gegen Birnam und mir war
Der Wald fing an zu gehn.

MACBETH Das lügst du, Sklave.

BOTE Aushalten Euren Zorn will ich, ists nicht so.
Drei Meilen breit könnt Ihr ihn kommen sehn.
Der Wald ist gut bei Fuß, Herr.

MACBETH Sprichst du falsch
Sollst du vom nächsten Baum hängen lebend
Bis der Hunger dich krummschließt. Ist wahr deine Rede
Kümmerts mich nicht, tust du das gleiche mir.
Andrer Bote.

BOTE 2 Der Wald, Herr.

MACBETH Hast du weiter nichts zu melden.
Was ist geschehn als daß ein Wald marschiert.
Boten schnell ab.

Warum so eilig. Mein Platz ist der Baum.
Mein Mut zieht Wasser. Seyton. Meinen Schild.
Verdammt die bärtigen Weiber. FÜRCHTE NICHTS
BIS GEGEN DUNSINANE MARSCHIERT DER WALD
VON BIRNAM. Wie sie lügen mit der Wahrheit.
Nimm dir Soldaten, Seyton und haut nieder
Was einen Fuß zur Flucht hebt. Die Weiber auch.
Und pflanzt die Toten auf die Mauer. Wir wolln
Den Wald uns fürchten machen, bleich sein Grün.

SEYTON Die Lady auch, Herr.

MACBETH Was für eine Lady.

Tot ist tot. Und, Seyton, werft Fackeln in den Wald
Ich will doch sehn, ob nicht die Asche stehn bleibt.
Seyton ab. Kampflärm. Feuerschein.
Geh mir aus dem Gesicht, Sonne. Ich hab
Mich müd gesehn an dir. Wär ich dein Grab
Welt. Warum soll ich aufhörn und du nicht.
Seyton, verwundet.
SEYTON Der Wald brennt und herauf nach Dunsinane
Steigt, was heraus kroch unter seiner Asche
Das Heer von England und das Heer von Schottland.
MACBETH Meine Armee –
SEYTON Öffnet dem Feind die Tore.
Ich bin Eure Armee.
MACBETH Such dir ein Loch
Im Burgwall. Worauf wartest du.
SEYTON Auf nichts, Herr.
MACBETH Willst du nicht leben.
SEYTON Sir, es langweilt mich.
Stirbt.
MACBETH Sie haben mich an einen Pfahl geschnürt.
Was kann der Bär tun. Warten auf die Hunde.
Soll ich den Römer spielen und mein Schwert
Aufessen.
Soldaten, einige in Asche und verbrannten Kleidern.
Hier ist andres Leben, dem
Die Wunden besser zu Gesicht stehn. Kommt, ihr.
Macbeth tötet einen Soldaten, der ihn angreift.
Wo ist er, den geboren hat kein Weib.
*Soldaten umringen Macbeth, bis der in einem Kreis aus
Speerspitzen steht. Der Kreis wird enger. Macduff.*
MACDUFF Sieh um dich, Bluthund. Keiner Mutter Leib
Wirft so viel Söhne wie bereit stehn hier
Ganz abzufordern endlich dein Blut dir.
MACBETH Himmel und Hölle haben einen Rachen.
Mein Tod wird euch die Welt nicht besser machen.

*Die Soldaten stoßen ihm die Speere in den Leib, plündern
die Leiche.*

MACDUFF Der Kopf gehört der Krone.

*Ein Soldat bringt auf einem Speer den Kopf von Macbeth.
Malcolm. Rosse und Lenox.*

Heil Malcolm

König von Schottland. Seht wie hoch stieg ders

Vor Euch war. Lernt aus seinem Beispiel.

MALCOLM Wißt

Ihr könnt nicht spielen mit dem Knaben Malcolm.

Für Euren Kopf ist Platz auf meinem Speer.

*Malcolm lacht. Rosse und Lenox zeigen auf Macduff.
Soldaten töten ihn.*

MALCOLM Hab ich gesagt, ich wills. Wär ich in England.

Malcolm weint. Soldaten setzen ihm die Krone auf. Hexen.

HEXEN Heil Malcolm Heil König von Schottland Heil.

GERMANIA TOD IN BERLIN

DIE STRASSE 1

Berlin 1918.

MANN Das war der Krieg. Den Arm hat er behalten.
FRAU Du bist heraus, Mann. Alles ist beim alten.
  Kinder, s gibt Brot, der Vater ist zurück.
MANN Wenn uns das Brot gehört und die Fabrik.
  Ab. Dunkel.
STIMME DAS IST DER GENERALSTREIK
KINDER Bäcker!
  In seiner Ladentür erscheint überlebensgroß der Bäcker.
KINDER Brot.
BÄCKER
  Mein Brot wächst nicht vom Himmel. Habt ihr Geld?
  Kein Geld kein Hunger. Ist es meine Welt?
  Fernes Schießen.
STIMME DAS IST DIE REVOLUTION
  Der Bäcker schließt sehr schnell seinen Laden.
KINDER He. Bäcker. *Sie »schießen«.* Tot!
  Laufen in die Richtung, in der geschossen wird. Auftritt der
  Schilderverteiler, ebenfalls überlebensgroß, mit Schildern.
  Auf den Schildern steht »Nieder mit Spartakus«.
SCHILD Was da gebraut wird, ist nicht euer Bier.
  Ein Mann ein Groschen. Vier mal eins macht vier
  Wenn ihr mein Schild durch eure Straße tragt.
  Es ist für Deutschland, wenn euch einer fragt.
KIND 1 Ich geh nicht mit, mein Vater ist dabei.
SCHILD Nummer eins ist satt. Vier weniger eins macht drei.
  Er steckt einen Groschen weg.
KIND 1 Mein Hunger ists der mitgeht, ich bins nicht.
SCHILD Der oder du. Hat er nur dein Gesicht.
  Kinder demonstrieren mit den Schildern. Schießen aus.
ANDRE STIMME RUHE UND ORDNUNG. WIEDER
  HERGESTELLT.

Licht. Der Bäcker macht seinen Laden wieder auf. Die Kinder treten zum Schilderverteiler und halten die Hände auf.

SCHILD Was wollt ihr?

KINDER Den Groschen.

SCHILD Was kriegt der Hund, wenn er bellt.

Lacht. In seiner Ladentür steht der Bäcker und stimmt in das Lachen ein. Lachen weiter nach dem Vorhang.

DIE STRASSE 2

Berlin 1949.

LAUTSPRECHER ES LEBE DIE DEUTSCHE DEMOKRATISCHE REPUBLIK DER ERSTE ARBEITERUNDBAUERNSTAAT AUF DEUTSCHEM BODEN

Beifall aus dem Lautsprecher.

MANN Der Russenstaat.

ANDRER *schlägt ihn nieder:* Merk dir den Tag.

MANN *steht auf, blutig:* Und du.

Taumelt weg.

Es gibt noch Bäume, Äste dran, in Deutschland.

Wir sehn uns wieder, Russe, wenn du hängst.

STIMMEN Haltet den Hetzer.

Halt ihn.

Wo?

Da.

Weg.

ALTER *mit Kind auf dem Rücken:*

Hier haben wir Berlin, der Kaiserhure

Die Fetzen vom Kartoffelbauch gerissen

Den Preußenflitter von der leeren Brust.

Die Kaiserhure war Proletenbraut

Für eine Nacht, nackt im Novemberschnee
Von Hunger aufgeschwemmt, vom Generalstreik
Gerüttelt, mit Proletenblut gewaschen.
Wir warteten im Schnee, der weiß wie nie kam
Der Nebel stieg, die Hand fror am Gewehr
Der Schnee fiel sieben Stunden ohne Aufhörn.
Die Bonzen saßen warm im Schloß, berieten.
Wir warteten im Schnee der weiß wie nie kam
Von keinem Rauch aus keinem Schlot geschwärzt.
Wir wurden weniger. In der achten Stunde
Schmiß der und jener sein Gewehr weg, ging.
Im Schloß die Bonzen ritten auf den Stühlen
Und stimmten Karl und Rosa an die Wand.
Wir schlugen die Gewehre an den Bordstein
Krochen zurück in unsre Mauerlöcher
Und rollten unsern Himmel wieder ein.
Der Präsident. Ein Arbeiter wie wir.

STIMME 1 Ein Arbeiter wie wir. Wo ist mein Schloß.

STIMME 2 Die kennen ihre eigne Mutter nicht mehr.

EINARM Viel laßt ihr euch gefalln.

MANN 1 Und nicht von jedem.

Pause.

EINARM Seid ihr noch Deutsche?

Pause.

MANN 2 Hast du einen Arm
Zu viel?

Pause.

EINARM Smolensk, Kamerad. Das nächste mal besser.

Pause.

MANN 3 Es ist der Kopf. Der hat einen Kopf zu viel.

MANN 2 Komischer Vogel.

MANN 1 Der sucht einen Käfig.

MANN 3 Glück muß man haben. Vogel, du hast Glück.
Da geht ein Käfig, der sucht einen Vogel.

Einarm ab. Staubmantel.

STAUBMANTEL Wo ist er hin.

MANN 1 Wer.

MANN 2 War hier jemand?

MANN 3 Niemand.

Staubmantel ab. Windjacken auf Fahrrädern.

WINDJACKE 1

Das macht sich breit. Fußgänger. Gibts was ohne?

MANN Staatsfeiertag. Sohn. Hast du was dagegen?

WINDJACKE 1 Was für ein Staat.

MANN 2 Nicht deiner.

WINDJACKE 2 Merkst du was

Von einem Staat hier?

Reißt eine Fahne ab und tanzt darauf. Zwei Staubmäntel.

MANN Die sind blau.

STAUBMÄNTEL *reißen den Windjacken die Windjacken auf.*

Flugblätter fallen heraus: Davon.

Führen die Windjacken ab. Zwei Herren mit Koffern.

HERR 1 Hören Sie das Gras wachsen? Das ist die Steppe. Die
Steppe kommt. Das kitzelt die Fußsohlen. Sehn Sie meine
Schuhe: grün. Schnell, eh das Gras uns einholt.

Vorbei. Drei Huren. Ein Zuhälter.

ZUHÄLTER Die Straße voll Kunden. Warum arbeitet ihr
nicht.

HURE 1 Staatsfeiertag, Süßer.

ZUHÄLTER Gefickt wird unter jeder Regierung.

HURE 2 Bei mir nicht mehr lange. Vorm Frühjahr spring ich
ab.

Zuhälter will sie schlagen.

HURE 1 Polente.

Zuhälter ab. Die Huren lachen.

HURE 2 Den Dicken nehm ich noch aus. Eine Strumpffabrik
in Sachsen. Lange macht er nicht mehr, hat schon dreimal
die Volkskontrolle gehabt. Die Gemahlin wird auch renitent. Einen Nerz will ich noch herausschlagen.

HURE 3 *höhnisch:* Den will ich sehn.

HURE 1 Der Blonde vom Revier hat mir gesagt, er muß mich heiraten, wenn ich nicht bald von der Straße bin, damit er mich aus dem Bericht hat.

Singt: ES WAR EINMAL EIN TREUER HUSAR

HURE 3 Heiraten. Einen Bullen.

HURE 1 Der Blonde gefällt mir.

HURE 3 Das ist das letzte. *Spuckt aus.*

HURE 1 Du hast es nötig, auf dem Strich seit 71.

HURE 3 Aas.

HURE 1 Nach dir.

Prügeln sich. Polizist.

POLIZIST Streit, meine Damen?

HURE 3 Keine Spur, Herr Kommissar.

HURE 1 Sie müssen uns verwechselt haben.

HURE 2 Sinds die Augen, geh zu ANSORG.

Polizist ab.

HURE 3 Die sind überall. Ich geh zum Kudamm.

HURE 1 Die warten auf dich, du Skelett.

HURE 3 Die Fresse zerkratz ich dir.

Ein Polizist geht vorbei. Hure 3 und 2 gehn.

HURE 2 Gehst du nicht mit.

HURE 1 Ich bleib. Mir gefällts hier.

Hure 3 und 2 ab. Ein Betrunkener.

BETRUNKENER *singt:* WALDESLUST WALDESLUST

He, Puppe!

JUNGER MANN Laß die Frau los.

BETRUNKENER *torkelt weiter:*

O WIE EINSAM SCHLÄGT DIE BRUST

JUNGER MANN Gehn wir zusammen?

HURE 1 Heute ist Feiertag. Heut geh ich allein.

Manege. 2 Clowns.

CLOWN 1 Ich bin der König von Preußen. Ich habe mir ein
Schloß gebaut in dieser schönen Gegend, weil sie mir
gefällt und damit ich meinem Volk besser dienen kann,
denn ich habe Hämorrhoiden und das Rheuma von den
Kriegen, die ich führen mußte in Schlesien, Böhmen und
Sachsen für die Ehre Preußens und die sehr berühmt
sind.

CLOWN 2 Ich will auch König von Preußen sein.

CLOWN 1 Du bist der Müller von Potsdam.

CLOWN 2 Habe ich auch Hämorrhoiden.

CLOWN 1 *groß:* Hast du meine Schlachten geschlagen.

Clown 2 eingeschüchtert.

CLOWN 1 Deine Mühle steht neben meinem Schloß. Sie
klappert den ganzen Tag. Da stört sie mich natürlich
beim Regieren. Und beim Flötespielen, das ich sehr liebe
und in dem ich ein Meister bin.

CLOWN 2 Mich stört sie nicht, ich kann auch Flöte spielen.
Greift sich an die Hose.

CLOWN 1 Ich spiele nur ernste Musik. Ich kann mir natürlich
in einer andern Gegend ein andres Schloß bauen. Schließlich bin ich der König von Preußen. Ich brauche zum
Beispiel nur England zu erobern, was für mich eine Kleinigkeit wäre, wie du zugeben wirst, und ich kann mein
Schloß in England bauen. Aber ich will es hier, in meinem
lieben Preussen, in dieser Gegend, die mir so sehr gefällt.

CLOWN 2 Das ist meine Mühle. Ich lasse mir meine Mühle
nicht wegnehmen. Wenn ich meine Mühle nicht behalten
darf, spiele ich nicht mit.

CLOWN 1 Das ist gut. Ich habe mich nämlich entschlossen,

gewissen Gerüchten entgegenzutreten, die meine Feinde über mich verbreitet haben, weil mein Ruhm sie nicht schlafen läßt, indem ich der Welt ein Beispiel gebe, denn ich spreche französisch und bin sehr aufgeklärt.

CLOWN 2 *schlau:* Wie kommt das Kind in den Bauch. Das ist einfach. Aber wie kommt es nicht in den Bauch.

CLOWN 1 Das ist eine philosophische Frage. Dafür habe ich jetzt keine Zeit. Ich bin der erste Diener meines Staates.

CLOWN 2 *läßt die Hose herunter:* Mein Staat ist größer als deiner. Machst du es mit der rechten oder mit der linken Hand.

CLOWN 1 Das geht dich gar nichts an. Zieh deine Hose wieder hoch oder ich rufe den Sprechstallmeister.

Clown 2 greift sich erschrocken an den Hintern und zieht schnell die Hose wieder hoch.

In der Politik verstehe ich keinen Spaß. Ich bin der erste Diener meines Staates.

Clown 2 lacht und hält sich erschrocken die Hand vor den Mund.

Darum, wenn es mir auch das Herz bricht, und es wird mir das Herz brechen, ich weiß es bestimmt, werde ich zu dir gehen, der König von Preußen zu dem Müller von Potsdam, und dir den Befehl geben, daß du deine Mühle anderswo aufstellen sollst, weil sie mich beim Regieren stört und beim Flötespielen. Aber du wirst dich nicht einschüchtern lassen, sondern mir entgegentreten als ein deutscher Mann und mir ins Gesicht sagen, daß du einen Gewerbeschein hast und eine Baugenehmigung und daß du deine Mühle nicht woanders aufstellen willst und wenn ich dreimal der König von Preußen bin, weil es noch Richter in Berlin gibt, und deine Mühle wird stehen bleiben neben meinem Schloß, obwohl sie den ganzen Tag klappert und meine Regierung stört, für die ich die äußerste Konzentration brauche, weil ich alles allein machen

muß, denn in Preußen pißt kein Hund ohne meine aus-
drückliche Erlaubnis und ich bin ein Tierfreund, sowie
mein Flötenspiel, das ich sehr liebe und in dem ich ein
Meister bin, aber ein König ist kein Mensch, sondern der
erste Diener seines Staates, *Clown 2 lacht und hält sich
erschrocken die Hand vor den Mund:* und wenn es ihm das
Herz bricht, und es wird mir das Herz brechen, ich weiß es
bestimmt. *Weint.* Hast du dir alles gemerkt.

CLOWN 2 Der Löwe.

*Ein Löwe tritt auf. Clown 2 hängt sich an ein Trapez, das
vom Schnürboden herunterkommt. Clown 1 hängt sich an
Clown 2 und klettert an ihm hoch. Clown 2 ist kitzlig und
läßt, von Lachkrämpfen geschüttelt, das Trapez los. Sie
fallen auf den Löwen, der in zwei Teile zerbricht, die nach
verschiedenen Seiten abgehn. Das Trapez verschwindet im
Schnürboden.*

CLOWN 1 Jetzt haben wir den Löwen kaputt gemacht.

CLOWN 2 Du hast den Löwen kaputt gemacht.

CLOWN 1 Du hast losgelassen.

CLOWN 2 Weil du mich gekitzelt hast.

Pause. Clown 1 denkt.

CLOWN 1 Wir sagen einfach, der Löwe war nicht hier.

CLOWN 2 Sie werden uns nicht glauben.

Pause. Clown 1 denkt.

CLOWN 1 Wir sagen, es gibt gar keine Löwen.

CLOWN 2 Ja, das ist gut.

CLOWN 1 Jetzt fangen wir an.

CLOWN 2 Und wo ist meine Mühle.

CLOWN 1 Du mußt sie dir eben vorstellen. Ich muß mir mein
Schloß auch vorstellen. Hast du keine Fantasie.

CLOWN 2 Nein. Ich weiß, wie ich es mache. Ich werde den
Müller spielen und die Mühle.

CLOWN 1 Das gilt nicht. Eine Mühle kann jeder spielen, aber
wie soll ich mein Schloß spielen. Ein Schloß kann man
sich nur vorstellen.

CLOWN 2 Dafür ist es auch viel schöner.

CLOWN 1 *strahlt:* Ja, das ist wahr.

Auftritt Direktor mit Peitsche.

DIREKTOR Was habt ihr mit dem Löwen gemacht.

Clown 2 stellt sich hinter Clown 1.

CLOWN 1 und 2 Es gibt keine Löwen.

*Dem Direktor fällt die Kinnlade herunter. Er hebt sie auf
und geht, sich scheu umblickend, ab.*

CLOWN 1 Jetzt fangen wir an. Zuerst kommt das Regieren.
Wo ist mein Stuhl.

*Stuhl vom Schnürboden, Clown 1 will sich setzen, Clown 2
schleicht sich hinter ihn, zieht den Stuhl weg, Clown 1 setzt
sich nicht, richtet sich wieder auf.*

Halt. Wir haben etwas vergessen. Mein Windspiel. Ohne
mein Windspiel kann ich nicht regieren.

CLOWN 2 Dein Windspiel?

CLOWN 1 Ja. Wo ist mein Windspiel.

Hund vom Schnürboden.

CLOWN 2 Haha. Das soll ein Windspiel sein. Das ist ja ein
Hund.

CLOWN 1 *streng:* Ein Windspiel ist ein Hund. Der Stuhl steht
zu weit hinten.

CLOWN 2 Du stehst zu weit vorn.

CLOWN 1 Ja. Der Stuhl steht zu weit hinten und ich stehe zu
weit vorn.

CLOWN 2 Ich weiß, was wir machen. Du gehst nach hinten
und ich trage den Stuhl nach vorn.

CLOWN 1 Ja, das ist gut.

Sie tun es.

Jetzt steht der Stuhl zu weit vorn und ich stehe zu weit
hinten.

CLOWN 2 Wir haben es falsch gemacht. Ich muß den Stuhl
nach hinten tragen und du mußt nach vorn gehen.

CLOWN 1 Ja.

Der Stuhl verschwindet im Schnürboden.

CLOWN 1 Der Stuhl ist weg.

CLOWN 2 Ja, ich sehe ihn auch nicht mehr.

CLOWN 1 Ich werde mich auf dich setzen, du bist mein Stuhl.

CLOWN 2 Und wer ist die Mühle.

CLOWN 1 Eins nach dem andern.

Clown 2 läßt sich auf Hände und Knie nieder, Clown 1 setzt sich auf ihn.

Jetzt regiere ich, und du mußt klappern.

Clown 2 steht auf, Clown 1 fällt um.

Du kannst nicht einfach aufstehn, während ich regiere.

CLOWN 2 Jetzt bin ich die Mühle. Du mußt dir den Stuhl eben vorstellen.

CLOWN 1 Ja. *Clown 1 setzt sich in die Luft.*

CLOWN 2 ES KLAPPERT DIE MÜHLE AM RAUSCHEN-DEN BACH KLIPP KLAPP KLIPP KLAPP KLIPP KLAPP

CLOWN 1 Länger kann ich mir den Stuhl nicht vorstellen.

CLOWN 2 Warum regierst du nicht im Stehen.

CLOWN 1 Das geht nicht. Ich glaube, ich höre auf mit dem Regieren. Es ist zu schwer. Wir machen jetzt das Flöten-spiel.

CLOWN 2 Spielen wir mit meiner Flöte oder spielen wir mit deiner Flöte. Ich weiß, wie wir es machen: Du spielst mit meiner Flöte und ich spiele mit deiner Flöte.

CLOWN 1 Du hast keine Flöte, du bist der Müller von Pots-dam. Fang an.

CLOWN 2 Ich bin der Müller von Potsdam. Der König von Preußen ist mein Nachbar. Meine Mühle steht neben seinem Schloß. Ich habe gehört, daß meine Mühle den König von Preußen beim Regieren stört und beim Flöte-spielen, weil sie den ganzen Tag klappert, und er will zu mir kommen, der König von Preußen zu dem Müller von Potsdam, und mir den Befehl geben, daß ich meine Mühle woanders aufstellen soll. Aber da kommt er bei mir an den Richtigen. Ich habe nämlich einen Gewerbeschein, und eine Baugenehmigung habe ich auch. Jawohl. *Clown 1 applaudiert.* Der soll nur kommen, der Arschficker, mit seinem Windspiel und mit seinem Krückstock. Ich werde ihm zeigen, was eine Harke ist. Es gibt noch Richter in Berlin. Jawohl. *Clown 1 applaudiert.* Ich werde sein Windspiel durch den Wolf drehn und aus seiner Krücke Kleinholz machen. *Clown 1 applaudiert.* Ich werde ihm den Arsch aufreißen, ich bin ein deutscher Mann. Jawohl. *Clown 1 applaudiert.* Was heißt hier König. Regieren kann jeder –

CLOWN 1 Halt. Du mußt auf dem Boden der Legalität bleiben.

CLOWN 2 Was ist das.

CLOWN 1 Das ist französisch und heißt SCHUTTABLADEN VERBOTEN. Jetzt kommt mein Auftritt.

Clown 1 fällt über seinen Krückstock auf die Nase.

CLOWN 2 Trittst du immer mit der Nase auf.

CLOWN 1 Ich bin der König von Preußen, mein Schloß steht neben deiner Mühle, und ich befehle dir, Müller von Potsdam, deine Mühle anderswo aufzustellen, weil sie den ganzen Tag klappert, was mich beim Regieren und beim Flötespielen stört.

CLOWN 2 Ich bin der Müller von Potsdam. *Seine Knie fangen an zu schlottern. Er versucht sie mit den Händen festzuhalten.* Ich bin ein deutscher Mann. *Fällt um, steht wieder auf vor dem drohenden Krückstock, fällt wieder um.*

CLOWN 1 *mit erhobener Krücke:* Wenn du jetzt nicht deine Rolle spielst, sage ich dem Direktor, daß du den Löwen kaputt gemacht hast. Ich kenne dich. Das machst du nur, weil du mich vor den Leuten blamieren willst, aus Bosheit.

CLOWN 2 *steht wieder auf und fällt wieder um. Auf Händen und Knien:* Bestimmt nicht. Ich gebe mir wirklich Mühe. Siehst du, wie ich schwitze. Es kommt einfach über mich. Ich kann nichts dagegen tun. Es haut mir die Beine weg. Es kommt von innen. Es ist eine Naturgewalt.

CLOWN 1 *böse:* Ich werde dir zeigen, was eine Naturgewalt ist.

Schlägt ihn. Ich bin der erste Diener meines Staates.

Clown 2 leckt an dem Krückstock und fängt an, ihn aufzuessen. Den Stock essend, richtet er sich an ihm auf, bis er stocksteif dasteht. Marschmusik, die in Schlachtendonner übergeht. Der Bühnenhintergrund öffnet sich vor einem Feuer, aus dem Sprechblasen aufsteigen: JEDER SCHUSS EIN RUSS JEDER TRITT EIN BRIT JEDER STOSS EIN FRANZOS und in das Clown 2 im Paradeschritt hineinmarschiert.

Ich hatte es mir eigentlich anders vorgestellt, weil ich französisch spreche und sehr aufgeklärt bin. Aber so geht es natürlich auch.

Der Hund, ebenfalls im Paradeschritt, folgt Clown 2.

CLOWN 1 *zu dem Hund:* ET TU, BRUTE!

BRANDENBURGISCHES KONZERT 2

Schloß. Kaltes Buffet. Ein Empirestuhl. Im Hintergrund Gesang: ALS DAS KRAFTWERK WURDE VOLKES EIGEN.

EIN GENOSSE *stellt vor:* Das ist der Maurer von der Stalinallee. Held der Arbeit seit heute. Nimm Kaviar, Genosse, den kriegst du nur hier. Du hast ihn bezahlt mit der Stalinallee. Er hat Friedrich den Einzigen von Berlin nach Potsdam kommandiert, weil der uns in der Sonne stand Unter den Linden, mit vier Mann für dreimal weniger Geld als von den Experten aus dem Westen vorgesehn war und in Weltbestzeit. Am Kalten Buffet ist er neu. Was willst du. Wenn wir Kohlsuppe löffeln mit der Bevölkerung, machen sie Hackfleisch aus uns, hier ist Deutschland, Genosse. Diktatur des Proletariats auch in der Küche. Essen ist Parteiarbeit. Der rote ist besser.

Ab. Der Maurer, mit Kopfverband, ißt. Präsident.

PRÄSIDENT Das ist dein Tag, Genosse. Du siehst aus
Als ob er dir zu lang wär.

MAURER Lang genug.

PRÄSIDENT Dein Kopf?

MAURER Das ist der Dank der Arbeiterklasse.
Sie wollten mich zum Denkmal umarbeiten.
Das Material kam aus dem vierten Stock.
Und wenn ihr mir noch einen Orden anhängt
Könnt ihr mich als Ersatzmann aufstelln nächstens
Unter den Linden für den Alten Fritz.

PRÄSIDENT Die Steine, die sie auf uns schmeißen heute
Genosse, passen morgen in die Wand.
Was liegt dir sonst im Magen.

MAURER Das Kalte Buffet.

PRÄSIDENT Du wirst dich dran gewöhnen müssen. Ich habs auch gelernt.

EIN GENOSSE Genosse Präsident
Die Künstler warten.

PRÄSIDENT Ich muß auf den Laufsteg.

Ab. Musik. Brandenburgisches Konzert. Maurer setzt sich auf den Empire-Stuhl.

MAURER Das ist der richtige Stuhl für meinen Hintern.

Friedrich der Zweite von Preußen als Vampir.

FRIEDRICH 2
Will Er nicht aufstehn, Kerl, vor seinem König.

MAURER Ich hab gedacht, der paßt auf keinen Stuhl mehr. Ich zeig dir, wo Gott wohnt.

Geht auf Friedrich 2 los. Der schlägt ihn mit der Krücke.
He. Das ist mein Kreuz.
Zerbricht die Krücke überm Knie, Friedrich der Zweite geht ihn von hinten an.
Bei mir bist du verkehrt. Fick deinen Hund.
Schüttelt ihn ab. Friedrich der Zweite geht ihm an die Kehle.
Hast du noch Durst, du Vieh. Geh Wasser saufen.
Kampf. Auftritt Genosse mit Tablett. Friedrich der Zweite verschwindet.

GENOSSE   Das schickt der Präsident. Bier und Kotlett
Damit du dir den Magen nicht verdirbst
Eh du dich dran gewöhnt hast, am Kalten Buffet.
Maurer ißt das Kotelett und trinkt das Bier.

HOMMAGE À STALIN 1

Schnee. Schlachtlärm. Drei Soldaten. Ihre Körper sind nicht mehr vollständig. Auftritt im Schneetreiben ein junger Soldat.

SOLDAT 1   Da kommt Nachschub.
SOLDAT 2   Der hat noch alles.
SOLDAT 3   Wer ist dran?
SOLDAT 1   Ich.
SOLDAT 2   Woher, Kamerad?
JUNGER SOLDAT   Aus der Schlacht.
SOLDAT 3   Wohin, Kamerad?
JUNGER SOLDAT   Wo keine Schlacht ist.
SOLDAT 1   Deine Hand, Kamerad.
Reißt ihm den Arm aus. Der junge Soldat schreit. Die Toten lachen und fangen an, den Arm abzunagen.
SOLDAT 3 *den Arm anbietend:* Hast du keinen Hunger?
Der junge Soldat verdeckt sein Gesicht mit der verbliebenen Hand.

SOLDAT 1 Das nächste mal bist du dran. Der Kessel hat für alle Fleisch.

STIMMEN Vive l'empereur
Es lebe der Kaiser.

SOLDAT 1 Das ist Napoleon. Er kommt jede dritte Nacht.

Napoleon geht vorbei. Er ist bleich und dick. Er schleift einen Soldaten seiner Großen Armee an den Füßen hinter sich her.

Das geht in Ordnung. Es sind seine Leichen. Ohne ihn wären sie nicht hier. Und er zählt nach, er ist filzig. Kameradschaft gibt es nur bei uns. Willst du wirklich nichts essen?

Hinter Napoleon ist Cäsar aufgetaucht, grünes Gesicht, die Toga blutig und durchlöchert.

Der Grüne hinter ihm ist Cäsar. Der hat sein Fett: dreiundzwanzig Löcher.

SOLDAT 2 Wenn du den Arsch nicht mitzählst. *Lachen.*

SOLDAT 1 Er lebt vom Fechten. Seine Leichen hat er auf Sperrkonto: die Schlachtfelder liegen zu tief.

SOLDAT 3 Warum hat er sich nicht eingeteilt, der Makkaroni.

SOLDAT 1 Manchmal läßt Napoleon ihm ein Bein ab. *Lacht.* Oder einen Arm. *Wirft Cäsar den abgenagten Arm zu.* Bei uns braucht keiner zu hungern. *Cäsar nimmt den Arm auf und verschwindet im Schneetreiben.*

Der junge Soldat läuft schreiend weg.

SOLDAT 3 Der kommt wieder. Der Kessel ist dicht.

Immer mehr Soldaten taumeln und kriechen auf die Bühne, fallen, bleiben liegen. Dann treten überlebensgroß in verrosteten Harnischen die Nibelungen Gunther, Hagen, Volker und Gernot auf.

GUNTHER *auf den Toten herumsteigend:* Simulanten. Drükkeberger. Defätisten. Feiges Pack.

VOLKER Die glauben, wenn sie verreckt sind, haben sie alles getan, was von ihnen verlangt werden kann.

HAGEN *höhnisch:* Die glauben, die haben es hinter sich.

GERNOT Die werden sich wundern.

GUNTHER Nehmt eure Schwerter auf, ihr Nibelungen.
Die Hunnen kommen wieder. GOTT MIT UNS.
Die Nibelungen bewaffnen sich mit Leichen und Leichen-
teilen und werfen sie brüllend auf imaginäre Hunnen, so
daß ein unregelmäßiger Wall aus Leichen entsteht.
Sieh, Attila, die Ernte unsrer Schwerter.
Die Nibelungen setzen sich auf den Leichenwall, nehmen
die Helme ab und trinken aus ihren Hirnschalen Bier.

GERNOT Immer dasselbe. *Die andern sehen ihn an, empört.*
Ich sage nicht, daß ich nicht mehr mitmachen will. Aber
worum geht es eigentlich.

VOLKER Hast du Siegfried schon vergessen, den die Hunnen
im Odenwald –

HAGEN *hebt seine Hirnschale:* Rache für Siegfried.

GUNTHER UND VOLKER *ebenso:* Rache für Siegfried.

GERNOT *zu Hagen:* Aber ich habe doch selbst gesehen. Ich
meine, das weiß doch jeder, daß du ihn.

GUNTHER Wir alle haben gesehen, wie Hagen den Speer aus
der Wunde zog, mit dem die Hunnen aus dem Hinterhalt
unsern Siegfried –

GERNOT Ich habe gesehen, wer den Speer geworfen hat.

GUNTHER Er war ein Verräter.

GERNOT Wer.

GUNTHER Siegfried. Ich wollte es dir eigentlich nicht sagen.
Man soll der Jugend ihre Illusionen lassen, solange es
irgend geht. Jetzt weißt du es.

GERNOT Ich weiß immer noch nicht, warum wir uns hier
mit den Hunnen herumschlagen.

VOLKER Bist du ein Hunne, daß du zum Kämpfen einen
Grund brauchst.

HAGEN Weil wir aus dem Kessel nicht herauskommen,
darum schlagen wir uns mit den Hunnen herum.

GERNOT Aber wir brauchen doch nur aufzuhören, und es gibt keinen Kessel mehr.

GUNTHER Hat er aufhören gesagt.

VOLKER Er hat es immer noch nicht gelernt.

HAGEN Der lernt es nie.

GUNTHER Wir dürfen die Hoffnung nicht aufgeben. Er ist kein Hunne.

VOLKER Wir werden ihn schon hinbiegen.

HAGEN Jedenfalls müssen wir jetzt anfangen. Zeit ist Geld.
Die drei stehen auf, bewaffnen sich und gehen auf Gernot zu. Der springt auf.

GERNOT Ich will nicht jede Nacht sterben. Ich finde das langweilig. Es macht mir keinen Spaß. Ich möchte auch mal etwas anderes machen. Das mit den Frauen zum Beispiel. Ich habe vergessen, wie es heißt.

HAGEN *höhnisch:* Er hat vergessen, wie es heißt.

VOLKER Das ist die Jugend von heute. Sie hat keine Ideale mehr.

GUNTHER Was meinst du, wozu deine Mutter dich geboren hat. Wir werden es so lange üben, bis du es im Schlaf kannst.
Die drei Nibelungen schlagen in einem längeren Kampf den vierten in Stücke. Dann masturbieren sie gemeinsam.

VOLKER *masturbierend:* »Ich möchte auch mal etwas anderes machen. Das mit den Frauen zum Beispiel. Ich habe vergessen, wie es heißt.«
Die Nibelungen lachen.

HAGEN *ebenso:* Ich weiß schon nicht mehr, was das ist, eine Frau. Ich glaube, ich würde das Loch nicht mehr finden.
Die Nibelungen lachen.

GUNTHER *ebenso:* Der Krieg ist Männerarbeit. Jedenfalls geht das Geld jetzt nur noch in drei Teile. Das Loch im Kessel werden wir schon finden.

Die Nibelungen lachen. Volker stimmt seine Geige.
Laß deine Geige aus dem Spiel. Ich kenne deine Tricks. Er
will uns weichmachen mit seiner Gesangsnummer.
SCHLAFE MEIN PRINZCHEN SCHLAF EIN. Und dann
haut er ab und reißt sich die Sore allein unter den Nagel.

HAGEN Besser, wir machen ihn gleich fertig.

GUNTHER Los. *Bewaffnen sich.*

VOLKER Kameraden. *Schlagen ihn in Stücke.*

GUNTHER Jetzt sind es nur noch wir beide.

HAGEN Einer zu viel.

*Schlagen einer den andern in Stücke. Einen Augenblick
Stille. Auch der Schlachtlärm hat aufgehört. Dann kriechen
die Leichenteile aufeinander zu und formieren sich mit
Lärm aus Metall, Schreien, Gesangsfetzen zu einem Mon-
ster aus Schrott und Menschenmaterial. Der Lärm geht
weiter bis zum nächsten Bild.*

HOMMAGE À STALIN 2

Kneipe. Sirenen. Glockenläuten.
Wirt. Zwei Kleinbürger. Eine Gestalt: Der Schädelverkäufer.

KLEINBÜRGER 1 Stalin ist tot.

KLEINBÜRGER 2 Lang hats gedauert.

WIRT Achtung.
Drei Huren.

KLEINBÜRGER 1 Wie wärs mit uns, Kollegin.

HURE 3 Geh nach Hause, Kleiner. Mama weint.

HURE 2 Darfst du überhaupt schon aufbleiben.

HURE 1 Es gibt keine Mütter mehr.

KLEINBÜRGER 1 Warum nicht in Schwarz, meine Damen, an
einem Tag wie heute.

HURE 2 Bei uns sitzt es tiefer. *Zeigt schwarze Unterwäsche.*

KLEINBÜRGER 2 Ein Bier für Witwen und Waisen.

HURE 1 Wir trinken nur Sekt.

WIRT Hier ist nicht der Kudamm.

HURE 3 Weil Sies sind.
Bier.

KLEINBÜRGER 1 Sekt. Das Handwerk hat einen goldenen Boden.

KLEINBÜRGER 2 Ein Loch, wenn du mich fragst.

WIRT Ein goldenes.

HURE 2 *zu Kleinbürger 1:* Wir arbeiten nicht mit der Hand, mein Herr.

KLEINBÜRGER 1 Ich wollte Sie nicht beleidigen, meine Dame. Ich bin selbst nur ein einfacher Handwerker.

HURE 2 Pfui.

KLEINBÜRGER 1 Mundwerk ist besser als Handwerk. *Lacht.*

HURE 3 Verschluck dich nicht, mein Sohn.

HURE 2 *auf die Gestalt:* Wer ist das Gespenst. Huh!

HURE 1 *wartet die Wirkung ab, keine Wirkung:* Es hat sich nicht bewegt.

KLEINBÜRGER 2 Vielleicht ein Denkmal.

HURE 1 Das ist Haarmann. Seht ihr den Sack unterm Stuhl. Er hat wieder einen auseinandergenommen, und in dem Sack da hat er die Teile drin. Wo die Jacke absteht, ist das Messer.

KLEINBÜRGER 2 Bei dem Fleischpreis ist sowas schon beinah Notwehr.

KLEINBÜRGER 1 Ich will nicht wissen, wen alles ich schon gegessen habe.

HURE 3 Haarmann kanns nicht sein. Der sieht anders aus, mehr rundlich. Ich hab ihn gesehn. Am Dienstag wars. Er hatte das Messer schon draußen. Mensch, hab ich gebrüllt. Und weg war er, wie ein Schatten.

KLEINBÜRGER 1 Sie haben ein Gespenst gesehn, meine Dame. Haarmann ist im Himmel.

HURE 2 Der ist taubstumm.

HURE 3 Jedenfalls geh ich heute nicht allein nach Hause.

KLEINBÜRGER 1 *klappt Taschenmesser auf:* Wie darfs denn
sein.

Hure 3 kreischt. Auftreten vier Maurer.

DICKER MAURER Der trinkt kein Bier mehr.

GENERAL Das muß gefeiert werden.

JUNGER MAURER Was willst du damit sagen, General.

GENERAL Was ich gesagt hab. Bier.

HILSE Sei froh, General
Daß dich der Russe auf den Bau geschickt hat.

GENERAL Ich hab nur meine Pflicht getan als Deutscher.

HILSE Ich hätt euch alle an die Wand gestellt.

GENERAL Das fragt sich noch, wer eher an der Wand steht.

JUNGER MAURER *zu Hure 1:*
Das ist sie. Im Oktober sinds vier Jahre.
Ich hab Sie überall gesucht. Wie gehts.

HURE 2 Wen hast du da an Land gezogen, Mädchen.

KLEINBÜRGER 2 Vier Jahre. Der hats eilig.

KLEINBÜRGER 1 *singt:* ROSEMARIE. ROSEMARIE
SIEBEN JAHRE MEIN HERZ NACH DIR SCHRIE!

HURE 2 Junger Mann
Ich glaube, Sie sind auf dem falschen Dampfer.

JUNGER MAURER *zu Hure 1:*
Was machen Sie zum Beispiel heute abend.

HURE 2
Er wills nicht wissen. Mensch, muß Liebe schön sein.

HILSE Bleib weg da, Junge. Das ist nichts für dich.

HURE 1 Ich glaub nicht, daß ich heute abend Zeit hab.

JUNGER MAURER Warten Sie hier auf einen Kapitalisten.

HURE 3 Schön wärs.

HURE 1 Ich muß jetzt gehn.

JUNGER MAURER Gehn wir zusammen.

Hure 1 allein ab.

KLEINBÜRGER 1 Sie ist noch Jungfrau.

Kleinbürger 1 und Kleinbürger 2 lachen.

JUNGER MAURER *zu Hure 3 und 2:* Hat sie einen andern.

KLEINBÜRGER 1 Nie sollst du mich befragen, Lohengrin.

KLEINBÜRGER 2 Er kann nicht weiter zählen als bis eins.

HURE 3 *weint:* Das ist die Liebe.

Junger Maurer geht. Hilse will ihn zurückhalten.

JUNGER MAURER Ich brauch keinen Vormund. *Junger Maurer stößt Hilse zurück. General lacht.*

DICKER MAURER Warum mischst du dich ein. *Aktivist.*

GENERAL Der Aktivist.

Aktivist mit Kopfverband setzt sich an den Tisch der Maurer. Die Maurer setzen sich an einen andern Tisch.

Ein schöner Kopf.

DICKER MAURER Ja. Es soll Leute geben
Die können unter keinem Stein vorbeigehn
Der vom Gerüst fällt.

AKTIVIST Seid ihr noch gesund.

KLEINBÜRGER 1 *betrunken:*
Ich sage, es gibt Krieg. Was sagst du.

KLEINBÜRGER 2 *ebenso:* Von mir aus.

HURE 3 UND 2 *singen:* WIR KOMMEN ALLE ALLE IN DEN HIMMEL

Huren und Kleinbürger singend ab.

GENERAL Kann sein, manches wird anders hier demnächst
Und manche Leute haben nichts zu lachen.

Pause.

DICKER MAURER
Der Deutsche läßt sich viel gefalln. Nicht alles.

Pause.

HILSE Was willst du damit sagen, General.

GENERAL Ich rieche Menschenfleisch, sagte der Riese.

Ab. Nach ihm der dicke Maurer.

AKTIVIST Feine Gesellschaft.

HILSE Nicht so fein wie deine.

AKTIVIST Mir haben sie erzählt, du bist ein Roter.

Pause.

HILSE Ein Arbeiterverräter bin ich nicht.

Ab.

AKTIVIST

Gib mir noch einen Schnaps. Ich kanns gebrauchen
Wenn ich nach Hause komm. Ich trau mich schon
Nicht mehr nach Hause. Jeden Tag was Neues.
Gestern der Teppich. Heute das BUFFET.
Mir haben sie einen Orden aufgehängt.
Seitdem spielt meine Frau die Dame, weil
Ich in der Zeitung steh.

WIRT Adel verpflichtet.

AKTIVIST Wenn ich gewußt hätt, was die Prämie kostet.

Pause. Ein Betrunkener.

WIRT Du hast genug.

BETRUNKENER Ich bin ein freier Mensch.

WIRT Und das ist mein Lokal.

BETRUNKENER Ich war schon links
Als dein Lokal noch Sturmlokal war, braun mit
SA.

Setzt sich zu dem Aktivisten.

Bestell mir einen Schnaps, Kamerad.
Du bist Prolet, ich bin Prolet. Wir müssen
Zusammenhalten gegen den Kapitalismus.
Gegen den Sozialismus auch. Ich war
Im KJV seit 24. Mir macht
Keiner was vor. In Stalingrad im Kessel
Haben sie mich ausgekocht. Das war kein Krieg mehr.
Wir hätten Gras gefressen, aber ich hab
Kein Gras gesehn. Wir haben keinen Knochen
Gefragt, ob er vom Pferd ist oder ICH

HATT EINEN KAMERADEN.
Aber der Mensch gewöhnt sich. Wer sitzt hier.
Ich war der einzige Unteroffizier
Der eine Kompanie unter sich hatte.
Der Hauptmann war krepiert, die Leutnants auch.
Wir sind herausgekommen aus dem Kessel.
Wir waren vierundzwanzig, bis auf zehn.
Ich hab sie durchgebracht. Ich war in Ordnung.
Und meine Jungens waren auch in Ordnung.
AKTIVIST Du mußt es wissen.
BETRUNKENER Ja. Grad heute hab ich
   Einen getroffen. Sitzt im Ministerium.
Staatssekretär oder wie das jetzt heißt.
Der Junge hat es weit gebracht: ganz oben.
Aber mich hat er gleich erkannt. Bist dus, Chef.
Immer der Alte, sag ich. Und er: Komm, wir machen
Ein Faß auf. Ich mit. Seine Frau war giftig
Als wir mit Bier auf dem Parkett den Kessel
Rekonstruieren wollten, unsern Kessel.
Er hat sie eingeschlossen in der Küche.
Dann haben wir den Kessel rekonstruiert.
Und nach der vierten Flasche frag ich ihn:
Kannst du noch robben, Willi, altes Schwein.
Und was soll ich dir sagen, du glaubst es nicht:
Der konnte noch. So gut war meine Schule.
Schüttet Bier auf den Tisch.
Das ist die Wolga. Hier ist Stalingrad.
AKTIVIST Das ist mein Bier.
BETRUNKENER Dich intressierts nicht, was.
   Der Krieg ist nicht zu Ende. Das fängt erst an.
Mich kratzt es nicht mehr. Ich kenn den Arsch der Welt
Von innen wie von außen.
Ab. Der junge Maurer und Hure 1.
JUNGER MAURER *zum Aktivisten:*

Das ist ein Mädchen.

He, Aktivist. Du hast die Taschen voll

Mit unserm Geld für deine rote Norm.

AKTIVIST Du wirst es auch noch lernen.

JUNGER MAURER Nicht von dir.

Wir brauchen eine Wohnung.

HURE 1 Du hasts eilig.

JUNGER MAURER

Jetzt kann ich nicht mehr schludern auf dem Bau.

Kann sein, ich bau an meiner eignen Wohnung.

AKTIVIST Ich hab dir gleich gesagt, du lernst es noch.

JUNGER MAURER Dich brauch ich nicht dazu.

AKTIVIST Dafür gibts andre.

HURE 1 *singt:*

SO SCHÖN WIE HEUT SO SOLL ES IMMER BLEIBEN

Ich glaub, ich hab zu viel getrunken.

JUNGER MAURER Komm.

Ich bring dich heim.

HURE 1 Ich muß zur Arbeit.

JUNGER MAURER Nachtschicht?

HURE 1 Ja. Ich hab immer Nachtschicht.

Der Schädelverkäufer ist aufgestanden, nimmt seinen Sack
auf und nähert sich, leicht schwankend.

Was will der.

JUNGER MAURER

Das ist der Weihnachtsmann. Fehlt Ihnen was?

SCHÄDELVERKÄUFER Ein schönes Paar. Gestatten Sie, daß
ich Ihnen ein kleines Souvenir anbiete. *Holt einen Toten-*
schädel aus dem Sack, Hure 1 schreit.

Ein Memento mori für das neue Heim. MITTEN WIR IM
LEBEN SIND / VON DEM TOD UMFANGEN. Ich habe
ihn selbst ausgegraben. Und dreimal abgekocht. Ein sau-
beres Exemplar. 18. Jahrhundert nach dem Grabstein.
Und es ist ein guter Schädel, fühlen Sie die Schläfe. Die

Erde bringt es an den Tag. Hier ist gedacht worden, mein Herr, die Theodizee des großen Leibniz hatte Platz in diesem Hohlraum. Der Materialismus ist ein Irrtum, glauben Sie mir.

HURE 1 *lacht:* Der ist komisch.

SCHÄDELVERKÄUFER Sie können auch ein Skelett haben. Eine philosophische Flurgarderobe. Legen Sie ab, meine Dame. So viel, mein Herr? Ein Skelett kostet natürlich mehr. Man findet selten ein vollständiges Skelett. Wer weiß, was die Toten mit ihren Knochen anstellen. *Kichert.* Ich habe da meine Vermutungen. Lassen wir das. Fünfzig der Schädel.

HURE 1 Ich hab Angst.

JUNGER MAURER Das werden wir gleich haben.

SCHÄDELVERKÄUFER Das ist geschenkt, mein Herr. Es handelt sich nicht um Reichsmark. Ich komme knapp auf die Spesen.

JUNGER MAURER Packen Sie Ihre Klamotte ein, Chef.

HURE 1 Ich möchte gehn.

SCHÄDELVERKÄUFER Entschuldigen Sie.

Hure 1 und junger Maurer ab. Pause.

SCHÄDELVERKÄUFER Ich würde gern noch das eine oder andere Glas von Ihrem vorzüglichen Schnaps trinken, aber leider, ich bin nicht mehr flüssig. Nehmen Sie den Schädel in Kommission?

WIRT Und bei der Auferstehung wird er eingelöst, wie. Ob Sie das eine oder das andre trinken, ist Ihre Angelegenheit, aber bezahlt wird bar.

AKTIVIST Schlägst du die auch selber tot, Kollege?

SCHÄDELVERKÄUFER *setzt sich an den Tisch des Aktivisten:* Ich arbeite beim Tiefbau. Sozusagen. Wir transportieren Friedhöfe unter Ausschluß der Öffentlichkeit. Umbetten, wie es in der Sprache der Hinterbliebenen heißt. Ich bin ein Hinterbliebener, ich bette um. UNDER BLUO-

MEN UNDE GRAS. Wir arbeiten nachts. Unter Alkohol, wegen der Infektionsgefahr. GRAUT LIEBCHEN AUCH VOR TOTEN. Für mich eine Tätigkeit von einiger Pikanterie: ich war Historiker. Ein Fehler in der Periodisierung, das Tausendjährige Reich, Sie verstehn. Seit mich die Geschichte an die Friedhöfe verwiesen hat, sozusagen auf ihren theologischen Aspekt, bin ich immun gegen das Leichengift der zeitlichen Verheißung. Das goldene Zeitalter liegt hinter uns. Jesus ist die Nachgeburt der Toten. Kennen Sie Vergil.

SCHON ENTSTEIGT EIN NEUES GESCHLECHT DEM ERHABENEN HIMMEL
SCHLIESST DIE EISERNE ZEIT UND BEFREIT VOM SCHRECKEN DIE LÄNDER.
SEHT WIE ALLES ENTGEGEN ATMET DEM NEUEN JAHRHUNDERT
DAS GEFLÜGELT HERAUFKOMMT MIT GESCHENKEN DER ERDE
SANFT MIT ÄHREN VON SELBER VERGOLDEN DIE FLUR SICH
AUCH AM WILDERNDEN DORN WIRD ROT ABHANGEN DIE TRAUBE
AUS HARTSTÄMMIGEN EICHEN WIE TAU WIRD TROPFEN DER HONIG
ZU VERSUCHEN DAS MEER IM GEBÄLK, ZU SCHIRMEN DIE STADT MIT
MAUERN, DEN GRUND MIT DER FURCHE ZU SPALTEN IST DA KEINE NOT MEHR.

WIRT Herrschaften, heben Sie den Arsch von meinen Stühlen. Polizeistunde.

DIE HEILIGE FAMILIE

Führerbunker. Hitler, erstarrt in einer seiner Posen. Eine Glocke schlägt Mitternacht. Hitler bewegt sich, gähnt, macht ein paar Schritte, probiert seine Posen, trinkt aus einem Kanister Benzin usw.

HITLER Josef!
Goebbels, mit Klumpfuß und riesigen Brüsten, hochschwanger.
GOEBBELS Mein Führer!
HITLER *beklopft den Bauch des schwangeren Goebbels:*
Was macht unser Garant. Bewegt er sich? Brav. Trinkst du dein Benzin? *Zieht Goebbels an den Brustwarzen.*
Ist das Euter stramm, wie es sich gehört für eine deutsche Mutter? Brav. Nährstand Wehrstand.
GOEBBELS Wir haben nur noch für drei Tage Benzin.
HITLER Beeil dich mit der Niederkunft. Wache! *Wache in schwarzer Uniform mit Eberkopf.*
HITLER *während er den kichernden Goebbels in den Hintern kneift:*
Das Frühstück!
Wache ab. Ein Soldat. Hitler ißt ihn, den Kopf zuletzt. Niest, spuckt und klaubt sich die Haare aus dem Maul.
Ich habe befohlen, daß meine Männer rasiert werden, bevor ich sie esse. Schweinerei! *Niest und trinkt Benzin.*
GOEBBELS Ich darf darauf aufmerksam machen, mein Führer, daß der Kreis der Geheimnisträger klein gehalten werden muß. Das deutsche Volk liebt Sie als Vegetarier. Wir haben Schwierigkeiten mit dem Personal, der Friseur kann den Ariernachweis nicht erbringen. Der vorige ist abkommandiert, er rasiert Herrn Stalin. Die Wege der Vorsehung sind wunderbar.
HITLER *brüllt:* Arglist! Heimtücke! Verrat! Ich bin von Ver-

rätern umgeben. Sie wollen mich umbringen, sie legen mir Bomben ins Bett. Sie schütten mir Messer ins Essen. Sie tun Gift in mein Benzin. Ich werde sie köpfen. Ich werde sie aufhängen. Ich werde sie vierteilen. *Heult, beißt in den Teppich, immer heulend. Kriecht zu Goebbels, legt den Kopf an seine Brüste, greint.*

GOEBBELS *streichelt und wiegt ihn:* Du bist der größte. Du bist stärker als alle. Sie können dir nichts tun. Du wirst sie bestrafen.

HITLER *noch in der gleichen Stellung:* Ja. Finger abhacken. Hände. Arme. Beine. Ohren abschneiden. Nase abschneiden. *Kichernd und zappelnd.* Pimmel ausreißen.

GOEBBELS *droht mit dem Finger:* Man sagt nicht Pimmel.

HITLER *wirft sich auf den Boden, strampelt:* Du hast Pimmel gesagt. Gib zu, daß du Pimmel gesagt hast. Verräter. Du bist auch ein Verräter.

GOEBBELS *schnell:* Ich habe Pimmel gesagt. Ich gebe es zu. Gnade, mein Führer.

HITLER *steht auf, nimmt die Pose Napoleons ein:* Siehst du. Dafür mußt du mir jetzt die Stiefel lecken.

Goebbels stürzt sich auf Hitlers linken Stiefel.

Den rechten zuerst.

Goebbels stürzt sich auf den rechten Stiefel.

Wache!

Wache.

Den Rapport.

WACHE Ein Hund ist oben vorbeigelaufen.

HITLER Hörst du, Josef. Sie maskieren sich. Sie wagen es nicht mehr, uns offen entgegenzutreten. Aber ich durchschaue sie. Ich durchschaue alles. Ein Hund. Lächerlich! Weiter.

WACHE Er hat ins Gras gepißt. Das ist alles, mein Führer.

HITLER Halte die Augen offen. Der Feind ist überall.

WACHE Jawohl, mein Führer.

Wache ab.

HITLER Ich werde mich jetzt an mein Volk wenden. Mein Volk.

Goebbels greift sich an den Bauch, schreit, wälzt sich schreiend am Boden.

Eine deutsche Mutter schreit nicht. Wache!

Wache.

Die Hebamme soll geholt werden. Es ist soweit.

Wache ab.

Das sind die Wehen. Die Wehen haben eingesetzt. Ich kenne das aus meiner ersten Ehe. *Goebbels gebärdet sich hysterisch.* Bist du immer noch eifersüchtig auf den guten alten Ernst? Ja, er war ein Verräter. Auch er. Weißt du noch, was er für Augen gemacht hat, als er meinen Revolver sah. Damit hatte er nicht gerechnet. Die kleine Schlampe. Wie seine Backen zitterten. Er war ein wenig fett geworden in der letzten Zeit. Ich habe das ganze Magazin leergeschossen auf ihn. Meine Hand hat nicht gezittert. Ihr habt ihn festgehalten, weißt du noch. Du und Herrmann. Auch ein Verräter. Ich bin von Verrätern umgeben. Mein Rücken ist eine einzige Narbe. Dolchstoß um Dolchstoß. Überall lauern sie mir auf. Da. Und da. *Geht immer schneller auf und ab, sich immer wieder plötzlich umdrehend.* Sie sind hinter mir. Sie wagen es nicht, mir entgegenzutreten. Sie halten sich hinter mir. Siehst du. Aber ich kriege sie alle. Die Vorsehung hält ihre Hand über mich.

Wache.

WACHE Der Hund ist wieder vorbeigelaufen. Er hat wieder gepißt. Die Hebamme.

Germania, riesig, mit Hebammentasche.

GERMANIA *boxt Hitler vor den Bauch, rüttelt an seinen Zähnen usw.*

Wie gehts dir, mein Junge. Trinkst du dein Benzin? Ißt deine Männer? Brav. *Sie greift ihm an die Hoden.*

HITLER *verschämt:* Mama!

GERMANIA Immer noch dein Ödipuskomplex? *Lacht.*

HITLER Das ist eine jüdische Schweinerei.

GERMANIA Davon will ich nichts mehr hören. Ich habe genug Ärger gehabt mit deinen Judengeschichten. Es gibt Leute, die zeigen mit Fingern auf mich. Heute noch. Manche grüßen nicht einmal.

HITLER Der Jude –

Germania haut ihm eine Ohrfeige. Hitler heult.

GERMANIA Das Becken ist zu eng. Das wird eine Zangengeburt. Keine Angst, es ist nicht meine erste. Aber noch sind wir nicht so weit. Ohne Fleiß kein Preis. Beine auf. Und durchatmen. Und pressen. So. Und eins, und zwei. *Wache.*

WACHE Die Heiligen Drei aus dem Abendland.

HITLER Hörst du, Josef. Man interessiert sich wieder für uns. Wir sind wieder wer. Die Welt –

GOEBBELS WOLLT IHR DEN TOTALEN –

GERMANIA Schnauze.

HITLER *zur Wache:* Die Ehrenkompanie!

GERMANIA *zu Goebbels:* Du hättest etwas Rouge auflegen können.

HITLER Eine deutsche Mutter –

GERMANIA Ich muß mit der Zeit gehn, wenn ich wieder ins Geschäft kommen will. *Schminkt Goebbels eine Nuttenmaske.* So. *Zu Hitler:* Und daß mir keine Panne passiert. Können die Männer ihren Text?

HITLER Die Vorsehung –

GERMANIA Ich würde es lieber genau wissen.

Die Ehrenkompanie. Hundeköpfe, weißer Flor über schwarzer Uniform, blutige Stiefel, Engelsflügel, nimmt Aufstellung.

GERMANIA Sie hätten sich die Stiefel putzen können. Muß ich alles allein machen. Schlamperei!

Die Heiligen Drei schreiten die Front ab.

HEILIGER 1 Unsre Saat ist aufgegangen.

HEILIGER 2 Mir gefallen die Stiefel nicht.

HEILIGER 3 Veto. Mir gefallen sie auch nicht.

HEILIGER 1 Wir sollten nicht vergessen, worum es geht.

HEILIGER 2 Der Kommunismus ist eine schreckliche Bedrohung.

HEILIGER 3 Besonders in seelischer Hinsicht.

HEILIGER 1 Wenn man nur an die Kinder denkt.

EHRENKOMPANIE *bellt:* FREIHEIT DEMOKRATIE ABEND-LAND FRIEDEN EIGNER HERD IST GOLDES WERT LIEBER TOT ALS ROT NUR DER TOTE INDIANER IST EIN GUTER INDIANER JEDEM DAS SEINE EINHEIT IN SAUBERKEIT.

GERMANIA *aufatmend:* Das hat geklappt.

HEILIGER 1 Was habe ich gesagt.

HEILIGER 2 Wirklich. Ein neuer Geist.

HEILIGER 3 Schließlich, Stiefel kann man putzen.

GOEBBELS *brüllt:* WOLLT IHR DEN TOTALEN –

HITLER In diesem historischen Augenblick –

Goebbels entfährt ein gewaltiger Furz, eine Wolke von Gestank verbreitend, der die Heiligen Drei umwirft.

EHRENKOMPANIE Sieg Heil Sieg Heil Sieg Heil.

Die Heiligen Drei zucken zusammen, halten sich die Nasen zu, stehn auf.

GOEBBELS Mein Führer.

GERMANIA *zu Hitler:* Hoffentlich ist es kein Windei. Mit dir war nie viel los im Bett.

Hitler knurrt.

HEILIGER 3 Es riecht nicht gut, wie.

HEILIGER 2 Es riecht wirklich nicht sehr gut.

HEILIGER 1 Man soll sich nicht an Kleinigkeiten stoßen.

HEILIGER 3 Es ist schließlich nur natürlich.

HEILIGER 2 Menschliches ist mir nicht fremd.

HEILIGER 3 Vielleicht sollten wir jetzt die Geschenke.

HEILIGER 2 Wir müssen nicht bis zum Schluß bleiben.

HEILIGER 3 Schließlich geht alles seinen Gang.

HEILIGER 1 Die Geschenke!

Soldaten der Heiligen Drei bringen die Geschenke und gehn wieder ab.

HEILIGER 3 Ein Satz Folterwerkzeuge. Ich habe sie selbst ausprobiert. Ich glaube, Sie haben da ein Sprichwort. WAS EIN HÄKCHEN WERDEN WILL.

HEILIGER 2 Ein historisches Spielzeug für den lieben Kleinen. Ich bin damit aufgewachsen. Stärkt das Selbstgefühl. Die Bedienung ist einfach. Sie stellen die Kanone auf, laden, binden Ihren Mann davor und Peng! Dazu ein Satz Farbige.

HEILIGER 1 Eine Kleinigkeit für Ihre Küche. Er ist ein frisches Exemplar. Wenig beschädigt. Die Jagd war gestern. Wir haben alle unsre kleinen Schwächen.

HITLER *groß:* Ich esse keine Farbigen.

HEILIGER 2 Peinlich, dieser Fanatismus.

HEILIGER 3 Er ist wirklich kein Umgang.

HEILIGER 1 Wir dürfen ihn nicht vor den Kopf stoßen. Gott weiß, wann wir ihn wieder brauchen.

GERMANIA *zu Hitler:* Wir müssen mit der Zeit gehn. Du auch. Bedank dich bei den Herrschaften.

Hitler knurrt und leckt den Heiligen Drei knurrend die Schuhe. Langer Schrei von Goebbels.

GERMANIA Herrschaften, es ist so weit. Wo ist meine Zange. Fassen Sie mal mit an. *Germania setzt die Zange an, zieht, Heiliger 1 zieht an Germania, zwei an eins, drei an zwei.*

HITLER Mein Volk!

EHRENKOMPANIE
DEUTSCHLAND ERWACHE! SIEG HEIL!

DIE HEILIGEN DREI HALLELUJAH! HOSIANNA!

Ein Wolf heult. Germania und die drei Heiligen fallen auf den Hintern. Vor ihnen steht ein Contergan-Wolf.

358

DIE HEILIGEN DREI *betreten:* Oh!

Germania steht auf, nimmt eine Familienpackung SUNIL
aus der Hebammentasche und schüttet sie über den Wolf aus.
Weißes Licht. Der Wolf steht im Schafspelz.

GERMANIA *zu den Heiligen Drei:* Sagten Sie etwas?

Der Wolf zerreißt die Negerpuppe. Hitler foltert Germania,
die von der Ehrenkompanie festgehalten wird. Goebbels
tanzt einen Veitstanz.

Germania schreit. Hitler lacht.

EHRENKOMPANIE
DEUTSCHLAND ERWACHE! SIEG HEIL!

GOEBBELS *immer tanzend:*
ACH WIE GUT, DASS NIEMAND WEISS
DASS ICH RUMPELSTILZCHEN HEISS
Wolf heult.

DIE HEILIGEN DREI *in der Position der drei Affen:*
HALLELUJAH! HOSIANNA!

Hitler lädt die Kanone. Germania wird von der Ehren-
kompanie vor die Kanone gebunden. Mit der Detonation
fällt der Vorhang.

DAS ARBEITERDENKMAL

Bau.

POLIER Ein Neuer. Ministerium bis gestern. *Ab.*

DICKER MAURER Wer hoch steigt fällt tief.

DER NEUE Lieber Bau als Knast.

GENERAL Hier kannst du dir den Staat von unten ansehn.

HILSE General, du bist zum Arbeiter befördert.

GENERAL Dein Kreuz, Minister.

Packt dem Minister seine Hucke auf. Ein Angestellter hängt
ein Spruchband auf WIR ERHÖHEN UNSERE NORM.

JUNGER MAURER Habt ihr das gesehn.

GENERAL Wir wolln schon wieder mehr arbeiten.

DICKER MAURER Und
Für weniger Geld.

GENERAL Und nicht mehr lange.

JUNGER MAURER Du bist
Der Held.

HILSE *zum General:* Juckt dich dein braunes Fell.

GENERAL Heil Stalin.

HILSE Ich schlag dich tot.

GENERAL Das hab ich auch gelernt.
*Der Angestellte kommt wieder und nimmt das Spruchband
weg.*

HILSE Was soll das.

DICKER MAURER Rein in die Kartoffeln, raus
Aus den Kartoffeln.

ANGESTELLTER Was weiß ich. Ich mach
Was mir gesagt wird.

MINISTER Das ist der Neue Kurs.
Ich war dagegen. Jetzt bin ich dafür.

GENERAL Soll ich euch sagen, was los ist. Die haben
Die Hosen voll.

DICKER MAURER Es liegt was in der Luft.

HILSE Was für ein neuer Kurs.

MINISTER Demokratie.
Die Norm wird diskutiert eh sie erhöht wird.

GENERAL Hier ist nicht Rußland. Wir sind keine Kulis.

DICKER MAURER
Der Deutsche läßt sich viel gefalln. Nicht alles.

HILSE Fürs Reden wirst du nicht bezahlt, General.
Du auch nicht. Da gibts Arbeit.

GENERAL *Faust:* Kennst du das noch
Thälmann. WENN UNSER STARKER ARM ES WILL.

HILSE Geh an die Arbeit oder geh vom Bau.

Sirenen.

JUNGER MAURER Ist wieder wer gestorben?

HILSE Was ist los?

GENERAL Noch nicht, mein Junge.

DICKER MAURER *zu Hilse:* Dreimal darfst du raten.

STIMME Kollegen, legt die Arbeit nieder. Streik.

GENERAL *zu Hilse:* Ich habs mir überlegt. Ich geh vom Bau.
   Wirft ihm die Kelle vor die Füße.

STIMME Kollegen. Auf die Straße. Wir marschieren
   Zum Ministerium.

GENERAL Jetzt wird deutsch geredet
   Mit den Genossen.

DICKER MAURER Die verstehn bloß russisch.
   Lachen über seinen Witz.

GENERAL Amerikanisch werden sie verstehn.

HILSE Hier spricht RIAS Berlin.

MINISTER Das geht zu weit, ja.

GENERAL *zu Hilse:* Wer fragt dich, Russenknecht.

DICKER MAURER *zu Hilse:* Der Bart ist ab, Franz.

GENERAL Mir nach, wer kein Streikbrecher sein will.
   Ab.

DICKER MAURER Habt ihr
   Die Hosen voll.

JUNGER MAURER *zu Hilse:* Willst du allein arbeiten.

HILSE Mich macht ihr nicht verrückt.

DICKER MAURER Was ist mit dir
   Minister. Gehst du mit der Arbeiterklasse?
   Ich geb dir einen Rat: wer nicht für uns ist
   Ist gegen uns.

JUNGER MAURER Mein erster Streik. Ein Seemann
   Muß alles kennen.
   Geht, mit Kelle.

HILSE Weißt du, wem du nachläufst.

JUNGER MAURER Halt mir die Kelle, bis ich wiederkomm.

Drückt ihm seine Kelle in die Hand. Hilse steht, in jeder
Hand eine Kelle. Junger Maurer ab.

HILSE Ihr wollt Arbeiter sein.

DICKER MAURER *lacht:* Wer? Ich?

MINISTER Der Russe
Ist auch noch da.

DICKER MAURER Ja, und der Amerikaner. *Ab.*

MINISTER Ich weiß nicht, ob das gut geht. Aber so kanns
Nicht weitergehn!
Läßt seine Hucke fallen und geht ab.

HILSE Mich macht ihr nicht verrückt.
Sortiert die zerbrochenen Steine aus, ersetzt sie, nimmt die
Hucke auf.
Aast mit dem Material. So was will streiken.
Arbeitet. Jugendliche, kahlköpfig, mit Fahrrädern.

ERSTER JUGENDLICHER
Hast du Tomaten auf den Augen, Opa?
Heute ist schulfrei.

ZWEITER JUGENDLICHER Der redet nicht mit uns.

DRITTER JUGENDLICHER
Paß auf, daß du dir keinen Bruch hebst, Vater.
Akkord ist Mord.

ERSTER Der hat nicht alle Tassen.

ZWEITER Vater muß Mäuse machen, Mami braucht
Ein neues Becken.

DRITTER So gehts schneller, Opa.
Wirft einen Stein auf Hilse, der Steine schleppt.

HILSE Halbstarker. Macht daß ihr vom Bau kommt.

ZWEITER Opa
Ist lebensmüde.

DRITTER Das ist die letzte Warnung.
Danach wird scharf geschossen, Vater. Schmeiß hin.

ERSTER Geh mit dem Volk, sonst kriegst du Ärger, Opa.

HILSE Rotzjunge, was weißt du.

ERSTER *wütend, wirft einen Stein.*

    Alter Idiot.

    Dir rieselt ja der Kalk schon aus den Ohren.

    Mensch, der ist so verkalkt, aus dem kannst du

    Schon nicht mal mehr Leim kochen.

ZWEITER Schnell ins Grab,

    Opa, sonst kriegst du keinen Platz mehr. Deine

    Genossen stehn schon Schlange vor dem Friedhof.

HILSE *wütend:* Wir haben für euch. Und ihr. Ihr –

DRITTER *kalt:*

    Ich kenn welche

    Die sitzen heute noch. Und morgen nicht mehr.

ERSTER Opa ist rot geworden. Opa schämt sich.

ZWEITER Opa ist immer rot. Opa ist rot

    Bis auf die Knochen.

ERSTER *schnell:* Das will ich sehn. *Wirft einen Stein.*

ZWEITER Vorbei.

ERSTER Und jetzt. Und jetzt. *Wirft und trifft. Der alte Maurer blutet.*

ZWEITER Was hab ich dir gesagt.

ERSTER Bis auf die Knochen.

DRITTER He.

    Plötzlicher Einfall.

    Kannst du tanzen, Opa?

    Improvisiert einen ROCK, wirft im Rhythmus. Die andern stimmen ein. Alle drei werfen im Rock-Rhythmus Steine auf den Maurer.

ALLE DREI Ja –

ZWEITER Heb die Beinchen.

ALLE DREI Ja.

DRITTER Du lernst es, Opa.

ERSTER Und schneller, Opa.

ZWEITER Nicht einschlafen.

DRITTER He.

    Du wirst uns doch nicht umfalln.

ZWEITER Opa schafft es.

DRITTER Opa schafft alles.

ERSTER Opa ist ein Stier
In Marathon.

ZWEITER Opa ist eine Wolke.

Steinhagel und Finale. Der Maurer bricht zusammen.

ZWEITER Sieht aus wie ein Arbeiterdenkmal.

ERSTER *tritt an den Maurer heran:*
Mensch.
Der ist hinüber.

ZWEITER Hast du was gesehn?

DRITTER Ein Arbeitsunfall.

ZWEITER Ja, Akkord ist Mord.

Die drei schnell ab.

DIE BRÜDER 1

Der Weserstrom trennte Römer und Cherusker. An dessen Ufer trat Arminius mit den andern Häuptlingen, fragte, ob der Cäsar da sei, und auf Bejahung bat er um Erlaubnis, sich mit seinem Bruder zu unterreden. Dieser war wirklich beim Heere, Flavus genannt; er war ein Mann, der sich durch seine Ergebenheit und durch den Verlust eines Auges bemerklich machte, welchen er wenige Jahre zuvor unter Tibers Anführung erlitten. Er ging hin mit Erlaubnis, trat vor und wurde von Arminius begrüßt, welcher nach Entfernung seines Gefolges bat, daß man die an unserm Ufer aufgestellten Bogenschützen zurückziehen möchte. Nachdem die sich entfernt hatten, fragte er seinen Bruder, woher er den Schaden im Gesichte habe? Und da dieser den Ort und das Treffen nannte, fragte er weiter, welcher Lohn ihm dafür geworden sei? Flavus gab Erhöhung des Soldes, ein Halsband, einen Kranz und andere militärische Ehrengeschenke an. Arminius spottete über so schlechten Lohn seines Sklavendienstes.

Da begannen sie denn wider einander zu reden, der eine von der Größe Roms, von des Cäsars Macht und dem schweren Strafgerichte über die Besiegten, von der Gnade, die seiner warte, wenn er sich unterwerfe, auch daß seine Gattin und sein Sohn nicht als Feinde behandelt würden, der andere dagegen von der Verpflichtung fürs Vaterland, von dem alten Erbe der Freiheit, den heimatlichen deutschen Göttern, der Mutter gleichem Flehen: daß er doch nicht seiner Blutsfreunde und Verwandten, ja des ganzen Stammes Ausreißer und Verräter, statt sein Haupt sein wolle. Allmählich gerieten sie ins Schelten, und waren daran sich zu schlagen, ohne sich durch den Fluß zwischen ihnen abhalten zu lassen, doch Stertinius eilte herbei und hielt den Flavus, der zornerfüllt nach Waffen und Pferd rief. Drüben sah man den Arminius mit drohenden Gebärden, wie er die Schlacht ankündigte. Denn gar vieles schrie er manchmal auf lateinisch, weil er als Anführer seiner Landsleute unter den Römern gedient hatte.
TACITUS, ANNALEN 0016

DIE BRÜDER 2

Gefängnis.

SCHLIESSER Rein in die gute Stube. Mit Komfort
  Innentoilette und so weiter. *Auf das Zellenfenster:*
                                        Fernsehen
  Haben wir auch. Wenn das Programm dir nicht
  Gefällt, bei uns kann jeder sich was wünschen.
BRÜCKENSPRENGER Heute gefällts uns.
SCHLIESSER Hast du was gesagt?
BRÜCKENSPRENGER Warum fällt heute der Spaziergang aus.

SCHLIESSER Ihr könntet euch erkälten. Das Barometer
Steht auf veränderlich seit gestern. Hier.
Steckt dem Neuen eine Packung Zigaretten zu. Ab.
BRÜCKENSPRENGER Dem geht der Arsch mit Grundeis.
DER NEUE *blickt auf die Zigaretten:*
Was ist los
Draußen.
GANDHI Gib her. Die Zigaretten.
Gandhi teilt Zigaretten aus. Übergeht den Nazi.
DER NEUE Und der?
GANDHI Der Nazi raucht nicht.
BRÜCKENSPRENGER Warum bist du hier?
GANDHI Der ist politisch.
BRÜCKENSPRENGER *zum Neuen:* Sozi?
GANDHI Kommunist.
BRÜCKENSPRENGER
Hast du ein Haar gefunden in der Suppe?
Von einem Schnurrbart? Oder wars ein Spitzbart.
Schweigen.
GANDHI Warum fragst du, was draußen los ist.
KOMMUNIST Weil
Ichs wissen will.
GANDHI Kommst du vom Mond.
KOMMUNIST Was ist das.
GANDHI Du fragst zu viel. Das haben wir nicht gern.
BRÜCKENSPRENGER Willst du die Sterne sehn?
NAZI *vortretend:* Das ist mein Bruder.
BRÜCKENSPRENGER Der Rote?
GANDHI *lacht:* IN DER HEIMAT IN DER HEIMAT
DA GIBTS EIN WIEDERSEHN.
KOMMUNIST Mein Bruder der Spitzel. *Schweigen.*
Du hast es weit gebracht.
NAZI So weit wie du.
*Pause. Volkslärm von draußen. Klopfchor im Gefängnis, der
während des folgenden anhält.*

BRÜCKENSPRENGER *am Fenster:*
Jetzt dauerts nicht mehr lange.
KOMMUNIST *am Fenster:* Was ist das?
BRÜCKENSPRENGER Das ist der Volksaufstand.
KOMMUNIST Die sind besoffen.
BRÜCKENSPRENGER Sag das noch mal, du roter Hund.
KOMMUNIST Von Freibier.
Der Brückensprenger schlägt den Kommunisten nieder.
NAZI Das ist der Brückensprenger. Sabotage.
Arbeiterklasse. Er kann dir erzählen
Wie euer Paradies von unten aussieht.
BRÜCKENSPRENGER
Und wenn ich hier heraus bin, mach ich mir
Die Finger nicht mehr dreckig. Dann gehts aufwärts.
Der Kommunist will den Brückensprenger niederschlagen.
Gandhi baut sich vor ihm auf.
NAZI Und das ist Gandhi. Lebenslänglich. Mord.
Gandhi arbeitet mit dem Messer. Leider
Hat er sein Messer grad nicht bei sich. Morgen
Hat er es wieder. Dann gehts auf ein Neues.
Die Nacht der Langen Messer. Weißt du noch.
Ich stand in deiner Tür. Ich war dein Bruder.
Streckt die Hand aus. Der Bruder nimmt sie nicht.
Aber mein Bruder hatte keine Hand frei.
Ich bin dein Bruder.
KOMMUNIST Ich hab keinen Bruder.
NAZI Besser, du machst das Licht aus, Bruder. Der Reichstag
Brennt hell genug und heute ist die Nacht
Der langen Messer.
KOMMUNIST Und was kriegt der Bluthund?
Mach deine Arbeit. Du kriegst meine Knochen
Wenn deine Fleischer mit mir fertig sind.
Wo sind sie. Hast du sie gleich mitgebracht.
NAZI Ich hab sie mitgebracht. Willst du sie sehn.
Das sind sie.

Reißt sich die Jacke herunter, zeigt seinen Rücken, mit alten Narben bedeckt.

Kennst du ihre Handschrift. Sie
Ist noch zu lesen. Sie war ausgebleicht
Von zwanzig Jahren, aber deine Freunde
Haben sie aufgefrischt, aus Alt mach Neu
Damit mein Bruder was zu lesen hat
Im Urlaub, den sie ihm verordnet haben
Damit er sich erholt vom Kommunismus.
Gandhi und der Brückensprenger lachen.

KOMMUNIST Bei uns wird nicht geschlagen.

NAZI Wer ist wir?
Nazi, Gandhi und der Brückensprenger lachen.

Und weißt du noch, wie man ein Spitzel wird.
Der Kurze Lehrgang im Gestapokeller.
Mir war er lang genug. Du hast es leichter,
Am Montag Kommunist, am Dienstag nicht mehr
Weil die Partei sagt, du bists nie gewesen.
Drei Wochen lang haben sie mich behandelt
Ich hab nur Blut gespien und keine Silbe.
Dann die Entlassung. Dann wieder der Keller.
Mein Fleisch war schon ein Fetzen, und kein Name.
Ich kam heraus, mich kannte keiner mehr.
Eine Verhaftung und ich war der Spitzel.
Wer wußte, daß ich nicht gesungen hab.
Und als ich wieder in den Keller ging
In meinem Rücken nur noch meinen Rücken
Ging ich allein, für euch war ich der Spitzel.
Als ich herauskam, wars der Spitzel, der
Herauskam, auf dem Rücken seine Leiche
Die auf dem Rücken andre Leichen trug
Zerfleischt wie meiner und zerfleischt von mir.

KOMMUNIST Du kannst die Jacke wieder anziehn, Spitzel.

BRÜCKENSPRENGER
Soll ich dem Roten zeigen, wer am Zug ist.

NAZI Er wirds schon merken, wenn wir draußen sind.
Volkslärm lauter. Wortsalat aus FREIHEIT DEUTSCH
TOTSCHLAGEN AUFHÄNGEN.
KOMMUNIST
Warum schießen sie nicht. Das kann nicht wahr sein.
Trommelt an die Tür.
Genossen, haltet das Gefängnis. Schießt.
GANDHI Das hast du nicht gesehn. Das glaubst du nicht.
Willst du die Zeit absitzen, du Idiot.
NAZI Deine Genossen haben sich verkrochen.
BRÜCKENSPRENGER
Wir werden sie schon finden. Und dann wird
Geflaggt mit den Genossen. Die Fahne hoch.
Heute wird Platz an jeder Fahnenstange.
NAZI *zu seinem Bruder:* Dich hängen wir auf Halbmast.
KOMMUNIST Warum hab
Ich jetzt nicht den Revolver, mit dem ich
Dich nicht erschossen hab vor zwanzig Jahren.
Könnt ich die Zeit zurückdrehn.
GANDHI Nimm das Messer.
Es geht auch mit den Händen. Aber das will
Gelernt sein. Wenn du willst, bring ichs dir bei.
Legt ihm die Hände um den Hals.
NAZI Die Reue kommt zu spät. Man stirbt nur einmal
Und ich habs hinter mir. Ich bin gestorben
Als ich aus deiner Tür ging in der Nacht
Der Langen Messer und aus deiner Hand
Fiel der Revolver auf die Dielenbretter
Laut wie kein Schuß, den ich gehört hab vor
Und nachher, und die Kugel für den Spitzel
Um die dein Bruder auf den Knien gerutscht war
War noch im Lauf.
KOMMUNIST Ich brech dir alle Knochen.
NAZI Im Knochenbrechen war ich Spezialist.
Männer, Frauen und Kinder in Orel.

KOMMUNIST Ich wollte mir die Hand nicht dreckig machen.
NAZI Und jetzt klebt Blut dran. Das ist der Lauf der Welt.
Mach dir nichts draus, sie ist ein Schlachthaus, Bruder.
Wenn du was sehn willst hier, was Zukunft hat
Geh lieber gleich in eine Sargfabrik.
Weißt du, wie euer Sozialismus aussieht
Da wo das Herz so frei dem Menschen schlägt.
BRÜCKENSPRENGER
Weil sie nichts auf den Rippen haben, darum.
KOMMUNIST Ihr Schweine. Ihr dreckigen Schweine.
GANDHI Vorsicht
Hier bist du in der Minderheit, Genosse.
NAZI Hoffentlich klappt es, eh der Russe eingreift.
BRÜCKENSPRENGER
Und wenn. Der Ami läßt uns nicht im Stich.
GANDHI Gegen den Deutschen sind sie alle einig.
BRÜCKENSPRENGER
Die werden sich wundern, was im Deutschen steckt.
KOMMUNIST Kann sein, dich wundert nichts mehr, wenns
herauskommt.
BRÜCKENSPRENGER
Lump. Vaterlandsverräter. Russenknecht.
KOMMUNIST Das hab ich auch schon mal gehört, Kollege.
Wir wurden auf dem Rennsteig transportiert
Aus einem Lager in ein andres Lager
Auf LKWs, bewacht von der SA
Mit Handschelln durch die schöne deutsche Heimat.
Es war im Frühjahr. Alle deutschen Vögel
Waren im Einsatz, und der deutsche Wald
War grün wie nur der deutsche Wald, und nur
Der Wind hatte kein Vaterland und wir nicht.
Unsre Bewacher hatten Durst. Sie hielten
An jedem dritten Ausschank, tankten Bier
Schlugen ihr Wasser ab und tankten wieder.

Für uns hatten sie sich was ausgedacht.
Bei jedem Halt führten sie uns dem Volk vor
Zum Anspein. Seht die Vaterlandsverräter.
Der deutschen Mutter wollen sie das Kind
Wegnehmen und dem deutschen Mann die Frau.
Und weiter im Gesangbuch. Und sie kamen
Kinder im Bauch und Kinder auf dem Arm
Und spien uns ihren Speichel ins Gesicht
Wir konntens nicht wegwischen mit den Handschelln.
Und vor die Kinder mußten wir uns hinknien.
Beim dritten Halt konnt ich vor deutschem Speichel
Die schöne deutsche Heimat nicht mehr sehn.
Gandhi und der Brückensprenger lachen.
Und mit geschlossnen Augen sah ich mehr.
Ich sah die deutschen Vögel scheißen auf
Den grünen deutschen Wald in Formation
Und ihre Scheiße explodierte und
Das Grün war Asche hinter ihrem Flug.
Die deutschen Kinder krochen aus den Bäuchen
Der deutschen Mütter, rissen mit den Zähnen
Den deutschen Vätern die deutschen Schwänze aus
Und pißten auf die Wunde mit Gesang.
Dann hängten sie sich an die Mutterbrust
Und soffen Blut, solang der Vorrat reichte.
Und dann zerfleischten sie sich eins das andre.
Zuletzt ersoffen sie im eignen Blut
Weil es der deutsche Boden nicht mehr faßte.
NAZI Singst du den alten Psalm. Was siehst du jetzt.
*Spuckt ihm ins Gesicht. Volkslärm wird leiser und entfernt
sich schnell. Geräusch von Panzern. Klopfchor aus.*
BRÜCKENSPRENGER He. Habt ihr das gehört.
NAZI Verdammt.
GANDHI Was ist das.
KOMMUNIST Das sind die Panzer. Der Spuk ist vorbei.
Und ihr bleibt, wo ihr hingehört.

NAZI Mit dir.
Hörst du sie gern, die Internationale
Wenn sie gesungen wird mit Panzerketten.

KOMMUNIST So gern wie heute hab ich sie nie gehört
Gesungen von den Panzerketten, Spitzel.

BRÜCKENSPRENGER
Und gleich kannst du die Engel singen hörn.
Wenigstens einer soll dran glauben heute.

GANDHI Der wills nicht anders. Seinen Kommunismus
Erlebt er sowieso nicht.

KOMMUNIST Wer bin ich.

Die drei stürzen sich auf ihn.

NACHTSTÜCK

Auf der Bühne steht ein Mensch. Er ist überlebensgroß,
vielleicht eine Puppe. Er ist mit Plakaten bekleidet. Sein
Gesicht ist ohne Mund. Er betrachtet seine Hände, bewegt
die Arme, probiert seine Beine aus. Ein Fahrrad, von dem
Lenkstange oder Pedale oder beides oder Lenkstange, Pedale
und Sattel entfernt worden sind, fährt von rechts nach links
schnell über die Bühne. Der Mensch, der vielleicht eine
Puppe ist, läuft hinter dem Fahrrad her. Eine Schwelle fährt
aus dem Bühnenboden. Er stolpert darüber und fällt. Auf
dem Bauch liegend sieht er das Fahrrad verschwinden. Die
Schwelle verschwindet von ihm ungesehn. Wenn er aufsteht
und sich nach der Ursache für seinen Sturz umsieht, ist der
Bühnenboden wieder glatt. Sein Verdacht fällt auf seine
Beine. Er versucht sie sich im Sitzen auszureißen, in der
Rückenlage, aus dem Stand. Die Ferse am Gesäß, den Fuß
mit beiden Händen packend, reißt er sich das linke Bein aus,
dabei aufs Gesicht gefallen in der Bauchlage das rechte. Er
liegt noch auf dem Bauch, wenn das Fahrrad von links nach

rechts langsam an ihm vorbei über die Bühne fährt. Er bemerkt es zu spät und kann es kriechend nicht einholen. Sich aufrichtend und seinen schwankenden Rumpf mit den Händen abstützend, macht er die Entdeckung, daß er seine Arme zur Fortbewegung gebrauchen kann, wenn er den Rumpf in Schwung bringt, nach vorn wirft, mit den Händen nachgreift usw. Er übt die neue Gangart. Er wartet auf das Fahrrad, erst am rechten, dann am linken Portal. Das Fahrrad kommt nicht. Der Mensch, der vielleicht eine Puppe ist, reißt sich, den rechten mit der linken und den linken mit der rechten Hand, gleichzeitig beide Arme aus. Hinter ihm fährt bis in Kopfhöhe die Schwelle aus dem Bühnenboden, diesmal, damit er nicht fällt. Vom Schnürboden kommt das Fahrrad und bleibt vor ihm stehen. An die kopfhohe Schwelle gelehnt betrachtet der Mensch, der vielleicht eine Puppe ist, seine Beine und Arme, die weit verstreut auf der Bühne herumliegen und das Fahrrad, das er nicht mehr gebrauchen kann. Er weint mit jedem Auge eine Träne. Zwei Beckett-Stachel in Augenhöhe werden von rechts und links hereingefahren. Sie halten am Gesicht des Menschen, der vielleicht eine Puppe ist, er braucht nur den Kopf zu wenden, einmal nach rechts, einmal nach links, den Rest besorgt der Stachel. Die Stachel werden hinausgefahren, jeder ein Auge auf der Spitze. Aus den leeren Augenhöhlen des Menschen, der vielleicht eine Puppe ist, kriechen Läuse und verbreiten sich schwarz über sein Gesicht. Er schreit. Der Mund entsteht mit dem Schrei.

TOD IN BERLIN 1

Ein Armenkirchhof ragt, schwarz, Stein an Stein.
Die Toten schaun den roten Untergang
Aus ihrem Loch. Er schmeckt wie starker Wein.

Sie sitzen strickend an der Wand entlang
Mützen aus Ruß dem nackten Schläfenbein
Zur Marseillaise, dem alten Sturmgesang.

(Georg Heym)

TOD IN BERLIN 2

Krebsstation. Hilse. Der junge Maurer.

JUNGER MAURER Wie gehts dir, Alter.
HILSE Wenn du mich fragst, mir
  Gehts nicht gut. Aber ich bin bloß die Hälfte
  Von mir, die andre hat der Krebs gefressen.
  Und wenn du meinen Krebs fragst, dem gehts gut.
JUNGER MAURER Das hab ich nicht gewußt. Ich hab gedacht
  Das sind die Steine, die sie auf dem Bau
  Auf deinen Knochen abgeladen haben
  Vor vierzehn Tagen, weil du nicht gestreikt hast.
HILSE Das hab ich auch gedacht. Jetzt weiß ichs besser.
  Wenn du dich erst einläßt mit den Weißkitteln.
  Die finden was. Die lassen keinen aus.
JUNGER MAURER
  Scheiß auf den Krebs. Der hört auch wieder auf.
HILSE Du bist kein Doktor. Du brauchst nicht zu lügen.
  Wir sind eine Partei, mein Krebs und ich.
  Hier meine Hand greift keine Kelle mehr.
  Mein letztes Bier stinkt auf den Rieselfeldern
  Soll ich dir sagen, was ich noch mal möchte.
  Das ist das einzige auf der Welt, mein Junge
  Wovon du nicht genug kriegst. Meine Hand drauf.
  Mir kannst dus glauben. Ich hab alles durch.
JUNGER MAURER Ja.
  Was soll ich machen. Sie ist eine Hure.

Ich hab gedacht, sie ist die Heilige Jungfrau.
Und angegeben mit ihr wie ein Idiot
Und keiner hat mir was gesagt und alle
Habt ihrs gewußt, du auch, und krumm gelacht
Habt ihr euch über den Idioten, der
Sich eine Hure aus dem Rinnstein fischt
Und präsentiert sie als die Heilige Jungfrau.
Habt ihr ihn alle dringehabt bei ihr.
Weißt du, was das für ein Gefühl ist, Alter
Wenn du mit einem Engel durch Berlin gehst
Du denkst, sie ist ein Engel, schön wie keine
Die du gehabt hast vor ihr, und ich kann sie
Nicht an den Fingern abzähln, aber so
War keine, wenn du ihre Beine siehst
Zum Beispiel, bist du schon besoffen, und
Jetzt gehst du durch Berlin mit ihr und alles
Was einen Schwanz hat, dreht sich um nach ihr und
Bei jedem, der sich nach ihr umdreht, denkst du
Vielleicht hat er ihn dringehabt bei ihr.
Wenn dir zum Beispiel einer sagt, deine
Partei, für die du dich geschunden hast
Und hast dich schinden lassen, seit du weißt
Wo rechts und links ist, und jetzt sagt dir einer
Daß sie sich selber nicht mehr ähnlich sieht
Deine Partei, vor lauter Dreck am Stecken
Du gehst die Wände hoch und ohne Aufzug.
KOMM ZU MIR AUS DEM RINNSTEIN. Gestern hat sies
                                              mir
Gesagt. Alles. Und ich hab nicht gewußt
Bis gestern, wie lang eine Nacht ist. Und jetzt
Kommt das Verrückte: alles ist wie vorher.
Ich bin besoffen, wenn ich sie bloß anseh
KOMM ZU MIR AUS DEM RINNSTEIN. Bloß manchmal
                                              wird mir

Ein Messer umgedreht zwischen den Rippen.
KOMM ZU MIR AUS DEM RINNSTEIN. Ich hab sie
gefragt
Ob sie schon eine Leitung legen kann
WASSER FÜR CANITOGA Schwanz an Schwanz.
Frag mich warum. Weißt du, was sie gesagt hat.
»Ich hab sie nicht gezählt.« – Was soll ich machen.
Sie kriegt ein Kind. Sie sagt, es ist von mir.

HILSE Hast du sie mitgebracht.

JUNGER MAURER Sie wartet draußen.

Ab. Herzton. Das Sterben beginnt. Der junge Maurer
kommt zurück mit dem Mädchen.

HILSE Die rote Rosa. So trifft man sich wieder.
Hat dir die Spree das Blut schon abgewaschen.
Bleich siehst du aus. Haben sie dir zugesetzt
Die Ratten im Landwehrkanal. Die Hunde.
Die feigen Hunde. Die sind schlimmer als
Die Ratten. Und ich wett mit jedem, du
Warst lieber zwischen den Abwässern aus
Den Knochenmühlen wo dich jeder kennt als
Im EDEN. Ja, so sieht ihr Paradies aus.
Das Paradies der Schieber und der Schlächter.

MÄDCHEN Was redet der.

JUNGER MAURER Ich sags dir nachher. Laß ihn.

HILSE Das Wasser hat dich nicht behalten, Rosa.
Und wenn sie aus uns allen Seife machen
Dein Blut wäscht ihnen keine Seife ab.
Wars kalt im Schauhaus. Weißt du auch, Genossin
Daß ich dich aus der Nähe erst gesehn hab
Ich meine so wie jetzt, im Januar
Als deine Augen blind warn, auf der Bahre.
Wir gingen dran vorbei zwölf Stunden lang
Dann hinter euren Särgen durch Berlin
Und kein Wort und der Himmel war aus Blei.

Jetzt siehst du jünger aus. *Verschmitzt:* Ich weiß warum.
Erkennst du mich. Ich bin der ewige Maurer.
Die Pyramiden in Ägypten, eine
Festung gegen die Zeit, sind meine Handschrift.
Rom hab ich auch gebaut, auf sieben Bergen
Nach jedem Brand neu und nach jedem Krieg neu.
Das Kapitol zum Beispiel und die Säule
An der sich Cäsar ausgeblutet hat
Die dreiundzwanzig Messer in den Rippen.
Und dann die Wolkenkratzer in New York.
Und immer war es für die Kapitalisten
Zehntausend Jahre lang. Aber in Moskau
War ich zum erstenmal mein eigner Chef:
Die Metro. Hast du sie gesehn. Und jetzt
Hab ich die Kapitalisten eingemauert
Ein Stein ein Kalk. Wenn du noch Augen hättest
Könntst du durch meine Hände scheinen sehn
Die roten Fahnen über Rhein und Ruhr.
JUNGER MAURER Du mußt was sagen. Irgendwas.
Der stirbt jetzt.
MÄDCHEN Ich kann sie ohne Augen sehn –
Der junge Maurer souffliert.
Genosse.
Die roten Fahnen –
Der junge Maurer souffliert.
Über Rhein und Ruhr.
Der sterbende Maurer lächelt.
HILSE Ists euch zu still draußen in Friedrichsfelde.
MÄDCHEN Nein. Manchmal hören wir die Kinder spielen.
Sie spielen Maurer und Kapitalist.
HILSE *lacht:* Und keiner will der Kapitalist sein.
MÄDCHEN Ja. *Der Herzton hat aufgehört. Stille.*

ZEMENT

Nach Gladkow

PERSONEN

Gleb Tschumalow
Dascha Tschumalowa
Badjin
Sergej Iwagin
Polja Mechowa
Kleist
Sawtschuk
Motja, *seine Frau*
Bärtige Frau
Maschinist
Loschak
Gromada
Akkordeonspieler
Awdotja
Borschtschi
Tschibis
Makar
Dmitri Iwagin
Betrunkener Alter

Frauen, Bauern, Rotarmisten, Kosaken, drei verwahrloste Jugendliche, Arbeiter, Musiker.

Prolog
SCHLAF DER MASCHINEN

Tschumalow. Maschinist.

MASCHINIST *mit Schraubenschlüssel:*
    Was willst du. Hier wird nicht geplündert.
    Meine Maschinen rührt ihr nicht an. Hände weg
    Oder dir gehts nicht besser als den andern.
TSCHUMALOW Deine Maschinen. Und wenn ich dir sag
    Deine Maschinen sind meine Maschinen.
MASCHINIST Paß auf, was dein ist.
    Greift ihn an.
TSCHUMALOW *pariert mit dem Gewehr:*
                      Die Partie ist ungleich.
MASCHINIST Das wird sich zeigen.
    Greift nach einer Eisenstange.
                Wehr dich, wenn du kannst.
TSCHUMALOW *lacht:*   Halt.
    Eh du mir das Gewehr vom Kolben schlägst
    Du hast gewonnen. Und ich seh, daß du
    Deine Maschinen gut bewachst für unsre
    Sowjetmacht.
MASCHINIST   Geh und sag deiner Sowjetmacht
    Solang sies mit dem Rost hält, kann sie mir
    Gestohlen bleiben. Wenn sie Arbeit hat
    Für die Maschinen, hat sie meine Hand.
TSCHUMALOW Selber bist du verrostet, Maschinist.
    Helm ab.
    Kennst du mich jetzt, alter Maulwurf.
MASCHINIST Tschumalow, der
                Schlosser.
    Hast du dein Fell gewechselt. Schlimm siehst du aus.
    Kein Ruß, kein Stahlstaub, kein Maschinenöl.

Nicht das Gespenst von einem Schlosser mehr.
Und schlimmer wirst du aussehn, wenn das Dorf dir
Aus allen Löchern wächst wie dem Gesindel
Das sich herumtreibt hier. Sie schlachten das Werk aus
Für ihre Ziegen und für ihre Schweine.
Der Bauch regiert. Aus einer Stadt bist du
Gegangen, in ein Dorf kommst du zurück.
Arbeiter gibt es nicht. Ich bin der letzte.
Gib dein Gewehr.
Schießt in die Gegend.
                    Ziegen. Hier wächst kein Gras.
Mit meinem letzten Knochen halt ich Wache.
Schlimm ist der Regen. Und der Schnee war schlimm
Kaum drehst du deinen Rücken, greift der Rost an
Das Dach in Fetzen. Zeig mir einen Fleck.
Bei den Maschinen werd ich zur Maschine.
TSCHUMALOW Begraben hast du dich wie ein Besitzer
Merkst nicht, wie unser Leben anders wird.
Arbeiterrußland, der neue Planet
Aus Blut und Feuer hier mit unsern Händen.
MASCHINIST Das Maul aufreißen können alle jetzt.
Schlagt euch die Schädel ein. Rot oder Weiß
Maschinen sind Maschinen. Und das hört
Auf kein Geschwätz. Besitzer oder nicht
Besser krepiert bei den Maschinen als
Leben im Hamstersack. Grün ist der Tod.
Hörst du sie schrein aus ihrem Schlaf nach Arbeit.
Tschumalow, Bruder, mach, daß unser Werk lebt.

HEIMKEHR DES ODYSSEUS

Ein Hahn kräht.

TSCHUMALOW Schweig oder ich dreh dir den Hals um.
Hahn kräht. Drei Frauen.

Guten Tag
Genossen Weiber.

FRAU 1 Mach daß du weiterkommst.

TSCHUMALOW He. Kennt ihr mich nicht mehr.

FRAU 2 Es ist Tschumalow.
Lebst du.

TSCHUMALOW Lebst du. Als wär es nichts.
Frauen ab. Tschumalow kräht.

STIMME FRAU 3 Warte
Bis du bei deiner Witwe bist, Tschumalow.
Lärm und Geschrei.

TSCHUMALOW Sawtschuk, Genosse, Sowjetmensch, hör auf
Dein Weib zu prügeln.
Sawtschuk, gefolgt von seiner Frau, die ihn verprügelt.

SAWTSCHUK Bist dus.
Zur Frau: Tschumalow.

Merkst du
Wofür wir unser Blut vergossen haben.
Tschumalow lacht.

MOTJA Tschumalow. Hat die Hölle dich ausgespien. Gib mir
dein Maschinengewehr. Laß mich ihn erschießen, den
Schmarotzer. Wo sind meine Kinder, du Bestie. Sawtschuk,
Lieber, was ist aus uns geworden. Faß mich nicht an, du
Parasit. *Zu Tschumalow:* Ich hab mir das Fell abgeschun-
den, auf dem Bauch durch die Dörfer für Mehl, wie eine
Hündin. An meiner Brust sind sie verdorrt. Sieh wie er
dasteht, krumm, ein Bauch voll Schnaps. Ist das noch ein
Mann. Bin ich ein Weib, meine Brüste leer. Soll ich sie aus
dem Fenster hängen wie die andern. Ach Gleb.

SAWTSCHUK He. Noch ist er nicht dein Kavalier.

MOTJA Schweig, du.

TSCHUMALOW *lacht:*

Gut kämpfst du, Motja, für dein Weiberrecht.

MOTJA Misch dich nicht ein, Tschumalow.

Spuckt aus.   Weiberrecht.

Was gehts dich an. Geh, kämpf mit deiner Witwe.

TSCHUMALOW Dascha. Wo ist sie. Wartet sie auf mich.

MOTJA Lang hast du sie allein gelassen, Krieger.

Dascha-wo-ist-sie-wartet-sie-auf-mich.

Wo soll sie sein. Bei ihren Freiern ist sie.

Frag die Partei nach deiner roten Witwe.

Zu Sawtschuk:

Was glotzt du.

                    Alle seid ihr gleich. Schinder.

Auf unsern Bäuchen hin und her habt ihr

Den Krieg gewälzt, auf unsern Kindern eure

Revolution. Wo sind sie, meine Kinder.

Das unter deinen Stiefeln sind sie. Geh

Hilf deiner Frau die Rippen abzähln an

Dem Bündel Elend, Held, das euer Kind war.

Ab. Pause.

TSCHUMALOW

Was habt ihr aus dem Werk gemacht, ihr Hunde.

SAWTSCHUK

Was fragst du mich, Held. Wer braucht meine Hände.

Ein Ziegenstall ist dein Zementwerk. Frag

Die Schwätzer in der Exekutive. Frag

Die Weiber im Fabrikkomitee.

Lacht.   Das Werk.

Schweig, eh ich dir den Hals umdreh, Tschumalow

Bruder, mit meinen arbeitslosen Händen.

Ab. Lärm und Geschrei.

TSCHUMALOW *Helm ab:*

Willkommen in der Heimat, Bolschewik.

Dascha Tschumalowa. Polja Mechowa. Bärtige Frau.

DASCHA Wäsche und Möbel für das Kinderheim.

BÄRTIGE FRAU Sie beißen sich um Knochen mit den Hunden
Schreib das in den Bericht ans Komitee.

POLJA Wann endlich schröpfen wir die Bourgeoisie.

TSCHUMALOW Dascha.

DASCHA Wer.

BÄRTIGE FRAU Was ist das für einer.

DASCHA Gleb.

Pause.

TSCHUMALOW Du lebst. Und hast auf mich gewartet, wie.
Die bärtige Frau lacht.
Oder bist du herumspaziert als Witwe.

BÄRTIGE FRAU Hähne und Hengste haben wir genug hier.
Schick ihn zurück, Tschumalowa.
Zu Tschumalow: Was glotzt du.
Mir machst du keine Angst mit deiner Mütze.

POLJA Sie waren an der Front. Ich wollt ich wärs noch.
Es war die beste Zeit. Hier wird man Sie
In ein Büro sperrn als Administrator.
Die Langeweile der Sowjetarbeit.
Die Mühle. Ich liebe die Armee, Genosse.
Sie müssen mir erzählen.

BÄRTIGE FRAU Teilt ihn euch.

TSCHUMALOW Ich
Hab nichts dagegen.

DASCHA Willst du ihn haben, Polja.

TSCHUMALOW Nach dir. Und komm jetzt.
Packt sie. Dascha macht sich los.

DASCHA Nicht so wild, Genosse.
Ein betrunkener Alter.

ALTER Die Weiberfront. Paß auf, daß sie dich nicht
Tothacken, Kamerad, mit ihren Schnäbeln.

BÄRTIGE FRAU Lauf, Alter, eh ich dir die Hosen auszieh.
Alter schnell ab.

385

TSCHUMALOW
Was heißt Genosse. Hältst du mich zum Narren.

BÄRTIGE FRAU
Du wirst dich dran gewöhnen müssen, Krieger.
Lachend ab mit Polja.

DASCHA Heb dein Gewehr auf, Gleb. Du wirst es brauchen.
Ich muß ins Komitee, abkommandiert
Ins Dorf, drei Tage. Geh und ruh dich aus, Gleb.

TSCHUMALOW
Bleib. Wo ist Njurka. Wo ist unser Kind, Frau.

DASCHA Im Kinderheim.

TSCHUMALOW   Warum im Kinderheim.

DASCHA Wir reden später. Laß dich registrieren
Für deine Brotration. Das Haus ist leer.
Ab. Ein Hahn baut sich vor Tschumalow auf.

TSCHUMALOW
Was willst du, Bruder. Ich bin Tschumalow, Held
Des Bürgerkriegs. Ich hatte eine Frau.
Jetzt ist sie Witwe, führt ein freies Leben.
Machst du dich lustig über mich, Kulak.
Du krähst noch. Soll ich dich erschießen, Bruder.

ÄPFELCHEN WO ROLLST DU HIN

*Fabrikkomitee. Junger Mann mit Schnurrbart in Frauenklei-
dern mit Akkordeon tritt aus der Menge und tanzt.*

JUNGER MANN AUF DEM KANAPEE
TAGT DAS FABRIKKOMITEE
ÄPFELCHEN WO ROLLST DU HIN
Gestatten Sie, daß ich mich vorstelle, Bürger. Bitte mich
nicht zu kitzeln. Ich bin eine anständige Sowjetproleta-
rierin.

Beifall und Gelächter aus der Menge. Loschak und Gromada.

LOSCHAK Laß die Zoten. Dein Kostüm ist eine Schande. Das Fabrikkomitee tut seine Pflicht. Tragt euer Anliegen vor, einzeln.

JUNGER MANN Wie Sie befehlen, Genosse Fabrikkomitee. Bemühen Sie sich nicht, ich kann mich allein ausziehn. Den Schnurrbart auch?

GROMADA Ich werd dich ausziehn.

Tschumalow will vortreten.

STIMME 1 Wart bis du dran bist, Bolschewik.

STIMME 2 Und nimm deinen Helm ab vor der Arbeiterklasse.

STIMME 3 Solche wie du haben wir genug hier mit und ohne Helm.

DICKE FRAU *tritt an den Tisch:* Das macht sich breit. Wer hat euch hergepflanzt, ihr Ungeheuer. Wir krepieren und ihr werdet fett. Seht die Visagen. Das nennt sich Fabrikkomitee. Mein Mann kratzt den Ziegen die Bäuche und ihr.

STIMME 1 Lauter, Awdotja.

STIMME 2 Sags ihnen, Tantchen.

STIMME 3 Deck sie mit deiner Breitseite zu.

AWDOTJA Schweigt, ihr Hunde. – Wozu hat man euch an die Spitze gestellt. Sind das Stiefel. Soll das eine Beschuhung für einen Arbeiter sein.

Bein auf den Tisch.

STIMME 1 Bravo, Awdotja.

STIMME 2 Zieh den Vorhang höher.

STIMME 3 Zeig die Hauptvorstellung.

LOSCHAK Laß das Geschrei. Du bist eine Arbeiterin. Das Fabrikkomitee tut seine Pflicht. Können wir uns selber nicht verstehn. Was ist in euch gefahren. Wie die Teufel.

STIMME 1 Heiz ihnen ein, Awdotja.

GROMADA An die Wand das Luder. Entblößt sich bis zum Bauch vor dem Genossen Lenin.

AWDOTJA Ich werd dich entblößen, Schlosser. Wo sind meine Stiefel, die das Fabrikkomitee einem Arbeiter schuldig ist. Spazieren gegangen im Hamstersack, Fraß für die Schweine. Da habt ihr euer Geschenk. Stopft sie selber in euern Bauch hinein.

Zieht den Stiefel aus, wirft ihn auf Loschak.

LOSCHAK *während Gromada aufspringt, stellt den Stiefel auf den Tisch:* Sing weiter, Tantchen. Wir lassen uns gern vorsingen. Steh deinen Mann.

Awdotja schweigt mit offenem Mund.

GROMADA Das ist eine Provokation, Genosse Loschak. Eine Arbeiterin, Schmach und Schande. Das Fabrikkomitee ist kein Räubernest.

LOSCHAK Geduld, Gromada. Spar deine Munition. Hier genügt ein Dampfbad. Und jetzt wollen wir die Sache richtigstellen. Du bist eine Arbeiterin, wie. Sag, du beleidigtes Waisenkind, was für eine Arbeit hast du geleistet für deine Stiefel.

AWDOTJA *unsicher:* Mir kannst du nichts vormachen. Arbeit oder nicht, die Stiefel stehn mir zu.

LOSCHAK Halts Maul und denk mit deinem Schädel. Für welche Arbeitsleistung, frag ich dich. Gib den andern auch her.

STIMME 1 Seht wie sie das Volk herumkommandieren.

STIMME 2 Weiber.

STIMME 3 Paßt auf, daß sie euch nicht an die Fassade geht. *Lachen.*

LOSCHAK Hier hast du, Weib. Wenn du dich amüsiern willst, komm ein andermal. Laß sie dir von deinem Mann zusammenflicken. Wenn wir das Werk in Marsch setzen, verdien sie dir. Wir werden dich in die Steinbrüche schikken. Dort kannst du Felsen sprengen ohne Dynamit.

AWDOTJA *während sie die Stiefel anzieht:* Spreng selber. Das sollen Stiefel sein. Buckliger Span.

STIMME 1 Pack dich, Weib, mit deinen Stiefeln. Wie lange werden wir noch Feuerzeuge basteln in der Schlosserei.

STIMME 2 Wo bleibt die Petroleumzuteilung. Wie soll ich wissen, was bei meiner Alten vorn und hinten ist, wenn ich die Sowjetmacht vermehren will, ohne Petroleum.

STIMME 3 Arbeit. Ich bin kein Ziegenmelker.

FRAUENSTIMME Sei froh, daß du eine Ziege hast, du Bock.

STIMME 3 Selber Ziege.

STIMME 1 Bringt das Werk in Gang, ihr Schwätzer.

STIMMEN *durcheinander:*
Brot Arbeit Arbeit Brot

GROMADA Was soll der Lärm, Genossen. Das Fabrikkomitee −

LOSCHAK Hört, ihr Holzköpfe. Die Sowjetmacht hat den Bauern das Brot weggenommen für den Krieg mit den Bourgeois, den Bourgeois nimmt sie die Fabriken, zum Beispiel die unsre hier.

STIMME 1 Und Arbeit gibt es nicht.

JUNGER MANN Der Besitzer hat sie mitgenommen.

Akkordeon.

ÜBER DIE BERGE ÜBER DAS MEER.

GROMADA Es wird Arbeit geben, es wird Arbeit geben.

LOSCHAK Holzköpfe. Ich erkläre es euch. Die Sowjetmacht nimmt also dem Bourgeois seinen Kram weg. Nimm, Arbeiter, sagt sie zu uns, teil dich ein, daß nichts verlorengeht. Was du willst mach damit. Versteht ihr. Wenn das Werk wieder arbeiten wird, wird alles anders werden. Macht, ihr Holzköpfe, daß ihr nach Hause kommt.

TSCHUMALOW Genossen, das bin ich, Tschumalow.

GROMADA   Gleb.

STIMME 1 Der Schlosser.

STIMME 2   Auferstanden von den Toten.

STIMME 3 Ich hab gewußt, daß Eisen den nicht umbringt.

GROMADA Genossen, seht, das ist Tschumalow, unser
  Genosse. Totgeschlagen haben ihn
  Die Grünen, und hier steht er, lebt, der Tote.

TSCHUMALOW
  Ja, bin nach Haus gekommen, an die Werkbank.
  Und was habt ihr gemacht aus unserm Werk.
  Von klein auf haben wir Zement gekocht
  Kalk Ruß Öl Stahlstaub unsre zweite Haut
  In seinen kapitalistischen Eingeweiden.
  Und jetzt: ein Ziegenstall.

STIMME 1   Reden macht satt.

STIMME 2 Was willst du, Krieger.

STIMME 3   Er will eine Ziege.
  Meckern. Lachen.

LOSCHAK Bist auferstanden, Schlosser. Das ist Farbe
  Für unsern Trumpf. Du hast gesehn, wie unsre
  Arbeiterklasse auf dem Hund ist. Ein
  Dreckhaufen, Bruder, ist die Schlosserei.
  Wir basteln Feuerzeuge für den Handel
  Mit den Kulaken. Und halt dein Gewehr fest
  Eh du dich umdrehst ist es Schweinefutter.

TSCHUMALOW Erschießen, Brüder, sollte man euch.

STIMME 1   Erschießen.
  Ja.

STIMME 2 Dich zuerst, Schmarotzer.

STIMME 3   Oder dich
  Lump.

ALTER Diebe, Brüder, sind wir alle.

JUNGER MANN Besitzer gibt es nicht mehr.

GROMADA   Einen Stuhl, Genossen
  Für unsern Kämpfer der Roten Armee.
  Er hat gelitten faktisch durch die Grünen
  Hat sich geschlagen an der Front für uns

Und alles liquidiert, er, unser Arbeiter.
Ihn werden wir vor unsern Karren spannen
Und der Zement marschiert wie die Armee.
Arbeiter bringt einen Stuhl für Tschumalow.

ARBEITER Leb mit uns, Krieger. Schau dich um und lern
Wofür du dich geschlagen hast: Scherben.

GROMADA Genossen, wir Arbeiterklasse. Schämt euch.
An allen Fronten haben wir gesiegt
Und keinen Magen für die Produktion.

TSCHUMALOW   Wir
Haben gekämpft, geblutet, sind gestorben.
Und was für einen Kampf habt ihr gekämpft.

STIMME 1 Gestorben ist er.
Lachen.

STIMME 2   Krepiert wären wir alle
Mit deinem Werk, Tschumalow, wie die Fliegen.

TSCHUMALOW Wärt ihr krepiert. Aber das Werk muß leben.

STIMME 1 Man hat uns schon mehr Lieder vorgesungen.

STIMME 2 Sing du den Sängern deine Lieder vor
Die uns vergessen haben.

STIMME 3   Tot ist das Werk
Tschumalow, und begraben.

LOSCHAK   Du bist hier.
Wir werden Arbeit finden für dich auch.
Man muß anfangen.

TSCHUMALOW   Wär ich an der Front.
Lebendig habt ihr euch begraben hier
Die Stadt ein Dorf, das Werk ein Ziegenstall.
Helm ab.
Die Frau erkennt man nicht. Wie eine Fremde
Geht sie an mir vorbei, abkommandiert.
Im Haus kein Brot, der Schimmel frißt die Wand.
Nun, schreib mich ein für meine Brotration
Genosse Loschak.

STIMME 1   Hast du ausgesungen.

STIMME 2 Jetzt singt er unser Lied.

STIMME 3   Der Bauch will essen.
Gelächter. Akkordeon.

TSCHUMALOW *unverständlich …*
    Tschumalow reißt sich das Hemd auf. Seine Brust ist mit
    Narben bedeckt. Akkordeon aus. Schweigen.

DAS BETT

Tschumalow. Dascha.

TSCHUMALOW Ich hab auf dich gewartet.

DASCHA   Ich bin müde.

TSCHUMALOW Drei Jahre haben wir uns nicht gesehn.

DASCHA *fängt an sich auszuziehn:*
    Ich hab sie auch gezählt.

TSCHUMALOW   Drei Jahre. Und
    Drei Tage jetzt, die Nächte zähl ich nicht
    In diesem Rattenloch das unser Heim war
    Wart ich auf meine Frau. Die Frau ist müde.
    Erklär mir das.

DASCHA   Was soll ich dir erklären.

TSCHUMALOW Was für ein Spiel spielst du mit mir.

DASCHA   Wo lebst du
    Genosse.

TSCHUMALOW Hast du vergessen wo ich herkomm.
    Den Tod vor Augen.

DASCHA   Die Privilegien, Krieger
    Sind abgeschafft. Der Tod ist für alle.

TSCHUMALOW
    Das Heim habt ihr auch abgeschafft, wie. Schwarz

Der Tisch.
Wirft den Tisch um.
      Das Bett ein Haufen Lumpen.
Wirft das Bettzeug auf den Boden.
                          Die Wand
Schimmel. Im Herd die Asche hart wie Stein. Kalt.
Reißt den Herd ein.
Das Fenster. Man sieht keinen Himmel mehr.
Zerschlägt das Fenster.

DASCHA   Siehst du ihn jetzt.
Pause.

TSCHUMALOW
Wie hast du mich empfangen, wenn ich heimkam
Mit tauben Knochen aus der Schlosserei
Blumen am Fenster, die Betten weiß, sauber
Alles, und immer hast du noch geputzt
Und selber warst du mir wie eine Blume.

DASCHA Dumm war ich. Unser Heim war mein Gefängnis.
Ich bin keine Braut mehr.

TSCHUMALOW   Bist du noch ein Weib.
Soll ich dir zeigen, wozu dich Gott gemacht hat.

DASCHA Langsam, Genosse. Die Sowjetmacht hat ihn
Liquidiert, deinen Gott.

TSCHUMALOW   Drei Jahre
Hab ich gewartet. Und jetzt wart ich nicht mehr.
Braut oder nicht. Bist du noch meine Frau.

DASCHA Besitzer gibt es nicht mehr.

TSCHUMALOW   Gibt es nicht.
Ich werd dir den Besitzer zeigen.

DASCHA   Nicht, Gleb.

TSCHUMALOW
Wer fragt den Gaul, wann er geritten sein will.
Dascha schlägt ihm ins Gesicht.

TSCHUMALOW Ich kann auch schlagen.

DASCHA   Kühl dich ab, Besitzer.
Aus welcher Fibel hast du dein ABC
Gelernt als Kommunist.
TSCHUMALOW   Drei Jahre und
Ich kenn dich nicht mehr. Nach der Schlächterei
Auf dem Fabrikhof, ich, herausgekrochen
Unter dem Leichenberg, auf Vieren kam ich.
Und du: wie eine Mutter. Der Abschied dann.
An meinem Hals hast du gehangen. Tränen.
Was für ein Mensch bist du geworden, kalt
Und fremd.
DASCHA   Viel kann geschehn, Gleb, in drei Jahren
Viel ist geschehn. Kalt war der Weg durchs Feuer.
Kennst du mein Leben. Arbeit. Das Komitee
Ausschüsse. Wir organisieren die Frauen. Das Heim
Haben wir abgeschüttelt, unser Joch
Und Bräute wird es nicht mehr geben. Reiß
Die Wände auch ein, wenn du schon dabei bist
Ich wein den Trümmern keine Träne nach.
Mein Heim ist das Exekutivkomitee, meine Arbeit.
Mein Essen eß ich dort in der Kantine
Wasser und Rüben. Willst du mehr. Lern hungern.
Wer für die Revolution nicht hungern will
Soll auch nicht essen. Satt ist die Bourgeoisie.
Von unserm Hunger. Wann werden wir sie schröpfen.
Der Herd ist kalt, ja. Wir haben eine Holzkrise, Genosse
                                    Tschumalow.
Nimm das zur Kenntnis. Wenn du frierst, heiz dich
Mit Arbeit. Daran ist kein Mangel, Kampf auch
Banditen in den Bergen, Sabotage
In den Büros, ein Sumpf die Korruption.
Hast du noch Tränen, Krieger, für dein Heim.
Fremd bin ich dir. Kannst du die Zeit zurückdrehn
Kann ichs. Wenn ich es wollte. Und ich wills nicht.

Soll ich begraben im Familienbett
Ersticken unter dir auf einem Laken
Was mir so teuer ist, weil es so viel
Gekostet hat, Tränen Schweiß Blut: meine Freiheit.
Merk dir, Genosse, wenn einer hier mein
Besitzer ist, bin ich das.

TSCHUMALOW   Dein Referat
Hab ich gehört. Schwatzen hast du gelernt, Weib.
Eröffnen wir die Diskussion. Und ich
Erteile mir das Wort: Da ist noch etwas
Genossin Freiheit, wir haben ein Kind.
Dein Kind, abkommandiert ins Kinderheim.
Mag es krepieren dort für deine Freiheit.
Ein Hundezwinger ist euer Kinderheim.
Ein Hungerturm, ich hab es gesehn heute früh
Die Weiber fett, die Kinder ein Gerippe.
Unsers, nur Augen hat es im Gesicht noch.
Die sehn keinen Himmel mehr.
Dascha weint.
                              Ein Grab, Genossin
Ist euer rotes Kinderheim. Lebendig
Habt ihr sie dort begraben, eure Kinder.
Hast du noch Wasser. Hast du noch ein Herz.
Und morgen hol ich unser Kind heraus, ich.
Mein Kind wird nicht krepieren mit den andern.

DASCHA Gut, Gleb. Wenn du sie füttern willst. Bleib du
Zu Hause. Spiel die Mutter für dein Kind. Ich
Hab keine Zeit.

TSCHUMALOW   So. Du hast keine Zeit.
Für dein Kind keine Zeit. Aber zum Schwatzen
Im Weiberausschuß, zum Herumscharwenzeln
Im Komitee.

DASCHA   Du redest Unsinn, Gleb.

TSCHUMALOW So. Unsinn. Denkst du, ich hab keine Augen.

Denkst du, ich seh nicht, wie sie dich anstarrn
Deine Genossen, wenn du bloß vorbeigehst.
Und du.
Gang. Er schwenkt die Hüften, wirft die Brust nach vorn.
DASCHA   Führ dich nicht auf wie ein Bourgeois, Gleb.
TSCHUMALOW
Bourgeois. Ich. Willst du mir sagen, dir gefällts nicht
Wenn sie dich ausziehn mit den Blicken. Weiß ich
Was du getrieben hast in den drei Jahren.
Die Bettenfreiheit habt ihr auch eingeführt, wie.
Sag, wen hast du umarmt mit diesen Armen.
DASCHA Ich frag dich nicht nach deinen Weibern. Was
Gehn meine Liebsten dich an.
TSCHUMALOW   Steht es so.
Jetzt kommen wir der Sache auf den Grund. Wer.
Packt sie.
Die Wahrheit oder ich brech dir die Knochen.
DASCHA Und wo ist deine Wahrheit, Krieger. Ich
Weiß nicht einmal, ob nicht dein Blut verfault ist.
Oder hast du dich aufgespart für mich.
TSCHUMALOW Weiber hat es gegeben hier und da, gut.
Ich bin ein Mann, der Krieg. Du bist eine Frau.
Und wenn du dich herumtreibst in den Bergen
Mit dem Genossen Badjin, abkommandiert
Drei Jahre haben wir uns nicht gesehn
Und gehst an mir vorbei wie eine Fremde
Genosse Badjin kommandiert und du.
Und ich weiß nicht wohin mit meiner Kraft.
Ich laß mir meine Frau nicht abkommandiern.
DASCHA Was schwatzt du. Der Genosse Badjin ist
Politarbeiter. Ein guter Kommunist.
TSCHUMALOW Besser als ich, wie. Und im Bett vielleicht
Auch besser. Ein Schürzenjäger ist er, dein
Genosse Badjin.

DASCHA   Seine Sache. Und
Es ist nicht wichtig. Seine Arbeit ist
Was zählt. Badjin arbeitet Tag und Nacht.
Und laß den Weibern das Weibergeschwätz
Solange sie noch nicht organisiert sind.
TSCHUMALOW Es ist nicht wichtig, wie. Weibergeschwätz.
Hat er hier auch gearbeitet nachts, Badjin, so.
Kampf im Bett.
Und so. Und so. Hast du noch eine Brust.
Sie regt sich. Unter wieviel Händen schon.
Die Schenkel. Heiß. Der Gaul braucht Auslauf, wie.
Die Frucht ist noch nicht taub, der Acker will
Gepflügt sein.
DASCHA   Laß mich los, Gleb.
TSCHUMALOW *höhnisch:*   Willst dus.
Lacht.   Laß los Gleb.
Dein Leib redet anders. Hört er nicht auf dein
Kommunistisches Kommando.
DASCHA   Gleb. Bitte.
TSCHUMALOW   Mit wem
Hast du dich so herumgewälzt hier. Wie viele.
Der oder der. Ich komm dir auf die Spur
Und wenn ich sie aus dir herausschlag jeden
Buchstaben einzeln.
DASCHA   Viel hast du gelernt, Genosse
Bei der Armee. Laß los, Gleb, oder ich schlage.
TSCHUMALOW *reißt ihr die Kleider vom Leib:*
Und mir gehörst du. Das. Und das. Und das.
Sperrst du dich noch. Du bist kein Mädchen mehr.
Schön bist du, wenn du dich windest, mein Täubchen.
DASCHA Gleb, nicht. Nein.
Umarmt ihn.
TSCHUMALOW   Merkst du jetzt, daß du ein Weib bist.
Wo ist die freie Sowjetbürgerin.
Mach deine Beine auf für deinen Mann, Frau.

DASCHA Gleb. Tiere seid ihr alle.

Wirft den Mann ab, springt auf, reißt das Gewehr von der
Wand, steht, die Wand im Rücken, das Gewehr auf ihn
gerichtet, der langsam aufsteht und mit hängenden Armen
vor ihr stehenbleibt, keuchend.

DASCHA   Faß mich an.

TSCHUMALOW Dascha. Was ist in dich gefahren. Dascha.
Warum quälst du mich.
Weint.   Ich halt es nicht mehr aus.
Schieß, mach ein Ende, wenn du willst. Alles
Hab ich gegeben für die Revolution.
Ich kann nicht mehr. Verflucht die Bourgeoisie
Die Seele hat sie uns vergiftet. Dascha
Sag, können wir uns nicht verstehn.

DASCHA *legt das Gewehr weg, lacht:*   Gestern
Haben wir einen Offizier erschossen
Die Tscheka hat ihn eingefangen, ein
Bandit, nach einem Überfall, drei Güter
Wälder und Bauern, vor der Revolution
Sein ganzer Grundbesitz der Haß seitdem. Und
Er sagte, als er an die Wand ging, daß er
Gern in die Hölle geht für seinen Haß
Die Hölle war ihm lieber als der Himmel
Weil er dort seinen Haß behalten kann.
Und als er an der Wand stand, weinte er.
Und willst du wissen, wem er nachgeweint hat.
Den Wölfen, die in seinen Wäldern hausten.
Im Winter manchmal kamen sie ins Dorf
Zerrissen einen Bauern, sagte er
Selber ein Wolf und heulte, bis er starb
Um seine Wölfe. Hör auf zu weinen, Gleb.
Es wird schon Morgen. Ich muß früh heraus.
Während sie das Bett macht:
Was auch geschehn ist, Gleb, ich liebe dich

398

Und nur auf dich hab ich gewartet. Ich
Weiß nicht was werden wird. Alles ist anders
Laß mir Zeit, Gleb. Auf die alte Art wirst du
Deine Frau nicht mehr finden. Etwas hat aufgehört
Was anfängt ist noch blind. Wenn es dir schwer wird
Ich bin nicht eifersüchtig. Manche Frau
Ist ohne Mann geblieben. Das ist mein Ernst, Gleb.
Komm schlafen.
Legen sich nebeneinander auf das Bett.
                    Leg deine Hand auf meine Brust. So.

BEFREIUNG DES PROMETHEUS

Tschumalow. Kleist.

TSCHUMALOW Ich denke, wir sind hoch genug gestiegen.
    Genosse Ingenieur, sieh dir dein Grab an
    Das ein Zementwerk war, nach deinen Plänen
    Mit unsern Knochen aus dem Fels gehaun
    Und nicht für uns. Kannst du fliegen, Erbauer.
    Der nächste Schritt ist in den Himmel. Geh
    Sonst zeig ich dir den Weg in deine Hölle.
    Drei Jahre trag ich sie mit mir herum
    In meinen Händen und in meinem Schädel.
KLEIST Was wollen Sie von mir. Wer sind Sie.
TSCHUMALOW   Vor
    Drei Jahren hast du mich gut gekannt.
KLEIST   Drei Jahre
    Sind eine lange Zeit.
TSCHUMALOW   Nicht für die Toten
    Genosse Ingenieur.
KLEIST   Der Krieg. Das Ende
    Der Zivilisation.

TSCHUMALOW In dem Büro
In dem Sie Spinnen züchten, Bürger Kleist
Seit hier nur Birken wachsen und kein Zement mehr
Stand vor drei Jahren ich mit andern Toten
Neben uns, an den Stiefeln unser Blut
Standen die Weißen, Ihre guten Freunde
Wir hatten keine Haut auf dem Gesicht mehr
Wir sahn uns sozusagen nicht mehr ähnlich
Und keine Mutter hätte uns erkannt.
Sie hatten beßre Augen vor drei Jahren
Als Ihre Freunde fragten: Sind sie das
Herr Ingenieur. Sind das die Kommunisten.
Herr, sagten Ihre Freunde. Und Sie waren
Ein Herr damals, Ihr Kragen weiß von Herrschaft.
Wann haben Sie Ihr Hemd zuletzt gewaschen
Genosse Ingenieur. Haben Sie keinen
Knecht mehr, der Sie zum Herrn macht. Das ist schade.
Sie stinken, Herr. Wie sagten Sie. Das Ende
Der Zivilisation. Ein feines Wort.
Ich wills mir merken wie die andern Worte
Die Sie gesagt haben drei Jahre her
Als ich vor Ihnen stand und durch den Vorhang
Aus Blut der meine Aussicht war, in Ihren
Augen, dunkel vor Angst jetzt, Ihren Ekel
Las vor dem rohen Fleisch das mein Gesicht war
Als wär es schon bevölkert mit den Würmern.
Ihr Magen, hoffe ich, hat nicht gelitten
Genosse Ingenieur. Ich weiß Ihren Text noch:
Das sind sie, ja, das sind die Kommunisten.
Der Rest ist Ihre Sache, meine Herrn. Dann
Wurden wir totgeschlagen eine Nacht lang.
KLEIST Ich habe sie gesehn. Vier Tote. Wer
Sind Sie.
TSCHUMALOW
        Sie haben gut gezählt. Vier Tote.

Und ich bin aufgestanden aus ihrem Blut.
Vier weniger vier macht eins und eins ist vier
Das ist die Algebra der Revolution
Genosse Ingenieur.

KLEIST   Sie sind Tschumalow.

TSCHUMALOW   Und Kaprow. Und Medwedjew. Und Suwarin.
Sie sind versammelt hier in meinen Händen
Denken in meinem Kopf einen Gedanken
Und träumen seit drei Jahren einen Traum.

KLEIST   Was wollen Sie von mir, Tschumalow.

TSCHUMALOW   Das.

Tschumalow legt die Hände um den Hals des Ingenieurs.
Der schreit. Tableau.

In der Ilias erzählt der blinde Homer, wie vor viertausend
Jahren der Grieche Achilles vor Troja Rache nahm für den
Tod seines Freundes Patroklos an dem Trojaner Hektor,
der ihn getötet hatte in der Schlacht. Achilles begann die
Schlacht neu, die schon aufgehört hatte, indem er seine
Soldaten vor sich hertrieb und alles totschlagen ließ, was
nicht Hektor war, Trojaner und Griechen: Seine Suche
war die Schlacht. Als der Gesuchte gefunden war, begann
die Treibjagd mit Soldaten und Hunden. Als er zusam-
menbrach, stieß Achilles ihm seinen Speer zwischen die
Schulterblätter, schnitt dem noch Lebenden die Sehnen
aus dem Fleisch, knotete sie zu einem Seil zusammen,
durchbohrte ihm beide Füße am Spann, zog das Seil durch
und befestigte es an seinem Kampfwagen. Dann schleifte
er den Toten dreimal um die belagerte Stadt. Beim erstenmal ging die Haut in Fetzen, beim zweitenmal zerriß das
Fleisch, die Knochen splitterten beim drittenmal. Den
Rest überließ er der Familie des Trojaners, damit sie ihn
begraben konnte, gegen eine Ladung Gold vom dreifa-
chen Gewicht des Leichnams. In den zerschmetterten
Brustkorb hatte er Erde stopfen lassen. Dann schleppten
seine Soldaten sein Gold in seine Zelte.

Lacht:
Sind Sie erschrocken, Genosse Ingenieur.
Das ist das Werk, ein Friedhof für Maschinen.
Ein Friedhof wird es bleiben ohne Sie, Kleist.
Zehntausend Hände zerrn an meiner Hand
Und halten sie zurück von Ihrer Kehle
Weil Ihr Hals Ihren sehr geschätzten Kopf trägt
In dem das Werk bewahrt ist Strich um Strich
Nach dem zehntausend Hände hungrig sind.
Und wenn ich Ihnen Wand um Wand aus Ihren
Hirnfasern klauben muß, das Werk wird leben.
Laß dich umarmen, Ingenieur, mit meinen
Durch dein Verdienst zehnmal gebrochnen Knochen
Für den Zement von morgen aus unserm Werk.
KLEIST Es gibt kein Werk mehr. Begreifen Sie das nicht
Tschumalow. Rot oder weiß, Rußland gehört
Den Birken wieder. Was haben Sie gegen Birken.
Hier dieser Haufen Rost und Steine war
Gebaut für tausend Jahre. Sie sind um.
Sehn Sie das Wasser, das von den Bergen kommt.
Es wäscht die Steine in den Berg zurück
Die wir den Bergen ausgerissen haben.
Wozu neu anfangen den alten Kreis.
Sie haben recht: Ein Grab hab ich gebaut.
Lassen Sie es mein Grab sein. Warum leben
Nach diesem Gestern. Warum neue Gräber.
Zement von morgen. Der Zement von morgen
Sind die Toten von heute. Knochen, Tschumalow, Kalk.
Sowjetmacht. Unser Werk. Revolution.
Ein Mann tritt einen andern in den Staub
Der Fuß wird müde und der Staub steht auf
Der zweite tritt den ersten, weiter geht die
Tretmühle der Geschichte. Revolution.
Wir stehn an unsern Kaukasus geschmiedet

Jeder. Die Adler scheißen auf uns und
Ihr Kot sind unsre eignen Eingeweide
Die sie uns ausziehn unser Leben lang.
Ihre Sowjetmacht wird die Welt nicht ändern
Tschumalow. Jeder Tag sieht wie der erste aus früh
Dann wird es Mittag und dann kommt die Nacht.
Lassen Sie mich in meinen Ketten sterben
Ich will nicht befreit sein. Worauf warten Sie.
Von mir, Tschumalow, kein Zementwerk mehr.
Ich habe Sie verraten an die Weißen.
Man hat Sie totgeschlagen eine Nacht lang.
Immer, Tschumalow, werd ich euch verraten
Bis man euch zehnmal totgeschlagen hat.
Ich hasse eure Revolution, ich hasse
Eure Sowjetmacht, alles habt ihr mir
Genommen was mein Leben war. Wir sind
Feinde, Tschumalow.

TSCHUMALOW *lacht:*   So fängst du mich nicht.
Genosse Ingenieur, Sie sind enteignet.
Ihr Kopf gehört der Revolution von jetzt ab
Und steht unter dem Schutz der Sowjetmacht.

KLEIST Wenn er der Sowjetmacht so teuer ist
Mag er zum Teufel gehn, der Bürger Kleist.
Eh er für euch einen Gedanken denkt
Will ich den Schädel ihm zerbrechen an
Den Resten des Friedhofs, den er gebaut hat
Und nicht für euch, und kein Zementwerk mehr.
Ich werf ihn weg und den Zement von morgen.

TSCHUMALOW Auf Sabotage, Bürger, steht Erschießen.

KLEIST Schieß, Bolschewik. Hier atmet dein Zementwerk.
*Kleist lacht. Tschumalow läßt das Gewehr fallen und packt
ihn.*
Wollen Sie mit auf meine Himmelfahrt.

TSCHUMALOW Wenig wissen Sie von sich selber, Kleist.
Wir werden Ihnen zeigen, wer Sie sind.

Ein Denkmal der befreiten Arbeit wird
Ihr Friedhof sein, unser Zementwerk neu
Und andre Werke, die Ihr Kopf nicht ahnt
Die Arbeit unser Himmel. Hören Sie
Die Beile. Die Arbeiter schlagen Holz
Wärme und Brot nicht für die Bourgeoisie.
Wir brauchen die Maschinenkraft des Werks
Für den Transport. Die Stadt muß überleben.
Das ist der Anfang. Dann die Produktion.
Nehmen Sie Ihren Schädel in die Hand
Wir haben eine neue Welt zu baun.
Ihr Hut hat Sie verlassen, Bürger Kleist.
Mag er zum Teufel gehn, der Kopf ist unser.
Und keine Sklaven mehr und keine Herrn.

Prometheus, der den Menschen den Blitz ausgeliefert, aber sie nicht gelehrt hatte, ihn gegen die Götter zu gebrauchen, weil er an den Mahlzeiten der Götter teilnahm, die mit den Menschen geteilt weniger reichlich ausgefallen wären, wurde wegen seiner Tat beziehungsweise wegen seiner Unterlassung im Auftrag der Götter von Hephaistos dem Schmied an den Kaukasus befestigt, wo ein hundsköpfiger Adler täglich von seiner immerwachsenden Leber aß. Der Adler, der ihn für eine teilweise eßbare, zu kleineren Bewegungen und, besonders wenn man von ihr aß, mißtönendem Gesang befähigte Gesteinspartie hielt, entleerte sich auch über ihn. Der Kot war seine Nahrung. Er gab ihn, verwandelt in eigenen Kot, an den Stein unter sich weiter, so daß, als nach dreitausend Jahren Herakles sein Befreier das menschenleere Gebirge erstieg, er den Gefesselten zwar schon aus großer Entfernung ausmachen konnte, weißschimmernd von Vogelkot, aber, zurückgeworfen immer wieder von der Mauer aus Gestank, weitere dreitausend Jahre lang das Massiv umkreiste, während der Hundsköpfige weiter die Leber des Gefesselten aß und ihn mit seinem Kot ernährte, so daß der Gestank zunahm in dem gleichen Maß wie der Befreier sich an ihn gewöhnte. Endlich, von einem Regen begünstigt, der fünfhundert Jahre anhielt, konnte Herakles sich auf Schußweite nähern. Dabei hielt er mit einer Hand die Nase zu. Dreimal verfehlte er den Adler, weil er, von der Welle des Gestanks betäubt, die auf ihn einschlug, als er die Hand von der Nase nahm, um den Bogen zu spannen, unwillkürlich die Augen geschlossen hatte. Der dritte Pfeil verletzte den Gefesselten leicht am linken Fuß, der vierte tötete den Adler. Prometheus, wird erzählt, weinte laut um den Vogel, seinen einzigen Gefährten in dreitausend Jahren und Ernährer in zweimal dreitausend. Soll ich deine Pfeile essen, schrie er und, vergessend, daß er andere Nahrung gekannt hatte: Kannst du fliegen, Bauer, mit deinen Füßen aus Mist. Und erbrach sich vor dem Stallgeruch, der dem Herakles anhing, seit er die Ställe des Augias gesäubert hatte, weil der Mist zum Himmel stank. Iß den Adler, sagte Herakles. Aber Prometheus konnte den Sinn seiner Worte nicht begreifen. Auch wußte er wohl, daß der Adler seine letzte Verbindung zu den Göttern gewesen war, seine täglichen Schnabelhiebe ihr Gedächtnis an ihn. Beweglicher als je in seinen Ketten beschimpfte er seinen Befreier als Mörder und versuchte ihm ins Gesicht zu spein. Herakles, der sich vor Ekel krümmte, suchte währenddem die Fesseln, mit denen der Tobende an seinem Gefängnis befestigt war. Zeit, Wetter und Kot hatten Fleisch und Metall voneinander ununterscheidbar gemacht, beides vom Stein. Gelockert durch die heftigeren Bewegungen des Gefesselten wurden sie kenntlich. Es stellte sich heraus, daß sie von Rost zerfressen waren. Nur am Geschlecht war die Kette mit dem Fleisch verwachsen, weil Prometheus, wenigstens in seinen ersten zweitausend Jahren am Stein, gelegentlich masturbiert hatte. Später hatte er dann wohl auch sein Geschlecht vergessen. Von der Befreiung blieb eine Narbe. Leicht hätte sich Prometheus selbst befreien können, wenn er den Adler nicht gefürchtet hätte, waffenlos und erschöpft von den Jahrtausenden wie er war. Daß er die Freiheit mehr gefürchtet hat als den Vogel, zeigt sein Verhalten bei der Befreiung. Brüllend und geifernd, mit Zähnen und Klauen, verteidigte er seine Ketten gegen den Zugriff des Befreiers. Befreit, auf Händen und Knien, heulend in der Qual der Fortbewegung mit den tauben Gliedmaßen, schrie er nach seinem ruhigen Platz am Stein, unter den Fittichen des Adlers, mit keinem andern Ortswechsel als dem von den Göttern durch gelegentliche Erdbeben verfügten. Noch als er schon wieder aufrecht gehen konnte, sperrte er sich gegen den Abstieg wie ein Schauspieler, der seine Bühne nicht verlassen will. Herakles mußte ihn auf den Schultern vom Gebirge schleppen. Weitere dreitausend Jahre dauerte der Abstieg zu den Menschen. Während die Götter das Gebirge aus dem Grund rissen, so daß der Abstieg durch den Wirbel der Gesteinsbrokken eher einem Absturz glich, trug Herakles seine kostbare Beute, damit sie nicht zu Schaden kam, wie ein Kind an seine Brust gebettet. An den Hals des Befreiers geklammert, gab Prometheus ihm mit leiser Stimme die Richtung der Geschosse an, so daß sie den meisten ausweichen konnten. Dazwischen beteuerte er, laut gegen den Himmel schreiend, der vom Wirbel der Steine verdunkelt war, seine Unschuld an der Befreiung. Es folgte der Selbstmord der Götter. Einer nach dem andern warfen sie sich aus ihrem Himmel auf den Rücken des Herakles und zerschellten im Geröll. Prometheus arbeitete sich an den Platz auf der Schulter seines Befreiers zurück und nahm die Haltung des Siegers ein, der auf schweißnassem Gaul dem Jubel der Bevölkerung entgegenreitet.

DER APPARAT ODER CHRISTUS DER TIGER

Büro. Geräusch von Schreibmaschinen. Badjin. Iwagin.
Borschtschi.

BADJIN Ich werde Ihren Bericht morgen lesen, Genosse
Iwagin.
Iwagin geht an die Tür. Lärm vor der Tür.
Tschumalow.
An der Tür zu meinem Büro ist ein Zettel befestigt,
Genosse. Mit Brot, wie Sie vielleicht bemerkt haben
werden. Wir haben davon nicht zu viel, auch das dürfte
Ihnen bekannt sein. Gehen Sie hinaus und lesen Sie, was
auf dem Zettel geschrieben steht.
Da Tschumalow bleibt:
Wenn Sie Analphabet sind, ist die Abteilung Volksbildung
für Sie zuständig, der Genosse Iwagin, Sie stehn auf
seinem Fuß.

TSCHUMALOW Genosse Vorsitzender, ich komme in einer
wichtigen Angelegenheit. Und Ihren Türsteher werde
ich aus dem Fenster werfen, wenn er sich mir noch einmal
in den Weg stellt. Es ist eine Schande, Genosse Vorsitzender. Unsre Toten sind noch nicht begraben und schon
Generalsmanieren. Mit Schreibmaschinen gegen die Arbeiterklasse, Bürokratie. Sie sind der Vorsitzende des Exekutivkomitees und es ist für einen arbeitenden Menschen
schwerer, in Ihr Büro vorzudringen als einen Schützengraben zu nehmen. Gegen Maschinengewehre gibt es
Maschinengewehre. Vielleicht sollte man hier auch ein
Maschinengewehr aufstellen. Eine Teufelsmaschine, Genossen, habt ihr aufgebaut. Zerschlagen muß man sie für
die Sowjetarbeit.

IWAGIN Sie haben Unrecht, Genosse, so kann man nicht
urteilen. Wir schreiben nicht das Jahr 18, die Mauser

kann die Remington nicht mehr ersetzen. *Lacht, allein.*
Die Sowjetmacht braucht einen intakten Apparat. Und
wenn es auch ein bürokratischer Apparat ist. Was wollen
Sie, Genosse. Anarchismus kann sich die Revolution nicht
leisten, Feinde überall. Wir brauchen Terror, erbarmungslosen Terror. Die Arbeit unter den Massen ist eine andere
Sache. Das Wort des Genossen Lenin von der Köchin, die
in der Lage sein muß den Staat zu regieren, muß eine
volkstümliche Tatsache werden. Dann –

BADJIN Genug geschwatzt, Genosse Iwagin. – Ich werde Sie
für Ihre Beschimpfungen verhaften lassen. – Das ist eine
volkstümliche Tatsache und wird ihn schneller überzeugen als Ihre Predigt.

Iwagin ab.

Hast du gesehn, Borschtschi, wie seine Augen glänzen,
wenn er vom Terror spricht. *Parodiert:* Erbarmungslosen
Terror. Die Intellektuellen. Und Sie, arbeitender Mensch,
was ist Ihre Arbeit? Feuerzeuge? Haben Sie sich umgesehn
in meinem Vorzimmer, haben Sie die arbeitenden Menschen gezählt, die in meinem Vorzimmer darauf warten,
jeder mit einer »wichtigen Angelegenheit«, zu mir vor-
gelassen zu werden, und zwar einer nach dem andern. Mit
welchem Recht nehmen Sie sich das Privileg heraus, hier
außer der Reihe einzutreten.

TSCHUMALOW Ich komme in einer wichtigen Angelegenheit. Die Produktion –

BADJIN Was für eine Produktion. Wir sind mit der Produktion des Überlebens beschäftigt, Genosse. Von einer andern Produktion ist nicht die Rede, noch nicht. Noch lange
nicht. Warten Sie, was der 10. Parteikongreß beschließen
wird. – Borschtschi. Wenn du im Lauf eines Monats die
Zwangsablieferung in deiner Gemeinde nicht durchgeführt hast, und die Rückerstattung des Saatkredits im
September, gehst du an die Wand.

BORSCHTSCHI Genosse Badjin, ich bin Kommunist wie Sie. Ich protestiere.

BADJIN Eben als Kommunist werden wir dich an die Wand stellen, wenn du deine Aufgaben nicht erfüllst. In deinem Bezirk herrscht Anarchie. Ihr unterwerft euch den Kulaken.

BORSCHTSCHI Du mußt mich anhören, Genosse Badjin. Die Rückgabe des Saatkorns muß aufgeschoben werden bis zum nächsten Jahr. Viermal seit dem Herbst ist die Zwangsumlage eingetrieben worden. Die Dorfarmut krepiert vor Hunger. Mit solchen Maßnahmen vermehren wir die Banden. Abstechen werden sie uns wie das Vieh.

BADJIN Und so weiter. Der Hunger ist nicht das Privileg der Dorfarmut, Genosse Borschtschi. Wollen wir einen Gang durch die Stadt machen, durch die Kinderheime. Vielleicht hilft das deiner Parteidisziplin auf. Sollen sie euch abstechen. Die Hauptsache ist, daß ihr eure Aufgaben erfüllt, und zwar korrekt und pünktlich. Ihr seid Kommunisten. Ihr könnt nicht sterben, wie es euch vielleicht gefällt.

BORSCHTSCHI Genosse Badjin, melden Sie mich zum Vortrag an. Ich habe die Absicht, dem Plenum des Exekutivkomitees Bericht zu erstatten. Ich werde beweisen. –

Badjin sieht ihn an. Schweigen.

Die Kampagnen werden durchgeführt, Genosse Badjin. Es wird eine Schlächterei geben. Vor zwei Jahren bei Suchowo wurden wir beschossen an einem Flußübergang aus einem Gehöft am Ufer mit einem Maschinengewehr. An der Uferböschung lagen Tote herum: Weiße. Sie mußten schon lange dort gelegen haben. Und hinter dem Hof fanden wir zwei von den Unsern, auch tot. Wir haben also das Gehöft eingenommen wie eine Festung. Der Bauer lag hinter dem Dreschkasten mit dem Maschinengewehr und schoß wie ein Verrückter. Er war allein. Er hörte nicht auf zu schießen, bis er krepiert war. Wir hatten drei Tote. Auf dem Hof lagen überall Pferdeknochen und das Gerippe von einer Kuh. Der Bauer war verrückt geworden, weil sie ihm sein Vieh weggenommen hatten, unsre oder die andern, und von da ab hat er auf alles geschossen, Hund oder Katze, Rot oder Weiß, was vorbeikam. Der halbe Kuhstall war voll Munition. Ich garantiere für nichts, wenn wir die Bauern in den Wahnsinn treiben.

BADJIN Hör auf zu weinen. Ich schicke dir Saltanow, den Chef der Bezirksmiliz.

Borschtschi ab.

Was wünschen Sie. Wer sind Sie überhaupt.

TSCHUMALOW Tschumalow, Regimentskommissar, demobilisiert als qualifizierter Arbeiter, Schlosser im Zementwerk.

BADJIN Der Held der Roten Fahne. Demobilisiert wozu. Arbeitet das Zementwerk. Dascha Tschumalowa ist Ihre Frau, wie. Die rote Witwe. Eine gute Kommunistin, kein Strohhalm wie die andern, Führerin des Weiberproletariats. Die Weiberfront, wie einige Genossen das nennen, die um ihre Alleinherrschaft fürchten. Dascha.

TSCHUMALOW Ich schlage vor, daß Sie meine Frau aus dem Spiel lassen, Genosse Vorsitzender. Sie ist sozusagen meine Angelegenheit.

BADJIN Ich glaube nicht, daß Ihre Frau Ihnen zustimmen würde, Genosse Tschumalow. Als Kommunist kann ich Ihnen auch nicht zustimmen. Die Familie ist ein Relikt und wird die Revolution nicht überleben.

TSCHUMALOW Das könnte dir passen, Schürzenjäger.

BADJIN Ich interessiere mich nicht für Ihren Gefühlshaushalt. Sprechen Sie zur Sache.

TSCHUMALOW Die Sache ist, daß wir auf Beschluß der Betriebszelle mit dem Holzschlag in den Bergen begonnen haben. Für den Transport beabsichtigen wir die mechanische Kraft des Zementwerks auszunutzen. Der Techniker Kleist, ehemals leitender Ingenieur unseres Werkes, steht als Spezialist zur Verfügung. Wir brauchen die Genehmigung vom Volkswirtschaftsrat. Der Transport auf dem Wasserweg dauert länger als der Winter, die Lastkähne sind faules Holz. Die Bourgeoisie kann sich an ihren Möbeln wärmen, aber wir werden nicht so lange dauern wie der Winter, wenn die Transportfrage nicht gelöst wird. Genosse Badjin, wann gehn wir der Bourgeoisie an die Kehle. Werden wir warten, bis uns die Hand abfault. Die Transportfrage werden wir lösen, mit oder ohne die Genehmigung. Nicht deshalb bin ich hier außer der Reihe. Wie steht das Exekutivkomitee zur Frage der Wiederaufnahme der Produktion. Ich frage Sie, Genosse Vorsitzender, im Namen der Arbeiter des Zementwerks.

BADJIN Eins nach dem andern. Für die Kehle der Bourgeoisie haben wir keine Hand frei, solange wir uns auf allen Vieren fortbewegen. Sie müssen Ihr Vokabular auf das Zivilleben umstellen, Genosse Regimentskommissar. Die Bourgeoisie hat so viel Hälse wie sie Köpfe hat, und einige von diesen Köpfen enthalten Kenntnisse und Erfahrungen, die wir brauchen. Köpfe enteignet man nicht, indem man sie abschlägt. Daß Sie diesen Techniker, wie war sein Name –

TSCHUMALOW Kleist.

BADJIN *notiert den Namen:* – gewonnen haben, ist eine Tat, und wenn es Ihnen gelingt, den Holztransport in die Stadt zu organisieren, wird das eine wirkliche Heldentat sein. Die Frage der Wiederaufnahme der Produktion des Zementwerks ist eine gesamtstaatliche Angelegenheit und kann hier nicht zur Diskussion stehn. Ihre Beantwortung ist von den Perspektiven der Neuen Ökonomischen Politik abhängig, die der 10. Parteitag festlegen wird. Wir können dem Industriebüro nicht vorgreifen.

TSCHUMALOW Das Bewußtsein unsrer Arbeiter ist auch eine gesamtstaatliche Angelegenheit. Wer hat sie zu Dieben gemacht. Was habt ihr getan konkret für den Wiederaufbau. Schrauben registriert im Volkswirtschaftsrat. Nicht einmal den Strom für die Arbeiterwohnungen beziehungsweise für die Löcher, in denen die Arbeiter wohnen müssen, weil die Bourgeoisie sich auf ihren Teppichen räkelt, produziert das Werk. Ihr züchtet den Verfall. Wenn wir noch lange die Daumen drehn, wird es hier nur noch Schmarotzer geben, Diebe und Schmarotzer, keine Arbeiterklasse mehr. An die Wand stellen sollte man diesen euren Volkswirtschaftsrat und das ganze Spezialistengesindel als Feinde der Sowjetmacht. Ein Rattennest. Womit beschäftigt sich das Revolutionstribunal. Man muß die Initiative ergreifen als Kommunist, nicht auf Beschlüsse warten. Die Republik ist arm und verzichtet auf den täglichen Reichtum aus den Händen der Arbeiter. Die Rote Armee hat die Entente geschlagen mit zerrissenen Stiefeln. So hat man die Frage zu stellen, Genosse Vorsitzender.

BADJIN Vor allem muß man die Frage im Zusammenhang mit der Konjunktur stellen, Genosse Tschumalow. Eine Ameise ist kein Amboß und Flöhe werden nicht mit dem Hammer gejagt. Ihr Horizont ist immer noch der Helmrand. Wir haben die Entente geschlagen, aber unsre Wirtschaft ist zerstört. Rußland hat mehr Wölfe als Maschinen, der Kampf gegen die Banditen frißt die Kräfte, die der Aufbau braucht. Und der Hauptkampf wird nicht mehr in den Gebirgen und Steppen geführt, sondern im Sumpf. Anarchie, Korruption, Sabotage. Und wir sind allein mit der Revolution. Die Zeit der Träume ist vorbei. Überall auf der Welt hat die Bourgeoisie das Proletariat unterm Stiefel. Der Brotlaib ist ein Märchen, wir brauchen das Stück Brot. Da wir den Kapitalismus nicht beseitigen können, werden wir den Kapitalismus ausbeuten. Konzessionen, Kredite.

TSCHUMALOW Und womit werden wir ausbeuten. Etwa nicht mit unsrer Arbeit.

BADJIN Und mit unserm Hunger.

Tschibis.

Das ist Tschibis, der Vorsitzende des Revolutionstribunals. Das ist Tschumalow.

TSCHIBIS Makar ist draußen. Er will sich von dir verabschieden. Ich will ihn nicht warten lassen, wenn ich schon sonst nichts für ihn tun kann, außer daß ich ihn selbst erschieße. Er weiß schon seit vierzehn Tagen, zwölf Tage länger als ich, daß er erschossen wird.

Zu Tschumalow: Ich bitte um Entschuldigung, daß ich Sie unterbrochen habe. Ich glaube, Sie haben mehr Zeit als er.

An die Tür: Komm herein.

Makar. Tschibis zum Fenster, blickt hinaus.

MAKAR Ich wollte mich sozusagen verabschieden, Genosse Vorsitzender, weil wir uns ja wohl nicht mehr sehen werden. Es tut mir leid, daß ich der Sowjetmacht nicht weiter von Nutzen sein kann. Ich hätte gern wenigstens noch ein paar Banditen mit auf die Reise genommen *greift an den Gürtel, wo sein Revolver war, erschrickt, wird verlegen, nimmt Haltung an,* aber ich verstehe die Notwendigkeit.

Schweigen.

Es tut mir leid wegen dieser Sache. Es ist, wie man sagt, über mich gekommen. Ich habe es nicht gewollt, Genosse Vorsitzender. Gleich hinterher hab ich mich vor mir selber geekelt.

BADJIN Du bist ein guter Soldat gewesen, zwei Jahre an der Front. Und ein guter Tschekist warst du auch. Lernen wolltest du.

MAKAR Es tut mir leid. Ich habe schon beinah das ganze Alphabet gelernt, alle Buchstaben bis T, Genosse Vorsitzender. Bald werde ich die Zeitungen lesen wie ein Intelligenzler, Sie werden sehn. Ich wollte sagen, ich würde die Zeitungen lesen, wenn nicht. Ich habe mich noch nicht daran gewöhnt. Es ist das erstemal, daß ich erschossen werde. Und es wird wohl auch das letztemal sein.

BADJIN Hast du Verwandte.

MAKAR Nein. Mein Vater und meine Mutter ist sozusagen der Genosse Tschibis in seiner Person als Vorsitzender des Revolutionstribunals und die Tscheka ist meine Verwandtschaft.

Schweigen.

BADJIN Wie alt bist du.

MAKAR Neunzehn.

Schweigen.

TSCHIBIS *noch am Fenster:* Geh voraus, Makar, du weißt wohin. Ich werde nachkommen.

Makar ab.

TSCHUMALOW Was hat er angestellt. Man stirbt nur einmal. Gibt es keine andere Möglichkeit.

BADJIN Eine Offiziershure. Sie hat Kommunisten denunziert, als die Weißen in der Stadt waren und das Revolutionstribunal hat sie zum Tode verurteilt dafür. Makar hat ihr versprochen, daß er vorbeischießen und ihr heraushelfen wird, wenn sie sich für ihn hinlegt. Ich weiß nicht, ob er beabsichtigt hat, seine Versprechungen wahrzumachen. Er hat ihr beim Scheuern zugesehn, er hatte die Aufsicht, und die Offiziere verstanden sich auf Weiber, und er ist neunzehn Jahre alt. Jedenfalls hat sie sich hernehmen lassen und dann im Keller den Bourgeoisweibern erzählt, zwei, die wegen Lebensmitteldiebstahl sitzen, daß er sie retten wird usw. Zusammen haben sie ihn denunziert beim Genossen Tschibis wegen Vergewaltigung, weil sie dachten, so kommen sie heraus aus dem Keller. Die ganze Stadt redet schon darüber, daß bei der Tscheka die Weiber vergewaltigt werden, und damit sie das Maul halten, erschießt man sie. Es gibt keine andere Möglichkeit.

TSCHUMALOW Er ist neunzehn, ein halbes Kind. Er ist zwei Jahre an der Front gewesen. Und wegen einer Hure, die den Weißen unsre Genossen ans Messer geliefert hat. Was seid ihr für Menschen. Habt ihr Steine in der Brust.

BADJIN Nach zwei Jahren an der Front und einem Jahr Tscheka-Arbeit ist man kein Kind mehr. Wir haben abgestimmt.

TSCHUMALOW Haben Sie eine gute Aussicht, Genosse Tschibis. Vielleicht können Sie ein andermal aus dem Fenster sehn. Sie haben Zeit, Sie werden nicht erschossen. Können Sie mir ins Gesicht sagen, daß es keine andere Möglichkeit gibt.

TSCHIBIS *dreht sich um:* Ich leiste mir gelegentlich den Luxus, das Meer zu betrachten.

TSCHUMALOW Sie haben sich eine gute Gelegenheit ausgesucht, Genosse Tschibis. Und Schiffe werden Sie auf unserm Meer nicht sehn solange ihr nichts Besseres zu tun habt als Kommunisten in den Tod zu schicken, und das Spezialistengesindel, das unsern Aufbau sabotiert, läuft frei herum. Haben Sie auch für Erschießen gestimmt, Genosse Tschibis. Es ist leicht, seine Stimme zu geben, wie, für einen Tod, den man nicht selber sterben muß.

TSCHIBIS Ich interessiere mich zur Zeit nicht für die Schifffahrt. Unser Kampf hat erst angefangen, und wir haben einen langen Weg vor uns. Wir werden ihn auf unsern Füßen nicht zu Ende gehn, Tschumalow, aber die Erde wird noch allerhand Blut saufen, eh wir das Ziel wenigstens aus der Ferne sehn. Die einen werden ersaufen im Blut der andern, und wir haben nur eine Gewißheit: Wir haben mehr Blut. Ja, ich habe auch für Erschießen gestimmt, genauso wie er selbst, den ich jetzt erschießen werde. Es ist meine Arbeit und das wenigstens bin ich ihm schuldig und mir, daß ich sie keinem andern überlasse in seinem Fall. Einmal, beim Rückzug an der polnischen Front, ich war Kommissar, unsre Flucht war eine Panik, Verwundete blieben zurück, und einer rief mich an und wollte, daß ich ihn erschieße, damit er dem Feind nicht lebend in die Hände fällt. Die polnischen Ulanen hatten die Gewohnheit, unsern Verwundeten die Därme aus dem Leib zu ziehn und auf ihre Lanzen zu wickeln. Ich habe ihn nicht mitgeschleppt, er war zu schwer, ich bin nicht bei ihm geblieben, und ich habe ihn nicht erschossen, ich konnte es nicht. Ich höre ihn heute noch hinter mir herschrein. Intelligenzler, schrie er, dreckiger Intelligenzler. Vielleicht bin ich deshalb zur Tscheka gegangen.

Pause.

Haben Sie gesehn, was mit den Augen eines Menschen passiert, der erschossen wird. *Während er seinen Revolver lädt:* Offenbar ist der Mensch nicht dazu gemacht, erschossen zu werden. Und dazu, seinesgleichen zu erschießen auch nicht.

TSCHUMALOW Ja, ich habe es gesehen.

Tschibis ab.

BADJIN Dreimal lieber würde er sich selbst erschießen.

Schweigen. Der Schuß.

BADJIN Zeigen Sie mir reale Bedingungen, Genosse Tschumalow, und ich werde mich persönlich für die Wiederaufnahme der Produktion im Zementwerk einsetzen.

TSCHUMALOW Der Enthusiasmus der Arbeiter ist eine reale Bedingung. Und das Bündnis mit den Bauern. Packt den Bauern am Bart –

BADJIN Auch dafür wird der 10. Parteitag Bedingungen schaffen. Ist das alles.

Tschumalow springt auf.

BADJIN Mir brauchen Sie Ihre Narben nicht zu zeigen. Ich
  habe selbst eine Kollektion.

  Tschumalow setzt sich wieder. Schweigen.

BADJIN Wenn Sie weiter nichts zu sagen haben, werden wir
  jetzt mit dem Vorsitzenden des Volkswirtschaftsrates über
  die Transportfrage sprechen.

FRAU AM BAUM

*Schießerei hinter dem Vorhang. Dascha Tschumalowa, gefes-
selt, von Kosaken gehalten. Ein Toter, dem ein stummer Kosak
die Stiefel auszieht usw.*

KOSAK 1 Da fährt er, dein Genosse Gouverneur.

DASCHA Die Zeit der Gouverneure ist vorbei.

KOSAK 2 *schlägt sie:*
  Und deine.

KOSAK 1 Gouverneur oder nicht Gouverneur
  Er hat sich aus dem Staub gemacht, Genossin
  Dein roter Kavalier.

KOSAK 2 Und jetzt sind wir dran.

DASCHA Nun, schlagt mich tot wie ihrs gelernt habt. Ich
  Bin Kommunistin. Worauf wartet ihr.
  So oder so werdet ihr an der Wand stehn.

KOSAK 2 Schlag sie aufs Maul, das Aas.

KOSAK 1 Eins nach dem andern.
  Du wirst dir deinen Tod verdienen, Frau.

  Fallen über sie her. Offizier.

OFFIZIER Wo ist der Bolschewik.

  Schweigen.

KOSAK 2 Schuld ist das Weib.
  Ich hatte seine Gäule schon am Zügel
  Wir hätten ihn gehabt, wenn sich das Weib nicht.

KOSAK 1 Sie hat sich aus dem Wagen fallen lassen.

KOSAK 2 Den Hals hat sie mir ausgerenkt, die Hündin.

OFFIZIER Ihr habt ihn also laufen lassen. Weil ihr
Ein Weib gesehn habt.
Stößt den Toten mit dem Stiefel an.
Was ist das.

KOSAK 1   Der Kutscher.

KOSAK 2 Ich hab ihn abgeschossen. Wie ein Kranich
Ist er von seinem Kutschbock aufgestiegen.

OFFIZIER Du bist ein Held, was. Helden seid ihr alle.
Damit ihr einen Kutscher ausziehn könnt
Und ein Weib, führt ihr hier eine Schießerei auf
Als hättet ihr ein Regiment zu schlachten.
Haben wir eine Munitionsfabrik.

DASCHA Wie lange soll ich warten auf die Kugel.

OFFIZIER Kurzhaarig. Kommunistin.

DASCHA   Ja.

KOSAK 2   Soll ich
Dem Teufelsweib das Fell abziehn.

OFFIZIER   Halts Maul.
Warum schneidet ihr euch die Haare ab.
Kein Unterschied mehr zwischen Mann und Frau?
Wir werden sehn. Wer war mit dir im Wagen.

DASCHA Genosse Badjin.

OFFIZIER   Euer Gouverneur?

DASCHA Vorsitzender des Exekutivkomitees.

OFFIZIER Wer. Was ist das für eine Sprache.

DASCHA   Russisch.
Offizier lacht. Kosaken nach ihm.

OFFIZIER Und ist das üblich bei euch Kommunisten
Daß einer für den andern einsteht so
Wie dein Genosse Badjin jetzt für dich.

DASCHA Er muß ankommen. Und er wird ankommen.
Nur das ist wichtig.

418

OFFIZIER Warst du seine Hure.

Dascha spuckt ihm ins Gesicht.

Gut, wir nehmen dein Opfer an, Genossin.
Der Tod macht keinen Unterschied, wir auch nicht.
Dein Fell für sein Fell, jeder stirbt allein
Und alle Kinder Gottes haben Flügel.
Legt ihr den Kragen um.

Kosaken legen ihr eine Schlinge um den Hals.

KOSAK 1 Gleich wirst du wissen
Wer recht hat, unser Pope oder deiner.

KOSAK 2 Wir werden einen Engel aus dir machen.
Wir haben noch aus jedem Bolschewiken
Einen Engel gemacht.

OFFIZIER Das ist der Tod
Genossin. Warum zittern deine Knie.
ER MUSS ANKOMMEN UND ER WIRD ANKOMMEN
NUR DAS IST WICHTIG. War es so. Das Fleisch
Ist farbenblind. Rot oder Weiß, es will leben.

Greift nach ihren Brüsten.

Und deine bolschewistischen Brustwarzen
Richten sich auf jetzt unter meiner Hand
An der das Blut deiner Genossen klebt.
Ein Angebot: Ich schenke dir dein Leben
Oder was du dein Leben nennst, Genossin
Ein Hundeleben für die Sowjetmacht
Nach der kein Hahn mehr krähn wird übers Jahr, wenn
Wir mit euch fertig sind, für einen Beischlaf.

Pause.

DASCHA *lacht:*

Ich bin kein Wurm, der sich von Aas ernährt.
Wie kann ein Toter mir das Leben schenken.
Sie sind schon ganz durchscheinend vor Verwesung
Man kann die Sterne sehn durch Ihren Rest
Gesiebt von den Gewehren der Sowjetmacht.

OFFIZIER *lacht:*

Mein Bart hat lange kein Messer gesehn
Seit eure Revolution mich exmittiert hat.
Aber du wirst mit mir zufrieden sein
Ich kenn mich aus mit Pferden und mit Weibern.
Und deine Brüste schrein nach einem Mann.
Die Schenkel haben Lenin nicht gelesen.
Aber vielleicht zieht die Genossin meine
Kosaken vor. Das Volk.
Zerreißt ihre Bluse.

Wollt ihr sie haben.
Hast du gesehn, wie ihnen das Maul trieft. Tiere.
Meine Kosaken. Sie lassen sich für mich
In Stücke schneiden.
Der stumme Kosak stürzt sich auf die Frau. Der Offizier erschießt ihn.
Ihre Brust streichelnd:

Tiere. Schafft ihn weg.

DASCHA Ihr habt sie zu Tieren gemacht. Ihr seid die Tiere.
Schreit:

Warum leckt ihr der Exzellenz die Stiefel.
Sie ziehn euch das Fell ab und ihr. Die Sowjetmacht
Hat den Kosaken Land gegeben.

KOSAK 1   Und

Die Zwangsauflage.

DASCHA   Die ist abgeschafft.

Die Neue Ökonomische Politik –

KOSAK 1 Die rote Hündin. Schwatzt wie eine Elster.

KOSAK 2 Darf ich ihr das Maul stopfen, Exzellenz.

OFFIZIER *lacht:*

Mein Angebot: Ich oder meine Tiere.
Oder der Strick und keine Sterne mehr.
Kosaken binden sie an den Baum. Offizier und Kosaken rauchen. Lange Pause.

DASCHA Ich warte immer noch auf meinen Tod.

OFFIZIER Man sollte eine Frau nicht warten lassen.

Du hast dich gut gehalten. Wie ein Mann.

Schade, daß du die falschen Lügen glaubst.

Ein Traum ist euer Rußland ohne Wölfe.

Mein Schlaf braucht keinen Traum, ich bin ein Wolf.

Zerschneidet ihre Fesseln.

Lauf, Kahlgeschorene.

Die Kosaken lassen den Strick los. Dascha, die lose Schlinge
um den Hals, steht schwankend, reibt ihre Arme, versucht
Schritte usw. Gelächter der Kosaken, auch der Offizier lacht.
Gelächter bricht ab, der Offizier und die Kosaken fallen um.
Der Offizier ist sofort tot, die Kosaken bewegen sich noch ein
paarmal in langsamen Zuckungen, so als ob sie lautlos
weiterlachen oder als suchten sie die bequemste Lage für
den Tod. Einen Augenblick Stille. Auftreten Rotarmisten
mit Gewehren und Badjin mit Revolver. Badjin läuft auf
Dascha zu. Dascha nimmt ihm den Revolver aus der Hand,
schießt das Magazin leer auf den toten Offizier am Boden.

SOLDAT   Er ist tot. Warum

DASCHA *zu Badjin:*

Ich hatte keine Lust auf Ihre Liebe

Streift ihm die Schlinge über den Kopf.

Vor diesem Strick. Ich will mit Ihnen schlafen

Genosse Badjin.

DIE BAUERN

Bauern und Kosaken, Hände im Mantel oder auf dem Rücken.
Badjin. Borschtschi. Zwischen zwei Soldaten der verhaftete
Chef der Bezirksmiliz Saltanow. Lärm von Pferden, Rindern,
Schweinen usw. Die Menge steht im Halbkreis um die Kom-
munisten, stumm. Der Halbkreis wird, sehr langsam, enger.
Die Bewegungen der Menge sind wellenförmig.

BADJIN Bürger Kosaken, Bauern –
Unruhe.

BORSCHTSCHI Hört was der Vorsitzende des Exekutivkomitees euch sagen wird.

BADJIN Ich habe den Chef der Bezirksmiliz wegen ungesetzmäßigen Vorgehens verhaften lassen.
Die Menge erstarrt. Stille.
Er wird in die Stadt gebracht und dem Revolutionstribunal übergeben werden.

STIMME *aus den hinteren Reihen:*
AUFGEPLUSTERT WAR DAS KÜKEN
AUF DEM PLATZ IST ES SPAZIERT
DORT HAT MAN ES ARRETIERT
Dünnes Lachen. Die Vorwärtsbewegung der Menge wird schneller.

BADJIN Spannt eure Pferde ein und fahrt mit eurem Hab und Gut das ihr abliefern wolltet nach Hause.
Die Menge atmet ein.
Die Ergänzungsnorm, die gemäß Regierungsverordnung euch auferlegt wurde, und zwar für die Rote Armee, also für eure eigenen Söhne, die sich mit den Generalen und Besitzern herumschlagen müssen für euch, ist aufgehoben.
Die Menge atmet aus.
Sie wird nicht mehr verlangt.
Während des Folgenden löst sich der Block der Bauern und Kosaken von Satz zu Satz in immer kleinere Einheiten, zuletzt in die einzelnen Bauern und Kosaken auf.
Reden wir offen. Nicht dem Krieg gilt unsre Sorge. Wir wollen nicht, daß unsere Felder mit Blut überschwemmt werden. Unsre Sorge ist die Volkswirtschaft. Nicht Blut, sondern Land, nicht Menschenmaterial für Schlachten, sondern Hände für die friedliche Feldarbeit. Nicht die Zwangsauflage, sie ist abgeschafft, sie existiert nicht mehr,

ihr werdet nichts mehr davon hören, sondern der freie Handel.

Jubel. Bauern und Kosaken werfen die Arme hoch. Die Menge zerstreut sich, lärmend und gestikulierend.

Der Genosse Lenin, der sein ganzes Leben den Arbeitern und Bauern gewidmet hat –

Der Platz ist leer. Wo die Menge gestanden hat, liegen Waffen: Gewehre, Revolver, Knüppel, Messer. Geräusch von Pferdewagen.

BORSCHTSCHI He, was ist das.

BADJIN Was hattest du erwartet. Blumen. Wo ist die Tschumalowa.

BORSCHTSCHI Im Dorfklub und wiegelt die Weiber auf. Wir haben dem Bauern seinen Gott hochgehängt und den Teufel für eine Erfindung der Popen erklärt. Wenn er sein Weib nicht mehr verprügeln darf wie ers gewohnt ist, wird es eine Schlächterei geben auch ohne die Zwangsauflage. Und jetzt, Genosse Badjin, bitte ich, unsern Genossen Saltanow aus seiner Haft zu entlassen. Er hat nur seine Anweisungen befolgt. Wie kann er wissen, daß heute ein Übergriff ist, was gestern eine Anweisung war. Und die Musik hat ihre Wirkung getan, denke ich.

BADJIN Was ich gesagt habe, gilt. Bringt ihn weg. Und du wirst mit mir in die Stadt fahren, Borschtschi. Du sollst dabei sein, wenn Saltanow sich verantworten muß vor dem Revolutionstribunal. Die Fehler der verantwortlichen Arbeiter müssen eine Lehre sein nicht nur für sie selber.

SOLDAT Vielleicht hast du deine Anweisungen zu genau befolgt, Saltanow. Marschiere.

Soldaten ab mit Saltanow. Ein betrunkener Kosak schwankt auf die Bühne, tanzt vor Badjin und Borschtschi.

KOSAK AUFGEPLUSTERT WAR DAS KÜKEN
AUF DEM PLATZ

BORSCHTSCHI Verschwinde.

Der Kosak verliert das Gleichgewicht, fällt um, kriecht von der Bühne. Borschtschi sieht ihm nach.

BORSCHTSCHI Was hört man in der Stadt, Genosse Badjin, von der Revolution in Deutschland.

BADJIN Es gibt keine Revolution mehr in Deutschland.

Langes Schweigen. Badjin und Borschtschi stehen nebeneinander, jeder mit sich selbst allein. Borschtschi bewegt seinen Nacken, wie in einem Joch, sieht die Sterne.

BORSCHTSCHI Sterne.

BADJIN Ich interessiere mich nicht für Astronomie.

BORSCHTSCHI Die Sterne interessieren sich auch nicht für uns, Genosse Badjin.

BADJIN Tot brauch ich sie nicht mehr zu sehn.

HERAKLES 2 ODER DIE HYDRA

Lange glaubte er noch den Wald zu durchschreiten, in dem betäubend warmen Wind, der von allen Seiten zu wehen schien und die Bäume wie Schlangen bewegte, in der immer gleichen Dämmerung der kaum sichtbaren Blutspur auf dem gleichmäßig schwankenden Boden nach, allein in die Schlacht mit dem Tier. In den ersten Tagen und Nächten, oder waren es nur Stunden, wie konnte er die Zeit messen ohne Himmel, fragte er sich noch manchmal, was unter dem Boden sein mochte, der unter seinen Schritten Wellen schlug so daß er zu atmen schien, wie dünn die Haut über dem unbekannten Unten und wie lange sie ihn heraushalten würde aus den Eingeweiden der Welt. Wenn er vorsichtiger auftrat, schien es ihm, als ob der Boden, von dem er geglaubt hatte, daß er seinem Gewicht nachgäbe, seinem Fuß entgegenkam, ihn sogar, mit einer saugenden Bewegung, anzog. Auch hatte er das deutliche Gefühl, daß seine Füße schwerer wurden. Er zählte die Möglichkeiten. 1) Seine Füße wurden schwerer und der Boden saugte seine Füße an. 2) Er fühlte seine Füße schwerer werden, weil der Boden sie ansaugte. 3) Er hatte den Eindruck, daß der Boden seine Füße ansaugte, weil sie schwerer wurden. Die Fragen beschäftigten ihn eine Zeit (Jahre Stunden Minuten) lang. Er fand die Antwort in dem zunehmenden Schwindelgefühl, das der konzentrisch wehende Wind ihm verursachte: Seine Füße wurden nicht schwerer, der Boden saugte seine Füße nicht an. Das eine wie das andere war eine Sinnestäuschung, durch seinen fallenden Blutdruck bedingt. Das beruhigte ihn und er ging schneller. Oder glaubte er nur schneller zu gehn. Als der Wind zunahm, wurde er häufiger an Gesicht Hals Händen von Bäumen und Ästen gestreift. Die Berührung war zunächst eher angenehm, ein Streicheln oder als prüften sie, wenn auch oberflächlich und ohne besonderes Interesse, die Beschaffenheit seiner Haut. Dann schien der Wald dichter zu wachsen, die Art der Berührung änderte sich, aus dem Streicheln wurde ein Abmessen. Wie beim Schneider, dachte er, als die Äste seinen Kopf umspannten, dann den Hals, die Brust, die Taille usw., sogar an seinem Schritt schien der Wald interessiert zu sein, bis sie ihn von Kopf bis Fuß Maß genommen hatten. Das Automatische des Ablaufs irritierte ihn. Wer oder was lenkte die Bewegungen dieser Bäume, Äste oder was immer da an seiner Hutnummer Kragenweite Schuhgröße interessiert war. Konnte dieser Wald, der keinem der Wälder glich, die er gekannt, »durchschritten« hatte, überhaupt noch ein Wald genannt werden. Vielleicht war er selber schon zu lange unterwegs, eine Erdzeit zu lange, und Wälder überhaupt waren nur mehr was dieser Wald war. Vielleicht machte nur noch die Benennung einen Wald aus und alle andern Merkmale waren schon lange zufällig und auswechselbar geworden, auch das Tier, das zu schlachten er diese vorläufig noch Wald benannte Gegebenheit durchschritt, das zu tötende Monstrum, das die Zeit in ein Exkrement im Raum verwandelt hatte, war nur noch die Benennung von etwas nicht mehr Kenntlichem mit einem Namen aus einem alten Buch. Nur er, der Unbenannte, war sich selber gleichgeblieben auf seinem langen schweißtreibenden Gang in die Schlacht. Oder war auch, was auf seinen Beinen über den zunehmend schneller tanzenden Boden ging, schon ein andrer als er. Er dachte noch darüber nach, als der Wald ihn wieder in den Griff nahm. Die Gegebenheit studierte sein Skelett, Zahl, Stärke, Anordnung, Funktion der Knochen, die Verbindung der Gelenke. Die Operation war schmerzhaft. Er hatte Mühe, nicht zu schreien. Er warf sich nach vorn in einen schnellen Spurt aus der Umklammerung. Er wußte, nie war er schneller gelaufen. Er kam keinen Schritt weit, der Wald hielt das Tempo, er blieb in der Klammer, die sich jetzt um ihn zusammenzog und seine Eingeweide aufeinanderpreßte, seine Knochen aneinanderrieb, wie lange konnte er den Druck aushalten, und begriff, in der aufsteigenden Panik: Der Wald war das Tier, lange schon war der Wald, den zu durchschreiten er geglaubt hatte, das Tier gewesen, das ihn trug im Tempo seiner Schritte, die Bodenwellen seine Atemzüge und der Wind sein Atem, die Spur, der er gefolgt war, sein eigenes Blut, von dem der Wald, der das Tier war, seit wann, wieviel Blut hat ein Mensch, seine Proben nahm; und daß er es immer gewußt hatte, nur nicht mit Namen. Etwas wie ein Blitz ohne Anfang und Ende beschrieb mit seinen Blutbahnen und Nervensträngen einen weißglühenden Stromkreis. Er hörte sich lachen, als der Schmerz die Kontrolle seiner Körperfunktionen übernahm. Es klang wie Erleichterung: kein Gedanke mehr, das war die Schlacht. Sich den Bewegungen des Feindes anpassen. Ihnen ausweichen. Ihnen zuvorkommen. Ihnen begegnen. Sich anpassen und nicht anpassen. Sich durch Nichtanpassen anpassen. Angreifend ausweichen. Ausweichend angreifen. Dem ersten Schlag Griff Stoß Stich zuvorkommen und dem zweiten ausweichen. Umgekehrt. Die Reihenfolge ändern und nicht ändern. Dem Angriff begegnen mit gleicher und (oder) andrer Bewegung. Geduld des Messers und Gewalt der Beile. Er hatte seine Hände nie gezählt. Er brauchte sie auch jetzt nicht zu zählen. Überall wo immer wenn er sie brauchte, verrichteten sie seine Arbeit, Fäuste bei Bedarf, die Finger einzeln verwendbar, die Nägel gesondert, die Kanten aus dem Ellbogen. Seine Füße hielten den im Aufstand gegen die Gravitation zunehmend schneller rotierenden Boden fest, die Personalunion von Feind und Schlachtfeld, den Schoß der ihn behalten wollte. Die alte Gleichung. Jeder Schoß, in den er irgendwie geraten war, wollte irgendwann sein Grab sein. Und das alte Lied. ACH BLEIB BEI MIR UND GEH NICHT FORT AN MEINEM HERZEN IST DER SCHÖNSTE ORT. Skandiert vom Knacken seiner Halswirbel im mütterlichen Würgegriff. TOD DEN MÜTTERN. Seine Zähne erinnerten sich an die Zeit vor dem Messer. Im Gewirr der Fangarme, die von rotierenden Messern und Beilen nicht, der rotierenden Messer und Beile, die von Fangarmen nicht, der Messer Beile Fangarme, die von explodierenden Minengürteln Bombenteppichen Leuchtreklamen Bakterienkulturen nicht, der Messer Beile Fangarme Minengürtel Bombenteppiche Leuchtreklamen Bakterienkulturen, die von seinen eigenen Händen Füßen Zähnen nicht zu unterscheiden waren in dem vorläufig Schlacht benannten Zeitraum aus Blut Gallert Fleisch, so daß für Schläge gegen die Eigensubstanz, die ihm gelegentlich unterliefen, der Schmerz beziehungsweise die plötzliche Steigerung der pausenlosen Schmerzen in das nicht mehr Wahrnehmbare sein einziges Barometer war, in dauernder Vernichtung immer neu auf seine kleinsten Bauteile zurückgeführt, sich immer neu zusammensetzend aus seinen Trümmern in dauerndem

Wiederaufbau, manchmal setzte er sich falsch zusammen, linke Hand an rechten Arm, Hüftknochen an Oberarmknochen, in der Eile oder aus Zerstreutheit oder verwirrt von den Stimmen, die ihm ins Ohr sangen, Chöre von Stimmen BLEIB IM RAHMEN LASS DAMPF AB GIB AUF oder weil es ihm langweilig war, immer die gleiche Hand am gleichen Arm immerwachsende Fangarme Schrumpfköpfe Stehkragen zu kappen, die Stümpfe zum Stehen bringen, Säulen aus Blut; manchmal verzögerte er seinen Wiederaufbau, gierig wartend auf die gänzliche Vernichtung mit Hoffnung auf das Nichts, die unendliche Pause, oder aus Angst vor dem Sieg, der nur durch die gänzliche Vernichtung des Tieres erkämpft werden konnte, das sein Aufenthalt war, außer dem vielleicht das Nichts schon auf ihn wartete oder auf niemand; in dem weißen Schweigen, das den Beginn der Endrunde ankündigte, lernte er den immer andern Bauplan der Maschine lesen, die er war aufhörte zu sein anders wieder war mit jedem Blick Griff Schritt, und daß er ihn dachte änderte schrieb mit der Handschrift seiner Arbeiten und Tode.

MEDEAKOMMENTAR

Gleb Tschumalow. Dascha Tschumalowa.

TSCHUMALOW Ich hab sie, die Papiere, die wir brauchen
   Damit unser Zementwerk wieder lebt.
   Am besten packt man den Volkswirtschaftsrat
   Mit dem Volkswirtschaftsrat, Papier schlägt Papier.
   Die Berge, Dascha, werden wieder tanzen.
   Tanz. Dascha läßt sich führen, mechanisch.
   Ich hab sie aufgescheucht, die Spezialisten.
   Das gluckt in den Büros, brütet Papier aus.

Die Revolution erstickt sich mit Papier.
In Moskau reden sie von Konzessionen
Krediten, Kapital.

DASCHA Njurka ist tot.

TSCHUMALOW Was sagst du. Morgen fängt die Arbeit an
Nicht lange mehr wird unser Hafen hungern.
Hast du gesagt tot. Njurka –

DASCHA Und begraben.
Du hast die Spezialisten aufgescheucht
Ich hab die Weiber agitiert in den Dörfern.

TSCHUMALOW *schreit:*
Soll ich dir sagen, woran sie gestorben ist.
Pause.
Woran ist sie gestorben.

DASCHA Woran stirbt man
In Sowjetrußland im Jahr 21.
Motja Sawtschuk, schwanger.

MOTJA Was sagst du, Nachbarin, zu meinem Bauch.
Mir ist als ob ich neu geboren wär.
Fühl wie es sich bewegt. – Dascha, verzeih mir.
Vergessen hab ich, nur an mich gedacht.
Ach was bin ich für eine Bestie. Njurka
Tot und begraben. Und ich spiel mich auf
Mit meinem Bauch vor dir. – Es hat schon Füße.
Verzeih mir, Dascha, daß ich glücklich bin.

DASCHA Warum sollst du nicht glücklich sein.

MOTJA *verwirrt:* Ja.

TSCHUMALOW Geh, Motja.
Motja Sawtschuk ab.

DASCHA Ich hab dir nie erzählt, Gleb, was ohne dich war.

TSCHUMALOW
Wenn dus nicht willst, du mußt mir nichts erzählen.
Wir gehn in einer Front, ändern die Welt
Da können wir uns selber nicht gleich bleiben.

Ich will nicht wissen, was du getrieben hast.
Du bist mir mehr geworden als meine Frau.
Wenn du willst erzähl. Und wenn dus nicht willst auch
                                                    gut.
Beide haben wir mit dem Tod getanzt.

DASCHA Ich will, daß du es weißt, von mir und nicht
Von andern. Der Tod ist nicht alles, Gleb. Kein Mann
Ist eifersüchtig auf den Tod. Du auch nicht.
Ich wollte mich durch jeden Felsen graben
Könnt ich mein Kind lebendig machen damit.
Ich will nicht weinen. Halt mich fest, Gleb. Sag
Unsre Kinder, sie leben nur einmal. Und wir.
Gleb, haben wir ein Recht. Auf ihren Knochen
Die neue Welt. Ein Kommunist darf so
Nicht reden, wie. Gleb, warum sagst du nichts.
Willst du mir nicht das Wort entziehn, Genosse.
Warum sagst du mir nicht: An der Blockade
Ist es gestorben, dein Kind, wie die andern. Mit der
Das Kapital uns wieder an die Brust nimmt
Von der wir uns grad losgerissen haben.
Mit Hunger und Typhus zurück auf die Knie
Von denen wir grad aufgestanden sind.
Es ist eine Schande, ich bin Kommunistin
Und wollte doch, die Popen hätten recht und
Der Tod wär nicht für immer.

TSCHUMALOW   Wir Kommunisten
Müssen auch unsre Toten noch befrein.
Pause.

DASCHA Als du gegangen warst, weg in die Berge
Wie einem Toten hab ich dir nachgeweint
Das Kind im Arm, eine Nacht lang. Dann kamen die
                                                    Weißen
WO IST DEIN MANN WIR WISSEN DASS ER HIER WAR
REDE ODER WIR BRECHEN DIR DAS MAUL AUF.

Ein Offizier, mit Pickeln im Gesicht
Ein Kind noch, Speichel lief ihm aus dem Mund
Wenn er mich ansah. WIR WERDEN DICH
                                        ERSCHIESSEN
FÜR DEINEN MANN, FRAU. Dich durften sie nicht
                                        finden
War alles was ich wußte. Und daß du
Vielleicht schon tot warst. Eine Nacht im Keller
Mit fremden Menschen warten auf den Tod
Mit Hoffnung jeder, der andre kommt zuerst dran.
Wieder die Fragen HÜNDIN MACH DAS MAUL AUF.
Dann ließen sie mich gehn.

TSCHUMALOW   Warum.

DASCHA   Ich weiß nicht.

TSCHUMALOW Haben sie dich – geschlagen.

DASCHA   Willst dus wissen.
Soll ich dir sagen, Gleb, was du wissen willst.

TSCHUMALOW
Und wenn. Wenn sie dich hergenommen haben
Du lebst und gut. Wie kann ich dir vorwerfen
Was du gelitten hast für mich. Und wenn sie
Dich zehnmal hergenommen haben. – Erzähl.

DASCHA Sie haben mich nicht »hergenommen«. Nicht
Als ich das erstemal im Keller war.

TSCHUMALOW Als du das erstemal. Red weiter.

DASCHA   Warum.

TSCHUMALOW
Du bist mir mehr als eine Frau, mich schreckt nicht
Was du vielleicht erlebt hast. Aber ich
Hab keine Ruhe eh ich nicht alles weiß.

DASCHA Und wenn du alles weißt, wirst du vielleicht
Auch keine Ruhe haben. Im zweiten Jahr
Kam deine Nachricht, ein Fetzen Papier
Ein Fremder ließ ihn fallen im Vorbeigehn

ICH LEBE BIN GESUND GIB ACHT AUF DICH
UND NJURKA DER DEN BRIEF BRINGT WIRD DIR
                         SAGEN
WAS TUN UND WIE VERBRENN DEN BRIEF. Nachts
                               kam er

Ich wollte ihn ausfragen über dich.
Er sagte: Nicht um einen geht es. Dein Mann
Wird leben oder sterben, wie wir alle.
Was du für uns tust, Frau, tust du für ihn.
Wir brauchen dich. Organisier die Witwen
Für den Kurierdienst und für den Transport
Wir brauchen Brot und Kleider in den Bergen.
Dein Kind gib einer andern. Es wird leben
Ohne dich auch, du taugst für uns nicht mit ihm.
Wenn sie dich fassen, beiß auf deine Zunge.
Eh sie zu schwatzen anfängt spuck sie aus.
Du hast mich nicht gesehn, keinen von uns. –
Wenig hab ich gewußt von Rot und Weiß
Am Anfang. Die Revolution, das warst du.
Damit du heimkommst tat ich unsre Arbeit
Allein zuerst, dann mit den andern Witwen.
Aber beim Nachtgang durch die Postenketten
Durch Leuchtspur und Gestrüpp auf Knien und Händen
Nahm eine neue Liebe deinen Platz.

TSCHUMALOW *lacht:*
Ich bin nicht eifersüchtig, wenn du das meinst
Genossin Ehefrau, auf unsre Sowjetmacht.
Ein gutes Netz habt ihr gestrickt, ihr Weiber.
Wir zappeln heut noch drin.

DASCHA   Nicht gut genug.
Nicht gut genug gegen die Weißen damals
Nicht gut genug jetzt gegen euch, Genosse.
Von Männern hab ich auch nicht viel gewußt
Eh ich das zweitemal im Keller lag
Weil unser Netz nicht gut genug gestrickt war.

TSCHUMALOW Vielleicht weißt du von Männern jetzt zuviel.
Vielleicht kann ich was lernen. Klär mich auf.
DASCHA Vielleicht wirst du mehr wissen über dich auch
Wenn ich mit meiner Beichte fertig bin.
Willst du ihn kennenlernen, Gleb, den Junker
Den Bourgeois, den Weißen, der in dir steckt.
TSCHUMALOW Was für ein Junker. Weißt du, was du redest.
Ich sollte dir.
Hebt die Hand. Dascha lacht.
DASCHA   Das ist nicht alles, Gleb.
Als ich mit Badjin auf dem Dorf war, hab ich
Die Mädchen singen hörn. Kennst du das Lied
SCHLAG MICH NICHT VOR MITTERNACHT
WEINEN WERDEN DIE KINDLEIN
SCHLAG MICH TOT NACH MITTERNACHT
SCHLAFEN WERDEN DIE KINDLEIN
In mir ist etwas das den Junker will, Gleb
So wie der Hund die Peitsche will und nicht will.
Das muß ich aus mir reißen jedesmal
Wenn ich mit einem Mann im Bett lieg.
TSCHUMALOW   So.
Und wenn du auf dem Dorf bist, heißt der Mann
Mit dem du dich ins Bett legst, vielleicht Badjin.
DASCHA Was liegt daran. Vielleicht muß ich die Liebe
Oder was man so nennt, mir auch ausreißen
Und meine Lust, die manchmal mit ihr eins war
Und manchmal nicht, wie einen Nagel, der
Ins Fleisch gewachsen ist, daß endlich aufhört
Der Walzer aus Gewalt und Unterwerfung
Der uns zurückschraubt in die Bourgeoisie
Solang es auf der Welt Besitzer gibt.
TSCHUMALOW Nicht lange mehr wird es Besitzer geben.
Wir haben unser Schicksal in der Hand –
DASCHA Die Hand ist wenig mehr als Haut und Knochen.

Soll ich dir sagen, was ich denke, Gleb.
Vielleicht wird unser Leben leichter sein
Mit einem toten Kind.
Weint.

TSCHUMALOW   Was redest du.
Du weißt nicht was du redest.

DASCHA   Kann ich meins
Lebendig machen. Kannst dus.

TSCHUMALOW   Tot ist tot.
Aber das Leben ist noch nicht vorbei
Wenn du ein Kind willst.

DASCHA   Schweig oder ich schreie. –
Ich will kein Weib sein. – Ich wollt ich könnte mir
Den Schoß ausreißen. – Das zweitemal im Keller.
Der stank nach Blut wie vorher, mehr als vorher.
Kolben und Stiefel. SPUCK DIE NAMEN AUS WEN
HABT IHR GEFÜTTERT IN DEN BERGEN ZEIG UNS
DU HÜNDIN EUER ROTES LIEBESNEST.
Sie schleppten mich in einen andern Keller.
Dort schlugen zwei Kosaken einen Mann tot
Mit Peitschen. KENNST DU IHN WIEDER DEN
                                 KAVALIER
GEFÄLLT ER DIR SAG WAS DU WEISST UND KEIN
                             SCHLAG MEHR
TOTSCHWEIGEN WILL SIE DICH DA HAST DU
                                 BRUDER
Ich tat was er mir aufgetragen hatte
Hielt meine Zunge mit den Zähnen fest
Bis er tot war.
Warum haben sie Njurka nicht geholt, Gleb.
Hätte ich schweigen können, wenn sie Njurka.
Wie lange wird es dauern, bis der Mensch
Ein Mensch ist. Was sucht ihr, wenn ihr euch zerreißt
Einer den andern wie ein Kind seine Puppe
Weil es nicht glauben will, daß die kein Blut hat.

TSCHUMALOW Wer hat den Terror angefangen. Wir?
Solln wir uns abschlachten lassen. Was willst du.
DASCHA Ich weiß, Gleb. Und ich sollte so nicht reden
Es ist Weibergeschwätz, wie. Ein Mann muß nicht wissen
Solang das Töten leichter ist als leben
Wieviel Arbeit in einem Menschen steckt, wie.
TSCHUMALOW Was hast du ausgestanden. Dascha. Wär ich
Bei dir gewesen. Ich wollt ich hätte sie
Hier zwischen meinen Händen jetzt, die Hunde.
Ich darf nicht daran denken. Erzähl mir nichts mehr
Haben sie dich
DASCHA   Ja. Sie waren zu dritt. Offiziere.
Dann die Soldaten. Ich hab sie nicht gezählt.
Willst du mehr wissen.
TSCHUMALOW   Du. Mit den Offizieren.
DASCHA Ich. Sie sind tot. Und ich hab zugesehn
Als sie erschossen wurden von den Unsern.
Mit vielen hab ich unser Bett geteilt dann
Zwischen den Schlachten. Der Krieg ging hin und her
Jede Stunde konnte die letzte sein
Und wenn sie kamen, sollt ich sie wegschicken
Deine Genossen, deine Klassenbrüder
Sie brauchten mich. Es war wie eine Arbeit.
UMARME MICH IN MEINER LETZTEN STUNDE
Sie gingen leichter in den Tod von mir weg.
Dein Bild war gelb geworden mit den Jahren.
Erst sah ich dein Gesicht in jedem fremden
Das über meins gebeugt war, nicht mehr fremd
Dann wurden die Gesichter dein Gesicht
Jedes zu seiner Zeit, alle auf einmal
Bis dein Gesicht verging in viel Gesichtern.
TSCHUMALOW Eine Arbeit, wie.
DASCHA   Wenn du das auch wissen willst
Manchmal war es mehr.

TSCHUMALOW   Ich wills nicht wissen. Dascha
    Warum.

DASCHA   Was hab ich getan was du nicht getan hast.

TSCHUMALOW   Ja.

DASCHA   Und mit Badjin hab ich auch geschlafen.
    Ich hab es gewollt. Und wilder war meine Lust nie
    Eine ganze Nacht lang war ich wie betrunken.
    Nicht zweimal werd ich mit ihm liegen. Ich
    Hab keine Liebe für ihn. Er ist ein Tier.
    Aber mein Körper wird ihn nicht vergessen.

TSCHUMALOW   Schweig.

DASCHA   Sind wir Kommunisten oder nicht.
    Können wir leben mit der Wahrheit. Oder
    Baun wir die Welt neu mit verbundnen Augen.
    Was ist dir weggenommen durch die andern
    Was mir. Warum kannst du nicht froh sein auch
    Über die Zeit die ich mit andern froh war.
    Was ist das für eine Liebe, die am Besitz klebt.
    Warum schlagen wir nicht die Zähne du
    In mein Fleisch und in dein Fleisch ich und beißen
    Uns einer aus dem andern unsern Anteil.
    Wenn mich die Weißen totgeschlagen hätten
    Du hättest einen ruhigeren Schlaf jetzt.
    Lacht.
    GESCHÄNDET. Bei wem ist die Schande. Ich kann mir
    Jeden Mann abwaschen. Es muß nicht mit Blut sein –
    Wär ich ein Mann. Manchmal träum ich davon
    Wie ihr in Reihe an der Wand steht, alle
    Meine Geliebten und meine Gehaßten
    Nackt, schießen will ich, kanns nicht, und ihr lacht
    Oder ich schieße und hör keinen Schuß
    Ich seh wie meine Kugeln Löcher schlagen
    In euer Fleisch und aus den Einschußlöchern
    Quillt wie aus Lautsprechern euer Gelächter

Und manchmal platzt es auf wie eine Blase
Und spuckt mir eine Zote ins Gesicht
Dann seh ich daß ich nackt bin, und ihr seht es
Und führt vor meiner Nacktheit einen Tanz auf
Im Takt aus Schüssen Zoten und Gelächter
Die eine Hand am Schwanz die andre zeigt
Mit Fingern auf mich, weil ich keinen Schwanz hab.
Ihr seht sehr komisch aus in meinem Traum.
Ich muß allein sein, Gleb, für eine Zeit.
Ich liebe dich. Aber ich weiß nicht mehr
Was das ist, eine Liebe. Wenn sich alles umwälzt.
Wir müssen sie erst lernen, unsre Liebe.

TSCHUMALOW Was soll das. Du hast dich herumgetrieben.
Gut. Und mit Badjin. Ich brech ihm das Genick
Der Lump. Sein Nacken schreit nach einer Kugel.

DASCHA Red keinen Unsinn, Gleb. Wir sind nicht so viele.

TSCHUMALOW Ja. Nicht so viele. Mir sind wir genug.
Denkst du, ich seh sie nicht, deine Geliebten
Wie sie nach deiner Liebe Schlange stehn
An meiner Tür. Viel hast du mir aufgeladen
Mehr als mein Buckel tragen kann vielleicht.
UMARME MICH IN MEINER LETZTEN STUNDE
Eine Arbeit, wie. GENOSSEN, KLASSENBRÜDER.
Sie gingen leichter in den Tod von dir weg.
Und jetzt muß ich sie durch mein Leben schleppen
Die tote Konkurrenz. Ich wills ja lernen
Ich bin kein Besitzer. Die neue Liebe, wie.
Wenn alles umgewälzt wird, warum das nicht.
Lern, Bolschewik. Haben sie hier gelegen
Und hier. Und hier. Du hast sie nicht gezählt, wie.
Nun, ich werd auch nicht zählen. Der Regen wäscht viel.
Und du kannst deinen Leib nicht wechseln, ich
Kanns auch nicht. Besser gebraucht als nicht mehr da.
Und ich lieb dich für mehr als bloß fürs Bett.

Die Offiziere. Wär ich dabei gewesen
Als ihr sie an die Wand gestellt habt. Manchmal
Muß man sich schämen, wie, daß man ein Mann ist.
Lacht.
Sehn wir sehr komisch aus in deinem Traum?
Denkst du, ich kann nicht lachen über mich auch.
Nein, mir ists nicht zum Lachen. Du. Mit Fremden.
Ich kann die Bilder nicht vergessen, Dascha.
Die Offiziere. Die Genossen. Badjin.

DASCHA Es ist die Wahrheit. Ich kann dir nicht helfen, Gleb.

TSCHUMALOW
Die Wahrheit. Wem hilfst du mit deiner Wahrheit.

DASCHA Mir, Gleb. Ich brauch, daß ich es dir gesagt hab.

TSCHUMALOW
Vielleicht brauch ich es auch und du hast recht
Mit deiner Wahrheit. Selbst hast du gekämpft
Und ich kann dir keine Gesetze schreiben.
Ich bin mir selber auch nicht gleich geblieben.
Wenn dus gebeichtet hättest, als ich heimkam
Hier meine Hand, sie hätte glatt vergessen
Was sie mit meinem eignen Kopf gelernt hat
Daß Mann und Frau die gleichen Rechte haben.
Wenn sie jetzt zittert ist es nicht mehr darum.
Ich kann dich nicht aus meinem Herzen reißen
Zu lang hab ich gelebt mit deinem Tod
Als du mit ihm allein warst in den Bergen.
Jetzt muß ich dich so nehmen wie du bist
Halb noch ein Weib und halb aus Eisen. Und
Die eine ist mir teuer wie die andre.
Die Schrecken sind von gestern, das Leben fängt an.
Was den Genossen Badjin angeht, Dascha
Warum er. Heimgekommen war ich, du
Kalt wie ein Stein. Und ihn hast du gewärmt.

DASCHA Grad wird die Bourgeoisie enteignet, Gleb

Und evakuiert. Wenn du das Fenster aufmachst
Hörst du die halbe Stadt nach Gestern schrein.
Geh weinen mit der Bourgeoisie, Besitzer.
Pause. Dascha packt ihre Sachen in ein Bündel.
TSCHUMALOW *lacht:*
Ja. Hau mir auf den Schädel, bis ichs gelernt hab.
Aber wer sagts mir, wenn du gehst.
Umarmt sie.
                            Bleib, Dascha.
DASCHA Ich will mich nicht so nehmen wie ich bin, Gleb.
Und dich nicht. Es ist beschlossen und ich geh.
TSCHUMALOW
Wo wirst du hingehn. Wann kommst du zurück.
Dascha, warum. Erklärs mir. Ich versteh nicht.
DASCHA Ich kann dir nicht erklären, was ich nicht weiß.
Polja Mechowa. Sergej Iwagin.
IWAGIN Ein großer Tag, Genossen. Unter dem Geschrei der
Feinde, die darauf warten, daß sie vom Fleisch fällt,
schüttelt die Revolution ihre Läuse ab, selbst vom Hunger
geschüttelt, mit einem Achselzucken. Die Enteignung der
parasitären Bourgeoisie ist durchgeführt, Genosse Regimentskommissar. Keine Ausnahmen. An der Expropria-
tion meiner bourgeoisen Erzeuger habe ich selbst teilge-
nommen. Ich bin ein neuer Mensch, der Makel meiner
Geburt ist nur noch eine Fußnote der Revolution von
heute an und ich selbst habe sie in den Staub der Geschichte geschrieben mit den Stiefeln, die das Proletariat
mir verliehn hat. Man hat es mir »ersparen« wollen. Eine
unnötige Grausamkeit, Genosse, unsre Maßnahmen richten sich nicht gegen Einzelpersonen. Die Bourgeoisie als
Klasse – *zu Polja:* ich weiß, die Genossen haben es gut
gemeint, Polja, und Sie, Sie wollten mir nicht wehtun.
Aber ich bin ein Intellektueller und sage Ihnen: Was ist so
nötig wie die Grausamkeit gegen das Alte und was ist die

Revolution für den ehemaligen Menschewiken der ich auch bin, wenn sie mir nicht an die Wurzel geht wie eine Axt, wie eine Geburt, wie ein Sterben. Wir Intellektuellen haben die Pflicht, darüber zu wachen, daß die Sowjetmacht nicht geschwächt wird durch die selbstmörderische Gutmütigkeit der arbeitenden Massen. Tod der Familie, dem Krebsgeschwür, das die lebendigen Zellen der Menschheit frißt.

Lacht, hebt die Hand auf. Ich habe meine Hand aufgehoben gegen Vater und Mutter, und sie ist nicht verfault.

POLJA Ach Sergej. Sie sind ein Träumer. Und ich habe Angst um Sie, wenn ich daran denke, daß Sie aufwachen werden.

IWAGIN Ich habe nur einen Traum, Sie wissen es, Polja, was meine unwichtige Person angeht, und bei Ihnen liegt es —

POLJA Sehn Sie mich nicht an, Sergej, wie ein Hund der einen Herrn sucht. *Umarmt Tschumalow.* Schütze mich, Gleb, vor seinen Augen mit deiner Proletarierbrust. Bist du eifersüchtig, wenn ich ihn umarme, Dascha, deinen Krieger.

Iwagin dreht sich weg.

DASCHA Mein Krieger, Polja, ist demobilisiert. Behalt ihn solange du willst, er braucht eine fühlende Brust. Aber hüte dich vor seiner Schwäche, sie macht einen Polypen aus ihm. Halt sie nicht zu fest, Gleb. Wo bleiben Ihre Prinzipien, Genosse Iwagin. Tod der Familie. Ist es Ihnen eine so grausame Vorstellung, mit Polja eine Familie zu sein.

TSCHUMALOW He, halt dein Herz an, Genossin, es sprengt meine Rippen. Weich bist du. Was haben Sie gegen die Familie, Genosse Iwagin.

IWAGIN Sie hätten meinen Vater sehen sollen, Tschumalow.

Flügelschlagend wie ein alter Rabe zwischen den Schätzen der Weltkultur. Ich glaube, er hat sein Leben lang nur seine Bücher geliebt. Wie meine Mutter ihre Salonmöbel und die immer schrankfertige Wäsche, die sie geerbt hat von ihrer Mutter, die sie von ihrer Mutter geerbt hat, ein Gebirge aus Damast und Leinen, auf drei Generationen getürmt. Und meinen feindlichen Bruder vielleicht, seit sein rechter Ärmel leer ist. Er schießt gut genug mit der linken Hand, und ich werde ihn wiedersehen, ich weiß es, seine kalten Augen über der Revolvermündung, weil ich ihn auch diesmal nicht verhaften ließ, er gehört an die Wand. Er stand am Fenster wie das Gespenst meiner Kindheit und sah zu, wie unser Haus befreit wurde vom Makel des Eigentums, gereinigt vom Unrat der Bourgeoisie. Ich habe mich immer gefragt, ob ich ihn selbst erschießen könnte. Heute weiß ich, daß ich es kann. Aber warum habe ich ihn gehen lassen. Es war der Menschewik in mir, wie, der ihn gehen ließ.

TSCHUMALOW Wir werden mit Ihrem Bruder schon fertig werden, Genosse Iwagin. Warum sollen Sie es sein, der. Niemand wird Ihnen einen Vorwurf machen.

IWAGIN Warum soll ich es nicht sein. Ich mache mir den Vorwurf. Bruder. Es gibt keine Brüder mehr außer im Kampf um die Befreiung der Menschheit.

TSCHUMALOW Lassen Sie sich Zeit, Genosse, mit der Menschheit. Fürs erste haben wir genug zu tun mit uns selber.

IWAGIN Ja. Vielleicht hat mich das Schauspiel abgelenkt. Es war zu komisch. Mama ein bürgerliches Trauerspiel im Nahkampf gegen die Sowjetmacht. Um jeden Fetzen hat sie sich geschlagen, um jeden Stuhl hat sie gekämpft. Mich wundert, daß sie ihre Möbel nicht schon lange aufgefressen hat aus Neid auf die Konkurrenz der Holzwürmer. Einige Bettlaken sind zu Schaden gekommen beim Tauziehn gegen den Frauenausschuß. Es tut mir leid. Die Genossen konnten nicht eingreifen, da sie mit Lachen beschäftigt waren, und ich konnte es auch nicht: Ich hatte meine Mutter nie so gesehn und versuchte die ganze Zeit, mir vorzustellen, daß ich ein Ei in dieser wild gewordenen Glucke gewesen bin, und konnte das auch nicht. Im Schatten der Niederlage, die Frauen trugen die Wäsche weg, die Genossen das Empire, fiel das brechende Mutterauge auf mich abtrünnige Leibesfrucht. DIE HAND SOLL DIR VERFAULEN BOLSCHEWIK. Ich konnte wieder nur lachen. *Lachkrampf.* Was hätte ich sagen sollen. Jetzt weiß ich meinen Text WEIB WAS HABE ICH MIT DIR ZU SCHAFFEN HÄNG DICH AUF MIT DER NABELSCHNUR. Aber als es darauf ankam, konnte ich nur lachen. *Lacht und weint.* Es treibt mir noch jetzt die Tränen in die Augen. Sehen Sie.

POLJA Hör auf, Sergej. Hör auf dich zu quälen. Und mich.

DASCHA Spielen Sie Ihre Rolle nur weiter, Genosse Iwagin, wenn Ihnen davon leichter wird. Auf mich brauchen Sie keine Rücksicht zu nehmen, ich bin keine Mutter mehr. Und werd es nicht mehr sein. Mir ist wichtig, daß unsre Kinder in den Heimen nicht mehr auf Stroh schlafen werden.

IWAGIN Ich habe Sie immer bewundert. Sie sind eine Medea. Und eine Sphinx für unsre Männeraugen, hab ich recht, Genosse Tschumalow, die vom Wundstar unsrer Geschichte geblendet sind. Medea war die Tochter eines Viehhalters in Kolchis. Sie liebte den Eroberer, der ihrem Vater die Herden wegnahm. Sie war sein Bett und seine Geliebte, bis er sie wegwarf für ein neues Fleisch. Als sie vor seinen Augen die Kinder zerriß, die sie ihm geboren hatte und in Stücken ihm vor die Füße warf, sah der Mann zum erstenmal, unter dem Glanz der Geliebten, unter den Narben der Mutter, mit Grauen das Gesicht der Frau.

POLJA Sergej, du weißt nicht, was du redest.

IWAGIN *zu Dascha:* Ich wollte Ihre Gefühle nicht verletzen. Entschuldigen Sie.

DASCHA Vielleicht sollten Sie wirklich zur Bühne gehn, Genosse Iwagin.

POLJA Merkst du nicht, Dascha, was für ein miserabler Schauspieler er ist, Sergej. Nicht einmal seine Tränen sind echt, die er uns vorweint, damit wir ihm sein Lachen glauben, mit dem er die Qual der Geburtswehen überschrein will, die ihm das Herz zerreißen wie ein Kaiserschnitt.

IWAGIN Polja. Sehn Sie mich an. Was sehn Sie in meinem Gesicht. Sehn Sie etwas in meinem Gesicht, Polja, was gestern nicht darin war. Ist das noch mein Gesicht. Sie sehen nichts, Polja, ich bin ein guter Schauspieler. Ich werde Ihnen zeigen, was Sie nicht sehn. Können Sie sich meinen Vater vorstellen, Polja, Iwan Arsenitsch den Kulturarbeiter, Iwan Arsenitsch Iwagin, zu klein für seinen schlotternden Hausmantel, der nicht mit ihm geschrumpft ist, wie er herumhüpft, so und so und so, fröhlich wie ein gerupfter Hahn, auf den Trümmern seiner Lebensweise und seine individuelle Internationale kräht: NIEDER MIT EUKLID ZERSCHLAGT DIE GEOMETRIE DIE SICH VERKÖRPERT IN DER SKLAVEREI DER DINGE, und seine Möbel mit Füßen tritt, die an ihm vorbei hinausgetragen werden ICH LIEBE BRÜDER EURE FRÖHLICHE REVOLUTION DIE GRAUSAME HUMANITÄT DER ENTEIGNUNG ICH BIN STOLZ AUF DICH SERGEJ MEIN SOHN UND LIQUIDATOR und können Sie sich das auch noch vorstellen, Polja: Wir enteignen die Bibliothek für den Arbeiterklub, zweitausend Bücher, Papa hilft packen, es geht ihm nicht schnell genug, nicht schnell genug kann er loswerden was er am meisten geliebt hat NEHMT NEHMT NEHMT

NEHMT ALLES. Und plötzlich, als wäre ein Blitz in seinen vertrockneten Leib eingeschlagen, steht er starr wie seine eigene Mumie, weil er einen Arbeiter eine Zigarette drehen sieht aus einer Buchseite, Plato Lucrez Marc Aurel die er nicht lesen kann, und dann geschieht es, sehn Sie mich an, Polja, sehn Sie mich genau an, Iwan Arsenitsch, den Kulturarbeiter, den Gebildeten, den Kenner von Plato Lucrez Marc Aurel: aus den Tiefen seiner Eingeweide greift mit Zangenarmen ein unbekanntes Tier und reißt sein Gesicht auf, sein fröhlich-trauriges Intelligenzlergesicht, wie einen Vorhang, siehst du den Vorhang aufgehn, Polja, siehst du es jetzt, und legt einen Wolfsschädel frei, der die Zähne bleckt, aus dem Wolfsrachen steigt ein Gebell und der Wolf stürzt sich auf uns mit Klauen und Zähnen, zerreißt seine Bücher, die enteigneten Schätze der Weltkultur, tanzt auf der Bibliothek des Arbeiterklubs seinen Wolfstanz. Was siehst du, Polja. Sag mir, was du siehst. Gebt mir einen Spiegel.

POLJA Laß mich los, Sergej. Du bist wahnsinnig.

TSCHUMALOW Wir müssen mit einem Gesicht auskommen, Genosse Iwagin. Wir haben keinen Spiegel. Sie sollten es nicht zu weit treiben mit Ihrer Intellektuellenpflicht. Gegen Ihren Vater liegt nichts vor. Wir werden ihn zum Bibliothekar machen im Arbeiterklub. Sie hätten nicht austreten können aus der Bourgeoisie, wenn Ihre Mutter Ihnen nicht Beine gemacht hätte vorher.

IWAGIN Ja. Wer wird die Revolution nach ihrer Mutter fragen, die der Kapitalismus war, wenn die Kontinente die Fußlappen der befreiten Menschheit sind. Entschuldigen Sie, daß ich Sie erschreckt habe, Polja.

TSCHUMALOW Wir wären schon froh, wenn wir heile Stiefel hätten für jeden der mit uns marschiert. Das Kapital wird uns in Streifen schneiden, wenn wir unsre Arbeit nach den Träumen einrichten, die in euren feinen Gehirnwindungen spazierengehn. Das Leben ist schlauer. Und was die Familie angeht: Wenn sie dreimal ein Sumpf ist, ich wär froh jetzt über ein Stück Sumpf unter den Schuhn, es wärmt, Genosse. Polja, warum machst dus ihm nicht leichter. Geh zu ihm eh ich dir mich an den Hals häng. Mein Sumpf ist unter dem Rasen zur Hälfte und die andre Hälfte hat auch schon gepackt und ist auf dem Sprung in die Freiheit, die hinter dem Sumpf aufgeht kalt wie ein Stern von weitem, und ich bleib übrig, ein lediger Parteiarbeiter, der allein in der Kälte steht und in der Dämmerung, die Pappe hält den Wind nicht ab und läßt die Sonne nicht herein, weil er die Scheibe eingeschlagen hat aus Ungeduld auf eine beßre Aussicht am Vorabend der Elektrifizierung. Und du wärst auch froh, Intellektueller, nach dem ganzen Theater, das du vor dir selber aufgeführt hast hier auf den Trümmern deiner Bourgeoisie mit Tod der Familie und häng dich auf an der Nabelschnur, wenn dir Polja die Brust geben würde, die hat noch kein Kind getränkt, und sie will es doch wie alle Weiber, und dir wär es auch recht. Warum zerbeißt ihr auf der Zunge was euch aus den Augen schreit. Warum spielst du die eiserne Jungfrau. Weil sie auf Männer geschossen hat an der Front, glaubt sie, sie paßt in kein Bett mehr. Sie zählt die Männer an den Kerben auf ihrem Gewehrkolben ab. Ein toter Mann ist genauso tot wie ein andrer Kadaver, die Gewehre fragen nicht nach Mann und Frau. Soll ich dir zeigen wies gemacht wird. Du kannst gleich hierbleiben. Da ist das Bett, es hat mehr ausgehalten. Vielleicht machen wir ein Quartett auf, zwei und zwei. Die Intelligenz hat Manieren gelernt und kann vielleicht besser umgehen mit einer freien Frau. Was sagst du, Dascha. Ein Mann ist so gut wie der andre, und besser neu als alt. Das muß vielleicht alles

umgewälzt werden. Draußen der Hunger, die Revolution keucht in der Blockade, und hier stehn wir herum
und sehnen uns danach, unser Fleisch aneinanderzurei-
ben, aber die Luft steht wie Beton zwischen uns.
*Er geht auf Polja zu, die weicht aus, zu Iwagin, der ihr
ausweicht. Sie geht zurück. Tschumalow geht auf seine Frau
zu, die bleibt stehen, er geht zurück, stellt sich mit dem
Gesicht zur Wand.*

TSCHUMALOW Bleib, Dascha.

POLJA Es tut mir leid, Sergej, daß ich nicht für dich da sein
kann.

DASCHA Ich kann nicht, Gleb.

SIEBEN GEGEN THEBEN

1

*Arbeit am Bremsberg. Das Orchester des Arbeiterklubs spielt
laut und falsch die Internationale. Die Musiker legen ihre
Instrumente weg und nehmen Werkzeuge auf.*

STIMME 1 Warum spielt ihr nicht weiter.

STIMME 2   He, Musik.

MUSIKER 1 Wollt ihr allein arbeiten, ihr Ausbeuter.

MUSIKER 2 Das Recht auf Arbeit ist für alle.

Musiker ab. Arbeitslärm. Kleist. Tschumalow.

TSCHUMALOW   Wer da.

Kleist erschrickt. Tschumalow lacht.

Genosse Spezialist. Gefällt sie Ihnen

Unsre Musik, die Sinfonie der Arbeit.

Wie sagten Sie. EIN GRAB IST DAS ZEMENTWERK.

Das ist die Auferstehung, Ingenieur.

Zeigt ins Gelände.

Vielleicht klingt sie zu rauh für Ihre Ohren

Unsre Musik. Warten Sie, bis in Deutschland

Das Proletariat den Ton aufnimmt.
Dann platzt dem Kapital das Trommelfell.
Wenn Sie das Ohr an unsern Boden legen
Können Sie hören, wie die Revolution
Die Instrumente stimmt an Rhein und Ruhr.
Ist sie zu fein, die Spezialistenrobe
Frisch aus der Kleiderkammer des Bezirks.

KLEIST Ich bin kein Spezialist für Sinfonien und
Man soll über Geschmack nicht streiten. Aber
Wenn Sie mich fragen, für meine Ohren ist in
Ihrer Sinfonie zu wenig Ordnung.
Es fehlt ein Dirigent.

TSCHUMALOW   Und wenn es Ihnen
Dreimal das Herz bricht, der Kapitalist kommt nicht
                            wieder.

KLEIST Von meinem Herzen wollen wir nicht reden
Mein Herz ist sozusagen meine Sache.
Aber mein Kopf, wie Sie zu sagen pflegen
Gehört Ihrer Sowjetmacht, und mein Kopf sagt:
Der Enthusiasmus ist ein Wolkenbruch.
Was unsre Arbeit braucht ist Disziplin.

TSCHUMALOW Nicht eure. – Haben Sie gesagt unsre Arbeit.

KLEIST Mein Kopf, Tschumalow. Das hat mein Kopf gesagt.

TSCHUMALOW *lacht:*
Gut. Lernen wir vom Kapitalismus, dem wir
Ihn abgenommen haben, Ihren Kopf.
Wir haben beßre Zähne, unsre Mägen
Können mehr Kapitalismus verdaun als Sie
Eh er Sie auffrißt spucken Sie ihn aus, Kleist.

2

Polja Mechowa, mit Gewehr.

MÄNNERSTIMME
Paß auf, daß dir kein Feind unter den Rock greift
Schwester.

MÄNNERSTIMME 2 Vorsicht mit dem Gewehr. Es ist
  Geladen.

MÄNNERSTIMME 3 Halt fest, daß es dir nicht davonfliegt.

POLJA Macht eure Arbeit, ihr Helden. Sonst stutz ich euch
  Den Bart mit dem Gewehr.

FRAUENSTIMME   Richtig, Mechowa.
  Arbeitet, wenn euch eure Bärte lieb sind.

MÄNNERSTIMME Dein Bart ist mir der Liebste, Lisaweta.
  Junger Mann schleicht sich von hinten an die Mechowa
  heran und spielt einen Überfall.

JUNGER MANN Wirf deine Flinte weg, du bist umzingelt.
  Ein Überfall.
  Mechowa, erschrocken, pariert mit einem Kolbenschlag.
  Der »Angreifer« brüllt. Köpfe tauchen aus dem Boden.

JUNGER MANN *reibt sich den Kopf:* Genossen, keine Panik.
  Ich habe nur die Wachen kontrolliert.
  Wir sind in guten Händen.
  Zeigt die Beule.   Hier der Beweis.
  Iwagin, erschöpft, tritt zur Mechowa, sackt zusammen.

POLJA Sergej. Sind sie dir süß genug, die Wurzeln
  Der kommunistischen Arbeit.

IWAGIN   Ich bin satt.
  Ich hab zu viel gegessen von den Wurzeln
  Der kommunistischen Arbeit. Und wenn ich
  Noch eine Stimme hätte, könnte ich
  Jetzt sagen, und es wär zum erstenmal
  Daß ich, Sergej Iwagin, der Kleinbürger
  Der Intellektuelle, der auf seinen
  Zwei Beinen nicht mehr stehn und keine Schaufel
  Mehr halten kann mit seinen zwei Händen, ganz
  Mit mir zufrieden bin zum erstenmal, ich.
  Sogar die Sonne steht uns näher heute
  Hab ich recht. Mein Gesicht brennt.
  Schüsse.   Was ist das.

POLJA Ein Überfall.

FERNE STIMME Genossen, keine Panik.

Nehmt die Gewehre.

Arbeiter springen auf.

ARBEITER 1 Alexej. Du Teufel.

Hast du an einer Beule nicht genug.

ALEXEJ *springt ebenfalls auf:*

Genossen, ich —

Schuß. Er fällt. Tschumalow.

TSCHUMALOW Seid ihr verrückt geworden.

Zielscheiben.

Auf den Gefallenen:

Habt ihr keine andre Arbeit.

POLJA Ihr Kopf, Sergej, ist auch nicht kugelfest.

3

Mechowa und Tschumalow, nebeneinander, schießend.

POLJA Nichts gegen Arbeit, aber das ist mehr.

Ich muß dir ein Geständnis machen, Krieger:

Ich liebe den Tod. Später werden wir sagen

An den Gewehren war die beste Zeit

Kein Mann keine Frau, das Leben aus einem Stück

Kein faules Gestern und kein kaltes Morgen

Nur dieses heiße dampfende Stück Heute.

Als ob man in die Sonne blickt ohne Blinzeln

Und wenn dein Auge eins wird mit der Sonne

Siehst du zum einzigen Mal, sie ist aus Blut.

TSCHUMALOW Sie ist aus Feuer, wies die Erde auch war.

Der Tod, wie. Hast du keine andern Träume.

Schwärmst wie ein Backfisch. Tote haben wir

Genug. Das Sterben überhaupt ist eine

Imperialistische Verschwörung. Ich

Wär froh, wenn wir schon Damals sagen könnten

Zu den Armeen die gegen uns aufstehn

Und aufstehn werden mit jedem neuen Schritt.

Ein Kosak. Mechowa will schießen.

TSCHUMALOW Warte. Den fangen wir lebendig.

POLJA   Warum.
Ich habe ihn so gut wie auf dem Schießstand.

TSCHUMALOW Wir sind nicht auf dem Schießstand.

Tschumalow springt den Kosaken von hinten an, würgt ihn.

                                                      Für wen
Bruder, riskierst du deinen Hals. Ergib dich.

Kampf. Der Kosak befreit sich, würgt Tschumalow.

KOSAK Ich zeig dir deinen Bruder, Bolschewik.

*Tschumalow befreit sich, der Kosak zieht ein Messer. Kampf
um das Messer. Mechowa weiß nicht wie eingreifen, die
Kämpfenden wechseln ihre Positionen zu schnell.*

TSCHUMALOW
Wenn du die Hand noch brauchst, weg mit dem Messer.

*Der Kosak will zustoßen. Tschumalow bricht ihm die Hand.
Der Kosak wälzt sich brüllend am Boden.*

POLJA Mußte das sein.

TSCHUMALOW   Wir müssen sein. Frag nachher.

*Tschumalow richtet sein Gewehr auf den Kosaken. Der
springt, mit einer Mischung aus Geheul und Gelächter,
in die Schlucht.*

KOSAK Fangt den Kosaken.

Man hört den Körper mehrmals aufschlagen.

POLJA *tritt an den Felsrand und blickt in die Schlucht:*
                                 Für wen.

TSCHUMALOW   Dorthin. Sie reißen
Die Schienen auf.

*Beide ab. Iwagin und sein einarmiger Bruder von verschie-
denen Seiten.*

EINARM   Mein Bruder der Bolschewik.
Hast du dich aufgespart für meine Kugel.

IWAGIN Wirf den Revolver weg und nimm deine Hand hoch.

Pause. Der Einarmige lacht.

IWAGIN Ich werde schießen.

EINARM   Worauf wartest du.

IWAGIN Für mich, Bürger Iwagin, bist du ein
Bandit wie jeder andre.

EINARM   Bin ich das.
Ich werde mich darum mit dir nicht streiten.
Wenn wir auf euch die letzte Schaufel werfen
Werde ich lebend oder tot ein Held sein.
Wenn ihr uns einscharrt, bin ich der Bandit.
Aber du wirst nicht schießen und das weißt du.
Und beide, Bruder, wissen wir warum.
Pause.
Soll ich es sagen oder sagst es du.
Als Kinder haben wir Versteck gespielt.
Erinnerst du dich noch an unsre Spiele.
Alle verstecken sich, einer muß warten
Gesicht am Baum oder an einer Wand
Die Hand über den Augen, bis der letzte
Seinen Platz gefunden hat, und wer gesehn wird
Muß um die Wette laufen mit dem Sucher.
Wenn er zuerst am Baum steht, ist er frei
Wenn nicht muß er stehnbleiben auf der Stelle
Als ob der Handschlag an Baum oder Wand
Ihn an den Boden nagelt wie ein Grabstein.
Er darf sich nicht bewegen bis der letzte
Gefunden ist. Und manchmal wird der letzte
Weil er zu gut versteckt ist, nicht gefunden.
Dann warten alle, die versteinert dastehn
Jeder sein eignes Denkmal, auf den letzten.
Und manchmal kommt es vor, daß einer stirbt
Und sein Versteck wird nicht gefunden, kein
Hunger treibt ihn heraus aus seinem Tod
Der ihn gefunden hat außer der Reihe
Die Toten haben keinen Hunger mehr.

Dann fällt die Auferstehung aus. Der Sucher
Jeden Stein hat er umgedreht viermal.
Jetzt kann er nur noch warten, das Gesicht
An seinem Baum oder an seiner Wand
Die Hand über den Augen, bis die Welt
An ihm vorbei ist. Merkst du ihren Gang.
Leg deine Hand über die Augen, Bruder.
Die andern, die der Sucher an den Boden
Genagelt hat mit seinem Handschlag an
Baum oder Wand, weil sie nicht schnell genug
Gelaufen sind aus ihrem Versteck, das nicht
Sicher genug war, und jetzt haben sie
Für ihre Augen keine Hand, weil sie
Sich nicht bewegen dürfen und die Augen
Schließen dürfen sie auch nicht nach der Regel.
Wie Steine auf dem Friedhof warten sie
Mit offnen Augen auf den letzten Blick.

IWAGIN Die Toten zählen wir nach Feierabend.

EINARM Erinnerst du dich an die Schule. Wir
Haben Ovid gelesen. HERAKLES
DER ARBEITER DER SEINE KINDER SCHLACHTET
NACH FEIERABEND. Eine gute Stelle.

IWAGIN Wir haben ihn enteignet, Herrn Ovid.

EINARM Wir? Nimm die Maske ab, du bist kein Sieger
Und nicht für dich wird euer Kampf gekämpft.
Warum kommst du nicht mit mir in den Wald.
Das Herz ist für die Jagd, nicht für die Beute
Und bei den Wölfen, Bruder, wohnt die Freiheit.
Warum willst du ein Mensch sein.

Tschumalow, Mechowa, Arbeiter treten auf und entwaffnen
den Einarmigen.

IWAGIN   Es ist mein Bruder.

TSCHUMALOW Stören wir beim Familientreffen. Willst du
Daß wir ihn laufen lassen, deinen Bruder.

IWAGIN Laßt mich ihn selbst erschießen.

TSCHUMALOW   Bringt ihn weg.

EINARM Ich habe Angst vor euren Kellern, Bruder.

Die Seele wird man mir verwüsten dort.

Selber habe ichs getan in unsern Kellern.

Ich bitte dich, Sergej, um eine Kugel.

TSCHUMALOW Bedaure. Das Gericht über Banditen und
Konterrevolutionäre ist keine Familienangelegenheit.

4

*Gipfel Bremsberg, am Schaltwerk der Förderbahn. Arbeiter
kommen aus der Schlacht.*

ARBEITER 1 Die Zähne haben sie sich ausgebissen
An unserm Bremsberg.

ARBEITER 2   Wenn sie wiederkommen
Werden wir ihnen gleich das Fell abziehn.
Kaum daß ein Stein neu auf dem andern steht
Fallen sie über unsre Arbeit her.
Noch unsern Schweiß neiden sie uns, weil wir den
Für uns vergießen wolln und nicht für sie mehr.

ALTE FRAU Vom Teufel sind sie, nicht von unserm Herrgott.

ARBEITER 3 Ich kenn die Hölle von Minsk bis Odessa
Aber den Teufel hab ich nicht gesehn.
Wenn ich besoffen bin, ists meine Alte.
Dem Herrgott haben wir den Bart gestutzt
Jetzt sieht er aus wie der Genosse Lenin.
Lachen. Verwundete. Werden von Frauen verbunden.

VERWUNDETER 1 Habt ihr sie laufen sehn, die Generale.

VERWUNDETER 2 So schnell warn sie noch nie.

VERWUNDETER 3   Das macht die Übung.
Vier Jahre sind sie schon in unsrer Schule.

VERWUNDETER 1 *zielt:*
Beim nächstenmal werden sie fliegen lernen.

VERWUNDETER 3 Genossen, gebt mir einen General
Damit ich ihn zu Scherben schlagen kann.

FRAU Halt still, du Held, sonst knackst du keinen Floh mehr.
Schön haben sie euch zugerichtet.

VERWUNDETER 2   Ach ihr.
Genossen mit und ohne Hosen, ich
Liebe euch alle, und den Weiberausschuß
Wo ist er, werd ich auf den Rücken legen.

BÄRTIGE FRAU Warts ab wer auf dem Rücken liegen wird.

JUNGER ARBEITER Ach Brüder, hätt ich eine Wunde. Ah.
Ich bin verwundet. Helft mir, meine Schönen.

BÄRTIGE FRAU Ich werd dir helfen.

Arbeiter läuft weg.

FRAU   Schon ist er geheilt.

VERWUNDETER 2
Genossen, warum stöhnt ihr wie die Jungfraun.
Habt ihr zum erstenmal euer Blut gesehn.
He, machen wir Musik aus unsern Qualen
Solang sie dauern. Singen wir, Genossen
Die Internationale, unser Lied.

Gesang der Verwundeten. Arbeiter und Soldaten bringen
auf Gewehren den toten Akkordeonspieler. Ein Arbeiter
trägt das Akkordeon. Gesang bricht ab.

STIMME Macht Platz für unsern Toten.

EINE FRAU   Es ist Mitka.

ARBEITER MIT AKKORDEON Der Harmonikaspieler.

Akkordeon.

ANDRER ARBEITER   Ja.
Er wird sie nicht mehr spielen.

VERWUNDETER 2   Tod den Weißen.

ARBEITER 2 Nimm deinen Hut ab, Ingenieur.

KLEIST *nimmt seinen Hut ab:*   Verzeihung.

Tschumalow, auf den Schultern von Arbeitern.

STIMMEN Tschumalow, unser Held.

                              Laßt ihn hoch leben.

Werfen Tschumalow in die Luft.

Der die Büros besiegt hat und die Weißen.
Werfen Tschumalow in die Luft.
TSCHUMALOW Mir ist der Boden hoch genug, Genossen.
Wenn einer hier ein Held ist, sind wirs alle.
Arbeiter werfen ihn wieder in die Luft.
Genossen, laßt den Unsinn.
Dascha und Polja.
POLJA *lacht:* Wie gefällt dir
Die Aussicht, Gleb, beflügelt von den Massen.
TSCHUMALOW Genossen, ehren wir den Toten erst.
Ich lebe, kann mit eignen Beinen gehn.
Spart eure Kraft, ihr Helden, für die Arbeit.
Wir haben noch viel Berge umzuwälzen.
Auf dem Boden:
Wie lebst du, Dascha. Wann kommst du zurück.
DASCHA Gleb. Ich bin froh, daß du es bist, kein andrer
Den unsre Arbeiter auf Händen tragen.
KLEIST Tschumalow, ich. Ich wollte Ihnen sagen –
Handschlag.
TSCHUMALOW Jetzt singen die Maschinen unser Lied.
POLJA *mit dem Rücken zu Iwagin, der schweigend vor sich
hinstarrt:*
Bist du allein, Sergej, unter den Massen.
Iwagin schweigt.
Ich bin betrunken. Warum sagst du nichts.
Als ob durch tausend Leiber ein Atem geht.
Schweig nicht, Sergej. Die Revolution wird dir
Millionen Brüder geben für den einen.
Was hier anfängt, hört mit dem Tod nicht auf.
IWAGIN *mit seinem Revolver beschäftigt:*
Ich habe keinen Bruder.
POLJA Bürger Kleist
Was sagt die Bourgeoisie zu dieser unsrer
Proletarischen Hydra.

ARBEITER   Genosse Spezialist
    Halt deinen Hut fest, wenn die Berge tanzen.
TSCHUMALOW Genossen, tragt den Toten auf die Plattform.
    Gebt ihm sein Werkzeug. Das Gewehr.
STIMME   Und seine
    Harmonika.
    Akkordeon.
TSCHUMALOW Genossen, keine Trauer.
    Ein Arbeiter, gefallen für die Arbeit.
    Mit unsrer Seilbahn seine letzte Fahrt.
    Die Zeit der Feuerzeuge ist vorbei
    Ein andres Feuer werden wir entfachen.
    Wenn unser Werk die Produktion aufnimmt
    Wird er gerächt sein. Ehren wir die Toten
    Mit unsrer Arbeit für ein bessres Leben.
    Genossen, setzt die Seilbahn in Betrieb.
    Lärm der Seilbahn. Akkordeonklänge, sich entfernend.

ICH BIN DER HUNGER. MIT MIR MUSS RECHNEN
WER DIE WELT ÄNDERN WILL

*Café hinter Glas. Ein Streichorchester spielt LIPPEN
SCHWEIGEN 'S FLÜSTERN GEIGEN aus der LUSTIGEN
WITWE. Polja Mechowa und Tschumalow blicken durch das
Glas in das Café. Im Café »NÖP-Dekadenz«: die Bourgeoisie
spielt Kapitalismus.*

POLJA Die Neue Ökonomische Politik.
    Sag mir, daß du nicht siehst, Gleb, was ich seh.
    Es ist ein Spuk, nichts weiter. Man braucht nur
    Die Augen fest zu schließen einen Blick lang
    Und wenn man wieder hinsieht ist es weg.
    Es ist der Leichnam der Bourgeoisie, der

Kapitalismus spielt vor unsern Augen.
Der Spuk ist nicht vorbei. Der Leichnam schmatzt.
Das bleibt, und wenn ich mir die Augen ausreiß.
Und nicht zum erstenmal hör ich sein Schmatzen.
Beim Rückzug aus Kasan, warst du dabei
Aus allen Winkeln krochen die Gespenster
Mit Ordensbändern am Kostüm der Vorzeit
Im Häuserschatten niegesehne Nachbarn
Solange hatten sie sich totgestellt
Kein Schritt kein Atem Wand an Wand mit uns.
Gesichter sehn dich an wie Leichenzähne.
Die Wanzen warten bis das Licht ausgeht.
Die Schilder hängen noch an unsern Türen
OPERATIONSSTAB SEKRETARIAT und
Mit Besen und Bürsten fegen hinter uns schon
Grinsende Diener aus den roten Läufern
Den revolutionären Schmutz. Das ist
Das Bild der Niederlage: Der Triumph
Der Besen und das Grinsen des Lakaien
Der unsre Spuren auf die Straße fegt
Den Staub von heute in den Staub von gestern.
Und auf der Straße zwischen Haß und Hohn
Die Massen auf der Flucht vor den Befreiern.
TSCHUMALOW Das ist kein Rückzug und wir sind kein Staub.
Die Revolution braucht eine Atempause.
Wir tragen die Welt auf den Schultern seit 17. Wer noch.
Wir können keine großen Sprünge machen.
Und die Geschichte redet uns mit Sie an
Seit die Gewehre schweigen. Unser Preis
Für zwei Schritt vorwärts ist ein Schritt zurück.
POLJA Im Fett ersticken wird die Revolution.
TSCHUMALOW Schwatz nicht herum wie eine Kapitulantin.
Sonst werd ich dich verhaften lassen, Täubchen
Damit dir die Tscheka ein Licht aufsteckt.

Bleib mir vom Pelz mit deinen Weiberwaffen.
Und wenn du mich mit sieben Brüsten angreifst
Mich wirst du nicht abhalten, meine Schöne
Von meiner revolutionären Pflicht.
Kapitalismus.
Greift nach ihrer Brust.
     Haben wir kein Recht
Auf den Kuchen. Wer hat die Zeche gezahlt. Jetzt sind wir
              dran.
Und unser Anteil, Dame, ist das Ganze.

POLJA Und warum stehst du hier. Das ist kein Spiegel.
Tschumalow siehst du nicht in diesem Glas, nicht
Loschak, den buckligen Schlosser, von Arbeit krumm
Nicht Gromada und sein Gesicht aus Stahlstaub.
Nicht einmal Badjin ist dabei. Badjin.
Ich hätte weniger Angst vor ihm vielleicht
Wenn er dort säße mit der Bourgeoisie.
Er ist kein Mensch. Er ist ein Automat.

TSCHUMALOW
Was ist das, kein Mensch. Frag seine Weiber. Frag
Dascha, die meine Frau war. Lang ists her.
Ein herrenloser Hund bin ich geworden.

POLJA Sie ist mir fremd geworden, deine Frau.
Vielleicht bin ich mir selber fremd geworden.
Ich glaub, ich könnte auf mich schießen schon
Kalt wie auf einen Feind, und vielleicht sollt ichs.
Sie werden uns zugrunde richten, Badjin
Und solche wie er. Sie werden der Hammer sein
Mit dem das Kapital die Revolution
Ans Kreuz schlägt.

TSCHUMALOW   Für wen machst du Panik, Schwester.

POLJA Wir werden weniger und sie werden mehr.
In den Cafés die Bourgeoisie, in unsern
Büros die Automaten. Und wir sehn es

Und einer hält dem andern seine Hand
Über die Augen, daß er nicht mehr sehn muß
Was er nicht brauchen kann für seinen Traum.
Erklär mir das, Tschumalow, ich verstehs nicht.

TSCHUMALOW
Vielleicht solltest du wirklich auf dich schießen.
Und doch wärs schade, wenn du nicht vorbeitriffst.
Ich rat dir ab: Ich hab dich schießen sehn.
Und alles was ich jetzt noch für dich tun kann
Nachdem ich deine Reden angehört hab
Ist daß ich sie vergeß und das ist schon mehr
Als mein Parteigewissen mir erlaubt.
Wir stecken bis zum Hals im Kapitalismus
Und Morgen wird gemacht aus Jetzt und Hier.
Nämlich der Kommunismus ist kein Traum
Genossin, sondern eine Arbeit, unsre.
Und jetzt werd ich dir zeigen, wer die Macht hat.
Geht in das Café. Das Streichorchester spielt die Interna-
tionale.

TSCHUMALOW *zurück, lacht:* Kennst du die Melodie. Was
sagst du jetzt. *Mechowa erbricht sich. Aus dem Café ein*
Bourgeois. Drei verwahrloste Jugendliche überfallen und
berauben ihn. Mechowa und Tschumalow sehen zu.

FENSTER ZUR ZUKUNFT

Mechowa am Fenster. Sirene. Lärm einer riesigen Menschen-
menge: Feier der Inbetriebnahme des Zementwerks. Über dem
Brausen der Menge Stimme Badjins.

STIMME BADJIN ... Front des Bürgerkrieges ... Sieg an der
Wirtschaftsfront. Feuer der Schlachten ... Mit unserm
Blut die Welt ... Arbeiterklasse ... Unsre Toten nicht
vergessen ... Wort des Genossen Lenin

AUS DEM RUSSLAND DER NÖP WIRD DAS
SOZIALISTISCHE RUSSLAND
Mechowa schließt das Fenster und nimmt ihren Revolver
auf. Iwagin. Mechowa versteckt den Revolver.
POLJA Was willst du. Deine Wunden lecken. Unsre.
Geh in dein Zimmer und heul deine Wand an.
IWAGIN Warum versteckst du den Revolver. Und
Vor mir. Ich bin ein toter Mann, Genossin
Ich wollte sagen, Bürgerin Mechowa.
Wir werden uns daran gewöhnen müssen
Du an den Bürger, an die Bürgerin ich
Nachdem sich die Partei, unsre Partei
Von uns befreit hat wie von einem Aussatz
Von uns gereinigt wie von einem Dreck.
Was bleibt. Die Solidarität der Toten.
Ein toter Mann kann einer toten Frau
Das Sterben nicht verbieten unter Bürgern.
IWAGIN SERGEJ. TRETEN SIE VOR GENOSSE.
DER EHEMALIGE HAUPTMANN GLEICHEN NAMENS
VORNAME DMITRI ALS BANDIT ERSCHOSSEN
NACH EINEM ÜBERFALL AUF DAS ZEMENTWERK
AUF DAS IM BAU BEFINDLICHE ZEMENTWERK
IM JULI WAR IHR BRUDER IST DAS RICHTIG
WIE OFT HABEN SIE IHN GESEHN VOR SEINER
ERSCHIESSUNG WARUM HABEN SIE GENOSSE
SEINE VERHAFTUNG NICHT SOFORT VERANLASST
BEIM ERSTEN WIEDERSEHN WARUM GENOSSE
HABEN SIE 1918 NICHT
DIE STADT VERLASSEN MIT DER ROTEN ARMEE
SONDERN SIND HIER GEBLIEBEN BEI DEN WEISSEN
WARUM GENOSSE WAREN SIE SO SICHER
NICHT LIQUIDIERT ZU WERDEN VON DEN WEISSEN
GENOSSE DAS IST KEINE DISKUSSION
DIE FRAGEN STELLEN WIR UND SIE ANTWORTEN.

Wär ich erschossen worden im Jahr 18.

Mein Bruder. Was geht mich mein Bruder an.

POLJA Und warum bist du in der Stadt geblieben.

*Pause. Iwagin öffnet das Fenster. Lärm der Menge. Iwagin
schließt das Fenster.*

Wir feiern das Zementwerk. Morgen läuft
Die Produktion an.

IWAGIN   Die befreite Arbeit.

POLJA Arbeit und keine Zeit für Monologe.

Wär ich erschossen worden wär ich nicht.
Die Solidarität der Toten. Du
Hast nicht gelebt so oder so. Was weißt du
Von Solidarität. Hast du nur einmal
Im Dreck gelegen zwischen Schlacht und Schlacht
Mit den Genossen. Alles ist gemeinsam
Das Blut, die Läuse, der lebendige Schweiß
Und im zerschoßnen Fenster das Stück Himmel.
Aber der Himmel ist ein Fetzen und
Die Sterne sind ein Flitter vor dem was du weißt:
In deinen nackten Händen wohnt die Menschheit
Der Tod ist eine Sache unter andern.

IWAGIN FINDEN SIE NICHT GENOSSIN MECHOWA
DASS DIESE IHRE LYRIK, ich zitiere
Die Kommission zur Säuberung der Partei
DER LINKEN KINDEREI SEHR ÄHNLICH KLINGT
VOR DER GENOSSE LENIN UNS GEWARNT HAT.
DIE REVOLUTION IST KEINE JUNGFRAU GENOSSIN
DEM PROLETARIAT IST NICHT GEDIENT
MIT IHRER HIMMELFAHRT FÜR DIE IDEE.
Dort ist das Leben. Die Musik der Zukunft.
Hat sie noch Platz in deiner Hand, die Menschheit.

POLJA Ich kann ihre Gesichter nicht vergessen.

Der Hagere, mit Augen wie ein Blinder.
Nur einmal lebte sein Gesicht. Als er

Das Urteil sprach, mein Urteil AUSGESCHLOSSEN.
Etwas wie Freude war in seinen Augen.
Ich schwör es dir, Sergej, er sah verliebt aus.
Er hat sie genossen, meine Qual, einen Blick lang.
Verstehst du das. – Ja, ich versteh es auch. –
Und aus dem Saal schrie eine Stimme, froh
Bin ich, daß ich nicht weiß, wem sie gehört:
RICHTIG GENOSSEN JAGT SIE FORT DAS FRÄULEIN.
Die Narben schrein nach Wunden. Und die Macht
Ist über sie gekommen wie ein Schlag.
Bis gestern hab ich wir gesagt. Wer bin ich.

IWAGIN   Und wer ist wir. Tschumalow oder Badjin.
Auf der Tribüne stehn sie nebeneinander
Hand am Revolver, Haß zwischen den Zähnen
Weil zwischen ihnen mehr als eine Frau steht
Wenn sie einander auf die Schulter klopfen
Im Angesicht der Massen. Wir und wir.
Die Kommission hat unrecht. Hab ich recht
Nur weil sich eine Kommission geirrt hat.
Und deine Tränen sind kein Argument
Für deine Wahrheit gegen die Partei.
Du wirst dir deinen Tod verdienen müssen.
Wir sind geschlagen, und das ist ein Anfang
Die Niederlage ist der beste Lehrer
Du wirst der Wahrheit nicht entgehn und ich nicht.
Was auf uns wartet auf dem Grund sind wir.
Die Beine gehn, die Arme greifen noch
Das Herz der Kopf, der Atem ein und aus.
Was nicht zerbrochen wird hat keine Dauer.
Der Mensch ist wenig. Einer ist zu viel.
Ich schwatze hier, du spielst mit dem Revolver
Und dort wird ein Zementwerk aufgebaut.
Wir können die Geschichte nicht anhalten
Wie einen Gaul da wo es uns gefällt.

Unter der Menschheit machen wir es nicht
Aber was hier gebraucht wird ist Zement.
POLJA Du brauchst mir nicht zu sagen, wo mein Platz ist.
Macht das Fenster auf. Sirenen.

BEFREIUNG DER TOTEN

Tschumalow, Tschibis, Mechowa, Iwagin, Rückkehrer.

IWAGIN Sie kommen aus Gallipoli, Kosaken.
  In Tuapse hat man sie nicht aufgenommen.
  Sie sagten: Wir gehn nicht zurück. Erschießt uns.
  Wir können nicht mehr atmen in der Fremde.
  Wenigstens wolln wir hier begraben sein.
TSCHUMALOW *finster:*
  So, wolln sie das. Das Meer hat Raum genug, wie.
POLJA Die Wölfe haben keine Zähne mehr.
IWAGIN Sie sind zurückgekommen.
POLJA   Auf den Knien.
IWAGIN Sie sind verzweifelt und sie haben Kraft.
  Wir müssen ihnen eine Hoffnung geben
  Und ihre Kraft umschmelzen für den Aufbau.
TSCHUMALOW Wir haben sie gekostet, ihre Kraft.
IWAGIN Sie sind geschlagen. Der geschlagene Feind
  Ist kein Feind mehr, und den Menschen kann man
                                        ändern.
  Sind wir nicht selber andre Menschen jetzt
  In Qual und Tod zum zweitenmal geboren.
  Lacht.
  Sogar die Helden sind nicht was sie waren.
  Tschumalow, unser Held der Roten Fahne
  Was hat die Revolution aus ihm gemacht
  Ein Held der Arbeit ist aus ihm geworden.

TSCHUMALOW
Das Schwatzen hast du nicht verlernt bei deiner
Zweiten Geburt, Iwagin.
TSCHIBIS   Offiziere
Vortreten.
POLJA   Wie Erhängte sehn sie aus.
Kannst du dir vorstelln, Gleb, das hat einmal
Den Damen die Händchen geküßt. Aaskäfer.
TSCHIBIS   Ihr
Seid unsre Feinde. Ihr habt uns vertilgt
Zu Tausenden, uns Arbeiter und Bauern.
Das Blut, das ihr vergossen habt, ist kaum
Getrocknet, unsre Narben brennen noch.
Ihr haßt uns und wir hassen euch. Was wollt ihr
In Sowjetrußland.
ALTER OFFIZIER   Eine Heimat, Bruder.
Und wenn es eine Sowjetheimat ist.
Wir sind geschlagen, wir sind müde, Schlaf
Haben wir nicht gefunden in der Fremde.
Wir fürchten keine Antwort, Bolschewik
Ergeben uns in alles.
Pause.
                        Auch der Tod
Ist eine Heimat, Bruder Bolschewik.
Ihr könnt sie geben, aber nehmen nicht mehr.
Pause.
JUNGER OFFIZIER *schreit:*
Ich bin betrogen worden. Ich war blind.
Ich bin ein Mörder.
Pause.
Ich will keine Gnade.
Pause.
Laßt mich mit meinen Händen meine Schuld
Pause.

TSCHIBIS Sehr gut. Aber wie werden Sie beweisen
Daß Sie nicht lügen.
JUNGER OFFIZIER   Erschießen Sie mich.
TSCHIBIS   Gehn Sie.
An Ihren Platz. Sie werden nicht an Land gehn.
JUNGER OFFIZIER *heult:*
Sie können mich nicht töten. Ich will leben.
POLJA Sie haben schwache Nerven, die Aaskäfer.
Warum ergeben sie sich uns, Sergej.
Frag du sie, mich werden sie nicht verstehn.
Warum hörn wir sie an. Genosse Tschibis.
IWAGIN Genosse Tschibis, haben Sie den Mut
Menschen verhöhnen, das ist keine Arbeit
Reden Sie mit den Feinden wie mit Menschen.
TSCHIBIS Ich lasse Sie an Land bringen, Genosse.
TSCHUMALOW Menschen. Was hätten sie mit uns gemacht
Ständen vor ihnen wir wie sie vor uns jetzt.
Ich hab es nicht vergessen, wie sie aussahn
Unsre Genossen, lebend oder tot
Oder was übrig war von den Genossen
Wenn die mit ihnen fertig waren und
Wie sie die Heimat zugerichtet haben
Nach der sie heulen jetzt hier, deine Menschen.
Warum solln wir vergeben und verzeihn.
Pause.
TSCHIBIS Im Namen der Werktätigen fordern wir euch auf,
eure Kräfte der Sowjetrepublik zur Verfügung zu stellen.

Anmerkung

Nach den Erfahrungen mit Kritik und Publikum der Berliner »Zement«-Aufführung machen sich einige Hinweise zur Regie notwendig. Sie betreffen das Verhältnis von Gegenwart und Geschichte. Das Stück handelt nicht von Milieu, sondern von Revolution, es geht nicht auf Ethnologie, sondern auf (sozialistische) Integration aus, die Russische Revolution hat nicht nur Noworossisk, sondern die Welt verändert, Dekor und Kostüm sollten nicht Milieu zeigen, sondern den Entwurf der Welt, in der wir leben. Die Kampfszenen auch im Akustischen nicht naturalistisch: der Überfall auf die Arbeiter am Zementwerk steht für andre Überfälle nicht nur auf die Sowjetmacht und das Echo der Schüsse muß mitgehört werden können. Die Kommentartexte sollten nicht, etwa durch Verteilung auf neutrale Sprecher, vom Stückablauf isoliert werden. Den Text über die Rache des Achill kann der Darsteller des Tschumalow sprechen, der Darsteller des Kleist den über die Befreiung des Prometheus, das Ensemble den Hydratext. Das gilt, wenn sie nicht projiziert werden, auch für die Titel. Der Titelsprecher wäre dann jeweils der Darsteller der Figur, um die das betreffende Bild sich »dreht«, also nicht unparteiisch, sondern mit der Haltung der Figur zum Vorgang. Der Hydratext kann nur als Vorgang begriffen werden, d.h. wenn, mit welchen Mitteln immer (Pantomime, Schriftfilm, Ton), die Einheit (Gleichzeitigkeit) von Beschreibung und Vorgang dargestellt wird (was die bloße Rezitation nicht kann). Der Epilog (Befreiung der Toten) sollte nur gespielt werden, wenn es nicht möglich ist, mit dem letzten Bild (Fenster zur Zukunft) zu schließen (bzw. mit einem Schlußfilm oder andern Kommentar, der es aufhebt). Der Akzent liegt nicht auf der Versöhnung mit den Feinden des Sozialismus, sondern auf der Möglichkeit der Verwertung ihrer Arbeitskraft durch den proletarischen

Staat. Die Besetzung, was die Rollen der Kommunisten angeht, so jung wie möglich: sie haben mehr vor als hinter sich.

DIE SCHLACHT

Szenen aus Deutschland

Blutwurst sprach zu Leberwurst Übermorgen
hol ich der Frau Königin ihr Kind Ruckediguh
Blut ist im Schuh Hätt ich dich so wollt ich
dich Ach wie gut daß niemand weiß O du
Falladah da du hangest

PERSONEN

DIE NACHT DER LANGEN MESSER
A   B

ICH HATT EINEN KAMERADEN
Soldat 1   Soldat 2   Soldat 3   Soldat 4

KLEINBÜRGERHOCHZEIT
Mann   Frau   Tochter   Hitler

FLEISCHER UND FRAU
Mann   Frau   Truppführer   Kundin   Kunde   SA-Leute

DAS LAKEN ODER DIE UNBEFLECKTE EMPFÄNGNIS
Mann   Soldat   Junge Frau   Alte Frau   SS-Mann 1
SS-Mann 2   Kommandeur und zwei Soldaten der Roten
Armee

DIE NACHT DER LANGEN MESSER

A Und als die Nacht war Tag vom Reichstagsbrand
   Stand in der Tür mein Bruder und ich gab ihm nicht die
   Hand.
B Ich bin dein Bruder.
A Bist du der.
   Und wenn du der bist, warum kommst du her
   Vor mein Gesicht mit deinen Händen rot
   Vom Blut der Unsern. Wärst du dreimal tot.
B So will ichs, Bruder, darum komm ich her.
A Nennst du mich Bruder. Und ich bins nicht mehr.
   Zwischen uns geht ein Messer, das heißt Verrat
   Und der bist du der das geschmiedet hat.
B Und ich bin der und meine Hand ist rot
   Gib mir, was ich dich bitte, meinen Tod.
   Du siehst mit Augen, was sie aus mir gemacht
   Ich will es nicht mehr sein nach dieser Nacht.
A Sagte mein Bruder der es nicht mehr war
   Sondern ein Schandfleck und eine Gefahr.
   Sie hatten ihn gequält in ihren Kellern
   Und ging im Braunhemd jetzt und aß von ihren Tellern.
   Von seiner Hand die Wunden waren frisch
   Jetzt sein Revolver lag auf meinem Tisch.
   Machs selber.
B Könnt ichs, Bruder, wärs getan.
   Ich bin nicht der ich war.
A Was gehts mich an.
B Wir sind aus einer Mutter.
A Kriech zurück.
B Mein Platz war neben deinem in der Fabrik.
A Ich wollt der Drehstahl hätte dich zerrissen.
   Was aus dir wird, ich hätt es wissen müssen.
B Beim Generalstreik war ich auch dabei.

Am Brandenburger Tor im Heilgeschrei
Die Wahrheit unterm Hemd stand ich mit dir.
A Dein Hemd ist braun, das ist die Wahrheit jetzt und hier.
B Die Wahrheit jetzt und hier. Willst du sie lesen.
Drei Wochen lang bin ich Papier gewesen
Auf das dein Feind und meiner seine Wahrheit schrieb.
Zieht das Hemd aus. Auf seiner Brust ein Hakenkreuz.
Und was von deinem Bruder übrig blieb
Ist der Verräter.
A   Worauf wartest du.
Mach deine Arbeit, Bruder. Dann sieh zu
Wie sie mich schinden, und aus gutem Grund.
So oder so, ich mach euch nicht den Hund.
B Soll ich dir sagen, wie man aus einem Mann einen Hund
                                                    macht.
A Ich sehs an dir. Du hast es weit gebracht.
Kriech in dein Fell, Hund, draußen bellt die Meute
Und beiß dir deinen Anteil aus der Beute.
Pause. Geräusch der Stadt.
B Ich hab geschwiegen im Gestapokeller.
Als ich herauskam war der Tag nicht heller.
Ihr seid an mir vorbeigegangen, fremd.
Mein Blut war noch nicht trocken unterm Hemd.
Für euch hatt ich den Buckel hingehalten, jetzt
War für mich der Schrottplatz da, und der war besetzt.
Beim zweiten Einstand nach drei Wochen Pause
War ich im Keller schon beinah zu Hause.
Den Händedruck ersetzt der Stiefeltritt.
Wenn einer hochging nahmen sie mich mit
In Schale. Als ob ich der Spitzel wäre.
Jetzt kauf dir was für deine Proletarierehre.
Zieht Braunhemd an.
Mein Kauf war – wo ein Hund ist ist ein Fell –
Das Braunhemd, rechtsum dreht das Karussell

Und Stiefel sind was, du bist nicht allein
Du schwingst den Knüppel und die andern schrein.
Das war. Ich hab mir auf den Grund gesehn.
Die Nacht der Langen Messer fragt wer wen.
Ich bin der eine und der andre ich.
Einer zuviel. Wer zieht durch wen den Strich.
Nimm den Revolver, tu was ich nicht kann
Daß ich kein Hund mehr bin, sondern ein toter Mann.
A Und als die Unsern in den Kellern schrien
Die Langen Messer schnitten durch Berlin
Hab ich getötet den Verräter, meinen Bruder, ihn.

ICH HATT EINEN KAMERADEN

Vier Soldaten. Schnee.

SOLDAT 1 Kameraden, ich kann den Feind nicht mehr sehn.
SOLDAT 2 Das ist der Hunger.
SOLDAT 3   Das sind die Schneewehn.
SOLDAT 4 Der Feind ist überall.
SOLDAT 2   Mit leerem Magen
    Hab ich nur einen Feind.
SOLDAT 4   Was willst du damit sagen.
SOLDAT 2 Daß ich kein Fleisch gesehn hab seit vier Wochen.
SOLDAT 3 Ein Königreich für einen Pferdeknochen.
SOLDAT 4 Wir hungern für Deutschland.
SOLDAT 2 Was heißt hier Deutschland. Vielleicht
    Sind es nur noch wir vier.
SOLDAT 4   Einer zu viel.
SOLDAT 2 *zielt auf 4:*   Das reicht.
SOLDAT 4 Ich meine, wir sind Kameraden. Das heißt
SOLDAT 2 Der eine frißt was der andere scheißt.
SOLDAT 4 Besser drei volle Mägen als vier leere
    Die Treue ist das Mark der Ehre.

SOLDAT 3 *nickt:* Einer für alle.

SOLDAT 2   Bleibt die Frage: wer.

Soldat 2, 3, 4 zielen aufeinander.

SOLDAT 1

Kameraden, ich kann das Gewehr nicht mehr halten.

Soldat 2, 3, 4 setzen die Gewehre ab und sehen einander an.
Pause.

SOLDAT 4   Gib her

Ich halt es für dich, Kamerad.

Nimmt 1 das Gewehr ab und erschießt ihn.

SOLDAT 4   Er war

Unser schwächstes Glied und eine Gefahr

Für den Endsieg. Jetzt aus Kameradschaft

Verstärkt er unsre Feuerkraft.

Soldat 2, 3, 4 essen 1 auf. Lied ICH HATT EINEN KAME-
RADEN.

KLEINBÜRGERHOCHZEIT

Mann, Frau, Tochter, Hitlerbild.

MANN Meine Lieben, es ist fünf Minuten vor zwölf

Zeit daß ich uns aus dem Leben helf

Nach dem Beispiel das der Führer gegeben hat

Denn morgen steht der Feind in unsrer Stadt

Und wer will in der Schande leben.

TOCHTER   Ich.

MANN Nimm das zurück oder ich verstoße dich.

Ein deutsches Mädchen. Ich kann es kaum fassen.

TOCHTER Verstoß mich, Papa.

MANN   Das könnte dir passen.

Das ist nicht meine Tochter, ich weiß es genau.

Mit wem hast du mich betrogen, Frau.

FRAU Ich will auf der Stelle tot umfallen hier

MANN Das wirst du erleben.

Zur Tochter: Und jetzt zu dir:

Hast du mir etwas zu sagen.

TOCHTER   Ja.

Bitte austreten zu dürfen, Papa.

MANN Man muß sich beherrschen können, der Mensch ist

kein Tier.

Es wird nicht ausgetreten. Nicht bei mir.

Was sollen unsre tapferen Feldgrauen sagen.

Die müssen sich noch ganz anderer Dinge entschlagen.

Aus dir bellt der innere Schweinehund.

Da heißt es hart bleiben. Aus diesem Grund –

Frau, hol die Leine – werd ich dich jetzt

An den Stuhl binden.

Tochter heult.   Maulhalten und hingesetzt.

TOCHTER Aber, Papa, wenn ich muß.

MANN   Das wird sich finden.

Zur Frau:

Wir müssen der Person das Maul verbinden.

Ein Handtuch. – Und jetzt zur Tat.

Der Führer ist tot, Leben ist Hochverrat.

Setzt der Tochter den Revolver an die Schläfe, drückt ab.

Kein Schuß.

Verdammt, ich hab sie vergessen zu laden.

Lädt und erschießt die Tochter.

Weg mit Schaden.

FRAU *schreit:* Nein.

MANN Hör auf zu schrein.

Denk an den Führer: lieber tot als rot.

Das Schönste im Leben ist der Heldentod.

Gleich bist du hinüber. Ich komme nach.

Erschießt die Frau, setzt sich den Revolver an die Schläfe,
setzt ihn wieder ab, blickt in die Mündung, auf die Toten,
dreht sich weg, setzt wieder an und wieder ab usw.

Aus dem Hitlerbild tritt Hitler. Gruß.

Mein Führer. Er ist es. Mir werden die Knie schwach.

Versteckt den Revolver vor Hitler. Hitler droht mit dem Finger.

Wo ist mein Revolver. – Ich weiß wie ichs mach.

Dreht das Hitlerbild um. Hitler verschwindet.

Wo ein Ende war wird ein Anfang sein.

Der Starke ist am mächtigsten allein.

Ab.

FLEISCHER UND FRAU

IM BRAUNHEMD AUF DEM GRÜNEN ZWEIG

Kleinstadtfleischerei. Der Mann zieht seinen Fleischerkittel aus und eine SA-Uniform an. Die Frau nimmt ihm die Kleidungsstücke ab und reicht ihm die Uniformteile zu.

FRAU Seit du in der SA bist, hab ich keine ruhige Minute. Das steht bis auf die Straße für zweihundert Gramm, und keinem gehts schnell genug.

MANN Daß ich in die SA gegangen bin, ist Dienst am Kunden. Wir hätten kein Fleisch am Haken. Und dein Bett wär auch leer, hab ich recht. Besser braun als feldgrau.

FRAU Ich sag ja nichts.

MANN *malt sich ein Hakenkreuz auf die Stirn, die Frau hält den Spiegel:*

Ein feindliches Bombenflugzeug ist bei der Stadt abgestürzt, im Wäldchen am Fluß, ein Amerikaner.

FRAU Den sollt ihr wohl gefangennehmen.

MANN Was weiß ich.

SA MARSCHIERT

Deutscher Wald. SA marschiert. Geräuschkulisse des deutschen Faschismus: Reden Heil Saalschlacht Kristallnacht Krieg.

Heinz ist gewachsen / Bis zuletzt am Maschinengewehr / Siegfried kommt nach mir / Gestern kam der Brief / Dreimal operiert es ist die Galle / Im Osten stehts nicht gut / Kannst du was lockermachen, meine Älteste hat Verlobung / Bis zuletzt am Maschinengewehr / Ich kanns nicht machen / Gestern kam der Brief / Hast du gesagt im Osten stehts nicht gut / Trink mein Bier, kommt eine herein, rothaarig / Vielleicht kann ichs machen / Aber zu meiner Frau kein Wort / Kennst du den: ein Jude geht in Puff. Sagt die Wirtin: Sie können jetzt nicht rauf, Goebbels ist oben. Sagt der Jude / Teilung Halt / Der hat sein Fett / Den Arsch aufreißen / Rübe ab / Der ist halb verbrannt / Vielleicht ein Neger / Alles Juden

Pause, in der nur das Stöhnen des verwundeten Piloten zu hören ist.

TRUPPFÜHRER Das schlägt in dein Fach, Sabest, du bist Fleischer.

VOM AMERIKANER

Fleischerei. Fleischer und Frau. Kunden.

KUNDIN Mein Mann läßt sagen: Herzlichen Glückwunsch, Herr Sabest, zum Verdienstkreuz. Der Herr Sabest, wenn der an der Front wär, tät aus den Russen Beefsteak machen. Drei Schnitzel.

KUNDE Die Heimat braucht auch Männer, was, Frau Sabest.

FRAU Mein Mann ist krank. Sonst wär er nicht mehr hier. Vom Schwein?

KUNDE *lacht:* Vom Amerikaner.

FLEISCHERS TRAUM

Das Innere eines Tieres / Menschen. (Wald aus Eingewei-
den.) Blutregen. An einem Fallschirm hängt überlebensgroß
eine Puppe, die mit dem Sternenbanner bekleidet ist. Eber-
masken in SA-Uniform schießen auf die Puppe, erst nachein-
ander, dann gleichzeitig. Aus den Einschußlöchern rieselt
Sägemehl. (Die Schüsse ohne Laut bzw. mit Schalldämpfer.)
Wenn die Puppenhülle leer ist, wird sie vom Fallschirm ge-
rissen und zerfetzt. Tanz der Ebermasken. Sie stampfen die
Fetzen in das Sägemehl.

DIE FRAU
Swar im April, nachts, ich wach auf vom Schießen
Und seh im Feuerschein das leere Bett.
Ich weiß auch gleich, er ist dem Toten nach
Dem Amerikaner, weil der Russe kommt.
Ich denk, vielleicht ists gut so, morgen ist
Der Russe hier und besser Witwe als
Die Frau von einem der unterm Messer lebt.
Dann steh ich auf: was mach ich ohne Mann
Den Laden halt ich nicht und wer soll schlachten
Das Fleisch abladen ist auch Männerarbeit
Und die Kinder sind auch da. Ein Mann hat leicht
Ins Wasser gehn wenn er nicht weiter weiß
Und ich steh da, drei Kinder auf dem Hals
Und kann noch froh sein, wenn ich keins im Bauch hab
Wer gibt mir was.

Im Hemd ihm nachgerannt den Weg am Fluß
Den Schlüssel nicht vergessen, die Haustür zu
Und mich gefragt im Rennen: warum rennst du
Kehr um Bleib stehn Lauf langsam Was kommt kommt
Hast du den Amerikaner umgebracht
Freiwillig oder nicht, er hats getan
Wenn du ihn einholst jetzt was hast du gewonnen

Wenn du zu spät kommst was hast du verlorn.
Aber als ob sie nicht zu mir gehörn
Die Beine rennen weiter. Dann
Hör ich ihn stolpern durch das harte Schilf
Aufs Tiefe zu, den Toten im Genick.
Ich denk noch: gut daß er nicht schwimmen kann
Da stirbt sichs leichter. Dann hör ich ihn brülln
Im Ersaufen.
Damals was hätt er machen solln als schießen.
Der Laden ging auch gut nach dem, die halbe
SA gab sich die Klinke in die Hand
Blut fängt Fliegen. Aber das ist auch wahr:
Er hätt sich nicht abjagen brauchen jetzt
Nach einem schnellen Tod und über Nacht mich
Zur Witwe machen, weil der Russe kommt
Hätt er den Amerikaner nicht erschossen
Der hatte auch Befehl und Krieg ist Krieg.
Wer konnte wissen daß es anders kommt
Eh Gras wächst über den, ein Sieg nach dem andern.
Und jetzt ists so gekommen und er stirbt jetzt.
Das soll vorbei sein. Warum bleib ich stehn
Halt mit den Händen meine Beine fest
Daß ich nicht losrenn und helf ihm heraus.
Er ist mein Mann. Daß ich mit ihm sterb, weil ich
Mit ihm gelebt hab war nicht ausgemacht.
Ich bin ihm eine gute Frau gewesen
Der Laden und der Haushalt und die Kinder
Und immer noch die Beine aufgemacht
Wann ers gewollt hat. Und wie seh ich aus.
Hände wie Reibeisen, Hornhaut auf den Knien.
Meine besten Jahre. Wem bin ich was schuldig.
Er kann nicht schwimmen. Ich hol ihn heraus.
Wenn er mich mitnimmt, was wird aus den Kindern.
Kann sein, wenn ich ihn aus dem Wasser zieh

Daß ich ihn unters Beil schlepp. Warum ich.
Jetzt wirds auch wohl zu spät sein. Alles still.
Das Schießen wird schon laut. Das ist der Russe.
Besser ich weiß von nichts. Heim eh es hell wird.
Die Fische werden ihn nicht fressen. Mann.
Wenn er gefunden wird, ich weiß von nichts.
Vielleicht ists nicht zu spät. Ich hol ihn.

Kampf im Wasser.

Ich hab ihn umgebracht. Er oder ich.
Das Wasser wärs gewesen ohne mich auch.
Und jetzt bin ichs die ihm den Weg gezeigt hat.
Wenn mir der Mann den Hals abreißt, muß ich
Stillhalten. Die Kinder sind auch da. Tot ist tot.

DAS LAKEN
ODER
DIE UNBEFLECKTE EMPFÄNGNIS

Berlin 1945. Ein Keller. Zwei Frauen auf Koffern.

EIN MANN *kommt:*
   Da steht der Russe. Hier steht die SS.
   Am Eck die Fleischerei ist ausgebrannt.
   Die guten Schinken.
   Schlachtlärm. Ein Soldat stürzt herein, reißt sich die Uniform vom Leib.
DER SOLDAT   Habt ihr was gesehn?
   Schweigen.
DER MANN Das schmeckt nach Hochverrat.
DER SOLDAT   Ich brauch Zivil.
DER MANN *zu der jungen Frau:*
   Geh nachsehn, ob der Russe vorgeht.

Die junge Frau kriecht aus dem Keller. Schweigen.
Die junge Frau kommt zurück.

JUNGE FRAU   Ja.
Der Mann wirft dem Soldaten eine Jacke zu.

DER MANN Ein Laken.

ALTE FRAU   Nicht von meinen.

JUNGE FRAU   Hab ich mehr?

DER SOLDAT *zur alten Frau:*
Dein Laken wärmt dich nicht, Frau, wenn du kalt bist.

ALTE FRAU Und die SS, wenn die das hängen sehn
Hängt uns.

DER MANN   Das ist auch wahr. Da helf sich einer.
Schlachtlärm.

DER SOLDAT Was da herankommt, ist nicht die SS.

DER MANN Kamerad, du hast die Tapferkeit gelernt.
Zeig, daß du was gelernt hast. Frau, das Laken.
Die Frauen geben Laken heraus. Der Mann gibt eines an
den Soldaten weiter.

DER SOLDAT Ich mach, was ihr gewollt habt.

DER MANN   Ja. Machs schnell.
Der Soldat geht mit dem Laken hinaus und kommt zurück
mit leeren Händen. Zwei SS-Männer treten in den Keller,
das zerrissene Laken am Boden nachschleifend.

SS-MANN 1 Was siehst du, Kamerad?

SS-MANN 2   Zwei Hochverräter.

SS-MANN 1 *richtet die Maschinenpistole auf den Kameraden:*
Zwei?

SS-MANN 2 *nimmt die Hände hoch:*
Vier.

SS-MANN 1   Was steht auf Hochverrat?

SS-MANN 2 *grinst und zieht einen Strick aus der Tasche:*
                                 Der Strick.

DER MANN Ihr Herren, uns laßt aus. Der ists gewesen.
Er zeigt auf den Soldaten.

DER SOLDAT *zeigt auf den Mann:*
Ich hab gemacht, was der gewollt hat.
DER MANN   Ich
Habs nicht gewollt.
ALTE FRAU   Wir haben nichts gewollt.
Schlachtlärm. Die SS-Männer stürzen sich auf den Soldaten
und schleifen ihn hinaus. Der Soldat schreit.
JUNGE FRAU Hört wie er schreit.
ALTE FRAU   Nicht mehr.
DER MANN   Ich hol die Jacke.
Der Mann kriecht aus dem Keller und kommt schnell
zurück.
DER MANN Der Russe kommt. Was läuft, ist die SS.
Die Jacke haben sie ihm ausgezogen.
Zwei Soldaten und ein Kommandeur der Roten Armee
treten in den Keller, die Soldaten mit dem Leichnam des
Deserteurs, den sie auf das Laken legen.
KOMMANDEUR *nimmt den Helm ab:*
Hitler kaputt jetzt Frieden.
Die Soldaten nehmen ebenfalls den Helm ab.
KOMMANDEUR   Sohn?
DER MANN   Sohn.
Die alte Frau nickt heftig.
KOMMANDEUR   Chleb.
Einer der Soldaten gibt der alten Frau ein Brot. Der andere
Soldat nimmt ebenfalls ein Brot aus dem Beutel, bricht es
über seinem Knie und teilt mit dem ersten. Der Komman-
deur und die Soldaten salutieren und gehen aus dem Keller.
Über dem Toten beginnt der Kampf der Überlebenden um
das Brot.

TRAKTOR

Fragment

PERSONEN

Feldwebel
Soldat
Bauer
Traktorist
Schwester
Besucher
Besucher 2
Arzt
Junger Traktorist
Soldaten

EINIGE HINGEN AN LICHTMASTEN ZUNGE HERAUS
VOR DEM BAUCH DAS SCHILD ICH BIN EIN FEIGLING

Feld. Schnee.

FELDWEBEL So sag ichs euch, weil ihrs vielleicht nicht wißt:
　　Daß wir zurückmarschiern ist aus Kriegslist.
　　Nämlich in längstens vierzehn Tagen wird
　　Mit der geheimen Waffe Rußland ausradiert.
　　Und daß der Feind merkt, ihm wird nichts geschenkt
　　Heißts Minen legen, daß er an uns denkt.
　　Grabt schnell, daß ich nicht anfrier.
　　Soldaten graben.
　　　　　　　　　　　　　　　　He.
　　Warum gräbst du nicht.
SOLDAT *der nicht gräbt:*　　Weil ich seh
　　S ist ein Kartoffelfeld wo ich drauf steh.
　　Soldaten hören auf zu graben.
　　Da denk ich mir, das wird vielleicht gebraucht
　　Im Frieden, wenn der Schornstein wieder raucht.
FELDWEBEL Ich habs gehört. Paß auf was daraus wird.
　　Ihr da. Hier ist ein Hochverrat passiert.
　　Was steht ihr da und starrt. Nehmt einen Strick
　　Und brecht dem Hochverräter das Genick.

Der Kaiser braucht Soldaten, Vater.
Verstopf deine Ohren, Sohn
Damit du die Trommel nicht hören kannst
Und deck dich mit Mist bis über die Augen zu
Damit du nicht geblendet wirst vom Glanz der Waffen.[*]

***

[*] Pu Sung Ling

Am ersten Mai war er als Aktivist ausgezeichnet worden, einen Monat später flog er in die Luft. Das Bein mußte amputiert werden ... »Aber die sechs Morgen reiße ich noch um. Das lasse ich mir nicht nehmen. Ich denke mir, es können allerhand Menschen in einer Reihe stehen und ihre Kartoffeln in Empfang nehmen, wenn wir die sechs Morgen noch in Ordnung haben.«[*]

ANDRE GESPRÄCHE WURDEN GEFÜHRT AUF DEN ANDERS VERTEILTEN ALTEN ÄCKERN

1

BAUER Das war der Krieg. Heut ist ein Jahr danach.
Die Leute hungern und das Feld liegt brach.
Doch keiner will die erste Furche ziehn.
TRAKTORIST Ich sag, da sind noch Minen drin.
BAUER Ich sag, die Leute hungern in der Stadt.
TRAKTORIST Daß ich die Knochen brech, macht keinen satt.
BAUER Ich mein, die Minen sind heraus.
TRAKTORIST Probiers! Pflüg selber!
BAUER   Kennt ich mich nur aus
Mit einem Traktor!
TRAKTORIST   Hast du keinen Gaul?
Seht euch den Helden an, jetzt hält ers Maul.
BAUER Der Boden hier wär für Kartoffeln gut.
Und da könnt Weizen stehn. Doch fehlts am Mut.
TRAKTORIST Hör zu. Im Krieg da hab ich noch riskiert
Hab nicht gefragt, für wen und was draus wird.
Jetzt ist Frieden und ich frag: Gehört es mir, das Feld?
BAUER Da frag ich dich, ob dir dein Brot vom Himmel fällt.

[*] Helden der Arbeit. Berlin 1951

BAUER Ich hab da ein Stück Brachfeld, Traktorist
Seit Fünfundvierzig nicht gepflügt. Ich brauchs.

TRAKTORIST
Ich hab hier Knochen, Bauer, an die vierzig, heil
Durch vier Jahr Krieg gebracht, kein Kalk zu viel.
Die brauch ich auch. Ich hab was gegen Minen.

BAUER Wer redet davon.

TRAKTORIST   Dems passiert ist nicht mehr.
In Brandenburg zum Beispiel wars mein Kumpel.
Wir standen da an den Traktoren abends
Der Frieden war ein Jahr alt, zwanzig wir
Rauchten, Bauern dabei, die lamentierten
Um einen Fetzen Brachfeld, Minen drin.
Ich sagte: meine Knochen brauch ich noch
Jagt eure Gäule drüber, wenn ihrs braucht
Ich hab was gegen Minen. Sagt mein Kumpel:
Ich gegen Kohldampf, schmeißt den Stummel weg
Und sitzt schon auf dem Traktor und fährt los
Als wärs ein Acker wie ein andrer Acker.
Es war die Himmelfahrt, der Traktor auch hin.

BAUER *Mütze ab:*
Um den ists schad. Es trifft die falschen immer.

TRAKTORIST
Wenn du ihn ausgraben willst, ich zeig dir den Fleck.

BAUER Der konnte mehr als Witze reißen. Der nahm
Die Hände aus den Taschen, wenn der Acker
Den Pflug gebraucht hat.

TRAKTORIST   Das ist wahr, und selber
Wird er gepflügt jetzt von den Würmern unten
Weiß keinen Witz mehr und braucht keine Taschen.

BAUER Und er täts wieder, wenn er wieder hier ständ.
Auch wenn die Suchkolonne nicht grad weg wär.

TRAKTORIST Jetzt pflanzt er mir den Toten ins Genick

Den Kränzefresser, der die Blumen fett macht.
Fährst du die alte Tour? Das hab ich gern:
Wenn nichts mehr zieht, kein Gaul, kein Traktor, kein
Gerede, spannen sie die Toten ein
Auf die sie um die Wette scheißen sonst.
Ein toter Gaul zieht mehr als zehn Traktoren.
Warum soll grad ich mir ein Bein ausreißen
Ich hab die Mine nicht gelegt.

BAUER   Ich auch nicht.

TRAKTORIST Und wenn der Hunger von ganz Brandenburg
Am Feldrain aufmarschiert und brüllt nach Brot
Die Ungebornen mit und die Verwesten
Brülln ohne Stimme und gehn ohne Schritt
Und wenn die halbe Welt vor Hunger brüllt
Mir ist dein Acker meine Leiche nicht wert
Dein Minenfeld pflüg mit den eignen Knochen

BAUER *Mütze auf:*
Was der getan hat, der würds wieder machen.

TRAKTORIST Da sag ich dir: wer tot ist, hat gut lachen.

AUFFORDERUNG ZUM TANZ
ODER DER KAMPF MIT DEM ENGEL

TRAKTORIST Mich wirst du nicht in deine Grube reiten.
Ich bin kein Held. Geh mir vom Nacken, Wurmfraß.
Der Minenpflüger, den sein Brachfeld pflügt.
Wo ist dein Fleisch geblieben, alter Knochen.
Hättst du auf mich gehört, wärst du noch ganz.
Hau ab, ich bin nicht scharf auf deine Kränze.
Was willst du. Wenn du meine Uhr zum Stehn bringst
Mit deinem aufgesprengten Knochensack
Wirst du nicht jünger, rückwärts scheißt der Hund.
Kann ich dafür, daß dir kein Bier mehr schmeckt.

488

Ich hab dich nicht zur Himmelfahrt beredet.
Wie lange solln wir krummgehn vor den Enkeln
Jeder sein Stockwerk Leichen im Genick
Und schwanger mit dem eignen Aas auch jeder.
Reit andre, Held, ich mach dir nicht den Gaul.
Heb deinen Arsch aus Luft von meinem Buckel
Ich trag an meinem Hintern schwer genug.
Steig ab oder ich zeig dir, wo dein Platz ist.
Du bist die Mehrheit, aber ich bin oben
Und was die Erde hält, fährt ihren Gang
Nicht eh sie stehnbleibt steigt die Auferstehung
Das Fleisch geht bei den Würmern in die Schule.
Und jetzt zeig ich dir was du bist. Das bist du:
Dreck unterm Stiefel, Acker für den Pflug.

Ich war ein Held, mein Ruhm gewaltig
In meinen Bannern rauschten die vier Winde
Wenn meine Trommeln lärmten schwieg das Volk
Ich habe mein Leben vertan.*

Man wußte, daß dieses Gelände stark verseucht war. Sech-
zehn Minen hatte man schon geborgen. Man hatte das un-
heimliche Gefühl, daß dort noch mehr lagen. Die Kollegen
suchten das Gelände noch einmal ab. Es war nichts zu finden,
aber keiner wollte sich gern an die Arbeit wagen. Paul sagte:
»Gut, da werde ich eben pflügen. Wenns mich trifft, ist es
nicht so schlimm. Die Jungen haben das Leben noch vor sich.
Wir sind schon über den Berg hinaus.« Er ließ seinen Pflug
herunter. Da meldete sich Hans L., der jüngste der Brigade.
Er ist seit seinem sechzehnten Lebensjahr Traktorfahrer. In
gefährlichem Gelände saß er immer nur halb auf dem Sitz,
um notfalls gleich abspringen zu können. Hans L. wollte

* Po Chü I

nicht zurückstehen und nahm die Spitze. Es sollte schnell gehen. Die letzten sechs Morgen des Brachlandes konnten ja keine Ewigkeit dauern. Seine Maschine knatterte los. Paul A. schloß sich in etwa zwanzig Meter Abstand mit der 45-PS-Lanz-Bulldogg-Maschine an. Die erste Maschine war durchgekommen, als plötzlich eine heftige Detonation ertönte. Pauls Pflug hatte eine Mine angerissen. Sie explodierte und riß die Maschine in Stücke. Paul A. flog, ohne das Steuerrad loszulassen, ungefähr zwanzig Meter in die Luft. Er meint, daß er als Kind ein ähnliches Gefühl gehabt hätte, als er von einem hohen Strohdiemen gesprungen wäre. Unterwegs sei ihm gewesen, als träume er. Genau so hatte er es hier gefühlt. Nur, daß er eben hinterher die Besinnung verloren habe ... Er erzählte das alles, als hätte es gar nicht anders sein können ...*

MINENPFLÜGEN

TRAKTORIST
Die Welt ein Brachfeld. Der einzige Pflüger ich.
Der ewige Traktorist, wie lang ist ewig.
Unkraut wächst drauf und Minen wachsen drunter
Schneller als meine Furche wächst das Kraut
Auf meinen Rücken und auf meine Schultern
In meine Augen und in meine Zähne
Und eine Mine nach der andern sprengt
Von meiner Pflugschar aufgerissen mich.
Der Acker ist aus Glas, die Toten starrn
Zu mir herauf aus leeren Augenlöchern

---

* Helden der Arbeit

Heil durch die Toten aus dem letzten Krieg
Scheinen die Toten aus den andern Kriegen
In langen Reihen treiben sie vorbei
Vom Grundwasser gewaschen. Warum ich.
Das Brachfeld nimmt kein Ende unterm Pflug
Kein Ende nimmt am Feldrain das Spalier
Der hohlen Mägen, aufgespannt nach Futter.
Der tote Kumpel wächst mir aus dem Nacken
Der Minenpflüger den das Brachfeld pflügt
Der wird geritten von den Minenlegern
Und einer aus dem andern Aas auf Aas
Fortpflanzen sich die Toten in den Himmel
Und kleiner wird der Traktor unter mir
Und kleiner unter meiner Last werd ich
Das Unkraut nimmt den Traktor in die Zange
Die grünen Kiefer kaun den Stahl zu Schrott
Die Toten lachen aus verfaulten Bäuchen
Jeder sein Stockwerk Leichen im Gepäck
Dann nimmt der Acker mich unter den Pflug
Dann sind wir eins ein Klumpen Aas und Schrott
Der sich im Leeren dreht auf keiner Stelle.

Das Gefühl des Scheiterns, das Bewußtsein der Niederlage
beim Wiederlesen der alten Texte ist gründlich. Versuchung,
das Scheitern dem Stoff anzulasten, dem Material (ein kan-
nibalisches Vokabular – »We are such stuff as dreams are
made of«), der Geschichte des amputierten Helden: sie kann
jedem passieren, sie bedeutet nichts; bei dem einen genügt
eine Blutvergiftung, der andre hat mehr Glück: er braucht
einen Krieg. Ausflucht: Europa ist eine Ruine, in den Ruinen
werden die Toten nicht gezählt. Die Wahrheit ist konkret, ich
atme Steine. Leute, die ihre Arbeit machen, damit sie ihr
Brot kaufen können, haben für solche Betrachtungen keine
Zeit. Aber was geht mich der Hunger an. Uneinholbarkeit

des Vorgangs durch die Beschreibung; Unvereinbarkeit von Schreiben und Lesen; Austreibung des Lesers aus dem Text. Puppen, mit Wörtern gestopft statt mit Sägemehl. Herzfleisch. Das Bedürfnis nach einer Sprache, die niemand lesen kann, nimmt zu. Wer ist niemand. Eine Sprache ohne Wörter. Oder das Verschwinden der Welt in den Wörtern. Stattdessen der lebenslange Sehzwang, das Bombardement der Bilder (Baum Haus Frau), die Augenlider weggesprengt. Das Gegenüber aus Zähneknirschen, Bränden und Gesang. Die Schutthalde der Literatur im Rücken.

Das Verlöschen der Welt in den Bildern

DER SCHREI

TRAKTORIST Wo bin ich. Schwarz ist alles was ich seh.
Hab ich sehn gesagt. Und woher weißt du, Alter
Ob du noch Augen hast für Schwarz oder Weiß.
Ist Nacht oder bin ich schon unter mir
Kein Unterschied mehr zwischen Tag und Nacht
Und zwischen mir und mir kein Unterschied.
Das ist ein Bett. Das ist aus Eisen. Wär ichs
Läg ich nicht drauf. Und das bin ich. Oder
Der Rest von dem was vor der Mine ich war
Alt einunddreißig, Traktorist aus Gatow
Zum Minenpflüger gestern avanciert
Freiwillig, Kränzefresser morgen, Dung.
Ich war einssiebzig. Wie lang bin ich jetzt.
Red ich mit meinem Mund oder aus keinem.
Warum klingt meine Stimme wie von gestern.
Der schreit. Als ob ein ganzes Minenlager
Ein Sprengschlag nach dem andern, in ihm hochgeht.

He, Kumpel, hörst du auch die Engel singen.
Gib auf. Dagegen kannst du lange anschrein.
Sei froh, daß du noch schrein kannst. Ich kanns nicht
mehr.

Der hört nicht auf. Der brüllt wie tausend Mann
Und seine Stimme dröhnt in meinem Schädel.
Und jetzt sag ich dir noch was: was da brüllt liegt
Nicht neben über hinter unter dir
Mit deinen Augen wirst du das nicht sehn
Und wenn du dir den Kopf aus dem Gelenk drehst
Ganz ohne Augen weißt du sein Gesicht
Wenn was da brüllt noch ein Gesicht hat und
Wenns kein Gesicht mehr hat siehst du das auch
Sein Name steht in deinem Ausweis, aus dir
Kommt seine Stimme, du bist was da brüllt
In der Ruine die dein Blut und Fleisch war
Eh dich die Mine aus der Welt gesprengt hat
Und alles was du bist sind meine Schmerzen
Und was mich noch zusammenhält dein Schrei.

Der Kommunismus beginnt dort, wo einfache Arbeiter in
selbstloser Weise, harte Arbeit bewältigend, sich Sorgen
machen um die Erhöhung der Arbeitsproduktivität, um
den Schutz eines jeden Puds Getreide, Kohle, Eisen und
anderer Produkte, die nicht dem Arbeiter persönlich und
nicht ihm »Nahestehenden« zugute kommen, sondern
»Fernstehenden«, d.h. der ganzen Gesellschaft in ihrer Ge-
samtheit.[*]

Der Textilarbeiter muß den Maschinenbauer sehen, wenn er
die Maschine für ihn herstellt. Der Arbeiter der Maschinen-
fabrik muß den Kohlenhäuer sehen, wenn der das Brennma-

[*] Lenin

493

terial für seinen Betrieb abbaut. Der Kumpel muß den Bauern sehen, der für ihn Getreide anbaut.

Alle Werktätigen müssen einander sehen, um zu einer engen, unverbrüchlichen Verbindung miteinander zu kommen ...*

HAMMER UND ODER AMBOSS

1

SCHWESTER Nur fünf Minuten.

BESUCHER Wie gehts.

TRAKTORIST Ist dir mein Bein über den Weg gelaufen. Mir fehlt eins oder ich kann nicht mehr bis zwei zähln. Zähl du.

BESUCHER Ich soll dich grüßen von allen.

TRAKTORIST Frag sie, ob einer ein Bein übrig hat.

BESUCHER Alle wissen, was du für uns getan hast.

TRAKTORIST Sag ihnen, ich bereus und machs nicht wieder.

BESUCHER Deine Furche hat K. zu Ende gepflügt. Es war nicht mehr viel. Morgen fangen wir mit der Aussaat an. Weizen. In S. in der neuen Schule machen die Kinder Aufsätze über dich: Der Traktorist P. A., unser Vorbild. Und in der Zeitung schreiben sie, du bist ein Held.

TRAKTORIST Reiß dir ein Bein aus und du kommst in die Zeitung. P. A. das einbeinige Vorbild. Ich bin kein Held. Ich will mein Bein wiederhaben.

BESUCHER An die Prothese gewöhnst du dich. Sie machen gute Prothesen jetzt. Das haben sie gelernt im Krieg, wie man gute Prothesen macht. Ich hab dir Zigaretten mitgebracht und die Zeitung.

---

* Dsiga Wertow

TRAKTORIST Ich werd mir deine Zeitung um den
  Beinstumpf wickeln.
BESUCHER Das schlimmste hast du jedenfalls hinter dir.
  Acht Tage, dann bist du wieder auf den Beinen.
TRAKTORIST Auf einem Bein.

2

SCHWESTER Nur fünf Minuten.
TRAKTORIST Was willst du. Hab ihr noch ein Minenfeld.
BESUCHER 2 Traktoren kriegen wir aus der Ukraine.
  Fabrikneu aus der Asche wir Brandstifter.
TRAKTORIST Und morgen wird der Himmel VEB
  Weil ich ein Minenfeld gepflügt hab. Amen.
  Sag mir wo ich ein neues Bein herkrieg.
BESUCHER 2 Gestern war gestern, aber heut ist morgen
  Und wenn wir schon vom Himmel reden wolln
  Du denkst vielleicht du bist ein Dreck vor dem
  Da sag ich dir: der Himmel ist der Himmel
  Ein Loch mit Krähen, weiter oben Sterne
  Du bist der Dreck um den sich alles dreht
  Der Globus selber langsam oder schnell
  Mit jeder Furche schneller die wir pflügen
  In seine Rinde grau von unsern Eltern
  Gebremst von jeder Brache wenn sies bleibt.
  Du bist der Traktor der ihn aus dem Dreck zieht.
TRAKTORIST Mit einem Bein, das andre in der Zeitung.
  Könnt ich die Zeit zurückdrehn, jede Furche
  Nähm ich zurück und kein zu teurer Preis
  Wär mir dein Globus für mein heiles Bein.
BESUCHER 2
  Mein Globus. Trittst du einen andern. Dein Bein.
  Und weil die Minenbauer grad so dachten
  Die Minenleger auch mit Angst vorm Strick
  Und im Genick den Hunger von drei Kindern

Liegst du jetzt hier und hast ein Bein zu wenig.
Die haben nicht gefragt wen ihre Arbeit
Zum Krüppel sprengt solang der Schornstein rauchte.
Die heizten ihren Herd im voraus mit
Warschau und Rotterdam Witebsk und Dresden.
Die jagten ganze Völker durch den Schornstein
Und hängten ihre Weiber in den Rauch noch
Zahlten mit eignem Blut ihr täglich Bier
Und fütterten die Kinder mit den Enkeln.
Die Minenräumer auch, mit andern Augen
Hätten sie Kraut und Krume abgegrast
Nach Minen, aus dem Feld geklaubt die letzte
Mit Klauen und mit Zähnen, wenns ihr Feld war.
Der Globus dreht sich nicht um deinen Beinstumpf
Nicht um mein Kreuz, von Stahlruten verkrümmt.
Nämlich der Mensch ist mehr als seine Knochen.

SCHWESTER Fünf Minuten hab ich gesagt.

BESUCHER 2 Wir sind nicht fertig miteinander.

SCHWESTER
Das ist ein Patient, Sie. Der braucht seinen Schlaf.

BESUCHER 2 Der hat ein Bein verlorn, das ist schon viel.
Soll ich ihn liegen lassen ohne Kopf auch
Allein mit eurer und der eignen Dummheit.
Für Beine gibts Prothesen. Wer nicht gehn kann
Fährt, die Maschine geht für ihn, ein Motor
Die Kunst springt ein, wo die Natur aussetzt.
Wer keinen Arm hat borgt sich einen aus
Beim Nächsten. Keiner lebt für sich allein hier
Kein Mensch hat für sich selber Hand und Fuß
Wenn er nicht für den Nächsten Hand und Fuß hat.
Ich weiß, was der Patient braucht, seinen Kopf.
Und meinen.

SCHWESTER Vielleicht lassen Sie Ihren Kopf gleich da.

BESUCHER 2 Auf tausend Leiber ein Kopf war genug

Solang von tausendeinem tausend grad
Zu Dünger gut warn für den tausendersten.
Heut ist der Mensch kein Mensch mit einem Kopf.
Und wenn er tausend Arme hat, er biegt
Mit tausend Armen seinen Nacken nur
Tausendmal tiefer unter seinen Fuß
Tritt sich mit tausend Beinen in den Grund
Und füttert seinen Weg mit seinem Schritt.

TRAKTORIST *lacht:*
Bleiben Sie hier. Hier können Sie was lernen.
Hier wird der neue Mensch erfunden. Der
Maschinenmensch. Wie wärs mit einer Probe.
Haben Sies schon probiert mit einem Traktor.
Sing weiter. Amputierte aller Länder.
Schwester, ich bin eine Knochenausleihstation.

SCHWESTER
Ich werd mich über Sie beschwern beim Doktor.

BESUCHER 2 Ich weiß, was die dem Doktor jetzt erzählt:
In Zimmer neun sitzt ein Verrückter und
Was du denkst weiß ich auch.

TRAKTORIST   Das weiß ich besser.
Wenn einer hier verrückt ist bin ich der.
Pause.

BESUCHER 2 Mir wärs auch lieber, ich wär Jesus der
Die Lahmen gehn macht und die Toten heil.
Der hat die Welt mit seinem Blut gewaschen
Steht in der Bibel, und wers glaubt wird selig.
Lang hielts nicht vor, neu stieg der alte Dreck
Und besser als sein Blut salzt unser Schweiß.

TRAKTORIST Ich bin auch Jesus. Schlingt, es ist mein Fleisch.
Ich seh sie hocken am gedeckten Tisch
Die Minenbauer und die Minenleger
Die warn im voraus satt auf meine Rechnung
Jetzt tafeln sie auf meine Rechnung wieder

Meine Kollegen Minenräumer auch
Wie sie mein Bein abnagen im Kollektiv.
Ich seh sie fressen und ich hör sie lachen
Aus vollen Bäuchen über den Idiot
Der sie gefüllt hat nicht aus eignem Hunger.

BESUCHER 2 Der einzige bist du nicht der Haare läßt.
Hier löffelt mancher manche Suppe aus
Die er nicht eingebrockt hat.

TRAKTORIST   Wem sagst du das.

BESUCHER 2   Dir.
Wir wurden auf dem Rennsteig transportiert
Aus einem Lager in ein andres Lager
Auf LKWs, bewacht von der SA
Mit Handschelln durch die schöne deutsche Heimat.
Es war im Frühjahr. Alle deutschen Vögel
Waren im Einsatz, und der deutsche Wald
War grün wie nur der deutsche Wald, und nur
Der Wind hatte kein Vaterland und wir nicht.
Unsre Bewacher hatten Durst. Sie hielten
An jedem dritten Ausschank, tankten Bier
Schlugen ihr Wasser ab und tankten wieder.
Für uns hatten sie sich was ausgedacht.
Bei jedem Halt führten sie uns dem Volk vor
Zum Anspein. Seht die Vaterlandsverräter.
Der deutschen Mutter wollen sie das Kind
Wegnehmen und dem deutschen Mann die Frau.
Und weiter im Gesangbuch. Und sie kamen
Kinder im Bauch und Kinder auf dem Arm
Und spien uns ihren Speichel ins Gesicht.
Wir konntens nicht wegwischen mit den Handschelln.
Und vor die Kinder mußten wir uns hinknien.
Beim dritten Halt konnt ich vor deutschem Speichel
Die schöne deutsche Heimat nicht mehr sehn.

TRAKTORIST Warum erzählst du mir das. Bin ich Hitler.

BESUCHER 2 Als wir herausgekrochen sind, gesiebt
Mit Gas und Steinbruch, aus dem Stacheldraht
War unser Heimweg durch zerbombte Städte.
Auf unsern Knochen hatten sie gebaut
Jetzt hatten wir die Trümmer auf dem Buckel.
Die Steine glühten noch vom letzten Brand
Wir haben uns die Hände nicht gewärmt dran
Nicht an der eignen nicht an fremder Asche.
Der letzte Rauch stand grau unter den Sternen
Uns hat er nicht den Blick verhängt aufs weitere
Wir hatten andre Himmel unterm Lid
Wir sahn mit Augen, was uns auf den Leib
Geschrieben war mit Marx- und Lenintexten
Von unserm Schweiß nicht ausgelöscht im Steinbruch
Und auf der Fleischbank nicht von unserm Blut
Jeder ein Atlas unsrer Welt von morgen
In der das Brot nicht mehr die Wurzel zieht
Aus seinen schwarzen oder weißen Essern
Weil keiner sich den Magen füllt mit Angst mehr
Daß ihm sein Brot die Därme ausreißt morgen
Und keiner schlägt den Zahn in einen andern
Wenn er sein Brot zwischen die Kiefer nimmt.
TRAKTORIST
Wenn ich dir meinen Beinstumpf zeig, was siehst du.
Pause. Traktorist lacht.
Und wenn du dir das Maul zu Fetzen predigst:
Mein Beinstumpf ist der Mittelpunkt der Welt.
Pause.
Hast du mir was zum Rauchen mitgebracht.
Ich hab kein Bier gesehn seit vierzehn Tagen.
Ich weiß schon nicht mehr, was das ist, ein Bier.

Immer den gleichen Stein den immer gleichen Berg hinauf-
wälzen. Das Gewicht des Steins zunehmend, die Arbeitskraft

abnehmend mit der Steigung. Patt vor dem Gipfel. Wettlauf mit dem Stein, der vielmal schneller den Berg herabrollt als der Arbeitende ihn den Berg hinaufgewälzt hat. Das Gewicht des Steins relativ zunehmend, die Arbeitskraft relativ abnehmend mit der Steigung. Das Gewicht des Steins absolut abnehmend mit jeder Bergaufbewegung, schneller mit jeder Bergabbewegung. Die Arbeitskraft absolut zunehmend mit jedem Arbeitsgang (den Stein bergauf wälzen, vor neben hinter dem Stein her bergab laufen). Hoffnung und Enttäuschung. Rundung des Steins. Gegenseitige Abnutzung von Mann Stein Berg. Bis zu dem geträumten Höhepunkt: Entlassung des Steins vom erreichten Gipfel in den jenseitigen Abgrund. Oder bis zum gefürchteten Endpunkt der Kraft vor dem nicht mehr erreichbaren Gipfel. Oder bis zu dem denkbaren Nullpunkt: niemand bewegt auf einer Fläche nichts. STEIN SCHERE PAPIER. STEIN SCHLEIFT SCHERE SCHERE SCHNEIDET PAPIER PAPIER SCHLÄGT STEIN.

HUNGERKÜNSTLER

ARZT Wir haben Sie zusammengeflickt, Sie können sich wieder zerreißen lassen.

TRAKTORIST Sind Sie Hungerkünstler. Was wollen Sie. Ich hätte genauso gut Glück haben können und was mir passiert ist wär einem andern passiert. Ein Bein ist besser als kein Bein, jeder macht seine Arbeit, ein Held spart den nächsten, und jedem kann alles passieren, wenn er bloß über die Straße geht, Ähre oder Zahl. Der Mensch ist keine Maschine. Wenn jeder bei jedem Handschlag wissen will wozu der gut ist, können wir gleich die Daumen drehn und warten, bis uns das Gras aus dem Bauch wächst.

ARZT Ja. Auf Wiedersehn auf dem Operationstisch.

Nach Empedokles seien zuerst einzelne Glieder aus der Erde, als wenn diese schwanger wäre, allenthalben hervorgekommen, danach seien sie zusammengewachsen und hätten den Stoff eines ganzen Menschen gebildet, der zugleich aus Feuer und Wasser gemischt sei. »Wohlan denn, höre, wie das sich ausscheidende Feuer die in Nacht gehüllten Sprossen von Männern und beklagenswerten Frauen zum Vorschein kommen ließ. Zuerst kamen noch ganz rohe Erdklumpen hervor. Sie zeigten noch nicht die liebliche Gestalt von Gliedern noch Stimme oder Schamglied. Köpfe ohne Hälse, Arme irrten für sich allein umher, ohne Schultern, und Augen schweiften allein herum, der Stirnen entbehrend. Schleppfüßige Wesen mit unzähligen Händen.« Und was sich in solcher Weise miteinander vereinigte, daß es die Möglichkeit hatte, am Leben erhalten zu bleiben, das wurden Wesen und blieben am Leben, weil sie einander ihre Bedürfnisse befriedigten, derart, daß die Zähne die Nahrung zerschnitten und zerkleinerten, der Magen sie verdaute, die Leber sie in Blut umwandelte. Und wenn der Kopf mit dem Rumpf eines solchen zusammenkam, blieb das ganze Gebilde am Leben, aber mit dem eines Rindes paßte er nicht zusammen und ging zugrunde. »Da wuchsen viele Geschöpfe heran mit Doppelantlitz und doppelter Brust, mit dem Rumpf eines Rindes, aber dem Antlitz eines Menschen, und umgekehrt kamen andre zum Vorschein, Menschenleiber mit Kuhhäuptern. Mischwesen, die teils Männer-, teils Frauengestalt hatten und mit beschatteten Schamgliedern ausgestattet waren. So griff Süßes nach Süßem, Bitteres stürmte auf Bitteres los, Saures auf Saures, Warmes ergoß sich auf Warmes.« Gerade wie Empedokles behauptet, daß unter der Herrschaft der Liebe, wie es der Zufall gerade fügte, zuerst Teile der Lebewesen, wie Köpfe, Hände und Füße, entstanden seien und sich dann vereinigt hätten. Wo nun alles zusammenkam, wie wenn es zu einem bestimmten Zwecke geschähe, das blieb erhalten, da es zufällig passend zusammengetroffen war. Alles aber, was sich nicht so vereinigte, ging und geht zugrunde.[*]

Die Befreiung der Toten findet in der Zeitlupe statt.

DER HELD MACHT EINE ERFINDUNG,
DIE HELDEN ÜBERFLÜSSIG MACHT.
DAS KOLONNENPFLÜGEN

Feld.

JUNGER TRAKTORIST Du kannst dir überall das Genick brechen, wenn du das willst.
TRAKTORIST Hier kann ichs am besten, hier hab ichs gelernt.
JUNGER TRAKTORIST Du hast dein Teil getan, jetzt sind wir dran. Wie heißt dein Doktor.
TRAKTORIST Halt.

»Wir nehmen zwei Traktoren, hängen den Pflug an ein langes Seil und ziehen ihn hinter uns her. Der andere zieht ihn dann wieder zurück. So brauchen wir die gefährliche Ackerfläche nicht zu betreten. Wenn da noch mehr solche Dinger herumliegen, können sie nur den Pflug zerreißen, aber den Acker müssen wir noch haben«... Paul A. war auch der erste Traktorist, der in Brigaden pflügte. Das sogenannte Kolonnenpflügen war besonders in den verminten Feldern notwendig. Immer wurde die Hilfe des anderen gebraucht, sei es bei Reparaturen oder eben bei Explosionen. Oft versank eine Maschine in einem planierten Schützengraben. Dann kam die zweite und versuchte, die erste herauszuzie-

---

[*] Die Vorsokratiker (Hrsg. W. Capelle). Berlin 1961

hen; auch die sackte ab. Da war es gut, eine dritte in der Nähe
zu haben, die beide wieder herausholte.[*]

Entweder auf dem Traktor oder drunter.[**]

UND ALS VERLOREN WAR DIE SCHLACHT
SIE GINGEN HEIM DAS SCHLACHTFELD IN DER BRUST
UND WURDE MANCHER NOCH ZU FALL GEBRACHT
SICH SELBER WAFFE UND SICH SELBER FEIND.
UND SIEGTE MANCHER DER SCHON NICHT MEHR WAR
WIE GRAS WÄCHST AUS DEN TOTEN FRÜH IM JAHR

Nacht. Feld. Traktorist, Bauer.

TRAKTORIST Auf deinem Rübenbeet, die Kuh pißt weiter
    Ist schon der Gaul verschwendet. Mit dem Traktor
    Bin ich in der Minute übern Grenzstein.
    Red ich von mir? Der Traktor, Mensch, braucht Auslauf.
    Dem schlagen eure Beete auf die Brust.
    Hast du kein Herz für einen Motor, Junge?
    Mich juckt dein Feld nicht, wenn der aussetzt, ich
    Reiß meine Stunden in der Kneipe ab
    Und wenn ich voll bin ists auf deine Kosten.
    In einer Nacht wie heute, Vollmond auch
    Haben wir einen umgelegt in Rußland
    Zu dritt auf einem Maisfeld groß wie Sachsen
    Ein Bauer wars. Warum? Ich habs vergessen.
    Das hab ich nicht vergessen: wie der Alte
    Bei seinem letzten Rennen noch drauf sah
    Daß er den Mais nicht umtrat. Wir sahn nicht drauf.

[*] Helden der Arbeit
[**] Ernst Thälmann

503

Wir jagten ihn, und eine kurze Jagd wars
Er immer um den Mais herum, wir drüber.
Wir hatten Schnaps, der Leutnant war bei Laune
Er sagte: Sagt dem Bolschewiken, weil mir
Sein Bart gefällt, erlaub ich ihm, daß er
Sein letztes Loch auf seinem eignen Feld schippt.
Wir fragen, wo sein Feld ist. Sagt der Alte:
HierallesmeinFeld. Wir: wo sein Feld war
Eh alles kollektiv war. Der zeigt bloß
Wie ein Großgrundbesitzer ins Gelände
Wo kilometerbreit brusthoch der Mais stand.
Der hatte wo sein Feld war glatt vergessen.

QUADRIGA

PERSONEN

Germania, *ein Riesenweib*
Vater und Sohn, *zwei Hunde*
Hitler, *ein Zwerg*
ca. 40 Radfahrer

Germania am Flügel, in Wagnermaske, versucht sich als Pianist, Hitler am fliegenden Trapez als Dirigent. Vater und Sohn halten sich die Ohren zu. Germania spielt lauter. Vater und Sohn ergreifen heulend die Flucht. Germania fängt sie mit dem Lasso ein und bindet sie rechts und links an den Flügel (lange Leine). Vater und Sohn machen sich über Germania lustig (der Vater zeigt ihr den Hintern, der Sohn die Zunge).

Hitler will Germania, die es nicht bemerkt (wenn sie hinsieht, spielen Vater und Sohn Konzertbesucher: lauschen, applaudieren usw.) auf das ungehörige Verhalten von Vater und Sohn aufmerksam machen. Da er gegen den Flügel nicht ankommt, demonstriert er es und zeigt Germania, vorbeifliegend und auf den Vater zeigend, den Hintern. Germania unterbricht ihr Spiel und versucht mit immer neuen Sprüngen, bei denen sie jedesmal auf die Nase fällt, einen Schlag auf den vorbeifliegenden Hintern von Hitler zu landen. Vater und Sohn applaudieren jedem Sturz. Germania verabfolgt dem Sohn eine Backpfeife, Hitler zieht seine Hose wieder hoch und freut sich. Nach der Backpfeife sitzt der Kopf des Sohnes schief. Der Sohn heult. Germania verabfolgt ihm eine Backpfeife auf die andere Seite. Der Kopf sitzt wieder schief. Vater und Sohn heulen. Von der dritten Backpfeife fällt der Kopf ab. Gerangel von Germania und Vater um den Kopf des Sohnes. Germania wirft Hitler den Kopf zu. Hitler führt eine Schädelmessung durch und läßt den Kopf, da er nicht die richtigen Maße hat, angewidert fallen. Germania ist an dem Kopf nun ebenfalls nicht mehr interessiert, so daß der Vater ihn dem Sohn wieder aufsetzen kann. Germania begibt sich wieder an den Flügel, Hitler nimmt seine Dirigierversuche wieder auf, immer in der Gefahr, dabei vom Trapez zu fallen. Vater und Sohn stören das Konzert, indem sie den Flügel an der Leine, mit der sie daran befestigt sind, Germania unter den Händen und vor dem Schemel wegziehn, der Vater nach rechts, der Sohn nach links, wobei Germania jedesmal vom Schemel fällt. Germania bindet Vater und Sohn zusammen und guillotiniert sie mit dem Deckel des Flügels.

Hitler applaudiert und wirft Germania unter Lebensgefahr Kußhände zu. Finale auf verstimmtem Flügel. Vierzig Radfahrer in gelben Trikots kommen klingelnd und hupend auf die Bühne. Germania zerhackt den Flügel, Hitler verwandelt sich in einen Engel, der furzend über dem Publikum kreist.

LEBEN GUNDLINGS FRIEDRICH VON PREUSSEN
LESSINGS SCHLAF TRAUM SCHREI

Ein Greuelmärchen

*Garten in Potsdam. Tafel. Friedrich Wilhelm mit dem Knaben
Friedrich als Leutnant. Offiziere, Gundling. Bier und Tabak.
Mond.*

GUNDLING ... und erhellt die Weisheit der von Majestät
verfügten Maßnahme, das Verbot der ausländischen Zeitungen auf dem Territorium Ihrer Majestät betreffend,
schon allein aus dem Umstand, daß die Welt, als von einem
Gott geschaffen, nach Vernunftgründen nur einen Mittelpunkt haben kann, als welcher in Preußen befindlich,
sozusagen mit Verlaub unter dem Königlichen Hintern
Seiner Allergnädigsten Majestät, von Gottes Gnaden
Friedrich Wilhelm.
*Friedrich Wilhelm furzt. Friedrich hält sich demonstrativ
die Nase zu.*
Also hat Gott die Welt erschaffen. Als welche zuerst gas-
förmig.
FRIEDRICH Sie stinkt immer noch.
FRIEDRICH WILHELM Untersteht Er sich, Flegel. Ich werd
Ihm Manieren beibringen, Französling. Die Nase rümp-
fen vor den Fürzen Seines Vaters! Hat Er keinen Fami-
liensinn. Er ist nicht in Versailles, wo alles drunter und
drüber geht. Hab ich die Nase aufgehoben, wenn Er in
seiner Scheiße lag? Ein Preuße hält seine Familie in
Ehren, dick oder dünn. Halt Er sich grade. Und die Hände
auf dem Tisch. Spielt Er wieder am Beinkleid. Die Hände
des Soldaten sind an der Hosennaht befindlich, bei Tafel
auf dem Tisch.
Friedrich verschränkt die Arme vor der Brust.
Versteckt Er seine Flöte, Hundsfott. *Reißt Friedrich die
Flöte aus dem Uniformrock, zerbricht sie überm Knie.* Er
kriegt die Stelle, Gundling, 200 Taler jährlich, Er ist

Patriot. Wird Er seinen Einstand geben? Ich hab ein Volk zu ernähren, ich muß knausrig sein. Und hab mir 200 Taler von den Rippen geschnitten für Ihn aus Liebe zur Wissenschaft.

Gundling zählt Geld auf den Tisch. Diener bringen Bier. Auf den neuen Präsidenten der Königlichen Akademie, Jakob Paul Freiherrn von Gundling.

Friedrich Wilhelm, Offiziere, Gundling trinken.

OFFIZIER Hat Er nur einen Titel, Gundling?

GUNDLING *zählt Geld auf den Tisch:* Ich wollt, ich hätte keinen.

Bier. Offiziere trinken.

OFFIZIER 2 Das war der Appellationsrat. Wo bleibt der Zeremonienmeister.

OFFIZIER 3 Und der Kammergerichtsrat.

OFFIZIER 4 Und der Geheime.

Friedrich Wilhelm lacht. Gundling leert seine Taschen auf den Tisch usw.

OFFIZIER 1 Gundling, wer hat Ihm das Horn aufgesetzt.

OFFIZIER 2 Hat Ihm sein Eheweib die Leviten gelesen, weil Er wieder besoffen war.

GUNDLING Das Los der Weisen, meine Herrn. Ich erinnere Sie nur an Sokrates, den Vater der Philosophie.

OFFIZIER 1 So hat Ihm sein Vater das Horn aufgesetzt.

Friedrich Wilhelm hält Friedrich die Ohren zu.

OFFIZIER 2 Besser der Vater dem Sohn als der Sohn dem Vater.

Offiziere lachen.

OFFIZIER 3 Wer den Vater nicht ehrt ist die Mutter nicht wert.

Offiziere lachen.

OFFIZIER 4 Gundling, wir haben ein Präsent für Ihn. Ist Er ein Mann?

GUNDLING *steht auf, schwankend, greift nach seinem Hosenlatz:* Ich kanns beweisen.

Friedrich Wilhelm hält Friedrich die Augen zu.

OFFIZIER 1 Hier kommt Sein Beweis.

Ein Bär tritt auf. Seine Pfoten sind verkürzt, die Zähne ausgebrochen. Gundling rennt eine Runde um den Tisch, der Bär verfolgt ihn. Die Offiziere halten Gundling mit den Degen auf. Der Bär umarmt Gundling.

OFFIZIER 2 Die Braut hat Feuer.

OFFIZIER 3 Eine Haut wie Milch und Blut.

OFFIZIER 4 Schmeckt Ihm die Umarmung?

FRIEDRICH *hoffnungsvoll:* Wird er ihn zerreißen, Papa?

FRIEDRICH WILHELM *lacht:* Nehm Ers als ein Exempel, was von den Gelehrten zu halten. Und für die Regierungs- kunst, die Er lernen muß, wenn ich zu meinem Gott eingehe, wie der Hofprediger sagt, oder in mein Nichts. Dem Volk die Pfoten gekürzt, der Bestie, und die Zähne ausgebrochen. Die Intelligenz zum Narren gemacht, daß der Pöbel nicht auf Ideen kommt. Merk Er sichs, Er Stubenhocker, mit Seinem Puderquasten- und Tragödien- kram. Ich will, daß Er ein Mann wird. Kaut Er wieder Seine Nägel? Ich werd Ihm.

Gundling fällt aus der Umarmung auf den Rücken. Bär verbeugt sich, wird von Dienern an einer Kette abgeführt.

GUNDLING *auf dem Rücken:* Ich wollte ich läg auf dem Mist hinter meines Vaters Scheune. *Offiziere lachen.*

In England hab ich mit Erzbischöfen lateinisch disputiert. England.

O WHAT A NOBLE MIND IS HERE O'ERTHROWN.[*]

Offiziere lachen.

Betrachten Sie, meine Herren Studiosi, die Majestät des Firmaments. Und lassen Sie sich das ein Trost sein: es geht auch vorbei. Der Mensch ist ein Zufall, eine bösartige

---

[*] Zitat aus Hamlet: »Welch edler Geist ist hier zerstört.« (Schlegel-Übersetzung)

Wucherung. Und was wir Leben nennen, meine Herren Majestäten, ist so etwas wie die Masern, eine Kinderkrankheit des Universums, dessen wahre Existenz der Tod, das Nichts, die Leere. Vorwärts, Preußen!

FRIEDRICH WILHELM *streng:* Grundling, hat Er wieder Ideen.

OFFIZIER 1 Es ist das Delirium.

OFFIZIER 2 Ich werd ihm einschenken.

OFFIZIER 3 Schad um das Bier. – Das ist die Feuerwehr.

Offiziere pissen auf Gundling.

OFFIZIER 4 Nektar und Ambrosia. Den Seinen gibts der Herr im Schlafe.

FRIEDRICH WILHELM *zu Friedrich:* Ist Ihm keiner gewachsen, Prinz?

FRIEDRICH Ich kann nicht, Papa.

FRIEDRICH WILHELM Ha. Ein preußischer Offizier und kann nicht pissen, wenn sein König befiehlt. Ist Er ein Mann? Degradieren den Schlingel. Und knöpft ihm den Latz auf.

Offiziere reißen Friedrich die Epauletten ab. Friedrich weint.

OFFIZIER Haha. Er pißt aus den Augen.

PREUSSISCHE SPIELE

1

Friedrich, seine Schwester Wilhelmine, Leutnant Katte spielen Blindekuh. Während Katte mit verbundenen Augen herumtappt, tauschen Friedrich und Wilhelmine die Kleidung. Friedrich und Wilhelmine versuchen einander aus dem Weg zu drängen, wenn Katte auf einen von beiden zugeht. Manchmal wird aus der Berührung ein Streicheln, aus dem Wegdrängen eine Umarmung. Katte gerät an Friedrich, hält ihn,

tastet seine (Wilhelmines) Kleider ab, die Perücke, Stirn
Augen Mund.
KATTE *unsicher:* Wilhelmine.
Friedrich steht bewegungslos, nur seine Hände zucken. Als
er nach Katte greift, ruft:
WILHELMINE Falsch falsch falsch. Ich bin hier. *Läuft von*
hinten an Katte heran, nimmt ihm, indem sie sich schwer an
ihn lehnt, die Binde von den Augen.
FRIEDRICH *Wilhelmine ignorierend, gekränkt zu Katte:*
Laß uns Tragödie spielen. Ich bin Phädra.
Wilhelmine zieht sich, ihrerseits gekränkt, in eine Ecke
zurück, aus der sie ab und zu hervortritt und Friedrich
oder Katte auf die Hände schlägt, wenn einer nach dem
andern greifen will.
FRIEDRICH
Ja, Prinz, ich schmachte, brenne für den Theseus.
. . .
Mit dir war ich gerettet und verloren.
KATTE Was hör ich, Götter! . . .
. . .
FRIEDRICH Leih mir dein Schwert, wenn du den Arm nicht
willst. Gib!*
Friedrich setzt sich Kattes Degen an die Brust. Wilhelmine
kommt aus ihrer Ecke, eine rohe Friedrich-Wilhelm-Maske
vor dem Gesicht, in Gang und Haltung ihres königlichen
Vaters und prügelt mit einem Stock auf Friedrich und Katte
ein. Friedrich und Katte binden sie mit Fetzen ihrer (Fried-
richs) Kleidung an einen Stuhl. Friedrich setzt ihr Kattes
Degen zwischen die Brüste.
FRIEDRICH Stirb, mon cher Papa!
Gelächter von Friedrich und Katte.

---

* Zitat aus Racine, PHÄDRA II, 5 (Schiller-Übersetzung)

Friedrich mit Augenbinde wird von Soldaten hereingeführt, von der anderen Seite, die Augen unverbunden, aber in Ketten, Leutnant Katte. Hinter Friedrich nimmt das Erschießungskommando für Katte Aufstellung. Zwischen Friedrich und Katte läßt sich der König (Friedrich Wilhelm) auf einen Stuhl nieder, der ihm von zwei Lakaien nachgetragen wird.

FRIEDRICH WILHELM Mach Er Seinen Frieden mit Seinem Vater im Himmel, Er Hundesohn. Ich helf Ihm hinauf, Sein oberster Kriegsherr, und königlicher Vater, den Gott mit Ihm geschlagen hat.

FRIEDRICH *zitternd, leise:* Hundevater.

FRIEDRICH WILHELM Räsoniert Er. Ich werd Ihm das Arschficken austreiben und das Französischparlieren. Halt Er sich grade. Ich will einen Mann aus Ihm machen und einen König. Und wenn ich Ihm alle Knochen im Leib zerbrechen muß dazu.

KATTE Mein Prinz.

FRIEDRICH Ich sehe dich.

Auf ein Zeichen von Friedrich Wilhelm nehmen Soldaten Friedrich die Augenbinde ab. Gleichzeitig werden Katte die Augen verbunden.

KATTE Ich sterbe für den edelsten Prinzen.

FRIEDRICH *bedeckt die Augen mit den Händen:* Ich kann dich nicht sehn.

FRIEDRICH WILHELM Zeigt ihm die Bescherung.

SOLDATEN Ich bin der Weihnachtsmann. *Reißen Friedrich die Hände von den Augen, halten ihm die Augen auf. Erschießung Kattes.*

FRIEDRICH WILHELM *steht auf:* Das war Katte.

FRIEDRICH Sire, das war ich.

3

PROJEKTION (SPRECHER) ABER ES GIBT NICHTS
SCHLECHTERES ALS DEN MENSCHEN; DAVON SEIEN
SIE ÜBERZEUGT MEIN LIEBER (Friedrich II)

FRIEDRICH *prügelt fliehende Soldaten in die Schlacht zurück.*
Hunde. Wollt ihr ewig leben.

SOLDATEN Unser Fritz.
Vivat Fridericus Rex Hurrah.
Es wird gestorben.

FRIEDRICH Ich wollte, ich wäre mein Vater. – Roter Schnee.
Friedrich kotzt.

FRIEDRICH Les Er mir vor, Catt.
*Catt stellt einen Klappstuhl auf, Friedrich setzt sich, Rücken
zur Schlacht, Gesicht zum Publikum.*

CATT Den Plutarch?

FRIEDRICH Racine.
*Catt, während die Schlacht fortdauert, liest Racine Britan-
nicus IV.*

ACH WIE GUT DASS NIEMAND WEISS
DASS ICH RUMPELSTILZCHEN HEISS ODER
DIE SCHULE DER NATION
Ein patriotisches Puppenspiel

*Feuerwand, davor Schneetreiben. Durch den Schnee marschie-
ren Soldaten (Puppen) in Wehrmachtsuniform im Stechschritt
ins Feuer. Links an der Rampe eine Schultafel, auf die Friedrich II den Soldaten, die aus der Schlacht zurückhumpeln
kriechen getragen werden, Zensuren schreibt: 5 (ungenügend)
für Unversehrtheit oder leichte Verwundungen, bessere Noten
(4-2) für jede schwere Blessur bzw. Verlust von Gliedmaßen, 1
(ausgezeichnet) für die Toten.*

FRIEDRICH Auf Wiesen grün
Viel Blumen blühn
Die gelben den Schweinen
Die blauen den Kleinen
Der Liebsten die roten
Die weißen den Toten.

Auf der anderen Seite teilen überlebensgroß John Bull und Marianne die Welt, indem sie mit Messern, die sie aus toten Indianern und Negern herausziehn, an einem Globus Messerstich spielen. Bei jedem Treffer schneidet der Sieger eine Scheibe heraus und verleibt sie sich ein. Satt sehen beide, sich (manchmal einander) den Bauch reibend, rülpsend und furzend dem kleinen Friedrich zu, der mit seinen Soldatenpuppen Krieg spielt. Während das Schneetreiben zunimmt und das Feuer verlischt, erstarrt die Szene. Die Bühne verwandelt sich in ein Geisterschiff, auf dem tote Matrosen den Kapitän an den Mast nageln. Der Film läuft rückwärts, wieder vorwärts, wieder rückwärts. Usw. durch die Jahrhunderte. Musik DAS MUSIKALISCHE OPFER.

HERZKÖNIG SCHWARZE WITWE

Projektion Leda mit dem Schwan (Rubens).
Friedrich holt aus einem Schrank eine Preußenpuppe mit Friedrich-Wilhelm-Maske, wiegt streichelt küßt sie vor dem Spiegel.

FRIEDRICH Mein Volk.
Ohrfeigt die Puppe, wirft sie auf den Boden, tanzt auf ihr. Kanaille.
Wirft die Puppe in den Schrank zurück, setzt sich auf einen Stuhl, bohrt in der Nase. Eine vierschrötige Sächsin mit

schwarzem Schleier stürzt herein. Friedrich nimmt den
Finger aus der Nase und versteckt die Hand hinter dem
Stuhl.

SÄCHSIN Ich bin die Witwe.

FRIEDRICH *springt auf:* Was für eine Witwe.

SÄCHSIN *ihm auf den Pelz rückend:*
Oder das glücklichste von allen Weibern
Wenn Majestät will.

FRIEDRICH *flieht:* Majestät will nicht.

SÄCHSIN *verfolgt ihn durch das Zimmer:*
Nämlich mein Mann, und Vater meiner Kinder
Acht an der Zahl, ist jener Offizier
Aus sächsischen Diensten und durch Übertritt
Aus der Gefangenschaft in preußische Dienste
Preußisch, aus Liebe Deserteur jetzt, weil
Nach Sachsen heim zog ihn sein volles Herz
Hand aufs Herz:
Den zu erschießen Majestät Befehl gab
Am heutigen Morgen nach dem Kriegsrecht, also
Desselben Witwe ich, wenn Majestät
Nicht Gnade walten lassen vor dem Kriegsrecht
Worum auf Knien ich bitte, oder Weib, wenn.
Greift, sich auf die Knie werfend, nach Friedrichs Beinen.

FRIEDRICH *entkommt:* Sie ist die Witwe, Majestät läßt nicht.

SÄCHSIN Ach. *Fällt in Ohnmacht.*

Friedrich umkreist die Ohnmächtige in weiten Bögen.

SÄCHSIN *wacht auf, wirft die Arme hoch:*
Gnade!

FRIEDRICH *nimmt Abstand:*
Der Himmel ist leer, Madame!

Sächsin steht auf, streckt die Arme nach ihm aus.

FRIEDRICH Und ich
Bin der König.

SÄCHSIN Haben Sie ein Herz?

FRIEDRICH *staatsmännisch:* Und nicht

Für mich.

Das Zimmer abschreitend:
>Ihr Gatte, zum Exempel, ist
Ein Ehrenmann, und sächsisch seine Ehre.
So, was bedeutet Preußens Ehre ihm
Die zu verwalten obliegt mir, Preußens König
Und wenn es mir das Herz bricht. Eine Wunde
Madame, ist das Herz eines Königs.

SÄCHSIN *weint:* Majestät.

FRIEDRICH *singt:*
Oh wenn Sie wüßten O Madame Meine
Einsamen Nächte.

SÄCHSIN *tritt auf ihn zu, Arme ausbreitend:*
>Und meine, Majestät.

FRIEDRICH *tritt zurück, zieht seinen Degen:* Ah
Wie diese Brust nach diesem Trost verlangt! –
Gekrönte Häupter! Faulendes Europa!
Euch dieses Beispiel, wie ein König stirbt!
*Will den Degen an die Brust setzen, die Arme sind zu kurz,
der Degen ist zu lang, er trifft die Mitte.*

SÄCHSIN *nimmt den Degen:*
Nein, Majestät. Sie dürfen nicht. Mein Mann

FRIEDRICH
Wenn ich es dürfte. Sie hat recht: Ich darf nicht.
Der Glücklichste unter den Preußen, wenn
Ein andrer Preußens König wär, wär ich.
Wie neid ich meinen Opfern ihren Tod
Sie dürfen sterben, aber ich muß töten.

SÄCHSIN Ich bin untröstlich, Majestät. Mein Mann

FRIEDRICH Wär ich an seinem Platz.

SÄCHSIN *schließt die Augen:* Ach Majestät.

FRIEDRICH Ein Ehrenmann. Er hat nur eine Ehre.
Die leider sächsisch ist, und was bedeutet
Die Ehre Sachsens meinen braven Preußen.

Sie löchern ihre Mutter an der Wand
Für Preußens Ehre ohne Wimperzucken.
Und was für mich ein Deserteur aus Ehre
Ist meinen Tapfern nur ein sächsischer Schandfleck
Der weggeputzt wird für ein saubres Preußen.
Hatten Sie schon Gelegenheit, Madame
Gleich werden Sie sie haben, beizuwohnen
Einer Exekution. Ein häßliches Schauspiel.
Sächsin heult, Friedrich tritt vor einen Spiegel.
Welch wunderbares Bildwerk ist der Mensch.
Bedeckt die Augen mit den Händen, blickt durch die Finger,
dreht sich vom Spiegel weg.
Wenn die Natur ihn nicht geschaffen hätte
Ich
Kurzer Blick in den Spiegel.
Und wie sieht er aus mit zwanzig Kugeln.
Lassen wir das. Der Mensch hat einen Fehler:
Preußisch wäre die Welt, wenn meine Preußen
Nicht fressen saufen huren scheißen würden.
Lassen wir das. Gott ist ein Schwein, wie? Wenn es
Ihn gäbe. Glauben Sie, Madame?
SÄCHSIN   Ich bete.
FRIEDRICH Beten Sie schnell.
Blickt aus dem Fenster / ins Publikum:
                    Ein Bild von einem Mann.
Und hier vor meinem Fenster muß es sein
Daß es zerstört wird.
Nimmt der Sächsin den Schleier weg und legt ihn über sein
Gesicht:
                    War er gut im Bett
Witwe?
Sächsin heult.
FRIEDRICH *tanzt:*
Ich bin der Witwenmacher. Weiber

Zu Witwen machen, Weib, ist mein Beruf.
Ich leer die Betten aus und füll die Gräber.
Lacht, läßt den Schleier fallen.
Jetzt kann Sie mit sich selber spielen, Witwe
Schüttelt sich:
Bis sich ein neuer Bauch auf ihrem Bauch reibt.
Weint:
Daß ich es sehn muß. Hier. Mit diesen Augen.
Groß:
Darf ich die Augen schließen, wenn mein Wort
Gewalt wird? Wär ich blind. Ah
*Nimmt den Schleier auf und verbindet sich damit die
Augen.*

SÄCHSIN   Armer König.

FRIEDRICH Sagten Sie Gnade? Wolln Sie daß der König
Mir nicht mehr in die Augen sehen kann
Und meinen Preußen, die für mich in jeden
Tod gehn, Spießruten laufen usw.
Den Müttern, die ihm ihre Söhne schlachten
Und der Geschichte, die ihn keinen Blick lang
Aus den Augen läßt. Will Sie das? Kann Sie
Das wollen?
Sächsin schüttelt heftig den Kopf.
Und doch, was König Preußen was
Geschichte, alles werf ich weg auf Ihr Wort.
Auf einem Knie:
Madame, ich schenke Ihnen meinen Nachruhm
Wenn Sie es wollen, für Ihr kleines Glück.

SÄCHSIN Wie könnt ich, Majestät! Mein großer König!
*Hebt Friedrich auf, nimmt ihm die Augenbinde ab, trocknet
mit dem Schleier sein Gesicht, bedeckt ihr Gesicht wieder
mit dem Schleier, stellt den Stuhl ans Fenster, Richtung
Publikum, setzt sich, nimmt Friedrich auf den Schoß, wiegt
ihn und singt:*

GLÜCKLICH IST
WER VERGISST
WAS EINMAL NICHT ZU ÄNDERN IST

Trommeln. Man hört das Peloton aufmarschieren.

FRIEDRICH *springt der Sächsin vom Schoß:*
Madame, es ist soweit.

*Blickt aus dem Fenster / ins Publikum, hält sich die Augen
zu:*
              Ich kann nicht hinsehn.
Gestatten Sie.

*Verkriecht sich hinter der Sächsin, den Kopf hinter ihr
vorgestreckt. Die Sächsin schlägt den Schleier zurück, starrt
mit weit aufgerissenen Augen durch das Fenster / ins
Publikum. Salve. Gleichzeitig springt Friedrich der Frau
auf den Rücken.*

FRIEDRICH *auf der Frau:* Haben Sie gesehn. Das spritzt.

*Würgt sie mit dem Schleier. Die Sächsin wirft die Arme
hoch, fällt um mit Stuhl und Friedrich.*
Mein königliches Beileid.

SÄCHSIN   Meine Kinder.

FRIEDRICH *mit Adlermaske:*
Meine Kanonen brauchen Futter, Weib.
Wozu sonst hat sie ein Geschlecht im Leib.

LIEBER GOTT MACH MICH FROMM
WEIL ICH AUS DER HÖLLE KOMM

*Preußisches Irrenhaus. Kriegskrüppel spielen Krieg. Vetera-
nen üben Stechschritt und Spießrutenlauf. Rattenjagd. Mann
in Käfig. Kind in Bandage. Frau in Stupor.*

FRAU *singt:*
Es waren einmal drei Mörder
Feine Roseblume

Die gaben sich als drei Grafen aus
Berg und Tal kühler Schnee
Herzlieb Scheiden und das tut weh.

Sie kommen zur Frau Wirtin hin
Feine Roseblume
Könnt ihr behalten drei Grafen über Nacht
Berg und Tal kühler Schnee
Herzlieb Scheiden und das tut weh.

Jawohl und Scheuer und Stall sind leer
Feine Roseblume
Könnt ich nicht behalten drei Grafen über Nacht
Berg und Tal kühler Schnee
Herzlieb Scheiden und das tut weh.

Der erste stellt das Pferd in den Stall
Feine Roseblume
Der zweite teilt das Futter ein
Berg und Tal kühler Schnee
Herzlieb Scheiden und das tut weh.

Der dritte sprang die Küch hinein
Feine Roseblume
Und küßt Frau Wirtin Töchterlein
Berg und Tal kühler Schnee
Herzlieb Scheiden und das tut weh.

Der erste sprach das Mädchen ist mein
Feine Roseblume
Ich hab ihm gekauft ein Fläschchen Wein
Berg und Tal kühler Schnee
Herzlieb Scheiden und das tut weh.

Der zweite sprach das Mädchen ist mein
Feine Roseblume
Ich hab ihm gekauft ein Ringelein
Berg und Tal kühler Schnee
Herzlieb Scheiden und das tut weh.

Der dritte sprach wir sind das Mädchen nicht wert
Feine Roseblume
Wir müssen es teilen mit unserm Schwert
Berg und Tal kühler Schnee
Herzlieb Scheiden und das tut weh.

Sie setzten das Mädchen wohl auf den Tisch
Feine Roseblume
Und gaben ihm wohl siebzig Stich
Berg und Tal kühler Schnee
Herzlieb Scheiden und das tut weh.

Und wo ein Tropfen Blut hinspritzt
Feine Roseblume
Gleich darauf ein Engelein sitzt
Berg und Tal kühler Schnee
Herzlieb Scheiden und das tut weh.[*]

Professor mit Studenten.

PROFESSOR Eine Mörderin. Vom Ehebruch zum Gatten-
mord ein Schritt. Der Gatte war Kammergerichtsrat.
Ihren Aufenthalt in unserer Anstalt verdankt sie dem
traurigen Faktum, daß der Henker besoffen war. Unser
großer König hat Preußen die Kartoffel geschenkt. Wie
dankt es ihm sein tapferer Landadel.

STUDENT Mit Kartoffelschnaps.

Studenten lachen.

---

[*] Deutsches Volkslied aus dem 16. Jahrhundert, vielleicht älter

PROFESSOR Sie wurde begnadigt nach dem dritten Versuch. Sie sehen die drei Halsnarben. Und so steht sie vor uns, eine Unvollendete. *Die Frau reißt sich die Kleider vom Leib. Wärter mit Zwangsjacke. Kampf.*

Die Zwangsjacke. Ein Instrument der Dialektik, wie mein Kollege von der philosophischen Fakultät schließen würde. Eine Schule der Freiheit in der Tat. Sie brauchen nur hinzusehen, als Einsicht in die Notwendigkeit verstanden. Je mehr der Patient sich bewegt, desto enger schnürt er sich selbst, er sich selbst wohlgemerkt, in seine Bestimmung. Jeder ist sein eigner Preuße, populär gesprochen. Darin liegt der erzieherische Wert, das Humanum sozusagen, der Zwangsjacke, die ebensogut Freiheitsjacke genannt werden kann. Der Philosoph würde schließen, daß die wahre Freiheit in der Katatonie beruht, als dem vollendeten Ausdruck der Disziplin, die Preußen groß gemacht hat. Die Konsequenz ist reizvoll: der ideale Staat gegründet auf den Stupor seiner Bevölkerung, der ewige Frieden auf den globalen Darmverschluß. Der Mediziner weiß: die Staaten ruhn auf dem Schweiß ihrer Völker, auf Kotsäulen der Tempel der Vernunft.

STUDENT Populär gesprochen.

Studenten lachen.

PROFESSOR Ich bitte mir eine mehr wissenschaftliche Haltung aus, meine Herrn. Sehn Sie diesen Knaben, Idiot geworden durch Masturbation. Die Ruine einer blühenden Kindheit. *Knabe streckt die Zunge heraus.* Und den Triumph der Wissenschaft: die von mir entwickelte Masturbationsbandage. Eine, wie Sie sehen, so einfache wie sinnreiche Konstruktion, die bei konsequenter Anwendung auf die Dauer auch den härtesten kleinen Sünder mürbe macht. *Knabe spuckt. Wärter verbinden ihm den Mund.* Sie ist nach Größen verstellbar, und ich darf anmerken, meine Herrn, wenn Sie mir die patriotische

Abschweifung erlauben: ich meinerseits halte es nicht für einen Zufall, daß diese meine bescheidne Erfindung gerade im aufgeklärten Preußen unseres tugendhaften Monarchen zur Anwendung kommt. Ein Sieg der Vernunft über den rohen Naturtrieb. Gegen den sogar der tägliche Gebrauch der Rute nichts vermochte: Kaum daß er sie nicht mehr auf dem Rücken spürte, einmal erlahmt die strafende Hand des besten Pädagogen, der Mensch, leider, ist keine Maschine, wiederholte der Verstockte, ohne die Vernarbung seiner Striemen abzuwarten, den schändlichen Handgriff nach dem Werkzeug, das der Schöpfer der Fortpflanzung, in christlicher Ehe versteht sich, vorbehalten hat, Gottes Ebenbild auch er, nach Seinem Bilde schuf Er ihn, mit einem gewissen Theologen zu sprechen. *Studenten lachen.* Ich nenne seinen Namen nicht. *Studenten lachen.* Eine Lästerung. Stellen Sie sich den Herrgott masturbierend vor, deus masturbator.

Studenten lachen.

STUDENT Oder einen gewissen Theologen.

PROFESSOR *lacht:* Nach vier Wochen in der Bandage, die sozusagen als ein verlängerter und, weil mechanisch, unermüdender Arm der Pädagogik fungiert, vergißt der ärgste Wüstling sein Geschlecht. Ich darf demonstrieren.

Wärter lösen die Bandage. Knabe, sein Gesicht vom Schmerz verzerrt, reibt seine tauben Arme, reißt sich die Maulbinde ab, greift nach seinen Genitalien. Studenten lachen.

Wütend: Ein Idiot. – Krummschließen. – Die Bandage war zu locker. Eine Nachlässigkeit.

Knabe wird krummgeschlossen, heult.

STUDENT 1 Schlage Amputation vor, Herr Professor.

STUDENT 2 Kastration.

STUDENT 3 Doppelt näht besser.

Studenten lachen.

PROFESSOR Ein schneidiger Vorschlag, Herr Kollege. Aber als Humanmediziner setze ich auf meine bescheidnere Methode. Gut Ding will Weile, junger Freund. Das Messer des Chirurgen ist die ultima ratio. – Führen Sie ihn in drei Wochen wieder vor.

MANN IM KÄFIG

Ich habe meinen Sohn geschlachtet, meinen Jesus.

Gebt mir die Rute. Gebt mir die Rute.

PROFESSOR Gebt sie ihm. *Das geschieht. Mann im Käfig geißelt sich.* Das nennt er Buße tun für die Erschaffung der Welt. Zebahl, Zebaoth, auch der blutige Baal genannt von den Schülern, die seiner strafenden Hand anvertraut waren. Die Hand ist trainiert, wie zu sehn, Korporal im Siebenjährigen Krieg, ein Lehrer wie er im Buch steht. Jesus war sein Liebling, so genannt von den Mitschülern, weil er sich an ihren Streichen nicht beteiligte. Vielleicht weil Zebahl, wie böse Zungen behaupten, an seiner außerehelichen Verfertigung nicht unbeteiligt war. *Studenten lachen.* Ein Engel jedenfalls, mit dem der Lehrer seine Kammer teilte. *Studenten lachen.* Der Rest steht in der Bibel. *Studenten lachen.* Für ein Strafgericht, das Zebaoth über seine Zöglinge verhängt hatte, bot sich Jesus als Sühnopfer an. Er wollte die Strafe auf sich nehmen, einer für alle, ein Gotteslamm. Sein Schöpfer, von so viel Tugend zu Tränen bewegt, akzeptierte. Und tat, um seinem Geschöpf an Seelengröße nicht nachzustehn sowie den pädagogischen Effekt zu verdoppeln, ein übriges, indem er es den Sündern überließ, das Exempel zu statuieren. Sie taten es gründlich: Gott Zebaoth hat keinen Sohn mehr, das Dorf einen neuen Schulmeister, die Geschichte der Medizin einen Höhepunkt: Gott als Patient.

ZEBAHL Ich schäme mich. Ich schäme mich. Ich schäme mich.

STUDENT 1 Ich höre, Sie haben die Welt erschaffen, Herr Zebahl.

ZEBAHL Ja, es ist meine Schuld. Alles ist meine Schuld. Ich bin allmächtig.

STUDENT 2 *kreuzt die Hände vor den Genitalien:* Und ich bin die Jungfrau Maria.

STUDENT 3 Ich bin Jesus. *Arme wie Flügel bewegend.* Das ist die Himmelfahrt.

STUDENT 4 *wölbt den Bauch vor:* Ich bin der Papst in Rom.

ALLE VIER *knien vor dem Käfig:*
VATER UNSER DER DU BIST IM HIMMEL
Studenten lachen.

PROFESSOR Ein Irrenhaus. Was zu beweisen war. Gehn wir, meine Herrn. *Professor und Studenten ab.*

ZEBAHL *flüstert:* Ja, ich habe die Welt erschaffen. Ich bin der Narr, ich bin der Verbrecher. Ich kann mir die Augen ausreißen und sehe euch doch. Wenn ich sterben könnte. Ich habe meinen Sohn geschlachtet. Ich Kot meiner Schöpfung Erbrechen meiner Engel Eiterkorn in meinen Harmonien. Ich bin die Fleischbank. Ich bin das Erdbeben. Ich bin das Tier. Der Krieg. Ich bin die Wüste. *Schrei. Schwarze Engel bevölkern den Zuschauerraum und fallen lautlos über das Publikum her.*

ET IN ARCADIA EGO[*]: DIE INSPEKTION

Rübenacker. Bauernfamilie kriecht in den Furchen. An der Rampe wird ein Stehpult, am Acker ein Marmorblock aufgestellt. Ein Knabenchor nimmt Aufstellung, Münder offen zum Gesang. Ein Schwarm von Malern stellt seine Staffeleien auf. Friedrich Schiller begibt sich an das Stehpult, der Bildhauer

---

[*] lat. »Auch ich war in Arkadien.« (Horaz)

Schadow an den Marmorblock. Auftritt Friedrich von Preußen mit Krückstock Beamten und Voltaire. Beamte stellen zwei Klappstühle auf. Friedrich und Voltaire nehmen Platz. Schiller rezitiert, zwischen Hustenanfällen, den SPAZIERGANG. Der Bildhauer Schadow bearbeitet den Marmorblock, ab und zu die Bäuerin maßnehmend, wenn sie sich in der Furche aufrichtet und den Rücken streckt. Wenn sie sich nicht mehr bükken kann, weil der Rücken steif ist, hilft ihr der Bauer mit einem Faustschlag zurück in die Furche. Friedrich nimmt eine königliche Haltung ein. Die Maler malen. Der Knabenchor singt KEIN SCHÖNER LAND IN DIESER ZEIT / ALS HIER DAS UNSRE WEIT UND BREIT.

FRIEDRICH *erhebt sich, schreitet, weist, immer königlich und seine Posen, mit Rücksicht auf die Maler, wegen der Gicht mit Anstrengung, lange haltend, gelegentlich wiederholend oder verbessernd, setzt zum Sprechen an, blickt indigniert auf Schiller, der, während der Knabenchor schon schweigt, immer noch an der Rampe den SPAZIERGANG rezitiert. Beamte leeren einen Rübensack aus und stülpen ihn Schiller über den Kopf. Man hört während des Folgenden in Abständen sein dumpfes Husten.*
In der Tat: kein Schauspiel erfreut das Auge eines Königs mehr als eine blühende Provinz, bevölkert mit fleißigem Landvolk, das in Frieden seiner Arbeit nachgeht. Neben der Feldfrucht gedeihen die Künste ... O die karge Schönheit meines Preußen! Ich gebrauche das Possessivpronomen nicht als solches, mein lieber Voltaire, vielmehr in betracht der Einheit unité von Staat und Volk, als von welcher Preußen der Welt das Beispiel gibt. Das Volk bin ich, wenn Sie wissen, was ich meine.
Applaus der Beamten.
FRIEDRICH *mit Megaphon, zum Bauern:* Die Orangen sind heuer gut geraten, wie.

BAUER *steht stramm, mit ihm seine Familie:* Zu Befehl, Majestät, es sind Rüben.

FRIEDRICH Hat Er Rüben gesagt.

BAUERNKINDER (7) EINS ZWEI DREI VIER FÜNF SECHS SIEBEN EINE BAUERSFRAU KOCHT RÜBEN

FRIEDRICH Wir werden sehn. Probier Er.

Wirft dem Bauern eine Rübe zu. Der Bauer ißt die Rübe.

FRIEDRICH Schmecken Ihm Seine Orangen, Kerl?

BAUER *spuckt Zähne:* Die Orangen schmecken mir jawohl, Majestät.

Voltaire kotzt an der Rampe.

FRIEDRICH *zum Bauern:* Brav. – Ein Bauerntanz für unsern Gast aus Frankreich.

Man reicht ihm die Flöte. Die Beamten setzen dem Bauern, der Bäuerin, den Bauernkindern Hahnenköpfe auf. Friedrich spielt einen rebellischen Bauerntanz. Voltaire hält sich die Ohren zu. Bauernfamilie tanzt in den Furchen. Applaus, auch von Voltaire. Die Bauern liefern den Beamten die Hahnenköpfe wieder ab.

Zu Voltaire: Ein kunstliebendes Volk, meine Preußen.

Zum Bauern: Versuch Er es im nächsten Jahr einmal mit Bananen.

Friedrich wendet sich zum Gehn. Ein Maler hält ihm seine Leinwand vor. Friedrich, nach einem Blick auf das Bild, zeigt mit dem Krückstock auf die Statue, die inzwischen kenntlich ist: ein klassizistischer Akt: Kunst ist Schönheit. Zehn Stockhiebe für den Kleckser.

Ein Beamter haut dem Maler die Leinwand über den Kopf, die Kollegen malen sein Gesicht schwarz. Aufbruch.

FRIEDRICH ET IN ARCADIA EGO. *Zeigt in den Zuschauerraum:* Sehn Sie das Rindvieh, friedlich grasend. Preußen, eine Heimat für Volk und Vieh. Und Sie können sagen, Sie sind dabei gewesen, mein lieber Voltaire.

VOLTAIRE *nimmt eine Rübe:* Ein Souvenir. Die preußische Orange.

Alle ab. Nur Schiller und die Bauern bleiben auf der Bühne.
Der Bauer kräht, wirft die Statue um, treibt Frau und
Kinder mit Faustschlägen zu schnellerem Arbeiten an.
Schiller, ohne Stehpult, den Sack noch über dem Kopf, hustet
an der Rampe.

FRIEDRICH DER GROSSE

Zimmerflucht auf eine schmale Tür in Sanssouci. Vorn der
Staatsrat: Kreaturen und Räte, mit Papier. Herzton und Atem
des sterbenden Königs. Flüsterchor des Staatsrats, anschwel-
lend: Er krepiert Er krepiert Er krepiert. *Herzton und Atem*
aus. Stille. Wind, der dem Staatsrat das Papier aus den Händen
reißt über die Bühne treibt auf der Bühne herumwirbelt. Der
Staatsrat jagt Papier. Mehr Papier weht auf die Bühne, in den
Zuschauerraum. Vorhang mit schwarzem Adler.

HEINRICH VON KLEIST SPIELT MICHAEL KOHLHAAS

Verkommenes Ufer (See bei Straußberg). Kleist, in Uniform.
Kleistpuppe. Frauenpuppe. Pferdepuppe. Richtblock.
Kleist berührt Gesicht Brust Hände Geschlecht der Kleist-
puppe. Streichelt küßt umarmt die Frauenpuppe. Schlägt mit
dem Degen der Pferdepuppe den Kopf ab. Reißt der Frauen-
puppe das Herz heraus und ißt es. Reißt sich die Uniform vom
Leib, schnürt den Kopf der Kleistpuppe in die Uniformjacke,
setzt den Pferdekopf auf, zerhackt mit dem Degen die Kleist-
puppe: Rosen und Därme quellen heraus. Wirft den Pferdekopf
ab, setzt die Perücke (fußlanges Haar) der Frauenpuppe auf,
zerbricht den Degen überm Knie, geht zum Richtblock. Nimmt
die Perücke ab, breitet das Frauenhaar über den Richtblock,
beißt sich eine Pulsader auf, hält den Arm, aus dem Sägemehl

rieselt, über das Frauenhaar auf dem Richtblock. Vom Schnür-
boden wird ein graues Tuch über die Szene geworfen, auf dem
ein roter Fleck sich schnell ausbreitet.

LESSINGS SCHLAF TRAUM SCHREI

1

PROJEKTION (SPRECHER)

LESSING HATTE IN SEINEM GANZEN LEBEN EINEN
UNGEMEIN FOLGSAMEN SCHLAF DER SOGLEICH
KAM WENN ES IHM NUR EINFIEL DIE AUGEN ZU
SCHLIESSEN ER HAT MICH OFT VERSICHERT DASS
ER NIE GETRÄUMT HÄTTE DIESES GLÜCK BEHIELT
ER BIS AN SEIN ENDE UND SAGTE NOCH KURZ VOR-
HER WENN ER DEN GANZEN TAG GESCHLAFEN
HÄTTE FREUE ER SICH DOCH AUF DIE NACHT (Lei-
sewitz)
Schauspieler wird geschminkt (Lessingmaske) und kostü-
miert. Bühnenarbeiter stellen langen Tisch und Stühle auf.
SCHAUSPIELER *liest:*
Mein Name ist Gotthold Ephraim Lessing. Ich bin 47
Jahre alt. Ich habe ein / zwei Dutzend Puppen mit Säge-
mehl gestopft das mein Blut war, einen Traum vom
Theater in Deutschland geträumt und öffentlich über
Dinge nachgedacht, die mich nicht interessierten. Das
ist nun vorbei. Gestern habe ich auf meiner Haut einen
toten Fleck gesehen, ein Stück Wüste: das Sterben beginnt. Beziehungsweise: es wird schneller. Übrigens bin
ich damit einverstanden. Ein Leben ist genug. Ich habe ein
neues Zeitalter nach dem andern heraufkommen sehn,
aus allen Poren Blut Kot Schweiß triefend jedes. Die
Geschichte reitet auf toten Gäulen ins Ziel. Ich habe
die Hölle der Frauen von unten gesehn: Die Frau am

Strick Die Frau mit den aufgeschnittenen Pulsadern Die Frau mit der Überdosis AUF DEN LIPPEN SCHNEE Die Frau mit dem Kopf im Gasherd. 30 Jahre lang habe ich versucht, mit Worten mich aus dem Abgrund zu halten, brustkrank vom Staub der Archive und von der Asche, die aus den Büchern weht, gewürgt von meinem wachsenden Ekel an der Literatur, verbrannt von meiner immer heftigeren Sehnsucht nach Schweigen. Ich habe die Taubstummen um ihre Stille beneidet im Geschwätz der Akademien. Und in den Betten der vielen Frauen, die ich nicht geliebt habe, um ihren lautlosen Beischlaf. Ich fange an, meinen Text zu vergessen. Ich bin ein Sieb. Immer mehr Worte fallen hindurch. Bald werde ich keine andere Stimme mehr hören als meine Stimme, die nach vergessenen Worten fragt. *Freunde treten auf, debattieren lautlos, besetzen die Stühle.* Das sind meine Freunde. *Freunde verbeugen sich.* Seit einiger Zeit fange ich an ihre Namen zu vergessen. *Freunde ziehen Strumpfmasken über Gesichter.* Vergessen ist Weisheit. Am schnellsten vergessen die Götter. Schlafen ist gut. Der Tod ist eine Frau. *Schauspieler erstarrt in Lessingmaske, Freunde in Debattierposen.*

2

PROJEKTION (SPRECHER)

AUS DEM PREUSSEN DES ZWEITEN FRIEDRICH GOLD IM STECHSCHRITT SILBER IM SPIESSRUTENLAUF KOMMT LESSING NACH AMERIKA LAND DER KARTOFFEL DIE PREUSSEN GROSS MACHEN WIRD AUF EINEM AUTOFRIEDHOF IN DAKOTA BEGEGNET ER DEM LETZTEN PRÄSIDENTEN DER USA

Autofriedhof. Elektrischer Stuhl, darauf ein Roboter ohne Gesicht. Inzwischen unter den Autowracks in verschiedenen Unfallposen klassische Theaterfiguren und Filmstars. Mu-

sik: WELCOME MY SON WELCOME TO MACHINE
(Pink Floyd WISH YOU WERE HERE). Lessing mit
Nathan dem Weisen und Emilia Galotti, Namen auf dem
Kostüm.

EMILIA GALOTTI *rezitiert:*

Gewalt! Gewalt! Wer kann der Gewalt nicht trotzen? Was
Gewalt heißt ist nichts: Verführung ist die wahre Gewalt!
Ich habe Blut, mein Vater, so jugendliches, so warmes Blut
als eine. Auch meine Sinne sind Sinne. Ich stehe für nichts.
Ich bin für nichts gut... Geben Sie mir, mein Vater, geben
Sie mir diesen Dolch ...

NATHAN *rezitiert, gleichzeitig, den Schluß der Ringparabel:*
Wohlan ...

Polizeisirene. Emilia und Nathan vertauschen ihre Köpfe,
entkleiden umarmen töten einander. Weißes Licht. Tod der
Maschine auf dem Elektrischen Stuhl. Bühne wird schwarz.

STIMME (UND PROJEKTION)

STUNDE DER WEISSGLUT TOTE BÜFFEL AUS DEN
CANYONS GESCHWADER VON HAIEN ZÄHNE AUS
SCHWARZEM LICHT DIE ALLIGATOREN MEINE
FREUNDE GRAMMATIK DER ERDBEBEN HOCHZEIT
VON FEUER UND WASSER MENSCHEN AUS NEUEM
FLEISCH LAUTREAMONTMALDOROR FÜRST VON
ATLANTIS SOHN DER TOTEN

3

PROJEKTION APOTHEOSE SPARTAKUS EIN FRAGMENT
Auf der Bühne ein Sandhaufen, der einen Torso bedeckt.
Bühnenarbeiter, die als Theaterbesucher kostümiert sind,
schütten aus Eimern und Säcken Sand auf den Haufen,
während gleichzeitig Kellner die Bühne mit Büsten von
Dichtern und Denkern vollstellen. Lessing wühlt im
Sand, gräbt eine Hand aus, einen Arm. Die Kellner, nun
in Schutzhelmen, verpassen Lessing eine Lessingbüste, die

Kopf und Schultern bedeckt. Lessing, auf den Knien, macht vergebliche Versuche, sich von der Büste zu befrein. Man hört aus der Bronze seinen dumpfen Schrei. Applaus von Kellnern Bühnenarbeitern (Theaterbesuchern).

Friedrich II kann von einer Frau dargestellt werden oder als
Prinz von einem (jungen) Mann, als König von einer Frau.
Im zweiten Fall stellt der Darsteller des Prinzen Friedrich
auch den Kleist in der Pantomime dar. Gundling, Psychiater,
Schiller, Lessing 1 (Schauspieler, der zu Lessing geschminkt
wird) und Lessing 2 (Lessing in Amerika) vom gleichen
Darsteller, Lessing 3 (Apotheose) vom Darsteller des Prinzen
Friedrich und Kleists. Die Teile des Lessing Triptychons
sollten nach Möglichkeit nicht auf einem Schauplatz nacheinander, sondern überlappend aufgebaut werden: während
der Schauspieler zu Lessing geschminkt wird, wird der
Autofriedhof aufgebaut; während Emilia Galottis und Na-
thans Rezitation schütten die Bühnenarbeiter (Theaterbesucher) über dem Spartacus-Torso den Sandhaufen auf.
Nach dem Irrenhaus-Bild können Schauspieler in einem
improvisierten Schäferspiel eine bessere Welt entwerfen.

RUINE DER REICHSKANZLEI

GOEBBELS Damen und Herren,
 Messieursdames, (Ladies and Gentlemen),
  Jetzt können Sie was erleben
  Maintenant vous allez voir
  Ce que vous n'avez jamais vu
 Das berühmte schnurrbärtige Erdbeben
 Le célèbre tremblement de terre
 (The famous earthquake moustachu)

Hitler als hinkender Wolf auf drei Beinen.

Wenn seine Bartspitzen zittern, bebt die Welt.
(Au moment où on voit les points de sa barbe vibrer)
(Trembles the world) tremble le monde entier.

Hitler hebt die Pfote zum Heil, fällt auf die Schnauze, heult.

 Du mußt in Versen reden, Adolph, wie ein Held
 Adolph, il faut
 Que tu parles en vers comme le héros
 In der Tragödie.
 Dans la tragédie (in the tragedy).
HITLER Joseph, sag mir vor.
 (Je voudrais que tu me souffles les mots, Joseph.)
GOEBBELS Ich werds schon machen Chef. Gib mir dein Ohr.
 Donne-moi l'oreille. Je veux bien le faire, chef.

Hitler gibt Goebbels sein Ohr. Hitler singt ein Volkslied.

DIE HAMLETMASCHINE

FAMILIENALBUM

Ich war Hamlet. Ich stand an der Küste und redete mit der Brandung BLABLA, im Rücken die Ruinen von Europa. Die Glocken läuteten das Staatsbegräbnis ein, Mörder und Witwe ein Paar, im Stechschritt hinter dem Sarg des Hohen Kadavers die Räte, heulend in schlecht bezahlter Trauer WER IST DIE LEICH IM LEICHENWAGEN / UM WEN HÖRT MAN VIEL SCHREIN UND KLAGEN / DIE LEICH IST EINES GROSSEN / GEBERS VON ALMOSEN das Spalier der Bevölkerung, Werk seiner Staatskunst ER WAR EIN MANN NAHM ALLES NUR VON ALLEN. Ich stoppte den Leichenzug, stemmte den Sarg mit dem Schwert auf, dabei brach die Klinge, mit dem stumpfen Rest gelang es, und verteilte den toten Erzeuger FLEISCH UND FLEISCH GE-SELLT SICH GERN an die umstehenden Elendsgestalten. Die Trauer ging in Jubel über, der Jubel in Schmatzen, auf dem leeren Sarg besprang der Mörder die Witwe SOLL ICH DIR HINAUFHELFEN ONKEL MACH DIE BEINE AUF MAMA. Ich legte mich auf den Boden und hörte die Welt ihre Runden drehn im Gleichschritt der Verwesung.
I'M GOOD HAMLET GI'ME A CAUSE FOR GRIEF
AH THE WHOLE GLOBE FOR A REAL SORROW
RICHARD THE THIRD I THE PRINCEKILLING KING
OH MY PEOPLE WHAT HAVE I DONE UNTO THEE
WIE EINEN BUCKEL SCHLEPP ICH MEIN SCHWERES
GEHIRN
ZWEITER CLOWN IM KOMMUNISTISCHEN FRÜHLING
SOMETHING IS ROTTEN IN THIS AGE OF HOPE
LETS DELVE IN EARTH AND BLOW HER AT THE MOON
Hier kommt das Gespenst das mich gemacht hat, das Beil noch im Schädel. Du kannst deinen Hut aufbehalten, ich weiß, daß du ein Loch zuviel hast. Ich wollte, meine Mutter

hätte eines zu wenig gehabt, als du im Fleisch warst: ich wäre mir erspart geblieben. Man sollte die Weiber zunähn, eine Welt ohne Mütter. Wir könnten einander in Ruhe abschlachten, und mit einiger Zuversicht, wenn uns das Leben zu lang wird oder der Hals zu eng für unsre Schreie. Was willst du von mir. Hast du an einem Staatsbegräbnis nicht genug. Alter Schnorrer. Hast du kein Blut an den Schuhn. Was geht mich deine Leiche an. Sei froh, daß der Henkel heraussteht, vielleicht kommst du in den Himmel. Worauf wartest du. Die Hähne sind geschlachtet. Der Morgen findet nicht mehr statt.

SOLL ICH
WEILS BRAUCH IST EIN STÜCK EISEN STECKEN IN
DAS NÄCHSTE FLEISCH ODER INS ÜBERNÄCHSTE
MICH DRAN ZU HALTEN WEIL DIE WELT SICH DREHT
HERR BRICH MIR DAS GENICK IM STURZ VON EINER
BIERBANK
Auftritt Horatio. Mitwisser meiner Gedanken, die voll Blut sind, seit der Morgen verhängt ist mit dem leeren Himmel. DU KOMMST ZU SPÄT MEIN FREUND FÜR DEINE GAGE / KEIN PLATZ FÜR DICH IN MEINEM TRAUER-SPIEL. Horatio, kennst du mich. Bist du mein Freund, Horatio. Wenn du mich kennst, wie kannst du mein Freund sein. Willst du den Polonius spielen, der bei seiner Tochter schlafen will, die reizende Ophelia, sie kommt auf ihr Stichwort, sieh wie sie den Hintern schwenkt, eine tragische Rolle. HoratioPolonius. Ich wußte, daß du ein Schauspieler bist. Ich bin es auch, ich spiele Hamlet. Dänemark ist ein Gefängnis, zwischen uns wächst eine Wand. Sieh was aus der Wand wächst. Exit Polonius. Meine Mutter die Braut. Ihre Brüste ein Rosenbeet, der Schoß die Schlangengrube. Hast du deinen Text verlernt, Mama. Ich souffliere WASCH DIR DEN MORD AUS DEM GESICHT MEIN PRINZ / UND MACH DEM NEUEN DÄNMARK SCHÖNE AUGEN. Ich

werde dich wieder zur Jungfrau machen, Mutter, damit dein König eine blutige Hochzeit hat. DER MUTTERSCHOSS IST KEINE EINBAHNSTRASSE. Jetzt binde ich dir die Hände auf den Rücken, weil mich ekelt vor deiner Umarmung, mit deinem Brautschleier. Jetzt zerreiße ich das Brautkleid. Jetzt mußt du schreien. Jetzt beschmiere ich die Fetzen deines Brautkleids mit der Erde, die mein Vater geworden ist, mit den Fetzen dein Gesicht deinen Bauch deine Brüste. Jetzt nehme ich dich, meine Mutter, in seiner, meines Vaters, unsichtbaren Spur. Deinen Schrei ersticke ich mit meinen Lippen. Erkennst du die Frucht deines Leibes. Jetzt geh in deine Hochzeit, Hure, breit in der dänischen Sonne, die auf Lebendige und Tote scheint. Ich will die Leiche in den Abtritt stopfen, daß der Palast erstickt in königlicher Scheiße. Dann laß mich dein Herz essen, Ophelia, das meine Tränen weint.

2

DAS EUROPA DER FRAU

Enormous room. Ophelia. Ihr Herz ist eine Uhr.

OPHELIA (CHOR / HAMLET) Ich bin Ophelia. Die der Fluß nicht behalten hat. Die Frau am Strick Die Frau mit den aufgeschnittenen Pulsadern Die Frau mit der Überdosis AUF DEN LIPPEN SCHNEE Die Frau mit dem Kopf im Gasherd. Gestern habe ich aufgehört mich zu töten. Ich bin allein mit meinen Brüsten meinen Schenkeln meinem Schoß. Ich zertrümmere die Werkzeuge meiner Gefangenschaft den Stuhl den Tisch das Bett. Ich zerstöre das Schlachtfeld das mein Heim war. Ich reiße die Türen auf, damit der Wind herein kann und der Schrei der Welt. Ich zerschlage das Fenster. Mit meinen blutenden

Händen zerreiße ich die Fotografien der Männer die ich geliebt habe und die mich gebraucht haben auf dem Bett auf dem Tisch auf dem Stuhl auf dem Boden. Ich lege Feuer an mein Gefängnis. Ich werfe meine Kleider in das Feuer. Ich grabe die Uhr aus meiner Brust die mein Herz war. Ich gehe auf die Straße, gekleidet in mein Blut.

3
SCHERZO

Universität der Toten. Gewisper und Gemurmel. Von ihren Grabsteinen (Kathedern) aus werfen die toten Philosophen ihre Bücher auf Hamlet. Galerie (Ballett) der toten Frauen. Die Frau am Strick Die Frau mit den aufgeschnittenen Pulsadern usw. Hamlet betrachtet sie mit der Haltung eines Museums- (Theater-) Besuchers. Die toten Frauen reißen ihm die Kleider vom Leib. Aus einem aufrechtstehenden Sarg mit der Aufschrift HAMLET 1 treten Claudius und, als Hure gekleidet und geschminkt, Ophelia. Striptease von Ophelia.

OPHELIA Willst du mein Herz essen, Hamlet. *Lacht.*

HAMLET *Hände vorm Gesicht:* Ich will eine Frau sein.

Hamlet zieht Ophelias Kleider an, Ophelia schminkt ihm eine Hurenmaske, Claudius, jetzt Hamlets Vater, lacht ohne Laut, Ophelia wirft Hamlet eine Kußhand zu und tritt mit Claudius / Hamlets Vater zurück in den Sarg. Hamlet in Hurenpose. Ein Engel, das Gesicht im Nacken: Horatio. Tanzt mit Hamlet.

STIMME(N) *aus dem Sarg:* Was du getötet hast sollst du auch lieben.

Der Tanz wird schneller und wilder. Gelächter aus dem Sarg. Auf einer Schaukel die Madonna mit dem Brustkrebs. Horatio spannt einen Regenschirm auf, umarmt Hamlet.

Erstarren in der Umarmung unter dem Regenschirm. Der
Brustkrebs strahlt wie eine Sonne.

4
PEST IN BUDA SCHLACHT UM GRÖNLAND

Raum 2, von Ophelia zerstört. Leere Rüstung, Beil im Helm.

HAMLET Der Ofen blakt im friedlosen Oktober
A BAD COLD HE HAD OF IT JUST THE WORST
TIME
JUST THE WORST TIME OF THE YEAR FOR
A REVOLUTION
Durch die Vorstädte Zement in Blüte geht
Doktor Schiwago weint
Um seine Wölfe
IM WINTER MANCHMAL KAMEN SIE INS DORF
ZERFLEISCHTEN EINEN BAUERN
Legt Maske und Kostüm ab.
HAMLETDARSTELLER Ich bin nicht Hamlet. Ich spiele keine
Rolle mehr. Meine Worte haben mir nichts mehr zu sagen.
Meine Gedanken saugen den Bildern das Blut aus. Mein
Drama findet nicht mehr statt. Hinter mir wird die
Dekoration aufgebaut. Von Leuten, die mein Drama nicht
interessiert, für Leute, die es nichts angeht. Mich inter-
essiert es auch nicht mehr. Ich spiele nicht mehr mit.
Bühnenarbeiter stellen, vom Hamletdarsteller unbemerkt,
einen Kühlschrank und drei Fernsehgeräte auf. Geräusch
der Kühlanlage. Drei Programme ohne Ton.
Die Dekoration ist ein Denkmal. Es stellt in hundert-
facher Vergrößerung einen Mann dar, der Geschichte
gemacht hat. Die Versteinerung einer Hoffnung. Sein
Name ist auswechselbar. Die Hoffnung hat sich nicht

erfüllt. Das Denkmal liegt am Boden, geschleift drei Jahre nach dem Staatsbegräbnis des Gehaßten und Verehrten von seinen Nachfolgern in der Macht. Der Stein ist bewohnt. In den geräumigen Nasen- und Ohrlöchern, Haut- und Uniformfalten des zertrümmerten Standbilds haust die ärmere Bevölkerung der Metropole. Auf den Sturz des Denkmals folgt nach einer angemessenen Zeit der Aufstand. Mein Drama, wenn es noch stattfinden würde, fände in der Zeit des Aufstands statt. Der Aufstand beginnt als Spaziergang. Gegen die Verkehrsordnung während der Arbeitszeit. Die Straße gehört den Fußgängern. Hier und da wird ein Auto umgeworfen. Angsttraum eines Messerwerfers: Langsame Fahrt durch eine Einbahnstraße auf einen unwiderruflichen Parkplatz zu, der von bewaffneten Fußgängern umstellt ist. Polizisten, wenn sie im Weg stehn, werden an den Straßenrand gespült. Wenn der Zug sich dem Regierungsviertel nähert, kommt er an einem Polizeikordon zum Stehen. Gruppen bilden sich, aus denen Redner aufsteigen. Auf dem Balkon eines Regierungsgebäudes erscheint ein Mann mit schlecht sitzendem Frack und beginnt ebenfalls zu reden. Wenn ihn der erste Stein trifft, zieht auch er sich hinter die Flügeltür aus Panzerglas zurück. Aus dem Ruf nach mehr Freiheit wird der Schrei nach dem Sturz der Regierung. Man beginnt die Polizisten zu entwaffnen, stürmt zwei drei Gebäude, ein Gefängnis eine Polizeistation ein Büro der Geheimpolizei, hängt ein Dutzend Handlanger der Macht an den Füßen auf, die Regierung setzt Truppen ein, Panzer. Mein Platz, wenn mein Drama noch stattfinden würde, wäre auf beiden Seiten der Front, zwischen den Fronten, darüber. Ich stehe im Schweißgeruch der Menge und werfe Steine auf Polizisten Soldaten Panzer Panzerglas. Ich blicke durch die Flügeltür aus Panzerglas auf die andrängende Menge und rieche meinen Angstschweiß.

Ich schüttle, von Brechreiz gewürgt, meine Faust gegen mich, der hinter dem Panzerglas steht. Ich sehe, geschüttelt von Furcht und Verachtung, in der andrängenden Menge mich, Schaum vor meinem Mund, meine Faust gegen mich schütteln. Ich hänge mein uniformiertes Fleisch an den Füßen auf. Ich bin der Soldat im Panzerturm, mein Kopf ist leer unter dem Helm, der erstickte Schrei unter den Ketten. Ich bin die Schreibmaschine. Ich knüpfe die Schlinge, wenn die Rädelsführer aufgehängt werden, ziehe den Schemel weg, breche mein Genick. Ich bin mein Gefangener. Ich füttere mit meinen Daten die Computer. Meine Rollen sind Speichel und Spucknapf Messer und Wunde Zahn und Gurgel Hals und Strick. Ich bin die Datenbank. Blutend in der Menge. Aufatmend hinter der Flügeltür. Wortschleim absondernd in meiner schalldichten Sprechblase über der Schlacht. Mein Drama hat nicht stattgefunden. Das Textbuch ist verlorengegangen. Die Schauspieler haben ihre Gesichter an den Nagel in der Garderobe gehängt. In seinem Kasten verfault der Souffleur. Die ausgestopften Pestleichen im Zuschauerraum bewegen keine Hand. Ich gehe nach Hause und schlage die Zeit tot, einig / Mit meinem ungeteilten Selbst.

Fernsehn Der tägliche Ekel Ekel
Am präparierten Geschwätz Am verordneten Frohsinn
Wie schreibt man GEMÜTLICHKEIT
Unsern Täglichen Mord gib uns heute
Denn Dein ist das Nichts Ekel
An den Lügen die geglaubt werden
Von den Lügnern und niemandem sonst Ekel
An den Lügen die geglaubt werden Ekel
An den Visagen der Macher gekerbt
Vom Kampf um die Posten Stimmen Bankkonten
Ekel Ein Sichelwagen der von Pointen blitzt

Geh ich durch Straßen Kaufhallen Gesichter
Mit den Narben der Konsumschlacht Armut
Ohne Würde Armut ohne die Würde
Des Messers des Schlagrings der Faust
Die erniedrigten Leiber der Frauen
Hoffnung der Generationen
In Blut Feigheit Dummheit erstickt
Gelächter aus toten Bäuchen
Heil COCA COLA
Ein Königreich
Für einen Mörder
ICH WAR MACBETH DER KÖNIG HATTE MIR SEIN
DRITTES KEBSWEIB ANGEBOTEN ICH KANNTE JE-
DES MUTTERMAL AUF IHRER HÜFTE RASKOLNI-
KOW AM HERZEN UNTER DER EINZIGEN JACKE
DAS BEIL FÜR DEN / EINZIGEN / SCHÄDEL DER
PFANDLEIHERIN
In der Einsamkeit der Flughäfen
Atme ich auf Ich bin
Ein Privilegierter Mein Ekel
Ist ein Privileg
Beschirmt mit Mauer
Stacheldraht Gefängnis
Fotografie des Autors.
Ich will nicht mehr essen trinken atmen eine Frau lieben
einen Mann ein Kind ein Tier. Ich will nicht mehr sterben.
Ich will nicht mehr töten.
Zerreißung der Fotografie des Autors.
Ich breche mein versiegeltes Fleisch auf. Ich will in
meinen Adern wohnen, im Mark meiner Knochen, im
Labyrinth meines Schädels. Ich ziehe mich zurück in
meine Eingeweide. Ich nehme Platz in meiner Scheiße,
meinem Blut. Irgendwo werden Leiber zerbrochen, damit
ich wohnen kann in meiner Scheiße. Irgendwo werden

Leiber geöffnet, damit ich allein sein kann mit meinem
Blut. Meine Gedanken sind Wunden in meinem Gehirn.
Mein Gehirn ist eine Narbe. Ich will eine Maschine sein.
Arme zu greifen Beine zu gehn kein Schmerz kein Ge-
danke.

Bildschirme schwarz. Blut aus dem Kühlschrank, Drei
nackte Frauen: Marx Lenin Mao. Sprechen gleichzeitig
jeder in seiner Sprache den Text ES GILT ALLE VER-
HÄLTNISSE UMZUWERFEN, IN DENEN DER
MENSCH ... Hamletdarsteller legt Kostüm und Maske an.
HAMLET DER DÄNE PRINZ UND WURMFRASS
                              STOLPERND
VON LOCH ZU LOCH AUFS LETZTE LOCH ZU
                              LUSTLOS
IM RÜCKEN DAS GESPENST DAS IHN GEMACHT HAT
GRÜN WIE OPHELIAS FLEISCH IM WOCHENBETT
UND KNAPP VORM DRITTEN HAHNENSCHREI
                              ZERREISST
EIN NARR DAS SCHELLENKLEID DES PHILOSOPHEN
KRIECHT EIN BELEIBTER BLUTHUND IN DEN
                              PANZER
Tritt in die Rüstung, spaltet mit dem Beil die Köpfe von
Marx Lenin Mao. Schnee. Eiszeit.

5
WILDHARREND / IN DER FURCHTBAREN RÜSTUNG /
JAHRTAUSENDE

Tiefsee. Ophelia im Rollstuhl. Fische Trümmer Leichen und
Leichenteile treiben vorbei.

OPHELIA *während zwei Männer in Arztkitteln sie und den*
    Rollstuhl von unten nach oben in Mullbinden schnüren:

Hier spricht Elektra. Im Herzen der Finsternis. Unter der Sonne der Folter. An die Metropolen der Welt. Im Namen der Opfer. Ich stoße allen Samen aus, den ich empfangen habe. Ich verwandle die Milch meiner Brüste in tödliches Gift. Ich nehme die Welt zurück, die ich geboren habe. Ich ersticke die Welt, die ich geboren habe, zwischen meinen Schenkeln. Ich begrabe sie in meiner Scham. Nieder mit dem Glück der Unterwerfung. Es lebe der Haß, die Verachtung, der Aufstand, der Tod. Wenn sie mit Fleischermessern durch eure Schlafzimmer geht, werdet ihr die Wahrheit wissen.

Männer ab. Ophelia bleibt auf der Bühne, reglos in der weißen Verpackung.

Aus dem Nachlaß

[Lysistrate 70]

CHOR

Nach viertausend Jahren Herdrauch Küchendunst
Wäschedampf
Vom Geschirrspülen reden wir nicht und vom
Staubfressen
Und das Erbrochene-vom-Vereinsabend-aus-dem-Frack-
bürsten
Damit er seinem Chef wieder in den Arsch kriechen kann
Ohne daß der die Nase rümpft, und nebenan
Pissen die Kinder schon in die leeren Flaschen
Aber er wälzt sich noch im Doppelbett und träumt von der
Weltherrschaft
Die er morgen antreten wird oder wasweißich
Einem ungeheuren Beischlaf in Chikago
Blutbeschmierte Weiber in den Leichenhallen
Und alles was ich von ihm habe ist sein Grunzen wie ein
besoffenes Schwein.
Nach viertausend Jahren die Beine aufmachen für jedes
Arschloch
Das einen eigenen Schwanz hat der uns den Bauch dick
machen kann
Nach viertausend Jahren die Titten den Kindern ins Maul
hängen
Bis sie am Boden schleifen beim die Treppe bohnern
Haben wir Köchin Waschbrett Matratze Müllerschlucker
Beschlossen es nicht mehr zu sein, sondern von jetzt an
Unsern Kampf zu führen mit allen Mitteln
Gegen die Herrschaft des Mannes über die Frau
Und zwar bis zur vollständigen Unterwerfung
Des Mannes unter die Herrschaft der Frau, also
Verfallen zu lassen unsre Wohnstätten gänzlich
Die zu unserm Gefängnis gemacht hat er
Und wenn sie zum Himmel stinken und wenn sie schwarz
werden

Den Wanzen das Bett, den Schaben die Küche, den Motten
                              der Kleiderschrank
Und nicht mehr aufzumachen die Beine für ihn
Der unsre Lust zu seiner Waffe gemacht hat
Also die Welt zu verwandeln in einen Dreckhaufen
Damit er sieht, daß sie ein Dreck ist, denn das ist sie
Ohne unsere Arbeit und er selber ist auch ein Dreck.

c Wollen wir Mann und Frau spielen, August.
a Meinetwegen. Ich spiele den Mann.
c Den Mann spiele ich.

Anhang

Die in diesem Band versammelten Theaterarbeiten Heiner Müllers dokumentieren die Stücke-Produktion des Autors im Jahrzehnt zwischen 1967 und 1977. Alle Texte sind als Fassungen letzter Hand ausgewiesen und im Anmerkungsapparat in ihren je besonderen poetischen, entstehungsgeschichtlichen sowie rezeptionsästhetischen Zusammenhängen kommentiert.

Damit sind zugleich jene allgemeineren Kontexte angedeutet, die Müllers Arbeiten in dieser Zeit verbinden, und selbst dort, wo sie in den verschiedenen Stücken innerhalb des Bandes nicht direkt als poetisch oder historisch konkrete Erfahrungen aufeinander bezogen erscheinen, gewinnen sie Gestalt und Namen: in ZEMENT heißen sie Prometheus oder Herakles, der Befreier und gleichzeitig der Gaul, auf dem später der Befreite als Sieger »dem Jubel der Bevölkerung entgegenreitet«; Herakles ist aber auch Tschumalow, der Held der Revolution in diesem Stück, oder Hilse, der »ewige Maurer« aus GERMANIA TOD IN BERLIN. Ihre Schwester ist die Ophelia aus DIE HAMLETMASCHINE, die der Fluß nicht behalten hat und die die Werkzeuge ihrer Gefangenschaft zu zertrümmern beginnt wie Medea oder Dascha, die als ihre Schwester und/oder Frau ihr Kind tötet/verhungern läßt als Preis ihrer Selbstbefreiung. Benannt wird der namenlose deutsche Soldat im Kessel von Stalingrad in DIE SCHLACHT ebenso wie das Bild der »roten Rosa« im Fiebertraum Hilses in der Krebsstation des deutschen Sozialismus oder der anonyme Name A des Henkers der Revolution in MAUSER.

Die Anmerkungen geben die Entstehungszeiten der Texte an, ebenso die Daten der Uraufführungen, aber auch der Erstaufführungen in der DDR bzw. der Bundesrepublik Deutschland sowie weiterer herausragender Inszenierungsversuche. Sie weisen auf Ursachen und Zusammenhänge der zeitlich oft weit auseinanderliegenden Entstehung und Rezeption hin.

Die Texte sind chronologisch nach Entstehungszeit geordnet. Im Nachweis der Quellen zu den einzelnen Stücken ist überdies ausgewiesen, welches die jeweilige editorische Basis für ihren Abdruck in dieser Ausgabe war. Die dabei betonte Sonderstellung des 1988 im Henschelverlag Berlin erschienenen Bandes: Heiner Müller, Stücke. Hg. Joachim Fiebach, ergibt sich aus der nachweislich aktiven Mitarbeit Müllers bei dessen Konzipierung und der für diesen Band von Müller selbst vorgenommenen Durchsicht des Materials.

Von jedem der hier abgedruckten Stücke werden alle wichtigen Bearbeitungsstufen, auch die teilweise vorhandenen Abweichungen zwischen den Fassungen belegt. Als »geringfügige Abweichungen« nicht näher bezeichnet werden allein solche Textveränderungen, die als qualitativ nicht relevante Differenzen angesehen werden können, wie z. B. unterschiedliche Interpunktion, orthographische Differenzen oder von der Regel abweichende Groß- bzw. Kleinschreibungen.

Schließlich kommen in diesem Band nur die Stücke Heiner Müllers zur Veröffentlichung, die er selbst als eigene Arbeiten oder aber als eigenständige, weiterführende Bearbeitungen fremder Textvorlagen definiert hat. Letztere hat Müller grundsätzlich von seinen Übersetzungsarbeiten abgegrenzt; der Herausgeber folgt dieser Vorgabe des Autors.

Frank Hörnigk, Januar 2001

PROMETHEUS. Nach Aischylos: geschrieben 1967/68. Erstveröffentlicht in: Spectaculum. Bd. 11, Frankfurt am Main 1968, S. 245-271. Hier abgedruckt nach: Heiner Müller: Texte 2. Geschichten aus der Produktion 2, Berlin 1974, S. 27-55. Geringfügige Abweichungen zur Erstveröffentlichung.

Die Bearbeitung Müllers basiert auf einer Interlinearversion von Peter Witzmann.

Im Nachlaß fanden sich mehrere Entwürfe für einen Prolog, der jedoch nicht in den Text aufgenommen wurde: »VORSICHT war sein Name. Als aufstanden / Gegen den Himmel / Seine Brüder, die Titanen, stand in der Front der / Götter er, Prometheus. Als mit den Geschlagnen im Bund Zeus / Kronos schlug, der Gott den Gott, der Junge den Alten / Siegte mit ihm Prometheus. Doch war der Vorsichtige einmal / Nicht vorsichtig, raubte das Feuer, zweischneidige Wohltat. / Aus dem Schatten der Götter trat, in stärkeren Händen / Seinen Raub, der Menschen kurzlebige Vielzahl. Den Räuber / Stellten die Götter am Stein aus, unter der Sonne befestigt.«

Vgl. auch die Szene DIE BEFREIUNG DES PROMETHEUS in ZEMENT mit dem darin enthaltenen Intermedium, das zugleich als eigenständiger Prosatext veröffentlicht wurde (vgl. Anmerkung zu ZEMENT).

UA: 1969 Schauspielhaus Zürich/Schweiz, Regie: Max Peter Ammann.

Erstaufführung in der DDR: 1974 Volksbühne Berlin/Ost (als Teil von »Spektakel 2« in einer szenischen Collage zusammen mit »Hinze und Kunze« von Volker Braun), Regie: Manfred Karge/Matthias Langhoff. Bereits 1970 war eine Aufführung an der Volksbühne geplant. Dazu fanden intensive Arbeitsgespräche zwischen Fritz Marquardt, Achim Freyer, Wolfgang Heise u. a. statt, die im Heiner-Müller-Archiv dokumentiert sind.

Erstaufführung in der Bundesrepublik Deutschland: 1978 Schauspiel Köln, Regie: Hansgünther Heyme. Diese Inszenierung wurde mit Jugendlichen des »Jugendclubs Kritisches

Theater« erarbeitet und fand in der Brotfabrik Köln-Ehrenfeld statt.

Weitere Inszenierungen u. a.: 1983 Theater Angelus Novus (zusammen mit DIE BEFREIUNG DES PROMETHEUS), Wien/Österreich, Regie: Josef Szeiler; 1990 bat-Studiotheater, Berlin/Ost, Regie: André Hiller; 1993 Schauspielhaus Kiel, Regie: Antje Lenkeit

HORIZONTE I: geschrieben 1968. Erstveröffentlicht in (und hier abgedruckt nach): Heiner Müller: Texte 4. Theater-Arbeit, Berlin 1975, S. 47-65.

Der Text ist eine frühe Fassung des ersten Bildes aus WALD-STÜCK (vgl. Anmerkung zu WALDSTÜCK).

DER HORATIER: geschrieben 1968. Erstveröffentlicht in: Programmheft der Werkstatt Schiller Theater Berlin/West: Heiner Müller: Der Horatier. Premiere am 3. März 1973. Hier abgedruckt nach: Heiner Müller: Stücke. Hg. Joachim Fiebach, Berlin 1988, S. 203-212.

Vorlage für das Stück waren der Bericht des Titus Livius »Ab urbe condita libri« (Buch 24-26) und das Drama »Horace« von Pierre Corneille.

Frühe Textentwürfe Müllers gingen, in noch deutlicherer Anlehnung an Livius, von einem Kampf zwischen jeweils drei Brüdern aus (»Wurde bestimmt, daß drei Horatier / Von einem Vater gezeugt und geboren / Von einer Mutter, kämpfen sollten für Rom gegen drei / Kuriatier, Brüder ebenfalls und gleich«). Diese Konstellation wurde später aufgegeben, ebenso die geplante szenische Einteilung in fünf Abschnitte, die explizite Unterscheidung einzelner Sprecherrollen (Chor, Heerführer, Horatier, Römer 1, Römer 2, Vater, Lorbeerträger usw.) sowie ausgewiesene szenische Anweisungen (»*Die Schwester des Horatiers schreibt und löst ihr Haar auf*« usw.). Frühen handschriftlichen Notizen zufolge gab es zudem Überlegungen, das Publikum direkt in die Entscheidungsfindung einzubeziehen: »Das Publikum ist mit Ja-Nein-Tafeln auszurüsten. Soll er geehrt werden? Soll er getötet werden?«

Es fanden sich im Nachlaß Heiner Müllers außerdem Entwürfe zu einem Anmerkungstext, der möglicherweise im Zusammen-

hang mit der geplanten englischen Übersetzung des Textes und seiner Veröffentlichung in den USA 1976 entstand: »DER HO-RATIER, geschrieben, nach einem älteren Plan, August/Sept. 1968, basiert auf dem Bericht von Livius und dem Drama von Corneille. Nach dem Bericht wurde der Sieger/Mörder, nach-dem sein Vater eine Geldbuße gezahlt hatte, einer symbolischen Hinrichtung, Gang mit schwarz verhülltem Kopf durch das der von ihm ermordeten Schwester errichtete Tor der Horatia, unter-worfen; im Drama wird, auf eigenen Wunsch, stellvertretend für den unentbehrlichen Sohn, der (entbehrliche) Vater exekutiert. / Beide Lösungen sind üblich – solange es Klassen gibt, wird es Klassenjustiz, solange die Arbeitsteilung nicht aufgehoben ist, wird es Privilegien geben und die Politik der Stellvertretung hört nicht vor dem (christlichen) Kapitalismus auf. Denkbar (mög-lich) sind sie nicht mehr. Literatur als eine Funktion der Zukunft hat die Korrektur der Vergangenheit zur Bedingung, Neu-Schrei-ben von Geschichte. / Der ältere Plan sah einen offenen Schluss vor: das Publikum als Richter, der die Entscheidung (was mit dem Sieger/Mörder geschehen soll) an das Publikum delegiert. Die Freiheit der Wahl war mir, Ende 1968, nicht mehr gegeben; die Frage der Teilbarkeit (= Ummontierbarkeit) des Individuums durch Biochemie Genetik Medizin eine praktische Frage, die schrecklich einfache ›naive‹ Lösung realistisch./Die erste Ge-stalt der Hoffnung ist die Furcht, die erste Erscheinung des Neuen das Schreckbild.« Unter dem Titel »Author's Preface« erschien eine Variante dieses Textes in englischer Sprache zusammen mit DER HORATIER / THE HORATIAN in: The Minnesota Review, Spring 1976 (Übersetzung Marc Silberman, Helen Fehervary und Guntram Weber). Dem in diesem Zu-sammenhang erinnerten, ursprünglich intendierten »offenen Schluß« scheinen jene im Archiv dokumentierten Überlegungen zu entsprechen, das Publikum in die Entscheidungsfindung ein-zubeziehen (vgl. Heiner Müller: Krieg ohne Schlacht. Leben in zwei Diktaturen. Eine Autobiographie, Köln 1992, S. 258f.).
UA: 1973 Werkstatt Schiller Theater, Berlin/West, Regie: Hans Lietzau. Zu der Inszenierung entstand eine Partitur von Peter Fischer.

Bereits vor der Uraufführung stellte der Westdeutsche Rundfunk 1972 den Text in einer szenischen Fassung des Hamburg-Billstedter Schüler- und Lehrlingstheaters vor (Regie: Jörn Tiedemann). Diese Fassung unterscheidet sich vom Original deutlich, u. a. durch eingeschobene Zwischentexte, die das Geschehen erklären und kommentieren. Die Veränderungen wurden von Müller nicht uneingeschränkt gutgeheißen, aber zugelassen. In der Rundfunksendung wurde, zusätzlich zu einem Workshop-Bericht über die Probenarbeit, der originale Text von Müller selbst gelesen.

Erstaufführung in der DDR: 1988 Deutsches Theater, Berlin/Ost (zusammen mit DER LOHNDRÜCKER und WOLOKO-LAMSKER CHAUSSEE IV: KENTAUREN), Regie: Heiner Müller. Der Text wurde als Zwischenspiel in die 1. Szene von DER LOHNDRÜCKER montiert. Danach setzte das unterbrochene Spiel erneut mit dem Beginn der 1. Szene ein (vgl. auch Anmerkung zu DER LOHNDRÜCKER in: Heiner Müller: Werke 3. Die Stücke 1, Frankfurt am Main 2000, S. 536-539).

WALDSTÜCK. Nach Gerhard Winterlich »Horizonte«: geschrieben 1968/69. Erstveröffentlicht in (und hier abgedruckt nach): Heiner Müller: Texte 8. Shakespeare Factory 1, Berlin 1985, S. 99-181.

Der Text entstand auf der Grundlage des von Gerhard Winterlich geschriebenen Stückes »Horizonte«, das im Juni 1968 durch das Arbeitertheater des Erdölverarbeitungswerkes Schwedt inszeniert worden war. Winterlich erhielt für das Stück, das als ein wesentlicher Beitrag zur Literatur des »Bitterfelder Weges« betrachtet wurde, den Literaturpreis des Freien Deutschen Gewerkschaftsbundes der DDR. Im Nachlaß Heiner Müllers fanden sich mehrere Textentwürfe, die im Laufe des Probenprozesses an der Volksbühne entstanden waren (vgl. HORIZONTE I als frühe Variante des 1. Bildes). Müller distanzierte sich später von dem Stück, an dem er seinerzeit mit »opportunistischen Hintergedanken« geschrieben habe. »Die Arbeit war ein aussichtsloser Versuch, unter staatlicher Kontrolle das Experiment UMSIEDLERIN zu wiederholen.« (Vgl. Heiner Müller: Krieg ohne Schlacht. Leben in zwei Diktaturen. Eine Autobiographie, Köln 1992, S. 238-242.)

UA: 1969 Volksbühne Berlin/Ost (unter dem Titel »Horizonte«), Regie: Benno Besson

WEIBERKOMÖDIE. Nach dem Hörspiel »Die Weiberbrigade« von Inge Müller: geschrieben 1969. Erstveröffentlicht in: Theater der Zeit, Berlin 3/1971, S. 62-77. Hier abgedruckt nach: Heiner Müller: Quartett, Weiberkomödie, Wie es euch gefällt, Verkommenes Ufer Medeamaterial Landschaft mit Argonauten, Blut ist im Schuh oder Das Rätsel der Freiheit. Hg. Joachim Fiebach, Berlin 1988, S. 25-103.

In der Erstveröffentlichung fehlt der Prolog. Dagegen sind Ort und Zeitpunkt der Handlung exakt angegeben: »DDR, 1950«. Zudem sind in der Erstveröffentlichung die Versfortführungen über mehrere Sprecher formal durch Verseinrückung gekennzeichnet. Ansonsten nur geringfügige Abweichungen.

In der Veröffentlichung von Weiberkomödie in: Heiner Müller: Texte 4. Theater-Arbeit, Berlin 1975, S. 67-116 ist dem Text eine Anmerkung beigefügt: »Den Schwank unterscheidet von der Komödie, daß er das kleinbürgerliche Moment mehr zum Gegenstand des Amüsements als der Kritik macht. Daß die ökonomischen Grenzen der Emanzipation in WEIBERKOMÖDIE nur Theater (als Requisiten eingesetzt) und nicht, in ihrer dialektischen Einheit mit ihrer Geburtshelferrolle, reflektiert sind, hält den Text auf dem Niveau einer Art (sozialistischer) Bierzeitung. Er sollte nicht als mehr gelesen werden. Solange Arbeit mehr Notwendigkeit als Bedürfnis, braucht das Theater, wenn es den Hintern zeigt, keinen Ausweis.« Ansonsten nur geringfügige Abweichungen.

Das Hörspiel von Inge Müller wurde 1960 gesendet und erstveröffentlicht in: Junge Kunst, 1/1961, S. 45-49 und 2/1961, S. 71-78. Es basierte Heiner Müller zufolge auf Materialien, die Heiner und Inge Müller 1957 während eines mehrwöchigen Aufenthaltes im Braunkohlenkombinat »Schwarze Pumpe« für die Arbeit an DIE KORREKTUR gesammelt hatten (vgl. Heiner Müller: Krieg ohne Schlacht. Leben in zwei Diktaturen. Eine Autobiographie, Köln 1992, S. 152-157). Im Nachlaß Müllers gibt es von Inge Müller stammende konzeptionelle Entwürfe für eine Weiterbearbeitung des Hörspiels für Fernsehen und Theater. Diese sehen eine Umstellung der Szenen gegenüber der Hörspielfassung vor. Ebenso fanden sich bereits neu geschriebene Texte. Auf der Grundlage dieser Konzeptions- und Textentwürfe entstand nach dem Tod Inge Müllers die vorliegende Fassung von Heiner Müller.

Im Nachlaß fanden sich zudem Notizen, welche »Die Weibervolksversammlung« von Aristophanes sowie Goethes »Faust. Der Tragödie erster Teil« als Quellen ausweisen. Müller zufolge lehnt sich die 4. Szene in ihrer formalen Struktur (zwei Paare im Gespräch, wobei eines der beiden am anderen immer wieder vorbeiläuft und sich der Text aus Fragmenten beider Gespräche zusammensetzt) an das »Modell Marthens Garten« an.

UA: 1970 Städtische Bühnen Magdeburg, Regie: Konrad Zschiedrich. Schon zuvor sollte das Stück, nach Müller »ein absolut harmloses Stück«, unter der Intendanz Benno Bessons an der Volksbühne Berlin/Ost inszeniert werden. Dies sei aber durch eine Weisung der Partei zunächst verhindert worden (vgl. Heiner Müller: Krieg ohne Schlacht. Leben in zwei Diktaturen. Eine Autobiographie, Köln 1992, S. 147) und erst 1971 zustande gekommen.

Erstaufführung in der Bundesrepublik Deutschland: 1976 Stadttheater Würzburg, Regie: Michael Schindlbeck.

Weitere Inszenierungen u. a.: 1971 Volksbühne Berlin/Ost, Regie: Fritz Marquardt/Irene Böhme/Lutz Günzel/Karl-Heinz Liefers/Berndt Renne; 1977 Bühnen der Stadt Nordhausen, Regie: Mitko Gotscheff

MAUSER: geschrieben 1970. Erstveröffentlicht in: New German Critique 8 / Spring 1976, Milwaukee/Wisconsin, S. 122-149 (in deutscher und englischer Sprache, Übersetzung Helen Fehervary und Marc Silberman). Hier abgedruckt nach: Heiner Müller: Stücke. Hg. Joachim Fiebach, Berlin 1988, S. 213-226. Geringfügige formale Abweichungen zur Erstveröffentlichung. In der Veröffentlichung von MAUSER in: Alternative, H. 110/111, 1976, S. 182-191, ist die Figur A mit »Mauser« bezeichnet und die Figur B mit »A«. In der redaktionellen Anmerkung wurde diese Fassung als Entwurf ausgewiesen. Zudem wurden als »Lesehilfe« innerhalb des Textes drei unterschiedliche Zeitebenen markiert: »a = die Berichtzeit (nach Mausers Tod), b = der Dialog zwischen dem Chor und Mauser unmittelbar vor dessen Hinrichtung, c = Mauser zu Beginn seiner Amtsübernahme (Hinrichtung seines Vorgängers).«

Mit dem Text bezieht sich Müller auf ein Motiv aus Michail Scholochows Roman »Der stille Don« sowie auf das Lehrstückmodell Bertolt Brechts. In bezug auf letzteres ist vor allem die gedankliche wie formale Nähe zu »Die Maßnahme« auffällig. In einem frühen Entwurf der Textanmerkung benannte Müller auch Wsewolod Wischnewskijs »Optimistische Tragödie« als Bezugsquelle. Im Nachlaß fanden sich Notizen, die zudem belegen, daß Müller ursprünglich jene auf Isaak Babels Erzählung »Dolguschows Tod« aus »Die Reiterarmee« zurückgehende Anekdote verarbeiten wollte, in der ein Kommissar einen Verwundeten nicht töten kann, obwohl ihn dieser aus Angst vor der Grausamkeit des Feindes um den Tod bittet. Müller verarbeitete dieses Material später in der Szene DER APPARAT ODER CHRISTUS DER TIGER in ZEMENT.

Die Auseinandersetzung mit dem Material setzte schon Anfang der fünfziger Jahre ein. Dies dokumentieren die um diese Zeit entstandenen Texte, die in MAUSER zum Teil fast identisch oder in ihrer motivischen Anlage wieder auftauchen (vgl. SOHN EINES KLEINBÜRGERS in: Heiner Müller: Werke 2. Die Prosa, Frankfurt am Main 1999, S. 157, sowie BUNTSCHUK I (nach Scholochow), BUNTSCHUK II (nach Scholochow) und MAUSER in: Heiner Müller: Werke 1. Die Gedichte, Frankfurt am Main 1998, S. 79ff.).

Frühe konzeptionelle Überlegungen, die möglicherweise aus dieser Zeit stammen, gingen noch von einem aus fünf eigenständigen Teilen bestehenden Stück aus. Auffällig ist dabei vor allem der anders konzipierte Schluß. Zwar sollte auch hier schon die Figur Mauser/A am Ende als Feind der Revolution erschossen werden. Jedoch schlägt die Figur zuvor ihren eigenen Selbstmord als Lösung vor. Dieser Selbstmord sollte mit der Begründung zurückgewiesen werden, daß das Individuum dadurch seinen Tod als Privateigentum beanspruchen würde: »τέλος Verweigerung des Selbstmords (letztes privatissimum)«.

UA: 1975 Austin Theatre Group, Texas/USA (in englischer Sprache, produziert vom German Departement der University of Texas, Austin; vgl. Heiner Müller: Krieg ohne Schlacht. Leben in zwei Diktaturen. Eine Autobiographie, Köln 1992, S. 285), Regie: Fred Behringer.

Erstaufführung in der Bundesrepublik Deutschland: 1980 Schauspiel Köln, Regie: Christof Nel. Diese Inszenierung war ursprünglich zu den 5. Mülheimer Theatertagen »stücke '80« eingeladen, wurde aus Krankheitsgründen aber abgesagt. Müller wies später auf die Bedeutung dieser Inszenierung für die Entstehung von QUARTETT hin (vgl. Heiner Müller: Krieg ohne Schlacht. Leben in zwei Diktaturen. Eine Autobiographie, Köln 1992, S. 317).

Weitere Inszenierungen u. a.: 1979 Théâtre Gérard Philippe, Saint-Denis/Frankreich (in französischer Sprache, Übersetzung: Jean Jourdheuil/Heinz Schwarzinger, zusammen mit DIE HAMLETMASCHINE), Regie: Jean Jourdheuil; 1980 Moerser Schloßtheater (zusammen mit »Die Offenbarung des Johannes«, Neues Testament), Regie: Holk Freytag.

In der DDR wurde der Text nicht aufgeführt. Seine Publikation und Verbreitung war vor 1988 verboten. Die geplante und bereits angekündigte Uraufführung 1972 am Großen Haus der Bühnen der Stadt Magdeburg unter der Regie von Hans-Dieter Meves (im Rahmen der Tage der sowjetischen Theaterkunst) wurde von staatlicher Seite unterbunden. Das Stück galt als »konterrevolutionär« (vgl. Heiner Müller: Krieg ohne Schlacht. Leben in zwei Diktaturen. Eine Autobiographie, Köln 1992, S. 257-260).

1991 inszenierte Müller seinen Text am Deutschen Theater, Berlin/Ost (zusammen mit QUARTETT, WOLOKOLAMSKER CHAUSSEE V: DER FINDLING, HERAKLES 13 sowie HERAKLES 2 ODER DIE HYDRA unter dem Titel »Mauser«).

MACBETH. Nach Shakespeare: geschrieben 1971. Erstveröffentlicht in: Theater der Zeit, Berlin 4/1972, S. 51-64. Hier abgedruckt nach: Heiner Müller: Stücke. Hg. Joachim Fiebach, Berlin 1988, S. 227-275. In der Erstveröffentlichung sind die Versfortführungen über mehrere Sprecher formal durch Verseinrückung gekennzeichnet. Ansonsten geringfügige Abweichungen zur Erstveröffentlichung.

Die Aufnahme von »Macbeth« in den Spielplan des Brandenburger Theaters nahm Müller eigenen Angaben zufolge zum Anlaß, den Stoff des Macbeth zu bearbeiten. Ausgehend von der schlechten Überlieferung des Textes habe sein Interesse darauf gezielt, »Shakespeare zu ändern« (vgl. Heiner Müller: Krieg ohne Schlacht. Leben in zwei Diktaturen. Eine Autobiographie, Köln 1992, S. 260-265). Anderen Aussagen zufolge hatte Müller ursprünglich lediglich geplant, den Text zu übersetzen, stellte dann jedoch schon bei der ersten Szene (Hexenszene) fest, daß er diese so nicht stehenlassen könne. »Denn dann würde ich mich völlig einlassen auf diese Prädestination, daß der ganze Ablauf programmiert ist von übernatürlichen Kräften. Deswegen habe ich die Szene zuerst mal weggelassen, und nun ergaben sich immer mehr Veränderungen.« (Programmheft zur Aufführung von »Macbeth« am Basler Theater, 1971/72, S. 2) Als einen solchen zu ändernden Punkt benannte Müller Shakespeares Glauben an das Gottesgnadentum der Könige, der schon zu Shakespeares Zeit »Ideologie« gewesen sei: »Fast jeder zweite König kam durch Ermordung seines Vorgängers auf den Thron.« (Ebd.) Als eine bei Shakespeare ebenso nicht vorhandene Linie des Textes bezeichnete Müller die Rollenbeschreibung der Klasse der Bauern, denen er mit seiner Fassung größeres Gewicht beimessen wollte: »Da steht zum Beispiel in der Chronik, daß Macbeth ein neues Schloß baute, aber auch dort sind die Bauern nicht erwähnt, die das Material geschleppt haben. Da steht immer nur, König Sowieso baute ein Schloß und daß er das nicht selbst und nicht allein gemacht hat, steht nicht drin.« (Ebd. S. 3)

Als historische Vorlage nutzte Müller auch die 1577 erschienene Chronik Holinsheds, die schon Shakespeares Hauptquelle gewesen war (Holinshed's Chronicles of England, Scotland and Ireland. In six volumes. Vol. V: Scotland. London 1808, Reprint: New York 1965).

UA: 1972 Brandenburger Theater, Regie: Bernd Bartoszewski. Nach der Premiere kam es zu einer starken Diskussion um

Müllers Bearbeitung, in deren Verlauf sich zwei Lager herausbildeten, auf der einen Seite u. a. Wolfgang Harich, Helmut Holtzhauer, Anselm Schlösser, auf der anderen Martin Linzer, Friedrich Dieckmann, Wolfgang Heise. Während Linzer (Theater der Zeit 7/1972, S. 22-23) MACBETH als eigenes Stück Müllers verstanden wissen wollte, kritisierte Schlösser (Theater der Zeit 8/1972, S. 46-47) das Stück als den Maximen der sozialistischen Shakespeare-Aneignung nicht angemessen. Kritisiert wurden zudem Müllers »Geschichtspessimismus« und sein »Mangel an humanistischer Gesinnung«. Im Januar 1973 erschien Wolfgang Harichs Text »Der entlaufene Dingo, das vergessene Floß« (in: Sinn und Form, 1/1973, S. 189-218), der gegen Müllers MACBETH stark polemisiert. Harich warf Müller darin »Geschichtspessimismus« und »Eskapismus in die Vergangenheit« vor. In einem Gespräch mit Benjamin Henrichs (in: DIE ZEIT vom 24. Mai 1974, S. 19) wies Müller diese Kritik zurück: »Wenn es mir gelingt, eine Katastrophe elegant zu beschreiben, dann ist das doch schon ein Schritt aus dem Depressiven heraus. Außerdem gibt es in ›Macbeth‹ ein geschichtsoptimistisches Element: die Hexen. Jede Revolution braucht ein destruktives Element, und das sind in meinem Stück die Hexen; weil sie ausnahmslos alle Mächtigen zerstören.«

Erstaufführung in der Bundesrepublik Deutschland: 1972 Badisches Staatstheater Karlsruhe, Regie: Bert Ledwoch.

Weitere Inszenierungen u. a.: 1972 Basler Theater/Schweiz, Regie: Hans Hollmann (vgl. Heiner Müller: Krieg ohne Schlacht. Leben in zwei Diktaturen. Eine Autobiographie, Köln 1992, S. 261); 1974 zu den Ruhrfestspielen Recklinghausen, Regie: Hansgünther Heyme. Diese Inszenierung wurde vom WDR aufgezeichnet und in der ARD gesendet. Sie rief eine heftige, ablehnende Reaktion bei Zuschauern und im Feuilleton hervor, da sie als brutal empfunden wurde; 1983 Düsseldorfer Schauspielhaus, Regie: B. K. Tragelehn; 1988 Theater der Stadt Heidelberg, Regie: Johann Kresnik/Gottfried Helnwein.

1982 inszenierte Heiner Müller seinen Text an der Volksbühne Berlin/Ost (zusammen mit Ginka Tscholakowa). Die Aufführung war nach Müllers Einschätzung »ein mittlerer Skandal«. Im Vergleich zu seiner späteren Lohndrücker-Inszenierung 1988 am Deutschen Theater Berlin/Ost bezeichnete Müller sie als ein »Verwirrspiel, deshalb die Opulenz der Theatermittel« (vgl. Heiner Müller: Krieg ohne Schlacht. Leben in zwei Diktaturen. Eine Autobiographie, Köln 1992, S. 264-265 sowie S. 343-344). Die von Hans-Joachim Schlieker gestaltete Bühne ähnelte einem Berliner Hinterhof mit Telefonzelle, Teppichklopfstange und Drahtmatratzen. Die Rolle des Macbeth wurde mit drei Schauspielern besetzt. Den Vorzug sah Müller vor allem darin, daß die Auseinandersetzung mit dem Komplex »Macbeth« nicht mehr auf ein Problem reduziert und damit charaktergebunden sei. Vielmehr würden die Struktur und die Mechanismen der Machtkämpfe offenbar.

In einem Gespräch mit dem Theater-Kritiker Dieter Kranz im Dezember 1985 betonte Müller sein Erstaunen darüber, daß die komischen Aspekte der Inszenierung kaum wahrgenommen worden seien. Diese entstanden Müller zufolge aus dem Versuch, »die Machtkämpfe auf der Herrschaftsebene von unten anzusehen, mit einem vielleicht nicht parodistischen, aber höhnischen Blick. Und daß dieser höhnische Blick nicht als Möglichkeit in der Geschichte erkannt wurde, das hat mich etwas enttäuscht. [...] Wenn da 'ne Telefonzelle in diesem Hinterhof steht, der das Schloß vorstellen soll, und mit der werden die Toten abgefahren – das ist doch zunächst wirklich objektiv komisch! Das bedeutet doch: das Theater gibt seine ganze Schäbigkeit zu, auch das Inadäquate seiner Mittel in Bezug auf die Darstellung solcher Dinge. Und gerade dadurch wird es wieder Theater. Ich glaube, es sind Gewohnheiten, die einen am Lachen hindern.« (Archiv) Müller stellte diese Inszenierung in die Tradition der »Volksbühne als Volkstheater«, wobei ihre Mittel eher dem »Grand Guignol« entstammten als dem »Bread and Puppet«. Daraus leitete sich auch die Grobheit, Primitivität und Trivialität ihrer Theatermittel ab. Den Vorwurf der Obszönität der Inszenierung wies Müller zurück: »Ich glaube, das war gerade das Gegenteil von Obszönität, nämlich der Hinweis, es geht nur um Zeichen. Das Triviale daran hat auch etwas

Befreiendes, glaube ich. Man ist nicht dem wirklichen Horror ausgesetzt, sondern man wird eher in das Nachdenken über den Horror gezwungen. Das zu erreichen war jedenfalls meine Absicht.« (Archiv)

GERMANIA TOD IN BERLIN: geschrieben 1956/1971. Erstveröffentlicht in: Heiner Müller: Texte 5. Germania Tod in Berlin, Berlin 1977, S. 35-78. Hier abgedruckt nach: Heiner Müller: Stücke. Hg. Joachim Fiebach, Berlin 1988, S. 277-316. In der Erstveröffentlichung sind die Versfortführungen über mehrere Sprecher formal durch Verseinrückung gekennzeichnet. Ansonsten nur geringfügige Abweichungen.

Nach Müllers eigenen Angaben begann die Auseinandersetzung mit dem Text bereits 1956 und überschnitt sich mit der Arbeit an DIE SCHLACHT (vgl. Heiner Müller: Krieg ohne Schlacht. Leben in zwei Diktaturen. Eine Autobiographie, Köln 1992, S. 254). Wie sehr beide Texte aus einem Arbeitszusammenhang heraus entstanden, zeigt sich an konzeptionellen Entwürfen im Nachlaß, die noch nicht von einer Trennung in zwei eigenständige Stücktexte ausgingen. So enthält eine mit »GERMANIA« überschriebene Szenenfolge die Szenentitel »Prolog«, »Die Brüder«, »Die Schlacht«, »Das Eiserne Kreuz«, »Vom Fleischer und seiner Frau«, »Das Laken«, »Traktor«, »(Schlotterbek)« und »Epilog«. Daraus sind letztlich nur einzelne Motive in GERMANIA TOD IN BERLIN eingegangen, während die meisten der angeführten Szenen in die Szenenfolge DIE SCHLACHT aufgenommen bzw. zu eigenständigen Stücken ausformuliert wurden (vgl. DAS LAKEN in: Heiner Müller: Werke 3. Die Stücke 1, Frankfurt am Main 2000, S. 7-10; vgl. auch TRAKTOR). Zu den Szenen »Das eiserne Kreuz« und »Vom Fleischer und seiner Frau« liegen zudem Prosatexte und Gedichte vor (vgl. Anmerkung zu DIE SCHLACHT).

Zum erwähnten Prolog fanden sich im Nachlaß nur wenige Notizen. Da diese jedoch den Kontext »Spartakus« zitieren, ist mit »Prolog« möglicherweise die zur Zeit des Spartakusaufstands spielende Szene DIE STRASSE 1 bezeichnet. Zugleich fanden sich in den Notizen motivische Hinweise zum Bild der »Mutter Germanien«, die »ihre Wölfe wieder an die Brust«

nimmt (vgl. »Mutter Germanien zwischen Rhein und Elbe« in: Heiner Müller: Werke 1. Die Gedichte, Frankfurt am Main 1998, S. 119; vgl. auch die Germania-Figuren in DIE HEILIGE FAMILIE sowie QUADRIGA).

In die Szene BRANDENBURGISCHES KONZERT 2 integrierte Müller zeitweilig den Anfangsdialog zwischen Dichter und Maler aus seiner Bearbeitung von Shakespeares »Timon von Athen« (vgl. [Timon (Das goldene Kalb)] in: Heiner Müller: Werke 3. Die Stücke 1, Frankfurt am Main 2000, S. 518). Deren Dialog während des Banketts als Reflex auf die Rolle der Intelligenz und der Künstler wurde jedoch zugunsten des Dialogs zwischen dem Präsidenten und dem Maurer später aus dem Text herausgenommen.

In der Anfangssequenz von HOMMAGE À STALIN 1 griff Müller erneut das bereits in GLÜCKSGOTT verarbeitete Motiv der Schlachtfeldszene und der toten/untoten Soldaten auf (vgl. GLÜCKSGOTT in: Heiner Müller: Werke 3. Die Stücke 1, Frankfurt am Main 2000, S. 168ff.). Er verband es mit den Motiven des Kessels und des Kannibalismus, die in ähnlicher Form auch in der Szene ICH HATT EINEN KAMERADEN in DIE SCHLACHT sowie im dritten Teil der Szene SIEGFRIED EINE JÜDIN AUS POLEN (DREI DEUTSCHE SOLDATEN NAGEN AN EINEM KNOCHEN) in GERMANIA 3 GESPEN-STER AM TOTEN MANN verarbeitet sind.

Der in DIE BRÜDER 1 zitierte Prosatext stammt aus den Kapiteln 9 und 10 der »Annales« des römischen Geschichtsschreibers Tacitus, ca. 112-120 n. Chr., wobei Müller die aus dem 19. Jahrhundert stammende Übersetzung von Karl Ludwig Roth verwendete. In der Szene DIE BRÜDER 2 verarbeitete Müller das auch in DIE SCHLACHT eingegangene Motiv der beiden Brüder, das er der Anekdote »Der Brief« von F. C. Weißkopf entlehnte (vgl. Anmerkung zu DIE SCHLACHT). Mit der Figur des Kommunisten nahm Müller zugleich die Geschichte des Kommunisten Schlotterbek auf (vgl. SCHOTTERBEK in: Heiner Müller: Werke 2. Die Prosa, Frankfurt am Main 1999, S. 32).

NACHTSTÜCK zitiert eine ursprünglich der Musik bzw. Malerei entlehnte und auf die Nachtstücke von E. T. A. Hoffmann verweisende literarische Genrebezeichnung. Zeitweise schien Müller erwogen zu haben, das gesamte Material in Form von »Notturni« zu verarbeiten. Daran erinnert lediglich noch die Bezeichnung des Intermediums als NACHTSTÜCK, das später – zusammen mit den Intermedien DIE BRÜDER 1 und TOD IN BERLIN 1 – als ein dramaturgisch sich deutlich abhebendes Zwischenspiel eingefügt wurde. NACHTSTÜCK verweist zudem auf die in Bertolt Brechts »Badener Lehrstück vom Einverständnis« enthaltene »Clownsnummer«, in der die Beseitigung körperlicher und geistiger Schmerzen durch Entfernung der jeweils betroffenen Körperteile vorgeführt wird. Die von Müller entworfene Szenerie ist möglicherweise zugleich angelehnt an Samuel Becketts »Spiel ohne Worte I/II«.

Darüber hinaus beabsichtigte Müller eine Szene mit dem Titel »Mauer« in seinen Text aufzunehmen. Wahrscheinlich war damit jene Szene bezeichnet, die später unter dem Titel NÄCHTLICHE HEERSCHAU in das Stück GERMANIA 3 GESPENSTER AM TOTEN MANN einging.

In einer früheren Variante von TOD IN BERLIN 1 war zusätzlich zu den Terzetten aus Georg Heyms Sonett »Berlin VIII (III)« eine Variante desjenigen Mottos vermerkt, das dem BERICHT VOM GROSSVATER vorangestellt ist: »In Juli / Sommernächten mit schwacher / wenig Gravitation / Wenn sein Friedhof über die Mauer tritt / Kommt der tote Schuhflicker zu mir / Der Großvater, der viel geprügelte Alte« (vgl. BERICHT VOM GROSSVATER in: Heiner Müller: Werke 2. Die Prosa, Frankfurt am Main 1999, S. 7-10).

Zeitweilig stellte Müller dem Text ein Zitat von Edgar Allan Poe und dessen Abwandlung als Motto voran: »Der Terror, von dem ich schreibe, kommt nicht aus Deutschland. Es ist ein Terror der Seele. / Poe / Der Terror, von dem ich schreibe, kommt aus Deutschland.« Diese Passage fehlt jedoch in allen Veröffentlichungen (vgl. LACH NIT ES SEI DANN EIN STADT UNTERGANGEN in: Heiner Müller: Werke 1. Die Gedichte, Frankfurt am Main 1998, S. 8).

NACHTSTÜCK wurde später als eigenständiger Prosatext veröffentlicht (vgl. Heiner Müller: Werke 2. Die Prosa, Frankfurt am Main 1999, S. 89-90, Anmerkung S. 202).

UA: 1978 Münchner Kammerspiele, Regie: Ernst Wendt. Diese Inszenierung wurde zu den 4. Mülheimer Theatertagen »stücke '79« eingeladen. Müller erhielt dort den Mülheimer Dramatikerpreis.

Erstaufführung in der DDR: 1989 Berliner Ensemble, Berlin/ Ost, Regie: Fritz Marquardt. Bereits 1981 gab es am Deutschen Theater, Berlin/Ost, unter der Intendanz von Gerhard Wolfram, durch Klaus Erforth und Alexander Stillmark den Versuch, das Stück zu inszenieren.

GERMANIA TOD IN BERLIN war sowohl in der DDR als auch in der Bundesrepublik Deutschland mit je sehr unterschiedlichen Argumenten scharfer Kritik ausgesetzt. In der Bundesrepublik Deutschland wurde insbesondere die Darstellung des 17. Juni 1953 als Kolportage der »SED-Propagandalügen über den Volksaufstand des 17. Juni« kritisiert. In der DDR unterlag der Text bis 1988 einem generellen Publikations- und Inszenierungsverbot, das man gern auch auf die Bundesrepublik Deutschland ausgeweitet hätte (vgl. Heiner Müller: Krieg ohne Schlacht. Leben in zwei Diktaturen. Eine Autobiographie, Köln 1992, S. 254ff.).

Weitere Inszenierungen u. a.: 1988 Nationaltheater Mannheim, Regie: Johann Kresnik. Bereits 1984 integrierte Kresnik die Szene DIE HEILIGE FAMILIE in seine Tanztheaterinszenierung »Ausverkauf«. 1988 Schauspielhaus Bochum, Regie: Frank-Patrick Steckel. In dieser Inszenierung wurde zusätzlich die Figur des Todes als allgegenwärtiger Knochen- und Sensenmann eingeführt: »Der Tod ist ein Tänzer aus Deutschland«. Steckels Inszenierung wurde bei den Theatertagen der Bundesrepublik Deutschland in Moskau im Januar 1989 gezeigt. 1990 Freie Volksbühne, Berlin/West, Regie: B. K. Tragelehn

ZEMENT. Nach Gladkow: geschrieben 1972. Erstveröffentlicht in: Theater der Zeit, Berlin 6/1974, S. 45-64. Hier abgedruckt nach: Heiner Müller: Stücke. Hg. Joachim Fiebach, Berlin 1988, S. 317-384.

In der Erstveröffentlichung fehlen gegenüber den späteren Veröffentlichungen drei Textsequenzen: in dem Prometheus-Intermedium die Sätze: »Nur am Geschlecht war die Kette mit dem Fleisch verwachsen, weil Prometheus, wenigstens in seinen ersten zweitausend Jahren am Stein, gelegentlich masturbiert hatte. Später hat er dann wohl auch sein Geschlecht vergessen. Von der Befreiung blieb eine Narbe.«; in der Szene MEDEA-KOMMENTAR der Traum Daschas: »Wär ich ein Mann. Manchmal träum ich davon [...] Ihr seht sehr komisch aus in meinem Traum.« sowie in der gleichen Szene die Bezugnahme Tschumalows auf diesen Traum: »*Lacht.* / Sehn wir sehr komisch aus in deinem Traum? / Denkst du, ich kann nicht lachen über mich auch. / Nein, mir ists nicht zum Lachen. Du. Mit Fremden.«

In der Veröffentlichung von ZEMENT in: Heiner Müller: Texte 2. Geschichten aus der Produktion 2, Berlin 1974, S. 65-133 fehlt im 4. Teil der Szene SIEBEN GEGEN THEBEN die Sequenz: »VERWUNDETER 1 Habt ihr sie laufen sehn, die Generale. [...] FRAU Schon ist er geheilt.« Ansonsten nur geringfügige Abweichungen.

Müller bezeichnete ZEMENT als »ein zu spät geschriebenes Stück«. Es habe »im Verhältnis zum behandelten Stoff etwas sehr Beruhigtes, etwas Abgehobenes« (vgl. Heiner Müller: Krieg ohne Schlacht. Leben in zwei Diktaturen. Eine Autobiographie, Köln 1992, S. 243-248).

Im Nachlaß fanden sich mehrere Texte Müllers, die möglicherweise als Anmerkungen zum Stück geplant waren: »Der ›Weg der Revolution‹ ist zu lang für das Zeitmaß einer Stückhandlung. Lassen wir die großen Worte. Ich habe, nach einigen Motiven, unter Weglassung andrer Motive, aus Gladkows Roman, ein Stück zu schreiben versucht, das darstellt, wie Revolution in menschliche Beziehungen eingreift, auch in die Beziehung von Menschen zu sich selber. Die Auswahl der Motive, bestimmt von meinen Erfahrungen, Ansichten usw., bleibt subjektiv, ich bin nicht der Weltgeist, bei allem Bemühen um ein totales Bild, bzw. um eine An- und Zuordnung der Ausschnitte, Teile, daß im Zuschauer ein totales Bild entstehen kann.« In einem anderen Kommentar heißt es: »Das Stück erzählt, nach Motiven des Romans von F. Gladkow eine Geschichte von Arbeitern, Parteifunktionären, Intellektuellen, Banditen, Kommunisten, Mitläufern und Feinden der Revolution, Männern und Frauen und ihren Beziehungen zueinander in den Jahren des schweren Anfangs der Sowjetunion. Der Schlosser Tschumalow, heimkehrend aus drei Jahren Bürgerkrieg, findet seine Stadt in ein Dorf verwandelt, die Zementfabrik in einen Ziegenstall, seine Frau in einen Menschen. Die Revolution läßt die Ehe nicht aus: der kommunistische Arbeiter führt sich vor seiner Frau als Besitzer auf, die Frau, nach drei Jahren Parteiarbeit, läßt sich nicht mehr an Heim und Herd binden.«

Zugleich fanden sich eine Vielzahl an Szenenfolgen, die sich bezüglich der Anzahl, Reihenfolge und Bezeichnung der einzelnen Szenen zum Teil erheblich voneinander unterscheiden. Die Anzahl der Szenen variierte zwischen 11 und 24. In einem Entwurf gab es die zusätzliche Überlegung, die geplanten 15 Szenen in fünf unterschiedlich große Teile / Akte anzuordnen. Viele Szenen waren zunächst einzeln konzipiert, dann aber zusammengefaßt worden. Beispielsweise bestand die Szene BEFREIUNG DES PROMETHEUS aus ursprünglich bis zu vier Einzelszenen (»Ein Gespräch über Zement 1«, »Der Zorn des Achill«, »Ein Gespräch über Zement 2«, »Befreiung des Prometheus«). Während in diesem Falle die ursprüngliche Aufteilung sich noch im späteren Text anhand der voneinander abgesetzten Sequenzen wiederfinden läßt, lassen andere Szenen die ursprüngliche Aufteilung kaum noch erkennen. So verschmolzen die drei Szenen »Die Enteignung des Homer«, »Die Beichte« und »Medeakommentar« zur Szene MEDEAKOMMENTAR, wobei die erste dieser ursprünglichen Szenen nur noch im rückblickenden Bericht durch Iwagin (Enteignung der Bibliothek des Vaters) erinnert wird. Auch andere, zunächst eigenständig geplante Szenen wurden nicht explizit ausgeführt, sondern nur dadurch in den Handlungsverlauf integriert, daß in anderen Zusammenhängen auf sie Bezug genommen wird (z. B. die Szene »Säuberung« innerhalb von FENSTER ZUR ZUKUNFT). Daneben ließen sich in den verschiedenen Entwürfen Szenentitel finden, die weder ausgeführt wurden noch sich innerhalb anderer Szenen wiederfinden lassen (»Purgatorio«, »Clownsspiel TR«, »Herakles 13«).

Neben der Reihenfolge der einzelnen Szenen variierten zudem die Bezeichnungen der einzelnen Szenen. So wurde die Szene ICH BIN DER HUNGER. MIT MIR MUSS RECHNEN / WER DIE WELT ÄNDERN WILL verschiedentlich als »NÖP«, »S flüstern Geigen« und »Lippen schweigen« bezeichnet. Ebenso gab es Überlegungen, alle Szenentitel aus der griechischen Mythologie abzuleiten, wenngleich nicht zu allen Szenen derartige Titel vorliegen: »1 Ithaka / Eumaios / 2 Odysseus und die Freier / 3 Achills Zorn / 4 Penelope / 5 / 6 Medea / 7 / 8 Sieben gegen Theben.«

Das Prometheus-Intermedium hatte ursprünglich einen anderen Schluß: »Als Herakles / der Arbeiter mit dem Feuerbringer der / soviel gekostet hatte und dann überflüssig geworden war, in der Ebene ankam, war sein Leib eine Narbe / mit Felsen gespickt.«

Im Zusammenhang mit der Szene DAS BETT fand sich im Nachlaß eine Textsequenz, die dem Text MEDEASPIEL ähnelt und möglicherweise der Szene vorangestellt werden sollte: »Dunkel. Wenn es hell wird, steht eine als Braut gekleidete weibliche Figur (F) in der Maske von Dascha Tschumalow auf der Bühne. Vom Schnürboden wird ein Eisernes Gestell heruntergelassen und senkrecht hinter ihr aufgestellt. Zwei männliche Figuren ohne Gesicht treten auf und befestigen die weibliche Figur Arme und Beine gespreizt mit Stricken Riemen Ketten an das Bett.« (Vgl. MEDEASPIEL in: Heiner Müller: Werke 1. Die Gedichte, Frankfurt am Main 1998, S. 177.)

Die Texte »Prometheus, der den Menschen . . .« sowie »Herakles 2 oder die Hydra« wurden später als eigenständige Prosatexte veröffentlicht (vgl. DIE BEFREIUNG DES PROMETHEUS und HERAKLES 2 ODER DIE HYDRA in: Heiner Müller: Werke 2. Die Prosa, Frankfurt am Main 1999, S. 91-98, Anmerkungen S. 202).

UA: 1973 Berliner Ensemble, Berlin/Ost, Regie: Ruth Berghaus, Musik: Paul Dessau. Diese Inszenierung wurde als »bedeutendes Stück neuer Dramatik trotz seiner Mängel« (Ernst Schumacher) gewürdigt. Sie trug maßgeblich zur Rehabilitierung Müllers in der DDR bei (vgl. Heiner Müller: Krieg ohne

Schlacht. Leben in zwei Diktaturen. Eine Autobiographie, Köln 1992, S. 243). In der Inszenierung wurde die Reihenfolge der ersten beiden Szenen SCHLAF DER MASCHINEN und HEIM- KEHR DES ODYSSEUS getauscht; die letzte Szene BEFREIUNG DER TOTEN wurde gestrichen.

Erstaufführung in der Bundesrepublik Deutschland: 1975 Schauspiel Frankfurt, Frankfurt am Main, Regie: Peter Pa- litzsch.

Weitere Inszenierungen u. a.: 1979 Berkeley Stage Company, USA (in englischer Sprache, Übersetzung Helen Fehervary, Sue- Ellen Case, Marc Silberman), Regie: Sue-Ellen Case; 1992 Schauspielhaus Bochum, Regie: Frank-Patrick Steckel; 1994 Kabelwerk Oberspree (in Zusammenarbeit mit dem Berliner Ensemble), Berlin, Regie: Thomas Heise

DIE SCHLACHT. Szenen aus Deutschland: geschrieben 1951/ 1974. Erstveröffentlicht in: Heiner Müller: Texte 3. Die Um- siedlerin oder Das Leben auf dem Lande, Berlin 1975, S. 7-16. Hier abgedruckt nach: Heiner Müller: Die Schlacht, Traktor, Leben Gundlings Friedrich von Preußen Lessings Schlaf Traum Schrei. Hg. Joachim Fiebach, Berlin 1977, S. 7-23. Zwischen beiden Fassungen gibt es eine Vielzahl formaler wie textlicher Differenzen. Der deutlichste Unterschied bezieht sich auf den Schluß der Szene DAS LAKEN ODER DIE UNBEFLECKTE EMPFÄNGNIS. In der Erstveröffentlichung heißt es: »KOM- MANDEUR HitlerkaputtjetztFrieden. Sohn? / MANN Sohn. / *Die alte Frau nickt heftig. Einer der Soldaten wirft ihr ein Brot zu, der andere bricht sein Brot übers Knie und teilt mit dem ersten. Der Kommandeur und die Soldaten salutieren und verlassen den Keller. Über dem Toten beginnt der Kampf der Überlebenden um das Brot.*«

Innerhalb der Publikationsgeschichte des Textes gibt es eine ost- und eine westdeutsche Linie. Alle in der DDR gedruckten Fassungen gehen auf die Veröffentlichung im Programmheft zur Uraufführung an der Volksbühne Berlin/Ost zurück und unterscheiden sich davon nur in formaler Hinsicht. Alle in der Bundesrepublik Deutschland gedruckten Fassungen beziehen sich auf die Erstveröffentlichung.

Das dem Stück vorangestellte Motto fehlt in allen anderen Veröffentlichungen (vgl. die Wiederaufnahme des Textes in DER ROSA RIESE in: Heiner Müller: GERMANIA 3 GESPENSTER AM TOTEN MANN, Köln 1996).

Nach Müllers eigenen Angaben lag das Material für die einzelnen Szenen bereits Anfang der fünfziger Jahre vor. Unmittelbarer Anlaß, dieses Material zu einer Szenenfolge zusammenzufügen, sei die Inszenierung der Szene DAS LAKEN ODER DIE UNBEFLECKTE EMPFÄNGNIS im Rahmen von »Spektakel 2« an der Volksbühne Berlin/Ost 1974 gewesen. Dort sah Müller »plötzlich die Möglichkeit, den ganzen Stoff so zu behandeln« (vgl. Heiner Müller: Krieg ohne Schlacht. Leben in zwei Diktaturen. Eine Autobiographie, Köln 1992, S. 252ff.). Bis zu diesem Zeitpunkt gab es verschiedenste Versuche in unterschiedlichen Genres, das Material zu bearbeiten: vgl. zur Szene KLEINBÜRGERHOCHZEIT den Text DAS EISERNE KREUZ (in Heiner Müller: Werke 2. Die Prosa, Frankfurt am Main 1999, S. 72ff.); ebenso zur Szene FLEISCHER UND FRAU die Prosatexte [Daß Hitler die ihm aufgetragenen Arbeiten …] und FLEISCHER UND FRAU (ebd. S. 68-71) sowie weiterhin die Gedichte »Ein Mann ging sterben, nachts, im Kriege, der«, ANNA FLINT und BALLADE (in: Heiner Müller: Werke 1. Die Gedichte, Frankfurt am Main 1998, S. 21-33). Zudem schrieb Müller an einem Hörspiel »Fleischer und Frau«, das er allerdings nicht fertigstellte. Dessen szenische Struktur und das dabei entstandene Textmaterial waren die Grundlage für die Szene FLEISCHER UND FRAU in DIE SCHLACHT.

Die Eingangsszene DIE NACHT DER LANGEN MESSER basiert auf der Anekdote »Der Brief« von F. C. Weiskopf, die 1949 in »Das Anekdotenbuch« von Weiskopf erschien. Ausgehend von diesem Material konzipierte Müller bis in die sechziger Jahre hinein ein Stück, dessen Handlung mit der Wahl Hitlers 1933 und der Verhaftung des Bruders einsetzen und bis zum Mauerbau am 12./13. August 1961 und der Verhaftung des anderen Bruders reichen soll. Auffällig sind dabei die Analogien zu dem bereits 1951/52 entstandenen Seelenbinder-Stück (vgl. [Held im Ring. Optimistische Tragödie. Festliches Requiem für

Werner Seelenbinder] in: Heiner Müller: Werke 3. Die Stücke 1, Frankfurt am Main 2000, S. 473-510, Anmerkung S. 554-555) Neben dem bereits verwendeten Szenentitel DIE NACHT DER LANGEN MESSER für das 1. Zwischenspiel läßt sich die Hitlergrußverweigerung als Eingangsmotiv finden, ebenso die Mutter als zentrale Figur sowie das zentrale Motiv des vermuteten Verräters. Konzeptionelle Überlegungen dieses Entwurfes (durch den Bruder verweigerte Erschießung, differierende Geschichte beider Brüder, Wiedersehen nach zwei Jahrzehnten) gingen später in die Szene DIE BRÜDER 2 in GERMANIA TOD IN BERLIN ein. Demgegenüber scheint Müller in DIE NACHT DER LANGEN MESSER wieder auf das frühe Material zurückgegriffen zu haben, das sich noch stark an die Weiskopf-Anekdote anlehnt.

Eine gleichermaßen weiterführende Beschäftigung mit einem Material findet sich in bezug auf die Szene ICH HATT EINEN KAMERADEN, vgl. das Szenenpaar HOMMAGE À STALIN 1 und HOMMAGE À STALIN 2 in GERMANIA TOD IN BERLIN sowie den dritten Teil der Szene SIEGFRIED EINE JÜDIN AUS POLEN (DREI DEUTSCHE SOLDATEN NAGEN AN EINEM KNOCHEN) in GERMANIA 3 GESPENSTER AM TOTEN MANN.

Anzahl, Reihenfolge und Bezeichnung der Szenen variierten in den handschriftlichen Notizen Müllers. Während die Szenenfolge in den Veröffentlichungen nur fünf Szenen enthält, gingen manche Entwürfe von bis zu neun Szenen aus. Ein Szenenentwurf wurde dabei mit »GERMANIA« betitelt, was unter anderem auf den engen Entstehungszusammenhang des Textes mit GERMANIA TOD IN BERLIN verweist (vgl. Anmerkung zu GERMANIA TOD IN BERLIN).

Handschriftliche Notizen zu einem geplanten Prolog »Ruine Reichskanzlei« verweisen auf die später entstandene und in verschiedenen Inszenierungen von DIE SCHLACHT verwendete Szene RUINE DER REICHSKANZLEI. Diesem Prolog sollte zeitweilig ein Epilog mit dem Titel »Auferstehung« gegenübergestellt werden, zu dem sich jedoch im Nachlaß kein Textmaterial finden ließ.

Zusätzlich zu DIE NACHT DER LANGEN MESSER sollte ursprünglich eine Szene mit dem Titel »Die Brüder« in die Szenenfolge aufgenommen werden. Diese war wahrscheinlich eine Variante derjenigen Szene, die später unter dem Titel DIE BRÜDER 2 einging in die Szenenfolge GERMANIA TOD IN BERLIN (vgl. Heiner Müller: Krieg ohne Schlacht. Leben in zwei Diktaturen. Eine Autobiographie, Köln 1992, S. 254). Im Zusammenhang mit DIE NACHT DER LANGEN MESSER fanden sich zudem Textentwürfe, die der Szene NÄCHTLICHE HEERSCHAU in GERMANIA 3 GESPENSTER AM TOTEN MANN entsprechen.

Die mit dem Titel »Traktor« bezeichnete und lange Zeit innerhalb der Szenenfolge DIE SCHLACHT konzipierte Szene wurde später zu dem eigenständigen Stück TRAKTOR ausgearbeitet (vgl. Anmerkung zu TRAKTOR).

Zu einigen im Nachlaß aufgeführten Szenentiteln liegen keine ausformulierten Szenen vor: »Die Torgauer Heide« (vgl. Anmerkung zu LEBEN GUNDLINGS FRIEDRICH VON PREUSSEN LESSINGS SCHLAF TRAUM SCHREI); »Schlotterbek« (vgl. SCHOTTERBEK in: Heiner Müller: Werke 2. Die Prosa, Frankfurt am Main 1999, S. 32, sowie das Ende der Szene DIE BRÜDER 2 in GERMANIA TOD IN BERLIN).

Die Szene DAS LAKEN ODER DIE UNBEFLECKTE EMPFÄNGNIS wurde bereits 1966 als eigenständiges Stück veröffentlicht und inszeniert, allerdings unter dem kürzeren Titel DAS LAKEN und mit einem anderen Schluß (vgl. Heiner Müller: Werke 3. Die Stücke 1, Frankfurt am Main 2000, S. 7-10, Anmerkung S. 534). Jedoch lag die Szene bereits zu dieser Zeit in ihrer erweiterten Form vor. Sie wurde 1966 wahrscheinlich aus Zensurgründen in der verkürzten Form gedruckt und uraufgeführt und erstmals 1974 innerhalb von Spektakel 2 an der Volksbühne Berlin/Ost in der Regie von Manfred Karge/Matthias Langhoff vollständig inszeniert. Eine Erweiterung des Szenentitels war zeitweise auch für andere Szenen geplant. So trägt die Szene ICH HATT EINEN KAMERADEN in einer Typoskript-Fassung den Untertitel »Oder ein deutsches Abendmahl«. Zudem fanden sich in handschriftlichen Notizen Über-

legungen, den Titel DIE SCHLACHT zu erweitern oder zu ersetzen mit »Sieben gegen Theben«.
UA: 1975 Volksbühne Berlin/Ost (zusammen mit TRAKTOR und QUADRIGA), Regie: Manfred Karge/Matthias Langhoff. TRAKTOR wurde im Programmheft als 6. Szene von DIE SCHLACHT ausgewiesen. QUADRIGA wurde, ohne daß die Szene als solche benannt wurde, als eine von drei Varianten von KLEINBÜRGERHOCHZEIT inszeniert. Die Kopplung von DIE SCHLACHT und TRAKTOR war Müller zufolge »ein strategischer Punkt« (vgl. Heiner Müller: Krieg ohne Schlacht. Leben in zwei Diktaturen. Eine Autobiographie, Köln 1992, S. 252). Die Inszenierung wurde bis Mitte der achtziger Jahre gezeigt, zuletzt ohne TRAKTOR. Auffällig an dieser wie auch an nachfolgenden Inszenierungen war die differierende Anordnung der Szenen im Vergleich zu den Druckfassungen sowie die Hinzufügung weiterer Szenen. Müller selbst befürwortete in späteren Interviews ausdrücklich einen solchen Umgang mit den Szenen und betonte deren Eigenständigkeit. Die Chronologie der einzelnen Szenen, wie sie durch die Druckfassung suggeriert wird, ist demnach nicht strukturbildend.
Erstaufführung in der Bundesrepublik Deutschland: 1975 Deutsches Schauspielhaus, Hamburg (zusammen mit QUADRIGA), Regie: Ernst Wendt.
Weitere Inszenierungen u. a.: 1976 Basler Theater/Schweiz (zusammen mit TRAKTOR), Regie: Hanns Zischler/Harun Farocki; 1976 Mannheimer Nationaltheater, Regie: Gerhard Hess; 1979 Städtische Bühnen Erfurt (zusammen mit TRAKTOR), Regie: Klaus Erforth/Alexander Stillmark; 1980 Staatsschauspiel Dresden, Regie: Wolfgang Engel; 1982 Düsseldorfer Schauspielhaus, Regie: B. K. Tragelehn; 1982 Theater Anklam, Regie: Frank Castorf; 1994 Volksbühne Berlin/Ost (zusammen mit »Pension Schöller« von Carl Lauf/Wilhelm Jacoby), Regie: Frank Castorf
TRAKTOR. Fragment: geschrieben 1955/1961/1974. Erstveröffentlicht in: Heiner Müller: Texte 2. Geschichten aus der Produktion 2, Berlin 1974, S. 9-25. Hier abgedruckt nach: Heiner Müller: Die Schlacht, Traktor, Leben Gundlings Friedrich von

Preußen Lessings Schlaf Traum Schrei. Hg. Joachim Fiebach, Berlin 1977, S. 48-72. In der Erstveröffentlichung fehlt der Untertitel »Fragment«. Zudem wird die Szene HAMMER UND / ODER AMBOSS mit KRANKENHAUS übertitelt. Des weiteren sind alle 1974 eingefügten Intermedien kursiv abgesetzt.

Das Material zu den Szenen entstand bereits zwischen 1955 und 1961. Es wurde 1974 weiterbearbeitet und mit einer Reihe von Fremd- und Kommentartexten verbunden. Neben den ausgewiesenen zitierten Texten verwendete Müller als Vorlage Anna Seghers »Der Traktorist« sowie die von Paul Körner-Schrader stammende Erzählung »Paul Arndt – Um die letzten sechs Morgen Land«. Diese erschien 1951 mit einer Reihe von anderen Aufsätzen über Aktivisten – unter anderem über Hans Garbe und Luise Ermisch – in dem Sammelband »Helden der Arbeit«.

Im Archiv fand sich unter dem Titel »Der Tod des Traktorfahrers« und mit dem Pseudonym Heiner Flint gezeichnet eine vollständig ausgearbeitete, aus drei Szenen und einem Zwischenspruch bestehende Szenenfolge. Sie bildete die textliche Grundlage für die spätere erste Szene EINIGE HINGEN AN LICHTMASTEN ZUNGE HERAUS / VOR DEM BAUCH DAS SCHILD ICH BIN EIN FEIGLING sowie für den ersten Teil der zweiten Szene ANDRE GESPRÄCHE WURDEN GEFÜHRT AUF DEN ANDERS VERTEILTEN ALTEN ÄCKERN. Letztere Szene endet in der frühen Fassung allerdings noch mit der Replik eines zweiten Traktorfahrers: »Wenns sein muß, warum soll ichs nicht sein? / Hab ich zur Unzeit Ja gesagt, gilt jetzt kein Nein.« Der Zwischenspruch entspricht dem späteren Szenentitel UND ALS VERLOREN WAR DIE SCHLACHT / SIE GINGEN HEIM DAS SCHLACHTFELD IN DER BRUST / UND WURDE MANCHER NOCH ZU FALL GEBRACHT / SICH SELBER WAFFE UND SICH SELBER FEIND. / UND SIEGTE MANCHER DER SCHON NICHT MEHR WAR / WIE GRAS WÄCHST AUS DEN TOTEN FRÜH IM JAHR. Möglicherweise ist diese Szenenfolge jenes Material, das Müller zeitweilig im Zusammenhang von DIE SCHLACHT / GERMANIA TOD IN

BERLIN als Szene verarbeiten wollte (vgl. Anmerkung zu GER-
MANIA TOD IN BERLIN).

Die beiden Sequenzen »BAUER Ich hab da ein Stück Brachfeld,
Traktorist [...] Es war die Himmelfahrt, der Traktor auch hin«
und »Auf deinem Rübenbeet, die Kuh pißt weiter [...] Der hatte
wo sein Feld war glatt vergessen« verwendete Müller nahezu
identisch in der 6. und 12. Szene von DIE UMSIEDLERIN
ODER DAS LEBEN AUF DEM LANDE (in: Heiner Müller:
Werke 3. Die Stücke 1, Frankfurt am Main 2000, S. 224f. und
S. 256f.).

Die Sequenz »Wir wurden auf dem Rennsteig transportiert [...]
Die schöne deutsche Heimat nicht mehr sehn« verarbeitete
Müller in ähnlicher Form bereits in der Szene DIE BRÜDER 2
in GERMANIA TOD IN BERLIN.

Vgl. auch die spätere Wiederaufnahme der Sequenz »EINIGE
HINGEN AN LICHTMASTEN / ZUNGE HERAUS / VOR DEM
BAUCH / DAS SCHILD ICH BIN EIN FEIGLING« in VER-
KOMMENES UFER MEDEAMATERIAL LANDSCHAFT MIT
ARGONAUTEN.

Die Texte »Das Gefühl des Scheiterns ...« und »Immer den
gleichen Stein ...« wurden später als eigenständige Prosatexte
veröffentlicht (vgl. Heiner Müller: Werke 2. Die Prosa, Frankfurt am Main 1999, S. 87f., Anmerkung S. 201), die Texte »Der
Kaiser braucht Soldaten ...« und »Ich war ein Held ...« als
Gedichte (vgl. Heiner Müller: Werke 1. Die Gedichte, Frankfurt
am Main 1998, S. 28f., Anmerkung S. 342).

UA: 1975 Friedrich-Wolf-Theater, Neustrelitz, Regie: Thomas
Vallentin.

Erstaufführung in der Bundesrepublik Deutschland: 1975 Ul-
mer Theater (zusammen mit PHILOKTET), Regie: Walter
Pfaff.

Weitere Inszenierungen u. a.: 1975 Volksbühne Berlin/Ost
(zusammen mit DIE SCHLACHT und QUADRIGA), Regie:
Manfred Karge/Matthias Langhoff (vgl. Anmerkung zu DIE
SCHLACHT). 1976 Basler Theater/Schweiz (zusammen mit
DIE SCHLACHT), Regie: Hanns Zischler/Harun Farocki.

1993 inszenierte Müller seinen Text am Berliner Ensemble

(zusammen mit WOLOKOLAMSKER CHAUSSEE III: DAS DUELL, DER UNTERGANG DES EGOISTEN JOHANN FATZER, WOLOKOLAMSKER CHAUSSEE V: DER FINDLING und MOMMSENS BLOCK unter dem Titel »Duell Traktor Fatzer«; Arbeitstitel der Inszenierung war »Germania 2«).

QUADRIGA: geschrieben um 1974/75. Erstveröffentlicht in: Die Hamletmaschine. Heiner Müllers Endspiel. Hg. Theo Giershausen, Köln 1978, S. 155f. Hier abgedruckt nach: Heiner Müller: Die Schlacht/Wolokolamsker Chaussee I-V, Frankfurt am Main 1988, S. 79f.

Beide Veröffentlichungen unterscheiden sich deutlich voneinander. Beispielsweise beginnt der Text in der Erstveröffentlichung noch mit der Formulierung »Germania am Flügel, mit (zu kleiner) Wagner-Maske, Hitler am Trapez als Dirigent«. Darüber hinaus fehlen in der späteren Veröffentlichung ganze Sätze. So folgt in der Erstveröffentlichung der Sequenz »Vater und Sohn applaudieren jedem Sturz« der Satz »Wenn der Vater beim Applaudieren die Hose verliert, applaudiert der Sohn dem Vater«.

UA: 1975 Volksbühne Berlin/Ost (zusammen mit DIE SCHLACHT und TRAKTOR), Regie: Manfred Karge/Matthias Langhoff (vgl. Anmerkung zu DIE SCHLACHT)

LEBEN GUNDLINGS FRIEDRICH VON PREUSSEN LESSINGS SCHLAF TRAUM SCHREI. Ein Greuelmärchen: geschrieben 1976. Erstveröffentlicht in: Heiner Müller: Die Schlacht, Traktor, Leben Gundlings Friedrich von Preußen Lessings Schlaf Traum Schrei. Hg. Joachim Fiebach, Berlin 1977, S. 73-104. Parallel veröffentlicht in: Spectaculum 26, Frankfurt am Main 1977, S. 147-167. Hier abgedruckt nach: Heiner Müller: Stücke. Hg. Joachim Fiebach, Berlin 1988, S. 385-410.

In seiner Autobiographie benannte Müller ausdrücklich die formale Nähe zu den Collageromanen Max Ernsts sowie Werner Hegemanns »Fridericus oder das Königsopfer« als Vorlage (vgl. Heiner Müller: Krieg ohne Schlacht. Leben in zwei Diktaturen. Eine Autobiographie, Köln 1992, S. 268-272).

Im Nachlaß Heiner Müllers fand sich zudem unter dem Titel »Die Torgauer Heide. Vorspiel zum historischen Schauspiel

Friedrich II. von Preußen« ein Reclamband von Otto Ludwig. Ludwig hatte den Plan zu einer Trilogie über Friedrich den Großen; davon entstand jedoch nur das Vorspiel, das sich an Friedrich Schillers »Wallensteins Lager« anlehnt (vgl. Anmerkung zu DIE SCHLACHT).

Neben Notizen zu RUINE DER REICHSKANZLEI fand sich im Nachlaß eine vollständige Fassung von QUADRIGA.

In den Materialien zur Szene HEINRICH VON KLEIST SPIELT MICHAEL KOHLHAAS war unter dem Stichwort »Verkommenes Ufer (See bei Straußberg)« eine Auflistung von Wörtern notiert, die auf den späteren Text VERKOMMENES UFER MEDEAMATERIAL LANDSCHAFT MIT ARGONAUTEN verweist: »Schilfsborsten, totes Gesträuch, Fromms act, Monatsbinden, Kothaufen usw.«

Zudem gibt es Notizen Müllers, in denen er über das Stück reflektiert: »F2: Geschichte des Stücks / sensibler Begabter durch Erziehung zum Verbrecher / erster (einziger) Zyniker auf dem / hohen Thron / die andern zu dumm / Leitbild mit Verachtung, (Hunde wollt ihr ewig leben −) / unter andern ein Verbrecher / was ihn auszeichnet: daß er es wußte.«

Die Sequenz »Die Frau am Strick Die Frau mit den aufgeschnittenen Pulsadern Die Frau mit der Überdosis AUF DEN LIPPEN SCHNEE Die Frau mit dem Kopf im Gasherd« aus der Szene LESSINGS SCHLAF TRAUM SCHREI verarbeitete Müller auch in der zweiten Szene von DIE HAMLETMASCHINE (vgl. Anmerkung zu DIE HAMLETMASCHINE).

UA: 1979 Schauspiel Frankfurt, Frankfurt am Main, Regie: Horst Laube.

Erstaufführung in der DDR: 1988 Volksbühne Berlin/Ost, Regie: Helmut Straßburger/Ernstgeorg Hering. Bereits 1987 waren an der Volksbühne im Rahmen von »Spektakel − Berliner Geschichten« unter dem Titel »Preußische Spiele« fünf Szenen durch Straßburger und Hering inszeniert worden.

RUINE DER REICHSKANZLEI: geschrieben um 1977. Erstveröffentlicht in: Programmheft zur Aufführung von DIE SCHLACHT an der Westfälischen Schauspielschule/Schauspielhaus Bochum 1981. Hier abgedruckt nach: Heiner Müller: Die

Schlacht, Wolokolamsker Chaussee I-V, Frankfurt am Main 1988, S. 81-82.

In der Erstveröffentlichung heißt das Stück noch IN DEN RUINEN DER REICHSKANZLEI. In ihr fehlen alle französisch- sowie englischsprachigen Sequenzen. Zudem differieren die szenischen Anweisungen deutlich gegenüber der späteren Ver- öffentlichung. Die erste Regieanweisung »*Hitler als hinkender Wolf auf drei Beinen*« fehlt. Die zweite Anweisung lautet »*Hitler heult wie ein Wolf*«, die dritte »*Goebbels reißt Hitler das Ohr ab und souffliert ins abgerissene Ohr*«.

UA: 1977 zum Gastspiel der Volksbühne Berlin/Ost mit DIE SCHLACHT in Paris/Frankreich, Regie: Manfred Karge/ Matthias Langhoff. Der Text entstand wahrscheinlich für dieses Gastspiel. Im Nachlaß von DIE SCHLACHT fanden sich allerdings Notizen, die belegen, daß Müller ursprünglich schon für DIE SCHLACHT einen Prolog unter dem Stichwort »Ruine Reichskanzlei« plante (vgl. Anmerkung zu DIE SCHLACHT).

DIE HAMLETMASCHINE: geschrieben 1977. Erstveröffentlicht in: Programmheft »Ödipus« der Münchner Kammerspiele 1977. Hier abgedruckt nach: Heiner Müller: Stücke. Hg. Joa- chim Fiebach, Berlin 1988, S. 411-420. Geringfügige Abwei- chungen zur Erstveröffentlichung.

Eigenen Angaben zufolge konzipierte Müller das Stück zunächst wesentlich umfangreicher. Der Text sei dann in unmittelbarer Folge seiner Mitarbeit an der Hamlet-Inszenierung von Benno Besson an der Volksbühne Berlin/Ost 1977 und der damit ein- hergehenden eigenen Neuübersetzung (zusammen mit Mat- thias Langhoff) des Shakespeareschen Originals entstanden. Versuche, das Stück im Rahmen dieser Inszenierung aufzufüh- ren, sind Müller zufolge gescheitert (vgl. Heiner Müller: Krieg ohne Schlacht. Leben in zwei Diktaturen. Eine Autobiographie, Köln 1992, S. 292-296).

Als Arbeitstitel benutzte Müller die Bezeichnung »HiB« bzw. »Hamlet in B[udapest]«. Jedoch verwendete Müller diese Be- zeichnung auch nach der Fertigstellung von DIE HAMLET- MASCHINE als Arbeitstitel für einen geplanten Text. Eine

Beschäftigung von Müller mit dem Hamlet-Stoff ist bis in die neunziger Jahre hinein dokumentiert. Notizen und Textfragmenten zufolge spielte Müller mit dem Gedanken einer Gleichsetzung von Gustav Gründgens und Hamlet, Hans Otto und Laertes, Ulrike Meinhof/RAF und Ophelia. Zugleich ließen sich Bezüge zu Pasolini, Althusser u. a. finden: »Schauspielerepisode / G[ustaf]G[gründgens] (Pasol.), Gertrud (Schauspieler + Volk) / Claudius – Göring / (die neue Ordnung) / Polonius der Philosoph (Althusser) / killing Ophelia ? / (erwürgen damit sie nicht / mehr spricht) Horatio – Stasikomplex / Claudius das Volk / (d. Arb. + Bauernmacht)« (vgl. NOTIZ 409 in: Heiner Müller: Werke 1. Die Gedichte, Frankfurt am Main, 1998, S. 319ff.).

Müllers Angaben zufolge entstand der spätere Titel im Zusammenhang mit einer geplanten, aber nicht zustande gekommenen Veröffentlichung im Suhrkamp Verlag in Analogie zu »Junggesellenmaschine« von Marcel Duchamp (vgl. Heiner Müller: Krieg ohne Schlacht. Leben in zwei Diktaturen. Eine Autobiographie, Köln 1992, S. 295). Jedoch fand sich der Begriff »Hamletmaschine« schon in frühen handschriftlichen Notizen Müllers: »H-maschine / Ich will nicht sterben. Ich will eine Maschine / Automat sein / Vereinige dich mit mir / Damit ich das Leben überdaure / Ich will ewig leben – Fleisch aus Stahl / Ich will länger dauern als mein Leben. / Ich will ewig leben.« Insgesamt taucht der Topos der Symbiose von Mensch und Maschine immer wieder in den Arbeitsnotizen Müllers auf: »(H) will sich unsterblich / machen durch Unzucht mit Computer / (Symbiose man – machine)«; »man-machine-combination / Das alte überlebt das neue / durch Technologie.«

Überlegungen in frühen handschriftlichen Notizen gingen noch von ausgewiesenen Personen aus (mehrere Hamlets, Ophelia, Mutter, Geist des Vaters, Claudius, Horatio, Fortinbras, Volk usw.). Aber bereits in den ersten Textentwürfen fanden sich nur noch rudimentär eindeutig ausgewiesene und aufgeteilte Sprecherrollen. Auffällig jedoch war, daß Müller zwischenzeitlich viele der monologischen Textpassagen einem Chor zuwies. So fanden sich noch in einer späten Typoskriptfassung, die fast

593

identisch mit dem veröffentlichten Text ist, handschriftliche Eintragungen in FAMILIENALBUM, die einzelne Textpassagen einem Chor, Hamlet / Chor und Hamlet zuordneten.

Die Bezeichnung der einzelnen Szenen variierte in den handschriftlichen Notizen und Textentwürfen. So war beispielsweise die erste Szene überschrieben mit »Hamlet an der Küste«, »Die Hamlets«, »H 1«. Zudem waren zunächst mehr Szenen geplant, die später zusammengezogen wurden. So waren etwa statt der späteren dritten Szene PEST IN BUDA SCHLACHT UM GRÖNLAND zunächst zwei Szenen unter den Stichwörtern »Pest in Buda« und »Schlacht in England« konzipiert.

HAMLETMASCHINE weist darüber hinaus eine Vielzahl intertextueller Bezüge auf Texte anderer Autoren und eigene Texte auf; vgl. die Wiederaufnahme der Sequenz »Zweiter Clown im kommunistischen Frühling. Mein Kopf ist mein Buckel« aus DER BAU (in: Heiner Müller: Werke 3. Die Stücke 1, Frankfurt am Main 2000, S. 340) sowie »*Hamlet der Däne Prinz und Wurmfraß stolpernd ... Schlüpft ein beleibter Bluthund in den Panzer*« aus ZWEI BRIEFE (in: Heiner Müller: Werke 1. Die Gedichte, Frankfurt am Main 1998, S. 34f.).

Die Sequenz »Die Frau am Strick Die Frau mit den aufgeschnittenen Pulsadern Die Frau mit der Überdosis AUF DEN LIPPEN SCHNEE Die Frau mit dem Kopf im Gasherd« aus DAS EUROPA DER FRAU verwendete Müller bereits in der Szene LESSINGS SCHLAF TRAUM SCHREI in LEBEN GUNDLINGS FRIEDRICH VON PREUSSEN LESSINGS SCHLAF TRAUM SCHREI. Vgl. auch TODESANZEIGE (in: Heiner Müller: Werke 2. Die Prosa, Frankfurt am Main 1999, S. 99-103) sowie die im Umfeld dazu entstandenen Texte (vgl. Anmerkung zu TODESANZEIGE, ebd. S. 202f.).

UA: 1978 Ensemble Théâtre Mobil (in französischer Sprache, Übersetzung Jean Jourdheuil/Heinz Schwarzinger), Brüssel/Belgien, Regie: Marc Liebens.

Jean Jourdheuil inszenierte das Stück in dieser Übersetzung (zusammen mit MAUSER) 1979 am Théâtre Gérard Philippe, Saint-Denis/Frankreich; in vielen Quellen wird diese Inszenierung als Uraufführung genannt.

Erstaufführung in der Bundesrepublik Deutschland: 1979 Schauspiel Essen, Regie: Carsten Bodinus. Erstaufführung in der DDR: 1990 Deutsches Theater, Berlin/ Ost (zusammen mit Shakespeares HAMLET), Regie: Heiner Müller. Frühe konzeptionelle Überlegungen eines doppelten bzw. geteilten Hamlets aufgreifend, besetzte Müller in der Inszenierung von DIE HAMLETMASCHINE die Hamlet-Figur mit zwei Schauspielern.

Weitere Inszenierungen u. a.: 1984 Theater Angelus Novus, Wien/Österreich, Regie: Josef Szeiler; 1986 New York University, New York/USA (in englischer Sprache, Übersetzung Carl Weber), Regie: Robert Wilson. Im gleichen Jahr wurde diese Inszenierung am Thalia-Theater Hamburg zur Aufführung gebracht (in deutscher Sprache). Müller verwies später immer wieder auf diese in seiner Einschätzung herausragende Inszenierung seines Textes. 1992 Tōkyō Engeki Ensemble, Tokyo/ Japan (in japanischer Sprache), Regie: Josef Szeiler.

1987 UA der Oper »Die Hamletmaschine« von Wolfgang Rihm am Nationaltheater Mannheim, Regie: Friedrich Meyer-Oertel

Aus dem Nachlaß

[Lysistrate 70]: geschrieben vermutlich 1970.

Im Nachlaß fanden sich zwei Übersetzungen von Aristophanes' Komödie »Lysistrate« mit einigen eingelegten, handschriftlich beschriebenen Blättern Müllers. Dazu gab es konzeptionelle Notizen, die auf eine vorgesehene Weiterverarbeitung des Stoffes verweisen. Diese führten jedoch nicht über das Fragment hinaus. Auffällig ist die spätere Wiederaufnahme verschiedener Motive und Passagen des Textes, etwa in DIE HAMLETMA-SCHINE und VERKOMMENES UFER MEDEAMATERIAL LANDSCHAFT MIT ARGONAUTEN.

Im Nachlaß fanden sich eine Reihe verschiedener Untertitel: »(Ein Gesellschaftsspiel)«; »Oder wir spielen Mann und Frau«; »(2000/01); »Oder der Krieg der Weiber (Weiberkrieg)«; »Oder wir spielen in den Topf scheißen«. Erstveröffentlichung

Inhalt